Cyfrolau Cenedl 12

Llythyr Gildas a Dinistr Prydain

Golygwyd gyda Rhagymadrodd a Nodiadau

gan

IESTYN DANIEL

2019

Argraffiad cyntaf – 2019

Rhif llyfr cydwladol (ISBN) 978-0-9955399-8-3

Cydnabyddir yn ddiolchgar gymorth Cyngor Llyfrau Cymru
tuag at gyhoeddi 'r gyfrol hon.

Cynllunio gan Nereus,
Tanyfron, 105 Stryd Fawr, Y Bala, Gwynedd, LL23 7AE.
e-bost: dylannereus@btinternet.com

Cyhoeddwyd gan Dalen Newydd,
3 Trem y Fenai, Bangor, Gwynedd, LL57 2HF.
e-bost : dalennewydd@yahoo.com

Argraffwyd a rhwymwyd gan Argraffwyr Cambrian,
Llanbadarn Fawr, Aberystwyth, Ceredigion, SY23 3TN

Er cof am arwyr di-glod ac anghofiedig Cymru

Rhagair

Hoffwn yn gyntaf ddiolch i Mr Dafydd Glyn Jones am fy ngwahodd i gyfrannu'r golygiad hwn at y gyfres Cyfrolau Cenedl, a hefyd am ei ofal, ei awgrymiadau gwerthfawr, ei amynedd, a'i hynawsedd cyffredinol wrth baratoi'r gyfrol ar gyfer ei chyhoeddi. Diolchaf hefyd i Mr Dylan Jones am ei gyngor a'i arbenigedd ynglŷn â gosod y testunau Lladin a Chymraeg wyneb yn wyneb â'i gilydd.

Mae angen hefyd air o esboniad ar y canlynol:

(1) *Y byrfodd 'c.' a 'cc.' a ddefnyddir trwy'r gyfrol.* Saif 'c.' am y Lladin *caput* yn yr ystyr 'pennod / adran', a dynoda 'cc.' y lluosog *capita*.

(2) *Y geiriau italig yn nhestun* Llythyr Gildas *a* Dinistr Prydain. Dynoda'r rhain ddyfyniadau, y cwbl bron iawn o'r Ysgrythur.

(3) *Y dull o ddynodi ffynhonnell dyfyniad Beiblaidd.* Mae'r dyfyniadau ysgrythurol yn tarddu yn bennaf o'r testun Lladin o'r Beibl a adwaenir fel Y Fwlgat, gyda rhai hefyd yn dod o fersiynau Lladin cynharach a elwir yn *Vetus Latina*, 'Hen Ladin'. Ond wrth nodi tarddleoedd y dyfyniadau, cyfeiriais at eu lle nid yn y Lladin ond yn y mannau cyfatebol o'r cyfieithiad Cymraeg modern, *Y Beibl Cymraeg Newydd*, gan dybio y byddai o ddiddordeb i'r darllenydd fedru gweld y tebygiaethau a'r gwahaniaethau rhwng y ddau fersiwn; a gwneuthum hynny trwy ddyfynnu o'm cyfieithiad yn hytrach nag o'r Lladin gwreiddiol er cymorth i'r rheini sydd heb fedru Lladin. Gwelir cryn wahaniaeth ar adegau rhwng lleoliad a chynnwys penodau ac adnodau'r Fwlgat a'r *Beibl Cymraeg Newydd*, yn enwedig yn y Salmau, ond mwy o lawer yw'r tebygrwydd cyffredinol. Myfi piau'r cyfieithiad o'r dyfyniadau, a gwahaniaetha oddi wrth eiddo *Y Beibl Cymraeg Newydd* neu ymdebygu iddo yn ôl union gynnwys a geiriad y Lladin.

(4) *Yr is-benawdau.* Defnyddiwyd is-benawdau yn y testun, ar gyfer y Lladin a'r Gymraeg fel ei gilydd, yn enwedig yn *Dinistr Prydain* lle ceir mwy o lawer o amrywiaeth mewn cynnwys. Nid ydynt yn rhan o'r testun Lladin gwreiddiol ond barnwyd bod cyfiawnhad dros eu cynnwys er cymorth i'r darllenydd, gan ddilyn yn hyn o beth arferiad golygiadau blaenorol o'r testun. Yn y *Dinistr*, yr oedd y penawdau bron i gyd i'w cael eisoes, i bob diben, ar ffurf y frawddeg gatalogaidd ei naws a geir yn c. 2 ac nid oedd angen ond mymryn o addasu. Yn achos y *Llythyr*, nid oedd adnodd mor hwylus wrth law, a chan hynny lluniais is-benawdau fy hun yn y mannau y credwn fod mwyaf o'u hangen a'u cyfieithu wedyn i'r Gymraeg.

Yn olaf, ond nid yn lleiaf, dymunaf ddiolch i'm gwraig am ei chefnogaeth a'i diddordeb wrth imi baratoi'r gwaith hwn.

Ionawr 2019 I.D.

Cynnwys

Byrfoddau

B *Bwletin y Bwrdd Gwybodau Celtaidd / Bulletin of the Board of Celtic Studies* (1923-93).

BWP Rachel Bromwich (gol.), *The Beginnings of Welsh Poetry: Studies by Sir Ifor Williams* (Caerdydd, 1972).

CA Ifor Williams (gol.), *Canu Aneirin* (Caerdydd, 1938).

CC *Y Cylchgrawn Catholig* (1993-2003, 2010).

CCHE John T. Koch, *Celtic Culture: A Historical Encyclopedia* (5 cfr., Santa Barbara, California; Denver, Colorado; Rhydychen, 2006).

CIB M. W. Barley a R. P. C. Hanson (gol.), *Christianity in Britain, 300-700* (Caerlŷr, 1968).

CLC2 Meic Stephens (gol.), *Cydymaith i Lenyddiaeth Cymru* (ail arg., Caerdydd, 1997).

CMCS *Cambridge Medieval Celtic Studies*, 1981-93; *Cambrian Medieval Celtic Studies*, 1993–.

CO2 Rachel Bromwich a D. Simon Evans (gol.), *Culhwch ac Olwen* (2il arg., Caerdydd, 1997).

CP A. W. Wade-Evans, *Coll Prydain* (Lerpwl, 1950).

DEGAD Thomas D. O'Sullivan, *The De Excidio of Gildas: its Authenticity and Date* (Leiden, 1978).

DMLBS R. E. Latham, D. R. Howlett, R. K. Ashdowne (gol.), *Dictionary of Medieval Latin from British Sources* (19 cfr., Rhydychen, 1975-2013).

ECMW V. E. Nash-Williams, *The Early Christian Monuments of Wales* (Caerdydd, 1950).

EEW2 A. W. Wade-Evans, *The Emergence of England and Wales* (2il arg., Caergrawnt, 1959).

EWGT P. C. Bartrum (gol.), *Early Welsh Genealogical Tracts* (Caerdydd, 1966).

G J. Lloyd-Jones (gol.), *Geirfa Barddoniaeth Gynnar Gymraeg* (Caerdydd, 1931-63).

GNA Michael Lapidge a David Dumville (gol.), *Gildas: New Approaches* (Woodbridge, 1984).

GPC *Geiriadur Prifysgol Cymru* (Caerdydd, 1950-2002).

HEGA Beda, *Historia Ecclesiastica Gentis Anglorum.*

HW Hugh Williams (gol. a chyf.), *Gildae De Excidio Britanniae, Fragmenta, Liber de Paenitentia, Lorica Gildae* (2 gfr., Llundain, 1899 / 1901). (*Cymmrodorion Record Series*, 3).

HWales J. E. Lloyd, *A History of Wales* (3ydd arg., Llundain, 1939).

JOJ John Owen Jones, *O Lygad y Ffynnon* (Y Bala, 1899).

JPB J. P. Brown, 'The Purpose, Date and Significance of "De Excidio Britanniae", Llyfrgell Genedlaethol Cymru, ex 1959 (1991 / 1997).

LBS S. Baring-Gould a J. Fisher, *The Lives of the British Saints* (4 cfr., Llundain, 1907-1.

LHEB Kenneth H. Jackson, *Language and History in Early Britain* (Caeredin, 1953).

Mommsen Theodor Mommsen (gol.), *Gildas ... de Excidio ... Britanniae ...,* yn *Chronica Minora Saec. IV.V.VI.VII* (3 cfr., Berlin 1891-8), iii, 1-85. (Rhifyn 13 yn y gyfres *Monumenta Germaniae Historica, Auctorum Antiquissimorum*).

MW Michael Winterbottom (gol. a chyf.), *Gildas: The Ruin of Britain and Other Works* (Llundain a Chichester, 1978).

NHB A. W. Wade-Evans (gol.), *Nennius's "History of the Britons" together with "The Annals of the Britons", "Court Pedigrees of Hywel the Good". Also "The Story of the Loss of Britain"* (Llundain, 1938).

OCD M. Cary et al. (gol.), *The Oxford Classical Dictionary* (Rhydychen, 1950).

ODCC F. L. Cross (gol.), *The Oxford Dictionary of the Christian Church* (Rhydychen, 1957).

THSC *The Transactions of the Honourable Society of Cymmrodorion*, 1892/3 – .

TYP4 Rachel Bromwich (gol.), *Trioedd Ynys Prydein, The Triads of the Island of Britain* (4ydd arg., 2014).

VSBG A. W. Wade-Evans (gol.), *Vitae Sanctorum Britanniae et Genealogiae* (Caerdydd, 1944).

WAB Thomas Charles-Edwards, *Wales and the Britons, 350-1064* (Rhydychen, 2014).

WCD P. C. Bartrum, *A Welsh Classical Dictionary: People in History and Legend up to about A.D. 1000* (Aberystwyth, 1993).

WCO Arthur W. Wade-Evans, *Welsh Christian Origins* (Oxford, 1934).

Rhagymadrodd

Cynllun y gwaith hwn

Yn y ffurf arno a drosglwyddwyd i ni, y mae'r gwaith a adwaenir yn gyffredin heddiw fel *De Excidio Britanniae,* 'Dinistr Prydain'[1], yn destun Lladin o 110 o benodau y ceir y copi cyflawn cynharaf ohono mewn llawysgrif o'r unfed ganrif ar ddeg. Yn ôl y farn bresennol, cynnyrch gŵr llên dysgedig o Brydain o'r enw Gildas ydyw, a fu farw yn 570. O ran ei gynnwys, ymosodiad chwyrn yw'r rhan fwyaf o ddigon ohono ar rai o frenhinoedd y wlad a'i chlerigwyr am eu llygredd moesol, ynghyd ag anogaeth daer ar iddynt ymddiwygio. Am y gweddill, amlinelliad ydyw o hanes Prydain, o'r goresgyniad Rhufeinig hyd gyfnod yr awdur. Yn ogystal â rhoi golwg dra gwerthfawr ar fywyd gwleidyddol, eglwysig a diwylliannol Cymru a rhannau eraill o Brydain yn yr Oesoedd Tywyll (fel y'u gelwir) ac yn gynharach, nid oes dwywaith na fu'n ddogfen hynod ddylanwadol yn hanes Cymru. Ond bu hefyd i bortread du Gildas o'r brenhinoedd a gystwyir ganddo, ac yn bennaf oll o Faelgwn, brenin enwog Gwynedd – heb sôn am agwedd anffafriol yr adran hanesyddol – effaith negyddol, bellgyrhaeddol ar y canfyddiad o reolwyr cynnar Cymru. Fe'u dododd dan gwmwl trwm o anghymeradwyaeth mewn rhai cylchoedd, fel y gwelir, er enghraifft, ym Mucheddau'r Saint Brythonig pan sonnir am eu hymwneud â thywysogion lleol.[2] Cafodd y beirdd hwythau, pleidwyr a lleiswyr achosion y brenhinoedd, ergyd drom; yn wir y mae lle i ddadlau fod y stori am Daliesin (*alias* Gwion Bach) yn trechu beirdd Maelgwn Gwynedd yn rhyw ymgais i adfer parchusrwydd a bri i'r urdd farddol yn sgil disgrifiad grotésg enwog Gildas.[3]

Wedi hynyna o gyffredinoli a chyn mynd ddim pellach, rhaid datgan bod yn perthyn i'r gwaith dan sylw rai nodweddion sydd, ym marn ychydig rai, yn bwrw amheuaeth ar undod ei awduraeth, ac yn peri gofyn ai cynnyrch un awdur ydyw ynteu dau. Yr hyn sy'n rhoi mwyaf o le i dybio hynny yw'r adran hanesyddol. Mae ceisio ateb y cwestiwn hwn o bwys mawr. Y farn gyffredin yw mai cyfanwaith cydryw yw'r testun. Fy marn innau a dyrnaid o ragflaenwyr, ar y llaw arall, yw fod yma ddau waith gwahanol eu tarddiad. Byddaf yn ymdrin yn helaeth isod â'm rhesymau dros gredu felly. Yn gyson â hyn, ceir yn y gyfrol hon nid un golygiad ond dau, y naill o'r rhan o'r testun sy'n cynrychioli llythyr Gildas, sef cc. 1 a 27-110, a'r llall o'r rhan sy'n cynrychioli'r adroddiant hanesyddol, sef cc. 2-26. O ran eglurder, cyfeiriaf: (a) at y testun cyfan (h.y. y llythyr a'r hanes ynghyd) fel 'y Ddogfen'; (b) at y llythyr fel 'Llythyr Gildas' neu 'y Llythyr'; ac (c) at y rhan hanesyddol fel 'Dinistr Prydain' neu 'y Dinistr'. Ni ddefnyddir yr un o'r teitlau hyn yn unig ar gyfer y testun cyfan, fel y buwyd yn gwneud (yn enwedig yn achos y trydydd), a rhoddir blaenoriaeth i'r Gymraeg dros y teitlau Lladin cyfatebol *Epistola Gildae* a *De Excidio Britanniae*. Gall y rhain hefyd ddynodi'r ddau waith, o feddwl amdanynt fel cyfansoddiadau a gylchredai'n annibynnol cyn eu cyfuno. Fodd bynnag, er trin y Llythyr a'r Dinistr fel dau waith gwahanol yn y rhagymadrodd a'r nodiadau, nis gwahenir oddi wrth ei gilydd yn y testun golygyddol, eithr eu cyflwyno fel un testun megis yng ngolygiad Michael Winterbottom o'r Ddogfen (a seiliwyd ar destun Theodor Mommsen). Am resymau tebyg, hepgorwyd hefyd y rhaniad traddodiadol o'r Ddogfen yn dri llyfr yr arferir ei ddefnyddio ynghyd â rhifau'r penodau wrth gyfeirio at fannau ynddi (e.e. I.1, II.27, III.66, etc.), gan ei bod yn dilyn, o farnu'r Dinistr yn waith awdur arall, mai dau lyfr yn unig o'r tri sy'n gynnyrch yr un ysgrifbin.

Trwy drin y Ddogfen fel dau waith dau awdur, cyflwynir

llawer o syniadau sy'n anghyfarwydd heddiw, rhai yn hen a heb eu hiawn werthfawrogi ac eraill yn newydd. Pa fath bynnag o dderbyniad a gânt, y gobaith yw y byddant yn cyfrannu at ein dealltwriaeth o faes eang ac anodd lle yr erys eto lawer o amrywiaeth barn a chwestiynau annatrys er gwaethaf ambell belydryn newydd o oleuni a gafwyd o bryd i'w gilydd. Maes tebyg, yn wir, i'r Môr Marw, sy'n derbyn ffrydiau glân o ddŵr o ucheldiroedd Galilea a'r rheini wedyn, ar ôl llifo i ben eu taith, yn colli eu ffresni bywiol wrth ymgymysgu â'r merddyfroedd.

Yn ngweddill y rhagymadrodd hwn, ar ôl nodi llawysgrifau'r Ddogfen a'i chynnwys, ynghyd â gair am ei theitl ac am gyfieithu Gildas, penderfynwyd, er hwylustod i'r darllenydd, ymdrin â Llythyr Gildas yn gyntaf yn hytrach na'i daflu'n syth i ganol dadleuon technegol ddigon am gwestiwn undod awduraeth y Ddogfen. Troir sylw wedyn at y mater hwnnw, gan nithio'r Dinistr oddi wrth y Llythyr, ac yn olaf ymdrinnir â phynciau eraill perthnasol i destun y Dinistr, megis amseriad ac awduraeth.

Y llawysgrifau

Fel y sylwodd J. E. Lloyd, ni fu gwaith Gildas yn boblogaidd yn yr Oesoedd Canol, ac nid oes ar gadw ond pum llawysgrif o'r Ddogfen a'r rheini ganrifoedd yn ddiweddarach nag oed ei chynnwys.[4] Dyma hwy, yn nhrefn eu hamser:

A Llsgr. 414 yn Bibliothèque Municipale Rheims, *c.* 900.

B Llsgr. Cotton Vitellius A. VI, 11g.

C Llsgr. rhif 162 yn Llyfrgell Gyhoeddus Avranches, 12g.

CH Llsgr. Ff. I. 27 yn Llyfrgell Prifysgol Caergrawnt, 13g.

D Llsgr. Dd. I. 17 yn Llyfrgell Prifysgol Caergrawnt, *c.* 1400.

Defnyddiwyd B-D gan Theodor Mommsen i lunio testun

beirniadol o'r Ddogfen, yr un cyntaf o'i fath i orffwys ar seiliau cymharol ddibynadwy, ond ni chynhwyswyd A, na ddaeth i'r golwg tan yn hir wedi cyhoeddi golygiad Mommsen yn 1898. Difrodwyd B yn ddifrifol gan dân yn 1731. Yn ddiweddarach dangosodd Mommsen fod llawer ohoni yn dal yn ddarllenadwy ac o werth mawr i ddibenion beirniadaeth destunol, a llanwodd fylchau trwy godi darlleniadau o ddau fersiwn argraffedig cynnar o'r gwaith gan Polydore Vergil (1525) a Josselin (1568), dau ysgolhaig a wnaeth ddefnydd o'r llawysgrif hon cyn ei difrodi. Fe'i triniodd yn ei olygiad fel y llawysgrif gynharaf a phwysicaf a chredai mai hi oedd prif darddell y llawysgrifau eraill. Mae C yn llwgr ac yn cynnwys ychwanegiadau ond hefyd rai darlleniadau sy'n rhagori ar eiddo gweddill y traddodiad llawysgrifol. Copi yw CH o destun a ddiwygiwyd gan ryw Cormac. Amrywia'n gryf oddi wrth y llawysgrifau eraill yn gymaint â'i bod yn cynnwys ffurf dalfyredig o bennod 1 ac yn terfynu ar ôl pennod 26. Ceir ynddi hefyd lawer o ddarlleniadau sy'n neilltuol iddi ei hunan. Copi yw D o B a'i phrif werth yw bod yn dyst i gynnwys honno cyn ei difrodi. Detholion yn unig a geir yn A, sef cc. 27 a 63 ynghyd â rhannau o cc. 31, 42, 43, 46, 50, 59. Cafwyd ymgais yn ddiweddar gan Luca Larpi i ailasesu gwerth y llawysgrif a lluniodd *stemma codicum* sydd, ym marn Michael Lapidge, yn fwy cymhleth hyd yn oed nag un orgymhleth Mommsen.[5] Ond yn rhyfedd ddigon, cadarnha ei waith braffter testun Mommsen, er iddo allu cyflwyno rhesymau o blaid golygiad newydd o waith Gildas yn y dyfodol.

Rhaid crybwyll hefyd dystion eraill a geir i'r Ddogfen ar ffurf dyfyniadau a glosau. Y cynharaf yw'r dyfyniadau, neu weithiau aralleiriadau, gan y Sais o hanesydd eglwysig, Beda, yn ei gronicl maith *De Temporum Ratione* a ymddangosodd yn 725 ac yna yn ei hanes enwog *Historia Ecclesiastica Gentis Anglorum*, 731.[6] Yna ceir glosau a ddiogelwyd yn y *Leyden Glossary,*[7] tua 790-800, a'r *Corpus Glossary,*[8] tua 770-800. Yn ddiweddarach, ceir dau ddyfyniad sylweddol ym Muchedd Gildas, gwaith aelod dienw o fynachlog Ruys yn Llydaw, yn y rhan a ddyddir i'r nawfed ganrif, ac sy'n berthnasol iawn i'r cwestiwn a fu Llythyr Gildas a Dinistr Prydain yn cylchredeg fel dogfennau annibynnol ar un adeg. Fe'u dynodir â'r llythyren R yng ngolygiad Mommsen. Yn olaf, cyfeiria Mommsen at lawysgrif ym Mharis, Lat. 6235, o'r bymthegfed ganrif (ei lawysgrif D) sy'n cynnwys penodau 3-12 o'r Ddogfen.

Cafwyd yr argraffiad cyntaf o'r Ddogfen gan Polydore Vergil yn 1525, ac ymysg yr argraffiadau pwysig eraill cyn amser Mommsen y mae eiddo John Josselin, 1568, Thomas Gale, 1691, a Joseph Stevenson, 1838.

Testun Mommsen fu'r sail i bob astudiaeth o'r Ddogfen wedyn. Defnyddiwyd ef gan Hugh Williams yn ei olygiad arloesol o waith Gildas, ac yn ddiweddarach gan Michael Winterbottom yn ei olygiad yntau gyda rhai amrywiadau. At destun Winterbottom y cyfeirir fel arfer gan ysgolheigion yn yr ynysoedd hyn heddiw, a hwn a ddefnyddir yma. Nid oedd yn rhan o'm gorchwyl ailystyried ei ddarlleniadau ef o'r newydd, a derbyniais hwy fel y maent heb ond ychydig iawn o newid. Mater arall yw dehongli ac atalnodi'n wahanol, a chywiro ambell wall argraffu.

Cynnwys y Ddogfen: amlinelliad

Ymestyn y Ddogfen am gant a deg o benodau a drefnwyd fel a ganlyn, gyda cc. 1, 27-110 yn cynrychioli Llythyr Gildas a cc. 2-26 Ddinistr Prydain:

c. 1: Rhagdraeth cyffredinol, lle cais yr awdur gyfiawnhau tymer ei waith ac esbonio'i gymhellion.

cc. 2-26: Braslun hanesyddol. Pont yw c. 2 rhwng cc. 1 a 3 ar ffurf brawddeg faith sydd hefyd yn rhestr o benawdau byr ar gyfer cynnwys yr adran hon. Yn cc. 3-26 ceir amlinelliad rhethregol iawn a detholus o hanes Prydain, o'r goresgyniad Rhufeinig hyd gyfnod yr awdur.

cc. 27-63: Cerydd i Reolwyr Seciwlar. Mae c. 27 yn ymosodiad cyffredinol ar frenhinoedd Prydain; yn cc. 28-36 cyhuddir pum tywysog Brythonig, ac yn eu mysg Faelgwn Gwynedd yn anad neb, wrth eu henwau a'u hannog i edifarhau; ac mae cc. 37-63 (gyda c. 37 yn gweithredu fel cyflwyniad) yn gasgliad o ddyfyniadau Ysgrythurol perthnasol i reolwyr drygionus.

cc. 64-5: Ffurfia'r rhain bont.

cc. 66-110: Cerydd i'r Glerigaeth. Mae cc. 66-8 yn feirniadaeth ddeifiol ar yr offeiriaid a chyfetyb i rethreg rymus c. 27; yn cc. 65-75 maentumir (trwy esiamplau o'r Ysgrythur Lân a hanes eglwysig) nad yw hyd yn oed y rheini nad ydynt yn amlwg am eu drygioni yn cyrraedd safon arwrol o rinwedd; yn cc. 75-105 ceir casgliad arall o ddyfyniadau Ysgrythurol wedi eu hanelu, y tro hwn, yn erbyn offeiriaid annheilwng; yn cc. 106-7 dyfynnir darlleniadau Ysgrythurol o hen ddefod ordeinio Brydeinig, ac y mae cc. 108-10 yn ddiweddglo i'r adran.

Teitl y Ddogfen

Gall daro'r darllenydd yn od bod cyfeirio at y Ddogfen heddiw yn gyffredin fel *De Excidio Britanniae*, 'Dinistr Prydain', o ystyried nad oes ond tua chwarter ohoni yn ymwneud â 'dinistr' a'r gweddill yn llythyr o gerydd ac anogaeth foesol. Yn wir, a siarad yn fanwl, onid mwy rhesymegol fuasai ei henwi (fel y gwna Josselin) ar ôl y rhan lawer helaethach sy'n llythyr, sef yn *Epistola Gildae*? Goddefer gair o esboniad.

Y ffaith amdani yw fod natur gymysg y Ddogfen, sef y gwahaniaeth amlwg a welir rhwng cynnwys y Llythyr a'r Dinistr, wedi arwain o'r cychwyn at fwy nag un ffordd o'i disgrifio, a gwelir yr ansefydlogrwydd hwn ar waith yn y rhaglithiau a'r olnodau iddi yn y llawysgrifau.

Dechreuwn gyda'r un gynharaf, yr un a oedd ym marn Mommsen yn fam i destunau'r llawysgrifau a'r fersiynau printiedig eraill bron i gyd, sef Cotton MS Vitellius A. VI o'r unfed ganrif ar ddeg (B uchod). Collwyd y rhaglith a'r olnod pan ddifrodwyd y llawysgrif mewn tân yn 1731 ond cyn hynny yr oedd Polydore Vergil wedi ei gweld, ac yn y fersiwn printiedig cyntaf o'r Ddogfen, a gyflwynwyd ganddo yn 1525, ceir y rhaglith: *incipit prologus Gildae Sapientis de excidio Britanniae et conquestu eiusdem ac flebili castigatione in reges principes et sacerdotes* (dechrau prolog Gildas Ddoeth ynghylch dinistr a gorchfygiad Prydain, a'i gerydd wylofus i'w brenhinoedd a'i thywysogion a'i hoffeiriaid), a'r olnod: *explicit epistola Gildae Sapientis* (diwedd llythyr Gildas Ddoeth), y naill yn cyfeirio at Ddinistr Prydain, a'r llall at y Llythyr ond gyda'r ymhlygiad bod y Dinistr hefyd yn rhan o'r Llythyr. Dyma, felly, enghraifft o ddisgrifiad o'r Ddogfen lle synnir amdani fel llythyr gan Gildas sy'n cynnwys y Dinistr fel adran ohono, ac nid fel gwaith am ddinistr a'r Llythyr rywfodd yn ei amgylchynu.

Yn Llawysgrif Ff. I. 27 yn Llyfrgell Prifysgol Caergrawnt (CH uchod), sydd hefyd yn cynnwys rhyngosodiadau, ceir cyn y rhagair y geiriau: *incipit prefatio libri queruli sancti Gilde Sapientis de excidio Britannie, de calamitatibus et prevaricationibus eius civium ac Britonum exulatione et conquestus ipsius contra reges, principes et sacerdotes* (dechrau rhagdraeth llyfr cwynfanus Gildas Ddoeth yn erbyn brenhinoedd, tywysogion, ac offeiriaid ynghylch dinistr Prydain, trychinebau a throseddau ei dinasyddion, ac alltudiaeth a gorchfygiad y Brythoniaid); yna, yn dilyn y mynegai, benawdau ac, yn rhagflaenu'r gwaith ei hun, grynodeb hir o gynnwys y Dinistr; ac yn olaf yr olnod: *explicit liber Gilde Sapientis de excidio Britanniae et Britonum exulacione* … (diwedd llyfr Gildas Ddoeth ynghylch dinistr Prydain ac alltudiaeth y Brythoniaid).

Dyma, felly, enghraifft o gymryd y Dinistr a'r Llythyr i ystyriaeth ond heb ddarostwng un ohonynt i'r llall a chan roi'r pwyslais ar y Dinistr.

Yn Llawysgrif rhif 162 yn Llyfrgell Gyhoeddus Avranches (C uchod), sydd hithau'n cynnwys rhyngosodiadau, disgrifir y gwaith yn rhaglith y prolog fel: *liber de gestis Britonum* (llyfr am hanes y Brythoniaid) ac yn rhaglith ac olnod y gwaith fel: *liber de miseriis et praevaricationibus et excidio Britanniae* (llyfr am drallodion a throseddau a dinistr Prydain). Dyma enghraifft o ddisgrifiad sydd â'r Dinistr yn unig mewn golwg.

(Detholion yn unig a geir yn Llawysgrif 414 yn Bibliothèque Municipale Rheims, tua 900 (A uchod), a chopi yw Llawysgrif Dd. I. 17 yn Llyfrgell Prifysgol Caergrawnt, tua 1400 (Llsgr. E), o Lsgr. Cotton Vitellius A. VI.)

Dylid crybwyll hefyd fod catalog Smith o lyfrgell Syr Robert Bruce Cotton yn y Llyfrgell Brydeinig, 1696, yn cyfeirio at gopi Vitellius A. VI o'r Ddogfen fel: *Gildas de excidio Britanniae.*

Adleisir disgrifiadau fel y rhain yng nghyfeiriadau awduron o'r wythfed ganrif hyd y ddeuddegfed at y Ddogfen, ond hyd y gallaf farnu ni cheir y math lle darostyngir y Dinistr i'r Llythyr megis yn Cotton Vitellius A. VI. Yn hytrach, meddylir am y Ddogfen yn nhermau un ai'r Llythyr a'r Dinistr gyda'r pwyslais ar y Dinistr neu ynteu'r Dinistr yn unig.

Diddorol yw nodi i Gerallt Gymro ddefnyddio'r teitl *de excidio Britonum* (ynghylch dinistr y Brythoniaid) yn lle *De Excidio Britanniae* wrth gyfeirio at y Ddogfen yn ei *Descriptio Cambriae.*[9] Go brin mai dyna oedd y darlleniad gwreiddiol, oherwydd am endid daearyddol, nid ethnig, y mae geiriau'r testun yn sôn, sef *excidium patriae* (c. 23.1) ac *insulae excidii* (26.2), geiriau y seiliwyd y teitl arnynt, yn ddiau; ac ni cheir *Britonum* yn y llawysgrifau o'r Ddogfen.[10] Mae fersiwn Gerallt o'r teitl yn arwyddocaol er hynny gan y gellir gweld ynddo ymgais i ieuo dwy wedd anghymharus y Ddogfen mewn modd ystyrlon trwy ehangu *excidium* daearol y Dinistr i gynnwys *excidium* ysbrydol y rhan fwyaf o'r Brythoniaid, math o *excidium* a allai gynnwys cymeriadau'r Llythyr hefyd.

Pen draw'r holl ddryswch hwn fu i *De Excidio Britanniae* erbyn heddiw ennill yr oruchafiaeth fel teitl arferol y Ddogfen. Ond sut y bu i ran mor fechan o'r Ddogfen roi teitl i'r testun cyfan? Yr ateb, ond odid, fu i'r Dinistr, gyda'i rethreg garlamus a'i ddisgrifio lliwgar, apelio mwy at drwch ei ddarllenwyr na'r Llythyr sydd – o'r hyn lleiaf o ddiwedd ymosodiadau'r awdur ar y pum brenin ymlaen – yn undonog a di-ffrwt mewn cymhariaeth; a'r canlyniad fu bwrw cysgod y Dinistr yn drwm dros y Ddogfen gyfan a'i henwi yn unol â'i thema ef. Ond fel y dywedwyd, nid ydyw mewn gwirionedd yn deitl priodol ar gyfer y Ddogfen.

Wrth gwrs, os ystyrir y Llythyr a'r Dinistr yn weithiau annibynnol, diflanna problem y teitlau ar amrantiad gan na chlymir mwyach ddau beth anghydryw dan yr un pen. A'u trin fel gweithiau annibynnol a wneir isod.

Cyfieithu Gildas

Cyfieithwyd Gildas am y tro cyntaf i'r Gymraeg gan John Owen Jones, athro yng Ngholeg M.C. y Bala, yn ei gyfrol *O Lygad y Ffynnon*, 1899. Roedd John Owen Jones yn Gymreigydd da a rhoddodd gynnig glew arni, ond yn aml ni ddeallodd frawddegau cymhleth Gildas yn iawn. Yn fuan wedyn, 1899-1901, ymddangosodd cyfieithiad Saesneg ynghyd â golygiad gan yr hanesydd eglwysig Hugh Williams, Athro Groeg a Mathemateg yn yr un coleg. Roedd Hugh Williams yn gawr o ysgolhaig a chanddo ddeall eithriadol o rymus a gwybodaeth fanwl gyfewin o ffynonellau ei faes, ac er gwaethaf llawer o fân wallau a rhai bylchau yn ei waith, roedd y cyfieithiad hwn yn garreg filltir. Yma, am y tro cyntaf yng Nghymru, cafwyd cyfieithiad disgybledig, deallus, clòs a'i gwnâi'n bosibl o'r diwedd i ddyn ddeall Lladin Gildas. Ni chafodd Hugh Williams, yn fy marn i, ei gydnabod fel yr haeddai, a gresyn am hynny. Yn ddiweddarach, cafwyd cyfieithiad Saesneg o *Dinistr Prydain* gan Arthur W. Wade-Evans yn *Nennius's "History of the Britons"*, 1938, a chyda mân amrywiadau yn *The Emergence of England and Wales*, 1956 a 1959 (ail argraffiad), ond seiliwyd y rhain ar gyfieithiad Hugh Williams. Cafwyd hefyd gyfieithiad Cymraeg gan Wade-Evans o'r un darn yn *Coll Prydain*, 1950, lle cydnebydd ei ddyled i gyfieithiad John Owen Jones yn ogystal; ond nid oedd Wade-Evans yn gystal Cymreigydd â Jones. Ymhen blynyddoedd cafwyd cyfieithiad Saesneg modern gan Michael Winterbottom yn *Gildas: The Ruin of Britain and Other Works,* 1978, cyfieithiad mwy rhydd nag eiddo Hugh Williams, ond nid annisgybledig ychwaith, sy'n darllen yn rhwydd ac yn cyrraedd y nod o wneud gwaith Gildas yn hygyrch i'r darllenydd modern. Mae hefyd yn cynnig rhai darlleniadau gwahanol i eiddo Williams. Afraid dweud bod fy nyled i gyfieithiadau Williams a Winterbottom yn fawr, ac yn enwedig i Williams.[11] Mewn cyfrol a olygwyd ganddo, *Ffynonellau Hanes yr Eglwys 1. Y Cyfnod Cynnar,* 1979, rhydd R. Tudur Jones gyfieithiad Cymraeg newydd o benodau dethol rhwng 6 a 26 o'r Dinistr, ynghyd â sylwadau byr.

Wrth gyfieithu testunau sydd mor ddieithr eu harddull i lawer o ddarllenwyr heddiw, cyfyd y cwestiwn sut orau i fynd ynghyd â'r gorchwyl. Sut y dylid trin brawddegau hirfaith amlgymalog y Lladin? A ddylid cadw'n weddol agos, ond nid yn rhy agos, at batrymau'r gwreiddiol, ynteu a ddylid ei aralleirio i raddau i'w wneud yn haws ei ddeall? Beth bynnag fo'r ateb delfrydol, o'm rhan fy hun penderfynais gadw'n agos at y Lladin ond nid ar draul eglurder, a chan geisio osgoi clogyrniaith. Nid ymwrthodais â brawddegau hir y Lladin pan farnwn na fyddent yn ormod o gowlaid i'r darllenydd; fel arall, torrais hwy yn unedau llai. Ni fu chwyldro, felly. Perygl aralleirio yw colli'r grym a'r urddas a'r cyffro sy'n rhan o rethreg y Lladin a chael yn eu lle ryw bwdin bara. Roedd amryw o fân bwyntiau hefyd a'm blinai. Er enghraifft, a ddylid cadw'r amser presennol hanesiol (fel y gwnaeth Wade-Evans)? A ddylid cadw amser amherffaith y Lladin bob tro, ynteu, yn dibynnu ar gyd-destun ac yn gysonach ag idiom y Gymraeg, ddodi'r amser gorffennol yn ei le weithiau? A dyna'r amser perffaith yn Lladin: mae hwn yn gwneud gwaith dau amser gwahanol, sef y perffaith – 'yr wyf wedi gweld' – a'r gorffennol – 'gwelais' – ac anodd oedd penderfynu rhyngddynt. A ddylid ar dro ddefnyddio geiriau sydd wedi mynd braidd yn ddiarth i'r mwyafrif erbyn hyn, e.e. *diatreg*, sef 'di-oed', neu *anwiredd* yn yr ystyr 'drygioni'? Ac felly ymlaen. Ceisiais ddatrys y problemau bach hyn, ac eraill, yn ôl fy ngoleuni fy hun. Pa un bynnag, y gobaith yw y bydd y cyfieithiad yn ddigon dealladwy a darllenadwy gan amlaf, a hefyd yn gymorth i'r sawl a fo'n dymuno dilyn perthynas y Lladin â'r Gymraeg.

LLYTHYR GILDAS (cc. 1, 27-110)

Gildas a'i waith

Yn yr hyn a ganlyn trafodir Gildas y dyn yn gyntaf yn ei wahanol agweddau er mwyn ei osod yn ei briod le yn hanes eglwysig a llenyddol Prydain a Chymru. Yna, ac yng ngoleuni hynny, hoelir sylw ar y Llythyr ei hun.

Prif gynnyrch Gildas yw'r Llythyr. Yr eitemau eraill ganddo yw (1) 10 neu 11 o ddrylliau o lythyrau coll a ysgrifennwyd rywbryd, mae'n debyg, rhwng 565 a 570 – blynyddoedd olaf ei oes – ac sy'n cynnwys rhai sylwadau diddorol, a (2) penydlyfr cynnar, *De Paenitentia.* Fel penydlyfrau Celtaidd eraill, cymhwysir ynddo reolau disgyblaethol ar gyfer bywyd mynaich yn bennaf ond hefyd ar gyfer rhai'n byw y tu allan i'r clwysty yn yr oes honno. Priodolwyd i Gildas hefyd gerdd o'r math a elwir *lorica,* yn llythrennol 'tariangerdd', sef cerdd yn annog y Cristion i ddefnyddio grasusau Duw fel tarian yn y frwydr yn erbyn y Fall (cf. Salm 91: 4; Effesiaid 6: 14), ond ymddengys mai cynnyrch oes ddiweddarach ac awdur arall ydyw hon. Ceir hefyd yr *Oratio Rhythmica,* 'Gweddi Odlog / Fydryddol', ond nis cynhwysir fel arfer wrth drafod gwaith Gildas.

Ffynonellau ein gwybodaeth am Gildas

Prif ffynhonnell ein gwybodaeth am Gildas yw'r cynhyrchion o'i eiddo a nodwyd uchod. Ceir hefyd ddwy Fuchedd Ladin iddo. Ysgrifennwyd y naill gan ryw Lydawr dienw a oedd yn aelod o fynachlog Ruys yn Llydaw. Ymddengys mai cnewyllyn y gwaith yw cc. 1-32, sy'n gyflawn i bob golwg, a ysgrifennwyd yn y nawfed ganrif, a bod y rhelyw yn ychwanegiad diweddarach nad yw'n gynharach na 1088. Yn ôl y fuchedd hon, ganed Gildas yn Arecluta (Arglud, sef glannau afon Clud yn ne'r Alban) ac ef oedd sefydlydd mynachlog Ruys. Ymddengys fod gosodiadau fel y rhain yn fywgraffyddol ddilys, ond rhaid yw trin rhai o'r pethau a ddywedir mewn mannau eraill yn fwy beirniadol. Sonnir mwy am gynnwys y Fuchedd hon isod.

Priodolir y Fuchedd arall i Garadog o Lancarfan; fe'i hysgrifennwyd gryn dipyn yn ddiweddarach na Buchedd Ruys, sef tua chanol y ddeuddegfed ganrif, ac y mae'n llawer byrrach. Ni ddyfarnwyd iddi yr un radd o bwysigrwydd ag i Fuchedd Ruys, ond yma y ceir yr hanesyn, cyfarwydd i astudwyr chwedl Arthur, lle mae Gildas yn cymodi rhwng Arthur a Melwas, Brenin Gwlad yr Haf, wedi iddynt fod yn ymryson am serch Gwenhwyfar. Medd Hugh Williams am y fuchedd hon:

> [T]he whole perspective of events narrated is different. With the sole exception of the name of his father, Caradoc seems to have known nothing about the early life of Gildas. There is no mention of his teacher, Illtud, nor of any of his contemporaries except Cadoc, the reputed founder of the monastery where the imaginative biographer lived. The account given, so bare and pointless, of visits to Gaul and Rome, can have no meaning to us, when we have known how frequently such constituents enter into the making of *Lives of Saints*, but particularly from our reading of the *De Excidio*. It is further impossible to accept the story, introduced from Menevian sources, respecting the failure to preach, when St. David's mother was present in the church; because, from many reliable sources, we know that these two men had a common time of childhood under one abbot and teacher. We recognise a germ of truth in what is said of Gildas' activity in Ireland, *studium regens et praedicans in civitate Ardmaca* ['gan gyfarwyddo astudiaethau a phregethu yn ninas Armagh']; so also in the account of the anchorite life on the island of Echni, and the preservation of a codex of the Gospels at Llangarfan, believed to have been written by the saint's own hand. But all the sections 10-14, in reference to Glastonbury and Gildas' tarrying there, can be no otherwise regarded than as a piece of literary fiction, his life in Britanny being entirely ignored, in order to magnify King Arthur and Glastonbury. The poor attempt made by Caradoc, in the last section, at an etymological explanation … has led many of us astray; but it is of a piece with the whole matter of the *Vita* in relation to this place.

Yn sicr, mae'r Fuchedd hon yn ein taro'n dipyn o gawdel ond ni chredaf, serch hynny, ei bod yn ddi-werth. Yn neilltuol, credaf y gallai'r cysylltiad rhwng Gildas ac Ynys Wydrin fod yn arwyddocaol, a dadleuir isod, wrth drafod awduraeth Dinistr Prydain, y dichon fod y Gildas a grybwyllir yn y rhan hon o'r Fuchedd yn ŵr gwahanol i awdur y Llythyr ond o'r un enw, ac yn awdur y Dinistr. Nid hwyrach mai'r hyn a ddigwyddodd wrth gyfansoddi'r Fuchedd hon fu i Garadog o Lancarfan gymysgu a cheisio cysoni ffeithiau am ddau ŵr gwahanol (am eu bod â'r un enw a hwnnw'n enw tra anghyffredin) gan feddwl mai'r un dyn oeddynt.

Dyna'r ddwy fuchedd. Yn olaf, ceir 14 o gyfeiriadau at Gildas mewn dogfennau eglwysig o Brydain, Iwerddon, Llydaw a Ffrainc, y cynharaf ohonynt mewn llythyr gan St. Columbanus at y Pab Gregor I a ysgrifennwyd rhwng 595 a 600.

Bro ac achau

Ymhle yr oedd gwreiddiau Gildas? Gellid meddwl, efallai, y byddai ei enw yn rhoi rhyw ben-llinyn i'r ateb, ond methiant hyd yn hyn fu pob ymgais i'w darddu. Yn ôl J.E. Lloyd, dichon mai enw Gaeleg ydyw. A chredai Nora Chadwick yr un peth.[12] Yn ôl Wade-Evans: 'It may prove to be Pictish'. Nid ymddengys mai enw Lladin ydyw ychwaith. Cynigiodd Patrick Sims-Williams y gall mai ffugenw ydyw, anagram o **Sildag*, a fabwysiadwyd gan yr awdur i ddiogelu ei einioes.[13] Ond os felly onid haws (a diogelach hefyd) fuasai iddo ddefnyddio enw arall a oedd eisoes yn bod? Tybed hefyd a oes yma ddylanwad enwau Beiblaidd yn -as megis Barnabas, Mathias etc. ar y terfyniad, beth bynnag fo tarddiad y bôn? Dichon y ceir goleuni pellach rywbryd.

Mwy buddiol yw edrych i gyfeiriad arall. Heblaw ei waith ei hun, prif ffynhonnell ein gwybodaeth am Gildas yw ei Fuchedd Ladin gan y mynach o Ruys. Mae'n arfer gan lawer o ysgolheigion fychanu tystiolaeth bucheddau'r saint Brythonig oherwydd eu diweddarwch cymharol a'r elfen o chwedloniaeth, rannol gysylltiedig â hynny, a geir ynddynt; ond fel yr amrywia mesur y chwedloniaeth o Fuchedd i Fuchedd, felly hefyd amrywia safon yr hanes a adroddir ynddynt, a cheir ym Muchedd Ruys ddeunydd bywgraffyddol pwysig. Yn ôl y Fuchedd hon, roedd Gildas yn hanu o Arglud (Arecluta yn y Lladin), sef Glannau

Clud (Clydeside), llain doreithiog yn neheubarth yr Alban yr ochr isaf i afon Clud ac un sy'n ymestyn o Glasgow i Greenock yn y gorllewin.[14] Yr oedd yr ardal hon o fewn ffiniau Ystrad Clud (Strathclyde heddiw), un o deyrnasoedd Brythonig gynt yr hyn a elwir weithiau yr Hen Ogledd, sef de'r Alban a gogledd Lloegr. Un o nodweddion pwysicaf y teyrnasoedd hyn, megis y teyrnasoedd Brythonig eraill a geid yng Nghymru, Cernyw a de-orllewin Lloegr – ucheldir Prydain – oedd eu bod yn etifeddion i grefydd, diwylliant ac awdurdod Rhufain – *Romanitas,* 'Rhufeindod' – yn wahanol i'r teyrnasoedd Seisnig a oedd yn egino ar y pryd ac a wrthododd y gwaddol hwnnw. Tyfodd Gildas i fyny, gan hynny, mewn gwlad Gristnogol a oedd yn Rhufeinig yn ogystal ag yn Frythonig.

Yn ôl Buchedd Ruys a Buchedd dra phwysig Cadog Sant, yr oedd Gildas yn fab i ŵr o'r enw Caw o Brydyn, pennaeth rhyfelgar o Wlad y Pict (Prydyn, yn rhanbarth gogleddol yr Alban) lle buasai'n teyrnasu am flynyddoedd lawer cyn dod ar gyrch ysbeilgar i Lannau Clud. Yno y Cristioneiddiwyd ef gan Gadog, ac y ganwyd Gildas. Ni wyddys enw mam Gildas. Roedd ganddo hefyd bum brawd ac un chwaer. Enwir pedwar o'r brodyr a'r chwaer ym Muchedd Ruys fel Cuillum, Mailocus, Egreas, Alleccus a Peteova, ond yn y ddogfen ganoloesol a elwir 'Bonedd y Saint' enwir brawd arall hefyd, sef Gwrhei.[15] O'r rhain, etifeddodd Cuillum yr orsedd gan ei dad, ond cysegrodd Mailocus, Egreas, Alleccus a Peteova bob un eu bywydau i wasanaethu Duw. Ymddengys hefyd i Gildas briodi, oherwydd yn ôl yr achau roedd iddo dri mab, Gwynnog, Noethon, Tydech, a merch o'r enw Dolgar.[16]

Cafodd Gildas a'i frodyr, plant Caw, droedle mewn chwedloniaeth seciwlar hefyd. Y mae 'Maen Huail' ar sgwâr Rhuthun yn 'coffáu' lladd Huail fab Caw gan Arthur, digwyddiad y ceir fersiwn ohono ym muchedd Llancarfan, gyda'r esboniad fod Huail wedi bod yn ysbeilio llawer o diroedd Arthur. Rhydd *Culhwch ac Olwen* achos gwahanol i'r drwg, sef fod Huail wedi lladd Gwydre ei nai, mab i Wenabwy, un o ferched Caw. Ond yn yr un chwedl cawn 19 o feibion Caw, yn cynnwys Huail a Gildas ei hun, ymhlith gwŷr llys Arthur, y gelwir arnynt i helpu Culhwch yn ei gais; a chyn y diwedd bydd Gwarthegydd fab Caw â rhan weithredol mewn hela'r Twrch Trwyth. Yn *Breuddwyd Rhonabwy* eto ymddengys Gildas a Gwarthegydd yng ngosgordd Arthur, gyda Gwarthegydd a Bedwin Esgob yn eistedd un o boptu'r ymerawdwr.

Dyfalwyd a damcaniaethwyd llawer ynghylch pa fath bobl yn union oedd y Pictiaid, gyda rhai hyd yn oed yn honni mai disgynyddion oeddynt i gynfrodorion a siaradai iaith nad oedd yn un Indo-Ewropeaidd. Ond gellir cynnig mai Brythoniaid oeddynt yn wreiddiol, megis Brythoniaid eraill Prydain, a'r arwydd sicraf o hyn yw olion eu hiaith a berthynai yn agos i'r Gymraeg (e.e. enwau lleoedd sy'n cynnwys yr elfen aber-, megis yn Aberdeen). Er eu trechu gan Gnaeus Julius Agricola yn hwyr yn y ganrif gyntaf o Oed Crist, nis gorchfygwyd ganddo, a thrwy aros yn annibynnol ar Rufain a Rhufeindod datblygasant gymeriad gwahanol iawn i'r Brythoniaid eraill, fel bod yr hanesydd Beda yn yr wythfed ganrif yn gallu sôn amdanynt fel cenedl yn ei hawl ei hun ac â'i hiaith ei hun. Penderfynodd Rhufain yn y pen draw beidio ag ychwanegu tiriogaeth y Pictiaid at y dalaith Rufeinig (a gynhwysai erbyn hynny weddill Prydain), a hawdd credu bod a wnelai gerwinder y tir a thymer anystywallt y trigolion lawer â hyn. Ceisiwyd, yn hytrach, eu cadw o fewn terfynau eu gwlad eu hunain, gan ddynodi'r ffin rhyngddynt a thrigolion mwy Rhufeinig de'r Alban trwy godi Mur Antwn (the Antonine Wall), y gwrthglawdd hwnnw o dywyrch a cherrig rhwng Aber Clud (the Firth of Clyde) ac Aber Gweryd (the Firth of Forth) a osodwyd yno trwy bolisi yr Ymerawdwr Antoninus Pius yng nghanol yr ail ganrif O.C. Dyma bobl Geltaidd fynyddig, ryfelgar, farbaraidd a gadwodd ei hannibyniaeth ond ar yr un pryd a ynyswyd o'r byd ehangach y tu allan, ac yn fwyaf neilltuol o ddiwylliant Rhufain a'r grefydd Gristnogol.

Cenedligrwydd

Yn wyneb cefndir cymysg Gildas – y gwyllt, megis, o wlad farbaraidd y Pict a'r gwâr o wlad Gristnogol Glannau Clud – sut y dylem synio amdano o ran ei genedligrwydd: ai fel Pict, ai fel Brython, ai – o gofio ei fod yn byw mewn talaith Rufeinig – fel Rhufeiniwr? Gan ei fod yn ddinesydd Rhufeinig – *civis Romanus* – y tebyg yw mai fel Rhufeiniwr yn bennaf y meddyliai amdano'i hun; ond a chaniatáu hynny, odid na fyddai'n ymwybodol hefyd o'i gefndir brodorol yn ei wahanol agweddau a haenau.

Iaith

Rhan annatod a thra phwysig o hunaniaeth dyn yw ei iaith, ac wrth hyn golygir fel rheol yr iaith y magwyd ef i'w siarad ar yr aelwyd yn ystod ei febyd a'i brifiant – yr iaith a'i ffurfiodd ac yr ymuniaethai â hi ac nid rhyw iaith neu ieithoedd y gallai fod wedi eu codi yn ddiweddarach. Yn achos Gildas, y mae'r cwbl sydd ar glawr o'i waith yn Lladin. Yn ôl Thomas Charles-Edwards, goroesodd y Lladin mewn rhannau o Brydain, gan gynnwys Cymru a Chernyw, fel iaith lafar a ddysgid ar yr aelwyd hyd y seithfed ganrif.[17] A yw'n dilyn felly mai'r Lladin oedd iaith cartref a chalon Gildas – ei famiaith?

Cyn ceisio ateb y cwestiwn hwn, mae dau bwynt arall sydd angen eu hystyried. Yn gyntaf, er mor gywir yw Lladin Gildas o ran gramadeg a chystrawen, ceir ynddi hefyd elfen amlwg o drwsgleiddiwch yn adeiladwaith y brawddegau, er enghraifft pan adewir pellter mawr rhwng dau air sy'n perthyn i'w gilydd yn gystrawennol (megis enw ac ansoddair) gyda'r canlyniad bod y cyswllt rhyngddynt yn diflannu o'r golwg. Yn ôl y diweddar Ganon John Barrett Davies, diwinydd a chlasurwr o'r radd flaenaf, 'much though we may grumble at his literary style, only a learned man could write Latin with that particular kind of badness'.[18] Ac meddai Saunders Lewis, 'the Ruin of Britain [sef y *De Excidio*] is also somewhat a ruin of Latin.'[19] Mae François Kerlouégan yntau, yn ei ddadansoddiad trylwyr o Ladin Gildas, yn dal sylw ar y lletchwithdod hwn.[20] Esboniad Kerlouégan, os wyf wedi ei ddeall yn iawn, yw fod Gildas wedi dysgu Lladin mewn ysgol rethreg lle na chlywid Lladin fel iaith fyw, naturiol. Ond y mae'r syniad o ysgol rethreg lle na chlywid Lladin *byw* yn un go od gan mai holl ddiben ysgol rethreg oedd paratoi ei disgyblion ar gyfer gyrfa lle yr oedd siarad Lladin yn hanfodol bwysig. Ai'r gwir esboniad ar wendidau Lladin Gildas, yn hytrach, yw na chododd ef yr iaith yn gynnar yn ei oes ac nad hi oedd ei famiaith? Nid yw'n dilyn o reidrwydd fod y Lladin ar arfer yng nghartrefi *pob* cwr o'r diriogaeth Frythonig. Ymhellach, os oedd ei dad yn Bict, dichon na ddaeth â dim Lladin gydag ef i ranbarth mwy Rhufeinig de'r Alban i'w throsglwyddo i'w blant. Rhaid cyfaddef, er hynny, nad dyma'r unig esboniad posibl ar Ladin Gildas. Dadleuir isod iddo gael ei hyfforddi yn y lle cyntaf i fod yn areithydd ac nid yn fynach ac y gallai'r newid hwn yn ei yrfa fod wedi digwydd yn annhymig a chyn iddo berffeithio ei afael ar saernïo brawddegau hir a chymhleth yn grefftus a chytbwys. Ond os glynir wrth y safbwynt hwn cyfyd y posibilrwydd, wrth gwrs, na fethodd â chodi'r Lladin ar yr aelwyd wedi'r cwbl ac mai'r iaith honno oedd ei famiaith.

Yn ail, ceir arwyddion yn y Llythyr fod gan Gildas wybodaeth gywir o'r Frythoneg, a hynny oherwydd y ffordd y trinia rai enwau priod yn yr iaith honno. Nid yw'r rhain yn ddigon, ar eu pennau'u hunain, i brofi bod Gildas yn rhugl yn y Frythoneg – gellid dadlau mai gwybodaeth ysgolheigaidd, rannol oedd ganddo ohoni – ond o gofio ei bod, ochr yn ochr â'r Lladin a'r Wyddeleg, yn parhau i gael ei siarad yn eang yng Nghymru (ac felly, yn ddiau, mewn rhannau eraill o Brydain megis yr Hen Ogledd) yn 500, adeg *floruit* Gildas, ymddengys i mi yn fwy tebygol bod Gildas yn ei medru'n burion.

Hyd y gwelaf, nid oes modd ateb i sicrwydd y cwestiwn pa iaith oedd mamiaith Gildas, y Frythoneg ynteu'r Lladin. Tueddaf yn gam neu'n gymwys i gredu, dan haenau *lingua franca* ei Ladin, mai'r Frythoneg ydoedd, a phatrymau honno hefyd (hawdd meddwl) yn ymwthio mewn mannau i'w Ladin.

Nid yw'n dilyn oddi wrth hyn na fedrai Gildas ieithoedd eraill hefyd. Dichon y medrai'r Bicteg, iaith ei dad, pa un a feddylir amdani fel iaith Geltaidd yn ei hawl ei hun erbyn oes Gildas ynteu fel math o Frythoneg. Beth am yr iaith newydd a anwyd o'r Frythoneg ac a ddatblygodd yn Gymraeg, yn iaith yr Hen Ogledd, yn Gernyweg ac yn Llydaweg? Yn ôl Thomas Charles-Edwards, 'In 500, three languages were widely spoken in Wales: British [sef y Frythoneg], Latin, and Irish. By 900 British – on its way to Welsh – was the sole language of all but a few.'[21] Yn ôl Kenneth H. Jackson, yr oedd Cymraeg Cyntefig ('Primitive Welsh') wedi dod i fodolaeth erbyn ail hanner y chweched ganrif. Credai ef hefyd ei bod yn debygol y byddai Gildas, ac yntau'n byw trwy hanner cyntaf y ganrif honno, wedi deall y Frythoneg a Chymraeg Aneirin (tua 600) fel ei gilydd. Ond gellir cwestiynu i ba raddau y byddai Gildas wedi deall iaith a oedd megis yn ei babandod heb sôn am ei chymryd o ddifrif.

Dyddiadau

Y farn gyffredin am flynyddoedd Gildas yw ei eni tua 500

a'i farw yn 570 O.C. Fodd bynnag, os yw'r dyddiad a gynigir isod ar gyfer adeg ysgrifennu ei Lythyr, sef *c.* 520, yn weddol agos i'w le, dichon ei eni'n gynharach – yn nawdegau'r bumed ganrif, dyweder. Cofnodir adeg ei farw yn y cronicl Cymreig a geir yn llawysgrif Harley 3859, sef yn 570.

Gyrfa

Yn ôl Buchedd mynachlog Ruys, fe aeth y bachgen bach Gildas yn ddisgybl i Illtud Sant, un o brif ffigurau Cristnogaeth gynnar yng Nghymru a oedd â'i fynachlog yn Llanilltud Fawr yn Mro Morgannwg. Disgyblion eraill yno i Illtud oedd y saint Brythonig hynod Samson a Pol de Leon (Paulus Aurelianus), ac ym Muchedd yr olaf mae'r awdur, Llydawr o'r enw Wrmonoc, yn cynnwys gyda hwy hyd yn oed ein nawdd sant Dewi; ond barn ddiweddarach Wade-Evans yw mai disgybl i Gadog yn Llancarfan oedd Gildas. Pa un bynnag, yn Llanilltud (yn ôl Buchedd Ruys) dechreuodd Gildas astudio'r Ysgrythur lân a'r celfyddydau breiniol gan ogwyddo mwy at y gyntaf nag at yr ail. Tra'n byw yn y fynachlog cyflawnodd ddwy wyrth hynod. Parhaodd i astudio llên seciwlar gydag Illtud – ond hon yn ôl y gofyn yn unig – a'r Ysgrythur, a chychwynnodd wedyn am Iwerddon i geisio dysg gwŷr doeth eraill mewn materion athronyddol a dwyfol. Wedi iddo grwydro i ysgolion nifer mawr o athrawon, penderfynodd, ac yntau'n bymtheg oed, ymwrthod yn llwyr â'r cnawd gan gosbi ei gorff trwy ympryd a gwylnosau o hynny hyd ddiwedd ei oes. Rhywbryd yn nes ymlaen fe'i derbyniwyd i urddau cysegredig a gwasanaethu fel offeiriad. Yna fe aeth i Wlad y Pict, bro ei hynafiaid paganaidd, i ledaenu'r efengyl ac amddiffyn uniongrededd. Yn ôl Buchedd Cadog fe ymneilltuodd rywbryd i ynys Echni (Flatholm) ym Môr

Hafren lle bu'n ysgrifennu. Un o'i gynhyrchion yma oedd llyfr a elwid *Evangelium Gildae,* 'Efengyl Gildas', a gyflwynodd i'w gyffeswr Cadog Sant ac a gedwid yn Llancarfan. Gorffennodd ei flynyddoedd yn Llydaw, yn y flwyddyn 570 O.C., yn ei fynachlog ei hun yn Ruys, yn ŵr enwog trwy'r byd Brythonig a Gwyddelig am ei ddysg a'i ddoethineb – *Gildas Sapiens,* 'Gildas Ddoeth'.[22]

Byddai'n braf gallu derbyn y pictiwr twt hwn o yrfa Gildas yn ei gyfanrwydd, ond y mae lle i godi cwestiynau, yn enwedig ynghylch ei addysg. Y mae Michael Lapidge wedi dadlau'n gryf, ar sail astudiaeth drylwyr o feistrolaeth Gildas ar holl dechnegau rhethreg yn y Llythyr, iddo gael ei hyfforddi yn y lle cyntaf i fod nid yn fynach ond yn areithydd ym myd biwrocratig gweinyddol y drefn Rufeinig, a oedd yn dal i fodoli ym Mhrydain yn y chweched ganrif i raddau mwy o lawer nag y tybiwyd, ac iddo droi at yrfa eglwysig yn dilyn hynny.[23] Atega Lapidge ei ddadl trwy apelio at wybodaeth fanwl Gildas o eirfa'r llysoedd barn, oherwydd prif amcan addysg rethregol yn yr ymerodraeth Rufeinig oedd darparu areithwyr medrus a fyddai'n gallu pledio'n effeithiol yn y llysoedd hyn, ac i'r diben hwnnw rhoddid llawer o sylw mewn addysg rethregol i astudio'r gyfraith.

Gellid dadlau y byddai Illtud wedi meddu ar yr holl gymwysterau angenrheidiol i ddysgu holl elfennau'r rhethreg ymerodraethol i Gildas. Cofier y disgrifiad enwog ohono a geir ym muchedd Samson, ei fod yn wir y mwyaf dysgedig:

> ... ymysg yr holl Frythoniaid yn yr holl ysgrifeniadau o'r Hen Destament a'r Newydd, o bob cangen o athroniaeth, mydryddiaeth a rhethreg, o ramadeg a rhifyddeg, ac o holl gywreinion athroniaeth ac o ran tras yn ddewin ac yn dra doeth yn ei ragwybodaeth o'r dyfodol.[24]

Ond ni ddisgwylid, wrth reswm, i aelod o fynachlog gael ei hyfforddi ar gyfer gyrfa fydol. Os oedd dysg seciwlar yn ogystal

â chrefyddol i'w chael ym mynachlog Illtud, odid na wasanaethai ryw ddiben arall.

Peth arall sy'n rhaid ei wrthod ym Muchedd Ruys yw'r gosodiad i Gildas fynd i Iwerddon i ddyfnhau ei ddysg. Chwedl Lapidge:

> [I]t is most unlikely that any traditional schools (teaching philosophy and rhetoric) were to be found in Ireland in the first half of the sixth century, for Ireland had never been part of the Roman empire; and in any case Gildas – according to the hagiographer – renounced all learning at the age of fifteen, precisely the point at which a Roman teenager would have passed from the care of a *grammaticus* to that of a *rhetor.*

Nid yw'n dilyn o reidrwydd nad aeth Gildas i Iwerddon tua'r adeg hon, ond os felly, gellir dyfalu mai am ryw reswm arall y bu hynny.[25]

Pwynt pellach sy'n codi amheuon yw'r sôn i Gildas lwyr ymwrthod â'r cnawd pan oedd yn bymtheg oed hyd ddiwedd ei oes. Sut y mae cysoni hyn â thystiolaeth yr achau fod ganddo bedwar o blant? Os oedd yn briod, cyfyd y cwestiwn pa le a chwaraeai ei briodas yn ei yrfa glerigol. Dichon un ai i'w wraig farw'n gynamserol neu ynteu iddo, fel y saint Illtud a Gwynllyw, ymwahanu â hi.

Statws eglwysig Gildas

Peth a fu'n dipyn o benbleth i ysgolheigion yw union statws Gildas fel clerigwr, ond nid oes problem mewn gwirionedd. Dadleuodd Owen Chadwick[26] yn dra argyhoeddiadol mai swydd diacon yw'r *ordo,* 'urdd', y cyfeiria Gildas ati yn c. 65.1, ac nid swydd mynach fel y credai Wade-Evans.[27] Os felly, yr oedd Gildas â'i droed ar ris isaf y drindod hierarchaidd o urddau a gynrychiolid gan y ddiaconiaeth, yr offeiriadaeth a'r esgobaeth, ac y mae hyn yn cydgordio'n burion â'r argraff gref a geir o ddarllen y Llythyr mai cynnyrch gŵr ifanc ydyw. Nid syndod, felly, yw gweld cyfeirio at Gildas mewn ffynonellau eraill, megis Buchedd Ruys, fel offeiriad, swydd a fyddai'n canlyn yn naturiol ar y ddiaconiaeth yn ddiweddarach yn ei yrfa eglwysig. Yn ngoleuni hyn, gall ymddangos yn rhyfedd i rai ei fod hefyd rywbryd wedi ei urddo'n offeiriad, wedi troi ei wyneb at fynachaeth, ond fel y dywed Thomas O'Sullivan, 'Kings could become monks, as even the great Maglocunus is reported to have done for a time, and doubtless public men and private, bishops and priests, and deacons as well, could do the same.'[28]

Yr Eglwys ym Mhrydain yn oes Gildas, a mynachaeth

Yr oedd yr Eglwys Gristnogol a fodolai ym Mhrydain yn oes Gildas yn olynydd uniongyrchol i'r Gristnogaeth a wreiddiodd a thyfu ym Mhrydain pan oedd hi, dros gyfnod o ryw bedwar can mlynedd, yn un o daleithiau'r ymerodraeth Rufeinig, a'r un yn ei hanfod oedd ei threfn â honno a geid yng ngwledydd eraill Cred. Prif nodweddion allanol y drefn honno oedd esgobaethau wedi eu seilio'n diriogaethol ar ranbarthau gweinyddol yr ymerodraeth ac a oedd â'u canolfannau mewn dinasoedd; hierarchaeth ac iddi esgob yn y brig a thano ef offeiriad ac yna ddiacon; a chydnabyddiaeth o'r Pab fel pennaeth ac awdurdod goruchaf yr Eglwys ddaearol achlân. Pan laciodd gafael Rhufain ar Brydain yn y bumed ganrif, ni chladdwyd y Gristnogaeth hon a'i hailgyflwyno yn ddiweddarach o'r cyfandir, fel yr honnodd rhai.[29] Cafwyd peth newid, yn anochel, megis ymlediad Cristnogaeth o'r dinasoedd a'r prif drefi i ardaloedd gwledig, a machlud y bywyd trefol, ond ni fu rhwyg sylfaenol. Law yn llaw â hi ceid athrawiaeth neilltuol seiliedig ar ddysgeidiaeth Crist a amddiffynnid yn daer rhag heresïau megis Ariaeth a Phelagiaeth, ac yn ei bywyd litwrgaidd penllanw addoliad oedd aberth yr offeren lle cymhwysid, trwy weinidogaeth yr offeiriad a'i dathlai, ffrwythau aberth Calfaria i'r ffyddloniaid yn y Cymun Bendigaid.

Cred sydd eto'n dal ei thir mewn rhai cylchoedd crefyddol yw fod ym Mhrydain yr adeg hon eglwys efengylaidd ddi-Bab annibynnol ar Rufain. Ond ofer chwilio am olion o'r fath endid yng ngwaith Gildas, nac o ran hynny mewn unrhyw ffynhonnell arall o'r cyfnod. Myth ydyw a ddyfeisiwyd (ai'n ddiffuant ai peidio sy'n gwestiwn) adeg y Diwygiad Protestannaidd gan yr Eglwys Wladol mewn ymgais i lenwi'r gagendor o fil a hanner o flynyddoedd rhyngddi a dechrau Cristnogaeth, a thrwy hynny i roi gwreiddiau, dyfnder gorffennol, hygrededd a chyfreithlonder iddi ei hun. Gellir gweld math o gyfatebiaeth i hyn yng ngwaith llawer o uchelwyr Cymreig yr oes yn ffugio achau aruchel iddynt eu hunain er mwyn dyrchafu eu statws ymhellach a thynhau eu gafael ar gyfoeth a thir. Cristnogaeth drwyadl Rufeinig ei tharddiad ac esgobaethol ei natur a geid ym Mhrydain Gildas.

Da y dywed J.E. Lloyd wrth drafod ymwneud St. Awstin o Gaergaint ag esgobion Prydain tua diwedd y chweched ganrif pan oedd ef am iddynt ei gynorthwyo i efengylu i'r Saeson:

> There was no insurmountable barrier, it would seem, between Augustine and the British bishops … No theological differences parted the Roman from the Celtic Church [h.y. yr Eglwys Brydeinig], for the notion that the latter was the home of a kind of primitive Protestantism, of apostolic purity and simplicity, is without any historical basis. Gildas shows clearly enough that the Church to which he belonged held the ideas current at Rome in his day as to the sacrifice of the eucharist and the privileged position of the priest ... The Roman missionaries knew of nothing against the Christians of Britain before they landed in the island, but on the contrary held them in high esteem for their reputed holiness

> of life …, nor is it to be supposed that Augustine would have asked them to join him in preaching the gospel to the English if he had not known them to be, from the Roman point of view, of unquestionable orthodoxy …; the Irish missionary Columbanus, sturdy champion though he was of Celtic independence in matters ecclesiastical, nevertheless says of the Pope – "By reason of Christ's twin apostles (Peter and Paul), you hold an all but celestial position, and Rome is the head of the world's Churches, if exception be made of the singular privilege enjoyed by the place of Our Lord's resurrection (Jerusalem)".[30]

Tua chanol y chweched ganrif cyrhaeddodd mynachaeth ddwyreiniol – y mudiad tra grymus hwnnw – ein glannau o'r Cyfandir, ac y mae'n bwysig, ar gyfer ein dealltwriaeth o Gildas, gwybod sut yr ymadweithiodd hon â'r drefn eglwysig lawer hŷn a geid yma eisoes. Pan ddaeth mynachaeth i Iwerddon tua'r un adeg, er bod trefn esgobaethol i'w chael yn y wlad honno hithau, dechreuwyd sefydlu mynachlogydd gan garfanau ceraint (*kin groups*) yn fwy neu lai annibynnol ar yr esgobion, ac erbyn yr wythfed ganrif yr oedd y gyfundrefn eglwysig wreiddiol lle ceid esgobion yn llywodraethu tiriogaethau sefydlog wedi graddol ildio i un frodorol ei naws o *paruchia* mynachaidd, dan lywodraeth abadau, a ledaenid ymhell y tu hwnt i leoliad y brif fynachlog; yr *Hibernenses*, nid y *Romani*, oedd yn ben. Sonia llawer o ysgolheigion fel pe bai rhywbeth tebyg wedi digwydd yng Nghymru, ac fel hyn yn ddiau y ganwyd yr ymadrodd 'yr Eglwys Geltaidd', sy'n awgrymu math o ffenomen eglwysig ban-Geltaidd a'r gwahanol wledydd Celtaidd yn rhannu llawer o'r un nodweddion, megis syniadau am benydio a phererindota, arddulliau adeiladu a cherfio, llyfrgelloedd tebyg, hyfforddiant deallol, ac ati. Fodd bynnag, fel y mae Kathleen Hughes wedi dadlau, roedd y sefyllfa yng Nghymru yn wahanol.[31] Yma yr oedd y drefn eglwysig esgobaethol wedi gwreiddio'n llawer dyfnach nag yn Iwerddon, diolch i ganrifoedd o lywodraethu Prydain gan Rufain a chyswllt y drefn â brenhinoedd cryf, ac nis disodlwyd. Yn ôl Hughes:

> In Wales some bishops did take up the monastic life with enthusiasm and new monasteries were also founded by kin groups, but the monasteries sometimes remained under the bishop's jurisdiction and their estates were often within a confined territory. Even if monasteries were independent of the bishop, they may have been so only in much the same way as exempt houses in the European church of the Middle Ages … Unfortunately we do not have enough evidence to say how the system worked. But there *is* enough evidence to dispute the generally held assumptions that the Welsh system was purely monastic, that there were no dioceses or diocesan bishops, and that bishoprics grew up as a result of Anglo-Norman penetration. Bishops were not an English borrowing into Wales: they had never died out … We have not sufficiently recognized the influence of the Romano-British and sub-Roman past on the history of early medieval Wales.

Yn erbyn cefndir eglwysig fel hwn y symudai Gildas – un esgobaethol a mwy sefydlog na'r drefn fynachaidd, grwydrol, allgyrchol – fwy lliwgar hefyd efallai – a geid yn Iwerddon, ond un hefyd a ganiatâi ddigon o le i dwf mynachaeth o fewn ffiniau cyfundrefn Gristnogol y wlad. Cymharer mudiad grymus arall mewn oes ddiweddarach, sef Methodistiaeth y ddeunawfed ganrif, a ddechreuodd o fewn yr Eglwys Wladol. Cyson â hyn yw agwedd Gildas at y math o fynachaeth a gysylltid â Dewi Sant a'i ddilynwyr, oherwydd arddelent hwy fath eithafol o ymgosbaeth gorfforol (*asceticism*) yr oedd a wnelai fwy, ym marn Gildas, â balchder personol nag â gwir dduwioldeb. Er hynny, nid oes dwywaith na roddoddd ei gondemniad llym ef o bydredd moesol ei wlad hwb i'r mudiad mynachaidd yng Nghymru yn gyffredinol pan oedd eto yn ei fabandod.

Awduraeth y Llythyr

Gan yr hanesydd o Sais Beda, yn ei *Historia Ecclesiastica Gentis Anglorum* mawr ei fri, a gyhoeddwyd yn 731, y ceir yr hysbysiad cynharaf sydd ar glawr ynghylch awduraeth y Llythyr, gan ei briodoli i Gildas. Adlewyrchir y priodoliad yn ddiweddarach – un ai ar sail gwaith Beda neu ynteu ryw ffynonellau eraill coll – yn rhaglithiau ac olnodau llawysgrifau'r Ddogfen yn ogystal ag ym Muchedd Ruys.

Natur a phwrpas y Llythyr

'Llythyr agored' Lladin, tra rhethregol ei naws, o 85 pennod (cc. 1, 27-110) yw'r gwaith dan sylw a ysgrifennodd Gildas pan oedd yn ŵr cymharol ifanc gyda'r bwriad o gystwyo awdurdodau bydol ac eglwysig ei wlad, sef *Britannia,* 'Prydain'– neu ei *patria*, 'mamwlad', fel y geilw hi weithiau – am eu llygredd moesol, eithr gan gynnig iddynt hefyd gyfle i ymddiwygio. Dywed iddo ei lunio ar gais taer brodyr yn y ffydd ac ar ôl oedi am ddeng mlynedd neu well (c. 1.2, 16). Dechreua gyda phwerau seciwlar ei wlad, sef y brenhinoedd (cc. 27-63). Yna eir ati i ffrewyllu'r glerigaeth (cc. 66-110). Enwir pump o'r brenhinoedd, sef Constantinus (Cystennin), Aurelius Caninus (Cynin), Vortiporius (Gwrthefyr), Cuneglasus (Cynlas), ac yn olaf Maglocunus (Maelgwn); ond am ryw reswm nid enwir un clerigwr. Ar ôl ymosod ar y brenhinoedd, dyfynna Gildas doreth o ddarlleniadau o'r Hen Destament ac, yn olaf, rai o'r apocryffon Llyfr Doethineb, i gryfhau cyfiawnder ei achos (cc. 37-63), a gwna'n debyg yn achos y glerigaeth hithau (cc. 75-105) ond gan dynnu ar y Testament Newydd yn ogystal â'r Hen a chan ychwanegu darlleniadau Ysgrythurol o hen ddefod ordeinio Brydeinig (cc. 106-7). Cyfansoddwyd y Llythyr i gyd ar ffurf araith gyfreithiol. Yn gefndir iddo gellir canfod hen gymdeithas Frythonig, Rufeinig a Christnogol, dan reolaeth brenhinoedd brodorol teyrnasoedd amrywiol eu maint, cymdeithas lle yr oedd yr Eglwys wedi gwreiddio'n ddwfn a'r drefn wleidyddol yn sefydlog, ond un hefyd lle yr oedd drygau ar waith, yn fewnol ac allanol, ffrwyth uchelgais a thrachwant.

Ffiniau Prydain Gildas

Fel y dywedwyd, cyfeiria Gildas at ei wlad fel *Britannia,* 'Prydain' (ac weithiau, yn llai penodol, fel ei *patria*, 'mamwlad'), ond o edrych ar leoliad teyrnasoedd y brenhinoedd a feirniedir ganddo, cyfetyb y diriogaeth nid i Brydain gyfan (yr ynys ddaearyddol) ond i'w pharthau gorllewinol yn unig. Felly roedd Constantinus yn Nyfnaint. Mae ansicrwydd ynghylch lleoliad Aurelius Caninus, ond ymddengys y cytunir yn gyffredinol ei fod yn trigo yn rhywle yn Ne-Orllewin Lloegr (y 'West Country'). Yn ôl J.E. Lloyd, 'his kingdom must be looked for in the neighbourhood of the English settlements rather than in Wales'. Ym marn Wade-Evans, roedd ei diriogaeth yng Nghernyw. Caerloyw yw cynnig Michael Winterbottom. Teyrnasai Vortiporius yn Nyfed, Cuneglasus yn hen dywysogaeth Rhos yng Ngwynedd Is Conwy, a'r enwog Maglocunus yng Ngwynedd. Roedd 'Prydain' Gildas, gan hynny, yn cynnwys rhannau helaeth o Gymru ac o'r wlad sy'n cyfateb i'r hyn a elwir bellach yn Dde-Orllewin Lloegr ac ni chyfeirir at unman y tu hwnt i'r terfynau hynny. Ymddengys fod ei Brydain ef yn Brydain lai o fewn y Brydain gyfan – yn Brydain o fewn Prydain, fel petai.

I ni heddiw sy'n synio am Brydain fel ynys yn unig, ymddengys defnydd Gildas o'r enw yn rhyfedd, ac mae gofyn esboniad. A ddichon mai dethol y mae Gildas rai o frenhinoedd yr ynys ynghyd â'u teyrnasoedd a hynny ar sail drygioni eu ffyrdd? O'r safbwynt hwn, gellid dyfalu bod y rhan fwyaf o'r brenhinoedd neu'r rheolwyr yn llywodraethu'n ddoeth ddigon ond bod angen hoelio sylw ar ddyrnaid o rai drwg. Ymddengys yn od, er hynny, eu bod i gyd yn dod o ochrau gorllewinol yr ynys: oni ddisgwylid cael un, o leiaf, o ryw ran arall ohoni, megis y dwyrain neu'r gogledd?

Ond nid ydyw defnydd Gildas o'r enw yn rhyfedd o gwbl os edrychir arno yng ngoleuni'r ffordd y rhannwyd Prydain yn ardaloedd gan y Rhufeiniaid. Dyma ddisgrifiad Wade-Evans:

> In 296 the Emperor Diocletian created four civil divisions in Britain. These were 1, Britannia Prima; 2, Britannia Secunda; 3, Britannia Maxima Caesariensis; and 4, Britannia Flavia Caesariensis.
>
> In 369 a fifth was added, Britannia Valentia.
>
> Nothing certain is known of the situation of these *five* Britains in Britain, or what was the relation (if any) between them and the *two* Britains of Severus. Except this, that Valentia was in the north, and that Britannia Prima contained Cirencester.
>
> Giraldus Cambrensis, however, in the twelfth century found evidence at Rome (by no means negligible), that Britannia Prima was in the West, containing Wales and the West Country; Secunda in the south-east; Flavia in the midlands; Maxima in the north; and Valentia beyond that. There is nothing here that conflicts with what we know. It has been confirmed by the discovery that Cirencester was in Prima. It places Valentia and Maxima 'the consular provinces in the north, where Camden long ago showed they ought probably to be'. And it places Valentia north of Maxima 'as history suggests' (Haverfield).
>
> Thus Wales and the West Country constituted (or formed the main bulk of) a Britannia in Britain, a western Britannia, representing to some degree the Britannia Superior of the Emperor Septimius Severus and the Britannia Prima of the Emperor Diocletian.
>
> This western Britannia survived into the sub-Roman age. For there is ample evidence that down to the twelfth century, when the fashion began to alter, Britannia with Welsh writers of Latin

> meant not only Britain, but also Britannia in Britain, to wit Wales and the West Country (which two we may call 'Welsh-land'), and then Wales alone.[32]

Ar sail hyn gellir cynnig mai'r hyn a olygai Gildas wrth *Britanni*a oedd nid yr ynys gyfan ond rhan ohoni, un o bum *Britannia* yr hen drefn Rufeinig nad oedd y cof amdani wedi diflannu, a honno'n cyfateb i *Britannia Prima*, sef Cymru a De-Orllewin Lloegr, ac ategir y casgliad gan absenoldeb unrhyw gyfeiriadau yn y Llythyr at diroedd i'r dwyrain neu i'r gogledd ohoni.[33] Nid hawdd yw pennu union ffiniau dwyreiniol y rhanbarth. Cynhwysent Gaer Ceri (Cirencester). Eithr ni raid amau ei hyd a'i led cyffredinol.

Amseru'r Llythyr

Y mae'r drefn a'r bywyd eglwysig a adlewyrchir yn y Llythyr, a phrinder cyfeiriadau at fynaich, yn peri ei osod yn gyffredinol yn y cyfnod cyn canol y chweched ganrif, pryd yr aeth mynachaeth fwyfwy ar gynnydd. Enwa Gildas y pum brenin yr ymesyd arnynt (cc. 28-36), a chan fod modd dysgu mwy am y rhain a'u blynyddoedd o ffynonellau eraill – yn bennaf oll o achlenni – gellir cynnig amseriad manylach ar gyfer y Llythyr. Y mae'n syndod cyn lleied y manteisiwyd ar y dystiolaeth hon. Bodlonwyd gan amlaf i dderbyn amser marw Maelgwn Gwynedd, a nodir yng nghronicl Harley 3859 dan y flwyddyn 547, fel *terminus ante quem* amser cyfansoddi'r Llythyr, efallai am mai o'r pum brenin ef yw'r unig un y ceir hysbysiad fel hyn am adeg ei farw. Ond heb wybod mwy am flynyddoedd y brenhinoedd eraill nid oes sail resymol dros honni mai Maelgwn oedd yr olaf ohonynt i farw ac mai 547 oedd y dyddiad olaf y gallesid llunio'r Llythyr. Tueddwyd hefyd i bwyso gormod ar y dyddiad ei hun heb ymorol ymhellach ynghylch ei gywirdeb a'i darddiad.[34]

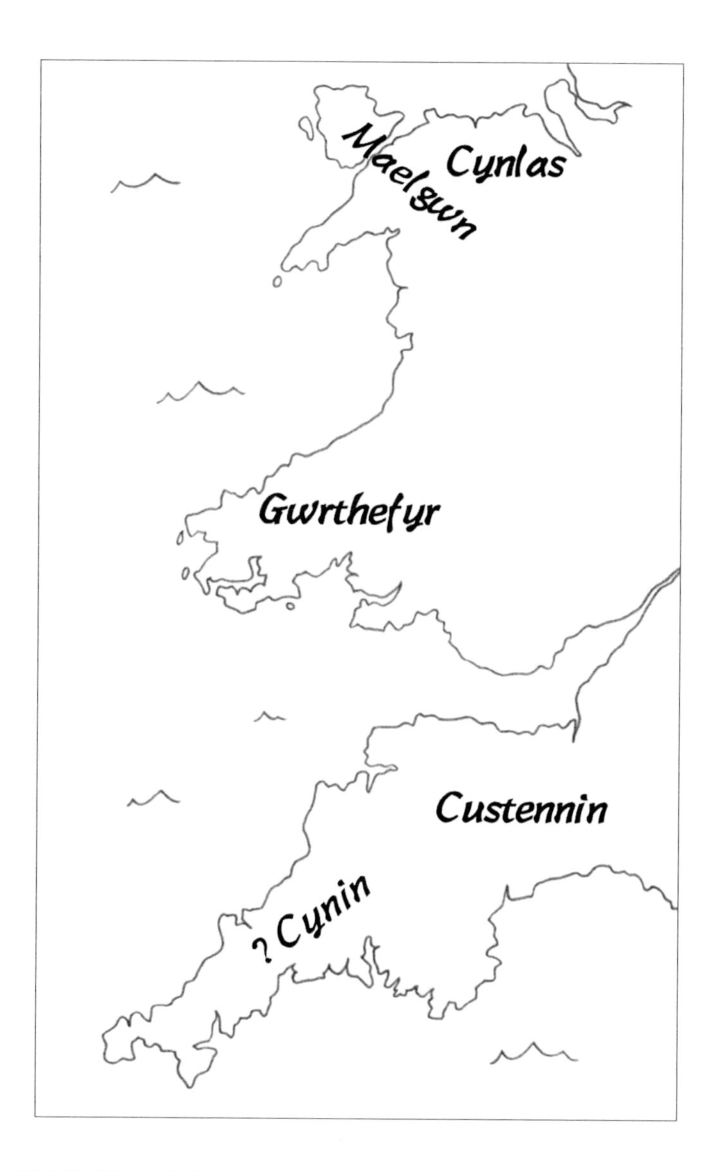

Y PUM TEYRN. Maelgwn (Maglocunus) yng Ngwynedd, Cynlas (Cuneglasus) yng Nghlwyd, Gwrthefyr (Vortiporius) yn Nyfed, Custennin (Constantinus) yn y penrhyn de-orllewinol. Ansicr iawn yw lleoliad Cynin (Aurelius Caninus), ond tuedda'r wybodaeth, os rhywbeth, i'w osod tua Chernyw.

Ystyriwn, yn gyntaf, y dyddiad 547. Y cofnod llawn yw: *Mortalitas magna, in qua pausat Mailcun rex Guenedotiae* (Marwolaeth fawr pryd y bu farw Maelgwn brenin Gwynedd).[35] Yn awr, er cydnabod bod llawer o ddyddiadau cynnar cronicl Harley 3859 yn annibynadwy, credai J.E. Lloyd fod y blwyddnod hwn yn ddigon diogel oherwydd yn 542 yn y Dwyrain, yn ystod teyrnasiad yr Ymerawdwr Justinian, daeth pla mawr, a hwn, yn nhyb Lloyd, oedd achos marwolaeth Maelgwn. Gallai fod wedi cyrraedd Prydain erbyn tua 547. Ond fel y mae Thomas O'Sullivan wedi dadlau, y pla du *(bubonic plague*) yn ddiau oedd y pla hwn, ac yn ôl y traddodiad Cymreig, na ddylid ei wrthod, bu farw Maelgwn yn hytrach o'r hyn a elwir y fad felen (*yellow plague*), pla y ceid digon o achosion ohono yn y cyfnod.[36]

Edrychir yn nesaf ar ddyddiadau'r pum brenin, gan gadw mewn cof ddarfod gwrthod y dyddiad 547 ar gyfer marwolaeth Maelgwn Gwynedd. Llanwyd peth o'r bwlch hwn yn ein gwybodaeth gan Thomas O'Sullivan, a wnaeth ymdrech lew i sefydlu dyddiadau ar eu cyfer, yn bennaf trwy astudio'r achau brenhinol. Crynhoa ei gasgliadau fel a ganlyn:

> Constantine of Damnonia is a hazy figure; if we can date him at all, he must be given a floruit ca. 520-23. Aurelius Caninus is hazier still; the best floruit we can give him would fall ca. 485-89. Vortiporius, Cuneglasus and Maglocunus are better documented. On the basis of his descendents, Vortiporius should have died ca. 508; on the basis of his ancestors, he should have flourished ca. 503. The descendents of Cuneglasus give him an obit ca. 525 (or perhaps ca. 495). The descendants of Maglocunus give him an obit ca. 515. On the basis of the ascending line (which is the same, for these princes were first cousins), Maglocunus and Cuneglasus must be assigned a floruit ca. 490-520. Quite a consistent picture emerges. The *De excidio*, generally assigned to the 540's, now appears to have been written a generation earlier.

Ar sail y cymysgedd hwn o ddyddiadau blodeuo a marw, gellir cynnig yn betrus ca. 520 fel adeg cyfansoddi a lansio'r Llythyr, rhyw genhedlaeth yn gynharach, fel y dywed O'Sullivan, nag y tybiwyd o'r blaen. Os felly, roedd Gildas hefyd yn ddyn ifanc ar y pryd, ac mae hynny'n gyson â thymer ei waith.

Man llunio'r Llythyr

Tipyn o ddirgelwch yw ymhle yn union y lluniodd Gildas ei lythyr. Yn ôl Buchedd Ruys, fe'i hysgrifennodd yn Llydaw wedi iddo fudo yno. Sylw Lloyd ar hyn yw:

> The view that Gildas was at the time in Brittany and launched it across the Channel rests on no better authority than the Rhuis life, where it was almost inevitable that such a statement should be found, and it is rendered very unlikely by the use of the word "transmarine" to describe the continental sources used by the author in default of native authorities.[37]

Ymddengys y geiriau hyn yn ddibrisiol braidd, yn enwedig o'u cyferbynnu â barn Lloyd am werth y Fuchedd mewn man arall (HWales 135), ond yn bwysicach, gan fod y gair 'transmarine' yn cyfeirio at Ddinistr Prydain (c. 4.4 *transmarina relatione*) ac nad yw'r Dinistr, fel y daliaf, yn rhan o'r Llythyr, annilysir yr ateg hon i ddadl Lloyd. Pa un a yw tystiolaeth y Fuchedd yn gywir ai peidio, ni allaf dderbyn rhesymau Lloyd dros ei gwrthod.

Awgrymodd Lloyd fan gwahanol:

> It has been pointed out that, so far as can be seen, not one of the five kings pilloried by Gildas belongs to the British country which at that time stretched from Chester to Dumbarton, a country on which the English invader had as yet made little impression ... May not his work have been written here, under the protection of a king who, while too bad for a formal blessing, was too good for

cursing in the heroic vein which was thought necessary to meet the case of the hardened sinners of the South.

Cofier hefyd fod Gildas yn hanfod o deyrnas Ystrad Clud a ffiniai i'r gogledd â Rheged. Dadl debyg i eiddo Lloyd a geir gan Saunders Lewis, sy'n lleoli Gildas yn niogelwch teyrnas Rheged, eithr gan ei amseru'n ddiweddarach o dipyn, sef yn oes Urien Rheged a Thaliesin.[38] Gwendid dadl Lloyd yw ei bod yn rhagdybio bod Gildas yn wreiddiol yn dymuno cynnwys teyrnasoedd Brythonig y diriogaeth a ymestynnai o Gaer i Ddin Alclud (Dumbarton) yn ogystal â rhai Cymru a De-Orllewin Lloegr. Efallai mai'r rheswm am hyn yw bod y parthau hyn yn ffurfio'r hyn a elwir yn Ucheldir (*Highland Zone*) Prydain ac felly'n meddu ar fath o undod. Ond un peth yw undod daearyddol neu ethnig, peth arall yw undod gwleidyddol, ac y mae'n bosibl bod mwy o undod gwleidyddol rhwng Chymru a De-Orllewin Lloegr – *Britannia Prima* – na rhyngddynt hwy a'r parthau gogleddol – *Britannia Maxima* a *Britannia Valentia*. Yn wir, dywed Wade-Evans, WCO 94:

> There is no trace of Romano-British or Welsh Kings in northern England in the fifth century except such as had come down from 'the North', that is, from what we presume to have been Valentia. ... Romano-British or Welsh kings are not found in force in northern England till the sixth century, when they are clearly seen to be invaders from 'the North', cleaving their way from the Clyde towards the Humber and possibly beyond, founding principalities, but only with partial and temporary success, for they never seem to have effected a terrene connection with the Welsh of Britannia, that is Wales and the West Country.

Mater gwahanol, yn perthyn i oes ddiweddarach, yw'r cysylltiadau *llenyddol* rhwng Cymru a'r Hen Ogledd, pryd y dechreuwyd ail-leoli arwyr a ffigurau lled-hanesyddol neu chwedlonol y rhanbarth

hwnnw yng Nghymru o ganlyniad i bresenoldeb cynyddol y Saeson rhwng y ddwy diriogaeth o ail hanner y chweched ganrif ymlaen. Os cywir Wade-Evans, ni fyddai'n syndod os nad oedd yn fwriad o gwbl gan Gildas gynnwys tiroedd y gogledd yn ei lythyr, ac ni ddylid, gan hynny, gymryd ei ddistawrwydd yn eu cylch yn arwydd ei fod wedi ceisio lloches yno. Nid yw'n annichon *per se* iddo wneud hynny (er bod lleoedd eraill hefyd y gallai fod wedi ffoi iddynt, e.e. Iwerddon), ond nid ar sail tawedogrwydd y Llythyr y dylid tybio felly.

Rhoes Wade-Evans hefyd gynnig ar leoli man llunio'r Llythyr. Cyfeiria yn gyntaf at ymneilltuad Gildas rywdro i ynys Echni lle yr ysgrifennodd yr *Evangelium Gildae* y sonnir amdano ym Muchedd Cadog. Yna tyn sylw at y frawddeg ganlynol yn y Llythyr lle dywed yr awdur (ein cyfieithiad):

> Oherwydd mor ewyllysgar, fel un megis wedi ei luchio gan donnau'r môr a'i gludo i hafan ddymunol gan y rhwyfau, y gallwn, a gwyleidd-dra yn cymell, orffwys yn y lle hwn, pe na welswn y fath fynyddoedd anferth o gamweddau esgobion neu'r offeiriaid eraill, neu glerigwyr o'm hurdd i hefyd, yn ymddyrchafu yn erbyn Duw. (65.1)

Cyfieithiad Wade-Evans yw 'as one tossed by the waves of the sea and borne into a desired haven by oars' (cf. cyfieithiad Hugh Williams, 'as one tossed by the waves of the sea, and carried into the desired haven by the oars') a chymerodd hyn i arwyddocáu bod Gildas yn ysgrifennu ar ynys, sef – yng ngoleuni tystiolaeth Buchedd Cadog hefyd – Ynys Echni. Fodd bynnag, ystyr y Lladin *ac si* yma yw nid 'fel' ffeithiol ond 'fel petai' dychmygol ('as if tossed …').[39] Fe all, yn wir, fod Gildas yn cyfleu yma yng ngwisg dychymyg yr hyn a oedd mewn gwirionedd yn ffaith – os felly, ceir mannau eraill yn ei Lythyr y gellir eu dehongli fel lledgyfeiriadau cynnil; ond nid yw mynegiant y frawddeg yn gyfryw fel y gellir honni hyn yn bendant.

Pa gasgliadau, gan hynny, y gellir eu tynnu? Er nad yw rhesymau Lloyd dros wrthod tystiolaeth buchedd Ruys yn ddigonol, nid yw'n dilyn o reidrwydd bod y dystiolaeth honno yn gywir. Yn ôl yr hyn y gellir ei loffa am yrfa Gildas, ymddengys iddo fudo i Lydaw yn ddiweddarach yn ei oes, eithr tebyg mai dyn ifanc ydoedd pan lansiodd y Llythyr. Y mae hefyd yn sôn am droseddau'r pum brenin gyda chynefindra nas disgwylid gan ŵr a drigai ymhell dros y môr yn Llydaw. Haws credu mai yn rhywle ym Mhrydain y lluniodd ei lythyr, ond nid yw awgrym Lloyd mai yn yr Hen Ogledd y bu hynny yn argyhoeddi. Ar y llaw arall, y mae dadl Wade-Evans o blaid Ynys Echni yn gwneud synnwyr hyd yn oed os na ellir ei phrofi.

Cyn cloi'r adran hon o'r drafodaeth, hoffwn awgrymu un fangre bosibl arall ar gyfer ysgrifennu'r Llythyr. Ai yr un 'mynyddoedd' sydd yma ag yn c. 32.2, lle mae Gildas yn annerch Maelgwn Gwynedd yn y geiriau 'Pam yr wyt o'th wirfodd yn clymu wrth dy wddf brenhinol y fath lwythi mawr diollwng o bechodau (os caf fynegi'r peth felly) megis mynyddoedd uchel?' Ai mynyddoedd Eryri ydynt? Os felly, a bod Gildas ar ryw ynys, dichon mai Ynys Enlli yw honno, lle gellir gweld mynyddoedd Eryri yn y pellter yn eu holl ogoniant ysgithrog. Y mae'n berffaith bosibl, wrth gwrs, mai meddwl yn drosiadol y mae Gildas yma.

Hyd y gwelaf, ni ellir dweud mwy na hynny ar hyn o bryd am fan llunio'r Llythyr ond efallai y ceir goleuni pellach ar y mater yn y dyfodol.

Y Llythyr fel llên

Cyfansoddiad Lladin yw'r Llythyr, ac yn erbyn cefndir llên Ladin y dylid ei ystyried yn y lle cyntaf. Yr oedd ysgrifennu llythyrau yn beth cyffredin yn y byd Rhufeinig. Diogelwyd llawer ohonynt, megis llythyrau Cicero neu'r Plinius Ieuaf, ac ym Mhrydain dyna, er enghraifft, lythyrau Pelagius neu lythyr enwog Padrig Sant at Coroticus. Yr hyn a all ein taro'n rhyfedd heddiw ynglŷn â Llythyr Gildas yw ei fod ar ffurf araith, ond erbyn yr oes glasurol ddiweddar yr oedd y grefft o lunio llythyrau – 'llythyreg', megis – wedi ennill lle canolog yn yr ysgolion rhethreg, a disgwylid i strwythur llythyr cyhoeddus ddilyn eiddo araith. Chwedl Michael Lapidge:

> ... by late Antiquity, epistolography had come to occupy a central position in rhetorical teaching. The fourth-century *rhetor* C. Iulius Victor, for example, taught that many of the rhetorical devices employed in speeches were also pertinent to letters; in other words, the structure of a public letter was expected to follow that of a speech.

Enghraifft, felly, o'r math hwn o lythyr – llythyr areithiol – yw Llythyr Gildas.

Gellir dweud, ymhellach, pa fath o araith a gynrychiolir ganddo. Arddelai'r rhethregwyr sawl dosbarth o araith. Dyma Lapidge eto:

> ... Roman rhetorical teaching recognised several categories of declamation besides the purely judicial; in particular, a speech might be 'demonstrative' (*demonstrativum*), so called because it expounded something 'either by praise or blame' (*aut laudando aut uituperando*), whence there were said to be two sorts of demonstrative oratory, praise (*laudatio*) or blame (*uituperatio*).

Y math o araith sydd debycaf o groesi'n meddyliau ni heddiw yw'r math cyfreithiol, a anfarwolwyd gan y ddau gawr Demosthenes a Cicero, ond roedd amgylchiadau cyfansoddiad Gildas i bob golwg yn bur wahanol i eiddo llys barn. Yn ôl Lapidge: 'The structure of Gildas's *De Excidio Britanniae* may be convincingly interpreted in terms of demonstrative oratory: a *uituperatio*, let us say, *in patriam uitiosam* [cerydd i famwlad ddrygionus].' Gwelir strwythur yr araith yn y ffordd y'i rhannwyd yn adrannau yn unol â chonfensiynau areithyddiaeth.[40] Dechreua gydag *exordium*, lle y mae'r awdur yn esbonio ei resymau dros siarad ac yn ceisio agor meddyliau ei gynulleidfa i'w ddadleuon (c. 1). Yna ceir y *propositio*, sef datganiad yr awdur o'i achos (cc. 27-36, 64-75). Wedi ei blethu â hwn ceir *argumentatio*, lle dadleuir yr achos yn fanwl a'i brofi (cc. 37-63, 76-105). Cloir y gwaith ag *epilogus*, lle erfynir am drugaredd (Duw yn yr achos hwn) tuag at y troseddwyr. Gellid disgrifio Llythyr Gildas, felly, yn nhermau rhethreg Rufeinig, fel llythyr areithiol o gerydd.

Gwelir natur areithiol y Llythyr hefyd yn y defnydd helaeth iawn a wneir ynddo o ffigurau ymadrodd rhethregol – pethau megis ebycheiriau er pwysleisio neu ddal sylw; cyferbynnu; crybwyll ffaith dan gochl mynd heibio iddi (*paraleipsis* neu *praeteritio*); ebychu dicllon wrth y gynulleidfa (*apostrophe* neu *exclamatio*); defnyddio cyfres hir o gwestiynau (*erotema*) neu ddilyniant o gwestiynau ac atebion lle rhagwelir yn gyfrwys drywydd y rhesymu (*ratiocinatio*); ailadrodd yn daer yr un gair neu ymadrodd (*epanaphora*); taflu geiriau ochr yn ochr â'i gilydd heb gysylltair (*asyndeton*). Ac felly ymlaen. Yn ei ddefnydd o holl arfogaeth a dulliau rhethreg dengys Gildas feistrolaeth wych, ac amlwg iddo dderbyn hyfforddiant trylwyr yn y grefft.

Ond beth am y darlun ehangach? Mewn môr o lenyddiaeth Ladin, pwy oedd cymdogion agosaf y Llythyr? Yn ei astudiaeth arloesol o Ladin y Ddogfen dangosodd François Kerlouégan fod yr arddull yn ei gydio, yn ei hanfod, wrth draddodiad rhethregol Lladin Hwyr y bumed ganrif, a gynrychiolid gan ffigurau o Âl, yn enwedig Sidonius Apollinaris (c. 432-80) a Magnus Felix Ennodius (c. 473-521). Gellir ychwanegu hefyd y Galo-Rufeiniad Caelius Sedulius (tua chanol y ganrif), Salvian o Marseilles (y bumed ganrif) ac amryw eraill hyd y chweched ganrif. Nac anghofier ychwaith Faustus o Riez (daeth yn abad y fynachlog yn Lérins tua 433 ac yna'n esgob Riez tua 460), a oedd yn Frython ac a gafodd, mae'n debyg, ei hyfforddi mewn rhethreg ym Mhrydain. Y mae'n bwysig deall arwyddocâd y cysylltiadau hyn, oherwydd dangosant fod iaith Gildas wedi ei gwreiddio yn y lle cyntaf yn Lladin blynyddoedd hwyr yr hen fyd a'i bod, gan hynny, yn fwy clasurol ei naws na'r mathau o Ladin a gafwyd yn ddiweddarach – er enghraifft gan awduron yr *Hisperica Famina* yn Iwerddon (y seithfed ganrif) neu'r Sais Aldhelm (*ob.* 709/10) neu'r Brython 'Nennius' (*fl.* yn y nawfed ganrif) – er ei bod, a hithau'n sefyll rhwng clasuroldeb a dechrau hynny o'r traddodiad Lladin ynysol a oroesodd, yn edrych tua'r Oesoedd Canol yn ogystal.[41]

Maentumia Kerlouégan, ar sail ei ddadansoddiad o ieithwedd, cystrawen ac arddull Gildas, fod un gwahaniaeth pwysig rhwng Lladin yr awduron uchod ac eiddo Gildas, sef bod yr olaf yn ffrwyth ysgol rethreg lle na chlywid Lladin *byw*. Cyfieithwn:

> Yr ydym newydd weld fod Gildas wedi derbyn addysg dda. Ond ystyriwn achos awdur o oes gynharach. Mae ef wedi mynychu ysgol y gramadegwr a'r areithiwr, mae wedi dysgu iawn eirio, Cicero a Quintilianus, Fergil a Terens. Er hynny mae'n byw mewn hinsawdd lle mae'r Lladin yn cael ei siarad a'i thrawsnewid; mae ef ei hun yn siarad math o Ladin nad yw yn union yr un y mae wedi ei ddysgu ac y mae'n ei ddarllen. Os oes ganddo ysbryd, nid Lladin ei ysgol a ysgrifenna, ond Lladin sydd, mewn gwahanol fathau, yn ffurfio rhan fechan neu fawr o Ladin byw. Yr awdur da sy'n ysgrifennu mewn hinsawdd ieithyddol normal, ni ddirmyga hwnnw dderbyn ysgogiad o ffynonellau'r iaith lafar.
>
> Ymddengys nad felly y mae Gildas. Heb amheuaeth mae'n defnyddio ffurfiau sathredig, ond rhai wedi eu dysgu yn yr ysgol ydynt, rhai wedi eu cymathu o fewn yr iaith lenyddol. Ymhellach, fe'i gwelwn yn cymhwyso rheolau wedi eu dysgu yn yr ysgol ond nas dilynid gan yr awduron ond yn achlysurol, neu eto er mwyn dynwared traddodiadau disglair ond meirw, agwedd sy'n dangos disgybl wedi ei lwyr feithrin yn yr ysgol, heb gyswllt â'r iaith fyw,

> yn dyfal ddilyn y rheolau a osodir gan y meistr ond nid gwyriadau'r ysgrifenwyr. Mi ddywedais gynnau i Gildas ddysgu Lladin yn yr ysgol; mi ddywedaf yn awr mai yn yr ysgol yn unig y'i dysgodd.

A daw i'r casgliad terfynol:

> Gellir disgrifio Lladin *DEB* fel hyn; gan mwyaf y mae'n Lladin awdur o ddiwedd y bumed ganrif, gyda'r gwahaniaeth pwysig nad yw Gildas yn clywed iaith lafar; mae'n cymhwyso'r rheolau, mae'n rhagori mewn coethder ac yn mynd yn o bell mewn math o fursendod, mae'n ysgrifennu heb y glust Ladin. Mi gredaf fod y label 'Lladin ysgol' yn gweddu'n berffaith i'r *DEB*.

Y mae dadansoddiad Kerlouégan o Ladin Gildas yn gynhwysfawr a meistraidd, ond er cytuno ag ef i'r graddau bod elfen gref o'r hyn y gellid ei alw'n lletchwithdod yn Lladin Gildas, anghytunaf â'i esboniad ar hyn. Fel y dywedais uchod, y mae'r syniad o ysgol rethreg lle na chlywid Lladin byw yn un od, ac anodd fyddai ei gysoni â barn Lapidge fod Gildas wedi ei hyfforddi yn y lle cyntaf i fod yn areithydd â'i olygon ar yrfa seciwlar weinyddol, oblegid ni fyddai hyfforddiant mewn sefydliad lle yr oedd y Lladin yn iaith farw llyfr yn baratoad cymwys ar gyfer amgylchfyd prysur lle na allai hi beidio â bod yn iaith fyw siaradwyr: i'r gwrthwyneb, disgwylid ei chlywed trwy'r adeilad. Cynigiais yn hytrach mai'r rheswm o bosibl am wendidau Lladin Gildas oedd na chododd ef yr iaith ar aelwyd ei gartref yn gynnar yn ei fywyd. Posibilrwydd arall y gellir ei gynnig yw na fu yn yr ysgol rethreg yn ddigon hir i feistroli'n llawn y grefft o lunio brawddegau hir yn gelfydd a chytbwys (un agwedd ymysg eraill ar rethreg, gellir tybio) am i'r alwad at grefydd dorri'n gynamserol ar ei fwriadau gwreiddiol.

Ond dichon mai'r peth mwyaf trawiadol ynglŷn â'r Llythyr yw ei arddull. Dosbartha Kerlouégan frawddegau Gildas yn dri math: (1) y *période* (Saesneg 'period'), sef brawddeg hir ac ynddi nifer o gymalau isradd sy'n ymddatblygu'n raddol a threfnus o'i dechrau i'w diwedd. Perthyn i arddull geidwadol awduron mawl Gâl a Hilari o Arles. (2) Y *cathode*, sef brawddeg fechan wedi ei hadeiladu ar gyfochredd neu wrthosodiad. (3) Y frawddeg gymhleth lle y mae'r sangiadau, y cymalau isradd a'r rhangymeriadau yn pentyrru ac ymgymysgu. Gwelir y math hwn yng ngwaith Sidonius Apollinaris ac Ennodius hefyd. Gall Gildas saernïo brawddegau byr yn burion ond anwastad yw ei feistrolaeth ar frawddegau hir, er cywired ei ramadeg, a thueddant gan amlaf i fod yn arw eu naddiad a gorlwythog gan ymestyn yn wasgarog, heb feddu'r crynder a'r cydbwysedd strwythurol a'r ymdeimlad â rhythm sy'n nodweddu rhyddiaith awduron clasurol megis Cicero a Titus Livius. Efallai fod hyn yn rheswm arall pam y credai Kerlouégan nad oedd clust Gildas yn gyfarwydd â chlywed Lladin byw, er na chyfeiria'n benodol at y pwynt. Fodd bynnag, efallai mai'r nodwedd hynotaf ar arddull Gildas yw ei ddefnydd helaeth, fel addurn i decáu ei ryddiaith, o *hyperbaton*, sef, mewn rhethreg, geirdrefn gymhleth lle gwahenir ansoddeiriau oddi wrth yr enwau a oleddfant mewn modd artistig. Noda Neil Wright chwe math arni yn y Llythyr.[42] Credai Kerlouégan fod y ddyfais hon yn nodwedd ar Ladin awduron Celtaidd a gychwynnwyd gan Gildas, ond mae Neil Wright wedi dadlau'n gryf fod ei gwreiddiau, yn hytrach, mewn traddodiad sy'n ymestyn yn ôl i'r ymerodraeth Rufeinig gynnar ac yn gynt, sef dylanwad y mesur chweban (*hexameter*), yn enwedig fel y'i datblygwyd gan Fergil, ar ryddiaith. Dengys, ymhellach, fod ffenomen debyg i'w gweld ar waith yn *Opus Paschale* Caelius Sedulius, yn neilltuol, lle y mae'r *hyperbaton* yn rhan o ymgais i gyfleu mewn rhyddiaith artistig goethder y mesur chweban. O'i ran ei hun, defnyddia Gildas y ddyfais fel un o'i ddulliau o ychwanegu grymoedd cynhyrfiol barddoniaeth a drama at ei draethu. Cymysgedd rhyfedd o fanwl gywirdeb gramadegol, brawddegu garw ei adeiladwaith, ac addurno helaeth yw arddull Gildas, ac yn ei gyfuniad o'r tripheth hyn nid oes cymar union iddo. Chwedl Winterbottom: 'With much to say, he found a style that was his own.'

Gildas a llên frodorol

Hyd yn hyn trafodwyd perthynas y Llythyr â llên Ladin, ond o gofio cefndir Brythonig neu Bictaidd Gildas, a ellir canfod unrhyw olion o ddylanwad cyfansoddiadau brodorol ar ei waith?

Y llên frodorol Gymraeg gynharaf sydd ar glawr yw canu Aneirin a Thaliesin, c. 600. Mewn ysgrif nodweddiadol bryfoclyd o'i eiddo, dadleuodd Saunders Lewis y gellir canfod adleisiau o gerddi Taliesin ym mhortread Gildas o Faelgwn Gwynedd; ac i hwyluso'r gymhariaeth, a than ddylanwad gwaith Nicolai Tolstoi, symudodd flwyddyn marw Maelgwn ymlaen i 575 fel y gallai Gildas fod wedi adnabod Taliesin a'i fydrau.[43] Ond prin y gellir dyddio marwolaeth Maelgwn mor ddiweddar â hyn; fel y dywed Patrick Sims-Williams, dengys tystiolaeth fewnol yn unig fod y tu ôl i gerddi Taliesin hanes o ryfela rhwng Cymro a Sais, ac nid yr heddwch cymharol a ddisgrifir gan Gildas.[44] Ymhellach, os gellir pwyso ar orchestwaith Kenneth Jackson, ni chafodd y Gymraeg, iaith Taliesin, ei thraed dani tan ail hanner y chweched ganrif, beth amser wedi i Gildas anfon ei lythyr. Er mor ogleisiol yw damcaniaeth Saunders Lewis, ofer yw ceisio gweld dylanwad cerddi Taliesin ar Gildas, a gellir cynnig esboniadau eraill ar y cyfatebiaethau honedig: er enghraifft mai Gildas a ddylanwadodd ar Daliesin. Byddai hynny, wrth gwrs, yn rhagdybio bod Taliesin yn medru Lladin, ond ni fyddai hyn yn syndod o gofio maint dylanwad y Lladin ar y Gymraeg o'i chychwyn a pharhad y Lladin fel iaith lafar mewn rhannau o Brydain hyd y seithfed ganrif. Esboniad arall posibl ar y cyfatebiaethau yw eu bod yn ffrwyth dau awdur yn tynnu'n annibynnol ar gronfa gyffredin o ystrydebau a delweddau barddoniaeth lys y dichon iddynt fod yn cylchredeg yn y Frythoneg neu (yn ddiweddarach) yn y Gymraeg, neu yn y Lladin (oherwydd diau bod llawer o ymadweithio rhwng y tair iaith ar un adeg), gan ddefnyddio, trwy gyd-ddigwyddiad, yr un rhai neu rai tebyg ar dro.

Ond hyd yn oed pe bai'r iaith Gymraeg yn bodoli yn amser Gildas, ac wedi plwyfo digon i fagu ei thraddodiad llenyddol ei hun, a hyd yn oed hefyd pe bai Gildas a Thaliesin yn gyfoeswyr, anodd iawn, fel y mae Sims-Williams wedi dangos, fyddai dodi bys ar unrhyw beth neilltuol yn Lladin Gildas a fyddai'n dangos dylanwad y farddoniaeth frodorol yn ddiamheuol; ac yn y mannau sy'n ymddangos fel adleisiau o eirfa a delweddaeth honno y mae'r un mor bosibl mai adleisiau ydynt o farddoniaeth Ladin – a oedd hithau â'i thraddodiad hynafol ei hun ym Mhrydain ac a ymadweithiai i raddau, yn ddiau, â'r llên frodorol – neu o ddelweddau ysgrythurol.

Nid oes unrhyw reswm *per se* pam na allai'r llên frodorol fod wedi dylanwadu ar y Llythyr – efallai, yn wir, mai dyna a ddisgwylid. Os felly, rhaid mai'r Frythoneg oedd yr iaith honno oherwydd nid oedd y Gymraeg wedi ei geni eto; ond gan nad oes dim cyfansoddiadau Brythoneg wedi goroesi o'r cyfnod i'w cymharu â Lladin Gildas, ni ellir mynd â'r ddadl ymhellach.

Y mae un peth arall yr hoffwn dynnu sylw ato yma ac a allai fod yn berthnasol i'r drafodaeth, sef ychydig enghreifftiau o'r hyn sy'n edrych, ar un olwg, fel cyfeirio at ryw randir neu le mewn dull anuniongyrchol, cynnil. Sylwer ar y canlynol:

(i) A thithau hefyd, y *cenau llew* (ys dywed y proffwyd), beth yr wyt ti yn ei wneud, Cynin? Onid wyt tithau'n cael dy draflyncu gan yr un dom – os nad un fwy marwol – o lofruddio, puteinio a

> godinebu â'r gŵr a grybwyllwyd uchod, megis gan donnau'r môr yn rhuthro arnat yn ddifaol? (c. 30.1)

Y mae'n ansicr ymhle yn union yn Ne-Orllewin Lloegr yr oedd Aurelius Caninus, yr ail frenin i'w gystwyo gan Gildas, yn byw, ond roedd Wade-Evans o'r farn mai yng Nghernyw, a gwelai'r sôn am donnau'r môr yn rhuthro arno fel cyfeiriad cudd posibl at y fan honno – 'his narrow sea-bound realm'.

> (ii) Paham yr wyt tithau hefyd yn ymdrybaeddu yn hen sorod dy ddrygioni byth oddi ar flynyddoedd dy ieuenctid, dydi arth, marchog llaweroedd a gyrrwr cerbyd rhyfel Cadarnle'r Arth [Receptaculi Ursi], dirmygwr Duw a sathrwr ei glerigwyr, nid amgen Cuneglasus, yn yr iaith Rufeinig 'rhwygwr o flaidd melynllwyd'? (32.1)

Sylwodd Syr John Rhŷs mai cyfieithiad yw *Receptaculi Ursi* o Dineirth (sef heddiw Llandrillo-yn-Rhos ger Bae Colwyn).[45] Gallai Gildas fod wedi cyfeirio at y lle hwn wrth ei enw arferedig (y Frythoneg *Dunon Arti* a geir gan Wade-Evans), ond dewisodd, yn hytrach, ledgyfeirio ato.

> (iii) Pam yr wyt o'th wirfodd yn clymu wrth dy wddf brenhinol y fath lwythi mawr diollwng o bechodau (os caf fynegi'r peth felly) megis mynyddoedd uchel? (c. 33.2)

Gwelai Wade-Evans yma gyfeiriad cudd at fynyddoedd Eryri.

> (iv) Oherwydd mor ewyllysgar, fel un megis wedi ei luchio gan donnau'r môr a'i gludo i hafan ddymunol gan y rhwyfau, y gallwn, a gwyleidd-dra yn cymell, orffwys yn y lle hwn, pe na welswn y fath fynyddoedd anferth o gamweddau esgobion neu'r offeiriaid eraill, neu glerigwyr o'm hurdd i hefyd, yn ymddyrchafu yn erbyn Duw. (65.1)

Yma y peth i ddal arno yw y gall fod Gildas yn dweud yn gynnil ei fod ar ynys wirioneddol, er nad oes modd gwybod i sicrwydd ar ba ynys.

Er nad at le y cyfeirir yn yr achos hwn, gall mai enghraifft o'r un cynilder sydd yng ngeiriau Gildas wrth Aurelius Caninus pan ddywed:

> (v) A thithau bellach wedi dy adael fel coeden unig yn crino yng nghanol maestir, dwg i gof (*recordare*), erfyniaf arnat, sioe wag dy dadau a'th frodyr ynghyd â'u marwolaethau annhymig ym mlodau eu dyddiau. (30.2)

Uniaethodd Wade-Evans y gŵr hwn â Chynin Cof fab Tudwal Befr, a chredai fod y Lladin *recordare* yn adleisio'r elfen *Cof* yn ei enw.

Y rheswm yr wyf wedi nodi'r enghreifftiau hyn yw eu bod, os cywir eu hystyried yn gyfeiriadau cudd yn hytrach nag yn drosiadau, yn fy atgoffa yn eu hamwysedd cyfrwys o ddulliau'r beirdd Cymraeg mewn oes ddiweddarach, ac yn bennaf oll yng ngherddi'r Cywyddwyr lle gwelir lledgyfeirio cynnil yn fynych a chroesi prif drywydd meddwl y bardd, megis mewn breuddwyd, gan syniad gwahanol sy'n cyfoethogi'r cynnwys cyn prysur gilio o'r golwg a'i ddilyn yn nes ymlaen mewn modd tebyg gan syniad arall, a'r cwbl trwy ddrych dychymyg grymus a byw. Efallai, gan hynny, y gellir gweld yn y cyffyrddiadau hyn gan Gildas ddylanwad barddoniaeth frodorol Frythoneg. Byddai hynny'n gyson â dyfeisiau eraill a ddefnyddia yn y Llythyr – a'r *hyperbaton* yn neilltuol – a fwriadwyd, fe ymddengys, i wneud ei ryddiaith yn fwy barddonol a dramatig, ond afraid dweud na ellir tynnu casgliad pendant ar sail y gyfryw dystiolaeth, a'i nodi yn unig a wneir yma fel peth y gellid efallai ei ystyried wrth drafod Gildas mewn perthynas â'r llên frodorol. Y mae'n bosibl hefyd, wrth gwrs, fod cyfochrebau i'w cael mewn llên Ladin.

Y dyfyniadau Ysgrythurol

Ymhlith y pethau amlycaf yn Llythyr Gildas mae'r dyfyniadau lluosog sy'n britho ei dudalennau, dyfyniadau sy'n dod bron i gyd o'r Beibl er bod ambell un o fannau eraill. Mae'n berthnasol gofyn beth oedd ffynonellau Gildas yn hyn o beth. Chwedl Kerlouégan, 'Cwestiwn pwysig yw pa fath o destun Beiblaidd a ddefnyddiai Gildas.' Beibl y cyfnod Rhufeinig hwyr a'r Oesoedd Canol oedd y Fwlgat, sef cyfieithiad newydd a gorchestol St. Sierôm (*c.* 345-420) i'r Lladin ar sail yr ieithoedd gwreiddiol (sef yr Hebraeg a'r Groeg). Fodd bynnag, cyn ymddangosiad fersiwn Sierôm, yr oedd eisoes yn bod fersiynau eraill a adwaenir gyda'i gilydd fel *Vetus Latina,* 'Hen Ladin', er enghraifft y testunau a oedd yn seiliedig ar y cyfieithiad Groeg o'r Hen Destament ac a elwir y Septuagint, 'Y Deg a Thrigain' (oherwydd ei gyfieithu, fel y tybid ar gam, gan 72 o ysgolheigion Hebraeg). Gellid meddwl, efallai, mai o fersiwn y Fwlgat y byddai Gildas yn fwyaf tueddol i ddyfynnu, a dyna oedd y farn gyffredin tan yn gymharol ddiweddar, ond yn ôl dadansoddiad cynhwysfawr Thomas O'Loughlin, yr oedd Gildas yr un mor gartrefol yn fersiynau'r Hen Ladin a'r Fwlgat fel ei gilydd, ac ni roddai fwy o bwys ar y naill nag ar y llall; yr oedd y ddau yn cylchredeg ym Mhrydain yn oes Gildas ac nid dros nos y disodlwyd yr hen gan y newydd.[46] Hefyd, ni raid cymryd y duedd a welir yn Gildas weithiau i aralleirio, amnewid geiriau, a chwtogi ei ddyfyniadau tra ar yr un pryd yn dyfynnu ei ffynonellau yn hyderus fel arwydd o bresenoldeb defnyddiau Beiblaidd eraill yn gymaint ag yn amlygiad o ffordd yr awdur o dynnu ar ei gof.

Mewn dau le yn nhestun y Llythyr ceir cyfresi dilynol maith o ddyfyniadau sy'n adlewyrchu'r fersiwn o'r Beibl yr oedd Gildas yn ei ddilyn. Ceir y gyfres gyntaf, o'r Hen Destament a'r Apocryffa, yn cc. 38-63, lle yr ymosodir ar reolwyr a barnwyr y wlad. Ceir yr ail yn cc. 76-105, lle y cystwyir y glerigaeth, cc. 76-91 o'r Hen Destament a'r Apocryffa a cc. 92-105 o'r Testament Newydd. Yn awr, y mae'r llyfrau a enwir yn y gyfres gyntaf yn dilyn yr un drefn ag yn cc. 76-91 o'r ail gyfres:

> **Cc. 38-63**: 1 a 2 Samuel; 1 Brenhinoedd; 2 Cronicl; Eseia; Jeremeia; (hepgorir Joel); Habacuc; Hosea; Amos; Micha; Seffaneia; Haggai; Sechareia; Malachi; Job; (2 Esdras yn yr Apocrypha); Eseciel; Doethineb Solomon; Ecclesiasticus.
>
> **Cc. 76-91.** 1 Samuel; 1 Brenhinoedd; (hepgorir y Croniclau); Eseia; Jeremeia; Joel; (hepgorir Habacuc); Hosea; Amos; Micha; Seffaneia; (hepgorir Haggai); Sechareia; Malachi; (hepgorir Job ac Esdras); Eseciel; (hepgorir Doethineb Solomon ac Ecclesiasticus).

Fel y dywed Hugh Williams, 'This order, which, being the same in both lists, must be regarded as the accepted one in Britain, differs widely from the order in which the books appear in the Vulgate. Neither does it correspond to that found in the leading MSS. of the LXX.'

O symud ymlaen at y dyfyniadau o'r Testament Newydd yn cc. 92-105, ceir y drefn ganlynol:

> Y Pedair Efengyl; (hepgorir yr Actau a'r 'Epistolau Catholig', sef Iago, 1 a 2 Pedr, a Jwdas); yr Epistol at y Rhufeiniaid (*prima epistola,* 'yr epistol cyntaf'); 1 a 2 Corinthiaid; (hepgorir Galatiaid); Effesiaid; (hepgorir Philipiaid); 1 Thesaloniaid; Colosiaid; 2 Timotheus; Titus; 1 a 2 Timotheus.

Sylwer yn neilltuol ar safle anghyffredin iawn Colosiaid yn dilyn 1 Thesaloniaid yn hytrach na'i ragflaenu.

Unwaith y deellir bod testun y Beibl yn beth llawer mwy amrywiol ac ansefydlog gynt – o ran nifer a threfn ei lyfrau a'r darlleniadau – nag ydyw heddiw, nid syndod na ellir dosbarthiad twt ar gynsail yr adleisiau a'r dyfyniadau ysgrythurol a welir yn y Llythyr. Amhriodol, yn wir, fyddai ceisio cynnig un.

Cynulleidfa Gildas

Gair, yn olaf, am gynulleidfa Gildas, sef y pum brenin Constantinus, Aurelius Caninus, Vortiporius, Cuneglasus a Maglocunus. Tueddwyd i beidio â meddwl ymhellach am y rhain na'r hyn a ddywed Gildas amdanynt, mewn rhan am fod Gildas yn canolbwyntio ar eu beiau ac mewn rhan am nad oes – ac eithrio yn achos yr olaf, yr enwog Faelgwn Gwynedd – lawer yn hysbys amdanynt o ffynonellau eraill. Er hynny, os na haeddant lawer o glod am eu moesoldeb, gellir o leiaf gydnabod eu statws a'u gallu fel rheolwyr, os nad eu dysg hefyd, ac yma credaf ei bod yn briodol dyfynnu yr hyn a ddywed T. Charles-Edwards yn ei lyfryn ar gefndir hanesyddol y Santes Gwenfrewi:

> Saint Winefride lived in a Wales composed of a number of small kingdoms ruled by hereditary kings, a state of affairs which bridged the period between the departure of the Roman armies and the gradual unification of the country in the ninth century. These rulers thought of themselves as carrying on the traditions of the late Roman Empire, and they were in touch with Gaul by means of the old sea routes, and so with what was happening on the Continent. Travel was slow and communications uncertain, but we shall be making a great mistake if we think of these men as 'Ancient Britons' and savage chieftains, as the average Victorian Englishman was inclined to do. Instead, we must think of them as proud, energetic, and masterful men, conscious that their dynasties

had turned back the Irish invasion of the Welsh coastline, and stabilized the position in post-Roman Wales.[47]

Yr oeddynt hefyd yn cyfranogi yn y diwylliant Rhufeinig, oherwydd y mae'n oblygedig yn y ffaith i Gildas anfon llythyr atynt mewn Lladin cymhleth eu bod yn medru'r iaith honno. Cofier hefyd fod Maelgwn Gwynedd wedi derbyn addysg gan *praeceptorem paene totius Britanniae magistrum elegantem* (athro coeth Prydain gyfan bron), ac nid gorffansïol yw tybio bod rhai o'r brenhinoedd yn gyfarwydd â gwaith Fergil, os nad awduron clasurol eraill hefyd. Y mae eu cynnwys o fewn cylch cydnabod Gildas hefyd yn dyst i bresenoldeb real y gwaddol Rhufeinig, yn ddiwylliannol a chrefyddol, yng Nghymru, Cernyw a De-Orllewin Lloegr, *Britannia Prima*, yn hanner cyntaf y chweched ganrif.

DINISTR PRYDAIN (cc. 2-26)

Ni chafwyd golygiad cyflawn a chyfleus eto o Ddinistr Prydain. Y mae hyn yn bennaf oherwydd ei ystyried yn rhan o Lythyr Gildas, megis yng ngolygiadau Hugh Williams a Michael Winterbottom, yn hytrach nag fel cyfansoddiad yn ei hawl ei hun. Ac er i A.W. Wade-Evans, lladmerydd pennaf annibyniaeth y Dinistr, ei gyhoeddi ar wahân i'r Llythyr, eto nodiadau testunol yn unig a gafwyd ganddo heb ddim rhagarweiniad yn trafod cwestiynau megis awduraeth, amseriad a tharddiad mewn dilyniant naturiol. Gellid ystyried pennod olaf ei *Welsh Christian Origins* yn fath o ragarweiniad i'r Dinistr, ond ynddi mae'r holl bwyslais ar y ffordd yr arweiniodd trin y Dinistr fel rhan gynhenid o'r Llythyr at wyrdroi hanes cynnar Cymru gyda holl ganlyniadau negyddol hynny. Yn yr hyn sy'n canlyn ceisiaf fanteisio ar waith Wade-Evans a dilynydd iddo, J. P. Brown, i gynnig golygiad mwy hylaw a chryno i ddarllenwyr y Dinistr yn y gobaith y bydd o gymorth iddynt ddeall gwir natur ac arwyddocâd y gwaith. Ond cyn gwneud hynny, rhaid symud clogfaen go fawr o'r ffordd, sef ceisio dangos bod y Dinistr yn annibynnol ar y Llythyr, tasg sy'n gofyn cryn ofod a dadansoddi. Yna gellir troi at drafod pynciau perthnasol sy'n codi o'r testun yn y modd arferol.

Un awdur ynteu dau?

Mae dwy ffordd o edrych ar gwestiwn undod y Ddogfen. Ar y naill law, gellir cymryd ei bod yn waith un dyn drwyddi. Ar y llaw arall gellir gofyn mewn difrif ai cyfuniad ydyw o ddau destun gwahanol wedi eu clytio ynghyd. Try'r holl broblem ar y gwahaniaeth a welir rhwng y rhan o'r Ddogfen sy'n llythyr (cc. 1, 27-110) a honno sy'n adrodd hanes dinistr Prydain (cc. 3-26), a'r modd y croesir o'r naill ran i'r llall. I rai, nid oes dim yn chwithig yn hyn. Ond i eraill, yn enwedig efallai y rheini sy'n ymdeimlo mwy â theithi llenyddol a gwead cyfansoddiad, y mae rhywbeth nad yw'n taro deuddeg: yn sydyn try'r stori, heb air o esboniad, o ymholi ac ymofidio dwys ynghylch pechodau mamwlad yr awdur i hanes carlamus a llachar am drychinebau a ddioddefodd Prydain, sy'n llenwi tua chwarter y Ddogfen gyfan, a hynny heb unrhyw gyswllt amlwg rhwng y ddwy thema. Yna, yr un mor ddirybudd, ailymddengys gweddill y Llythyr gan fynd rhagddo hyd ddiwedd y Ddogfen. Newidir gêr yn chwyrn ddwywaith, fel petai, gan greu math o *non sequitur* o glwt porffor hirfaith rhwng y ddau newidiad. Ymhellach, er cael amryw adleisiau yn y Dinistr o'r Llythyr, ni cheir dim cyfeiriadau o gwbl yn y Llythyr at y Dinistr, a gellir llwyr hepgor yr olaf heb i hynny fennu dim ar gynnwys y cyntaf na'n dealltwriaeth ohono.

Myn ysgolheigion mai'r esboniad ar y gwahaniaeth hwn rhwng y Llythyr a'r Dinistr yw fod y trychinebau a ddisgrifir yn y Dinistr wedi eu bwriadu gan awdur y Llythyr i ddangos canlyniadau pechod, gyda'r awgrym y bydd trychinebau eraill yn canlyn y pechodau yr ymosodir arnynt yn y Llythyr. Chwedl J. E. Lloyd:

> He [sef Gildas] would have it understood that the miseries of Britain in bygone days, miseries which he paints in the darkest colours, were the direct result of the wickedness and perversity of the natives of the island, and that, though a season of prosperity and peace has now succeeded, continuance in evil-doing will bring back the old calamities.

Ond heblaw nad eglurir hyn yn y testun, gwahanol yw holl amcan y Dinistr i eiddo rhywun megis awdur y Llythyr, sy'n cystwyo pobl am eu pechodau.

Tystiolaeth Buchedd Ruys

Byddai'n deg dweud mai prif sylfaen y farn gyffredin mai gwaith un dyn yw'r Ddogfen yw nad oes ar gael destunau o'r Llythyr a'r Dinistr fel gweithiau annibynnol. Er na cheir y cyfryw destunau, credaf fod tystiolaeth anuniongyrchol iddynt fodoli ar un adeg eithr na sylweddolwyd ei llawn arwyddocâd eto. Ym Muchedd Gildas gan fynach Ruys, y dyddia Hugh Williams benodau 1-32 ohoni i'r nawfed ganrif, dyfynnir dau ddarn neilltuol, y cyntaf o'r Dinistr a'r ail, gryn bellter ymlaen, o'r Llythyr, ac awgryma'r ffordd y cyflwynir hwy nad ydynt yn tarddu o destun o'r Ddogfen fel y cyfryw, nac o ddrylliau ohoni, pwynt sydd yn ei dro yn awgrymu bod y Ddogfen yn gyfuniad diweddarach o destunau fel y rhain a heb fod yn waith unol ei awduraeth. Efallai na ddylai hyn beri cymaint â chymaint o syndod oherwydd, yn ôl Mommsen, codwyd y darnau hyn o ffynhonnell debyg i lawysgrif rhif 162 yn Llyfrgell Gyhoeddus Avranches (C, uchod), llawysgrif sy'n perthyn i ffrwd wahanol i eiddo'r rhai eraill, sy'n tarddu o Cotton Vitellius A. VI. Dywed Paul Grosjean amdani: 'Mae wedi cadw rhai darlleniadau sydd gymaint yn well na gweddill y traddodiad fel y gellir tybio dyddiad cynnar iawn i'w chynsail.'[48] Efallai nad diarwyddocâd ychwaith yw'r cefndir Llydewig sy'n gyffredin iddi a Buchedd Ruys.

Dyma'r ddwy fan yn nhestun y Fuchedd lle cyflwynir y dyfyniadau (cyfieithwn):

> (i) Ymysg y pethau eraill, yn wir, a ysgrifennodd St. Gildas ei hun ynghylch trallodion a throseddau a dinistr Prydain, dywedodd, ar y dechrau, hyn hefyd amdani. *Y mae Prydain*, meddai, *yn enwog am ei hwyth ar hugain o ddinasoedd ac fe'i haddurnir gan amryw gestyll ... ac fe'i dyfrheir gan lif ffrydiau eraill llai.*
>
> (ii) Drachefn, ar gais mynaich o frodyr ffydd a ddaethai ato o'r Prydeiniau [h.y. Prydain], ddeng mlynedd wedi iddo ymadael oddi yno, ysgrifennodd y gŵr duwiol lyfryn ar ffurf llythyr lle ceryddodd bump o frenhinoedd yr ynys honno a oedd wedi eu maglu gan amryfal droseddau a chamweddau. Ymddangosodd imi yn briodol, felly, ychwanegu at y ddalen hon rai geiriau i ddangos mor gain a chryno y disgrifiodd eu pydredd, a barnu pob un ohonynt wrth eu henwau am eu drygau. *Oblegid, yn wir*, meddai, *a fydd y dinasyddion yn celu nid yn unig yr hyn sy'n ymwneud â'n rhai ni* [sef y brenhinoedd], *ond hefyd yr hyn y mae'r cenhedloedd o'n cwmpas yn ei edliw inni? Oblegid y mae gan Brydain frenhinoedd ... gan fynd i mewn ymysg yr allorau ac oedi yno ac yn union deg eu dirmygu fel pe baent yn feini budron.*

Sylwer yn gyntaf fod y modd y cyflwynir y rhain yn awgrymu eu bod wedi eu codi o gynsail neu gynseiliau lle triniwyd hwy, yn wahanol i'r achos yn y Ddogfen, *fel gweithiau annibynnol*. Yn y cyflwyniad cyntaf, o'r Dinistr, dynoda'r enw lluosog *cetera* (pethau eraill) bob dim yn y Dinistr hyd ei ddiwedd sy'n dilyn y frawddeg agoriadol a ddyfynnir, a dengys y geiriau 'dywedodd, ar y dechrau' (*praemisit*) mai'r frawddeg hon oedd ar ddechrau cynsail yr awdur yn rhagflaenu gweddill y gwaith. Cyfeirir felly at destun o'r Dinistr a oedd, y mae'n deg tybio, yn gyflawn *ond nad oedd ychwaith yn rhan o destun mwy*, sef y Llythyr. Yn yr ail gyflwyniad, o'r Llythyr, cyfeirir at y gwaith gyda golwg ar y rhan ohono yn unig lle ymesyd Gildas ar y pum brenin, heb grybwyll y darn maith sy'n dilyn lle daw clerigwyr Prydain hwythau dan yr ordd; ond y mae'n rhesymol cymryd bod yr awdur yn meddwl am y gwaith cyfan ac na chrybwyllodd y glerigaeth am mai'r brenhinoedd yn bennaf – a chonsýrn efallai am grynoder hefyd – a oedd ar ei feddwl ar y pryd. Sylwer nad oes awgrym ei fod yn meddwl yma am y Dinistr hefyd. Gellid dadlau, wrth gwrs, fod y Dinistr yng nghopi'r awdur o'r Llythyr a'i fod yn cymryd ei fodolaeth yno yn ganiataol, ond pam, felly, na ddisgrifiodd y Dinistr hefyd fel *epistolarem libellum*?

Edrych, felly, fel pe bai awdur y Fuchedd, yn y mannau hyn, yn dyfynnu o gynsail neu gynseiliau lle triniwyd y Llythyr a'r Dinistr fel gweithiau annibynnol, ac nid o gynsail a gynhwysai'r ddau yn un testun diwahân. Ategir hyn gan y ffaith ei fod yn cyfeirio atynt gan ddefnyddio geiriau cwbl wahanol i'w disgrifio, y cyntaf fel 'am drallodion, troseddau, a dinistr Prydain' (*de miseriis et praevaricationibus et excidio Britanniae*) a'r ail fel 'llyfryn ar ffurf llythyr' (*epistolarem libellum*). Pe baent yn dod o destun o'r Ddogfen, oni ddisgwylid gweld defnyddio'r un geiriau neu rai tebyg, er enghraifft *epistolarem libellum*, am y ddau?

Cred O'Sullivan fod brawddeg gyntaf y dyfyniad o'r Llythyr (*Enimvero ... nationes?*) yn cloi diwedd y Dinistr yn y llawysgrifau o'r Ddogfen, ac meddai: 'As luck would have it, the monk of Ruys has quoted the very passage of the "join" between c. 26 of the *De excidio* and c. 27'.[49] Os cywir hyn, mae'r dyfyniad hwn yn dod o gynsail a gynhwysai'r Dinistr a'r Llythyr fel un testun megis yn y Ddogfen ac nid o destun a gynhwysai'r

Llythyr yn unig; a byddai'n anodd osgoi'r casgliad wedyn mai o'r un cynsail, yn ôl pob tebyg, y daeth y dyfyniad o'r Dinistr (*Britanniae ... irrigatur*) hefyd. Ond fel y dadleuwyd eisoes, awgryma'r ffordd y cyflwynir y dyfyniadau hyn mai fel detholion wedi eu codi o gynseiliau a gynhwysai'r Dinistr a'r Llythyr ar eu pennau'u hunain ac nid ynghlwm wrth ei gilydd megis yn y Ddogfen y syniai awdur y Fuchedd amdanynt. Ymddengys na ddaeth i feddwl O'Sullivan y gallai brawddeg olaf y Dinistr yn y Ddogfen fod wedi ei chamleoli a'i bod mewn gwirionedd yn perthyn i ddechrau'r parhad o destun y Llythyr sy'n dilyn.

Credaf fod y dadleuon hyn yn ddigon o garn dros gasglu bod dyfyniadau'r Fuchedd o'r Dinistr a'r Llythyr ill dau yn tarddu o destunau lle roedd y ddau yn weithiau annibynnol, ac nid o'r Ddogfen. Go brin hefyd mai ffrwyth ysgaru'r Llythyr a'r Dinistr o'r Ddogfen ydynt. Tebycach o lawer ydyw fod y Ddogfen yn ffrwyth cyfuno dau waith a fuasai eisoes yn cylchredeg ar wahân.

Mae O'Sullivan wedi dadlau hefyd fod trefn glosau'r Llythyr a'r Dinistr fel y'u ceir yn y *Leyden Glossary* (c. 790-800) yn dangos eu bod wedi eu codi o destun lle yr oedd y Llythyr a'r Dinistr wedi eu cyfuno yn yr un modd ag yn nhestun Mommsen, a bod y llawysgrif o'r *Leyden Glossary* wedi ei chodi o gynsail a oedd yn hŷn o gryn dipyn ac efallai mor gynnar â dyddiau Aldhelm a Beda. Golyga hyn fod y Ddogfen yn cylchredeg ymhell cyn copïo'r llawysgrifau hynaf ohoni sydd ar glawr. Ni raid i hyn olygu na fu'r Llythyr a'r Dinistr yn cylchredeg fel testunau ar wahân yn gynharach. Cofier hefyd mai ychydig yw nifer y llawysgrifau o'r Llythyr a'r Dinistr, ac nid oes wybod pa faint rhagor ohonynt oedd i'w cael, un ai â'r Llythyr a'r Dinistr ynghyd neu ynteu fel gweithiau annibynnol.

Ond os yw awdur y Fuchedd yn priodoli'r ddau ddarn i Gildas, a yw'n dilyn felly mai'r un dyn, sef Gildas, a gyfunodd y ddau waith? Os ydyw, yna rhaid derbyn bod y Ddogfen yn ffurfio undod er mor anwastad ydyw. Eithr onid yw hynny, yn ei dro, yn mynd yn groes i dystiolaeth y Fuchedd mai gweithiau annibynnol yw'r Llythyr a'r Dinistr, nid gweithiau a gyfunwyd yn un? Dadleuir isod y gall mai gŵr arall o'r enw Gildas oedd awdur y Dinistr, ac os trosglwyddwyd ei enw yn unig, heb ddim manylion pellach, i gynsail awdur y Fuchedd, hawdd iawn fuasai i hwnnw gael ei uniaethu â Gildas, awdur y Llythyr.

Tebygrwydd ieithwedd

Un arall o brif sylfeini achos undod y Ddogfen yw tebygrwydd ieithwedd y Llythyr a'r Dinistr. Mae hyn yn wir: yr un rhywogaeth yn union o Ladin a geir yn y ddau, yr un eirwedd a chystrawennu. Gellir dal, er hynny, fod gwahaniaethau cynnil mewn *arddull* rhwng y ddau. Fy marn bersonol yw fod arddull y Llythyr, er cael ambell frawddeg gelfydd ddigon, yn tueddu i fod yn wasgarog, gorlwythog, a thrwsgl. Y mae arddull y Dinistr, ar y llaw arall, yn rhagori o ran clirder, tyndra a synnwyr pensaernïol. Er bod y Llythyr, fel y Dinistr, yn hollol gywir ei ramadeg a'i gystrawen, eto gellir dweud bod Lladin y Dinistr yn dangos gwell gafael ar idiom rhyddiaith Ladin yn gyffredinol. Gellir priodoli hawsaf y tebygrwydd cyffredinol cryf rhwng Lladin y ddau i efelychu bwriadol gan ŵr a oedd yn prisio'r Llythyr yn uchel ac yn Lladinydd medrus iawn. Nid oedd efelychu o'r fath yn beth dieithr yn y traddodiad clasurol ac fe'i hwylusid i raddau gan wahanol fathau o arddull y gellid dewis ohonynt. Ceir efelychu yn y traddodiad Beiblaidd hefyd. Er agosed, felly, y daeth awdur y Dinistr i ysgrifennu fel awdur y Llythyr, ni lwyddodd yn llwyr.

Barn François Kerlouégan yn ei ddadansoddiad trylwyr o Ladin y Ddogfen oedd y gallai'r Llythyr a'r Dinistr fod yn waith yr un awdur gan nad oedd dim tystiolaeth bod eu hiaith a'u harddull yn wahanol, a derbyniwyd ei ddyfarniad fel y gair olaf ar y mater. Fodd bynnag, nid pwnc undod y Ddogfen oedd prif gonsýrn Kerlouégan, a phe bai wedi rhoi mwy o sylw i'r mater neilltuol hwn, mae'n bosibl y byddai wedi cyrraedd casgliad gwahanol. Y mae, yn wir, angen astudiaeth gymharol gan arbenigwr, a hwnnw hefyd â doniau'r beirniad llenyddol, o Ladin y Llythyr a'r Dinistr er diffinio'n fanylach y gwahaniaethau llai amlwg ac arwyddocaol rhyngddynt.

Cyfeiriad mewnol

Dadl arall o bwys parthed undod y Ddogfen yw cyfeiriad yn y Llythyr, sef 'fel yr wyf eisoes wedi dweud uchod'(c. 65.2), yr honnir ei fod yn ymwneud ag 'ymysg y rhengoedd uchod ... ychydig rai – ychydig iawn'(c. 26.3), yn y Dinistr. Gellir ateb nad yw'r cyntaf o reidrwydd yn cyfeirio at yr ail ond at fan arall yn y Llythyr, sef 'pob milwr glew i Grist' (c. 1.16). Ymhellach, y mae cc. 1.16 a 65.2 fel pe baent yn cyfeirio at glerigwyr yn unig, ond cc. 26.3 a 4 at glerigwyr a lleygwyr.

Dylai'r pwyntiau hyn fod yn ddigon o reswm dros gwestiynu o ddifrif y gred gyffredin a dderbynnir fel ffaith fod y Ddogfen yn waith un dyn. Yn wir, os yw fy nadl ynghylch arwyddocâd tystiolaeth Buchedd Ruys yn gywir, byddai honno'n unig yn ddigon i ysgwyd y gred i'w seiliau.

Ambell lais

Clywyd ambell lais unig yn y gorffennol yn dadlau yn erbyn undod y Ddogfen.[50] O'r rhain Paul Grosjean yw'r mwyaf adnabyddus ac A. W. Wade-Evans (1875-1964) y pwysicaf. Hyd y gwn, ni cheisiodd neb o'r frawdoliaeth academaidd, ac eithrio Thomas O'Sullivan, wrthbrofi daliadau sylfaenol Wade-Evans. Ni ddaliai Wade-Evans swydd academaidd, treuliodd y rhan fwyaf o'i oes y tu allan i Gymru fel offeiriad Anglicanaidd yn ne Lloegr, a thueddid i'w ystyried yn orgenedlaetholgar ac echreiddig fel hanesydd, math o amatur pellennig y gellid efallai nodi rhai o'i syniadau gyda diddordeb ar dro ond heb eu cymryd ormod o ddifrif. Yr oedd ei ddehongliad ef o hanes cynnar Cymru yn drwyadl ysbrydoledig, dyfnfawr a gwreiddiol – chwyldroadol yn wir – ac felly (yn anochel efallai) yn ormod her i uniongredwyr y maes a arhosodd yn y rhigolau cyfarwydd a chadw eu pellter oddi wrtho. Nid oedd yn ail i neb ychwaith yn ei wybodaeth o fucheddau'r saint Cymreig a'u hachau, ac achau brenhinoedd cynnar Cymru. Arwr di-glod ac alltud, trist dweud.

Yn ddiweddarach yn hanes y pwnc ychwanegwyd llais arall at achos Wade-Evans gan J. P. Brown, Llangollen (1926-2008), dilynwr i'w ddysgeidiaeth, edmygwr mawr ohono, a gŵr a ddatblygodd ei syniadau am darddiad y Ddogfen ymhellach. Nid hanesydd nac ysgolhaig oedd Brown wrth ei broffes, eithr gwyddonydd galluog iawn, amlochrog ei ddysg a drodd at astudio hanes y cyfnod is-Rufeinig ym Mhrydain yn ddiweddarach yn ei oes gan roi blynyddoedd lawer o waith dygn a meddylgar i'r dasg. Ni welir ei enw yn y prif gylchgronau ysgolheigaidd, a gorwedd bron y cwbl o'i erthyglau mewn papurau newyddion a theipysgrifau yng nghartrefi ei ffrindiau ac yn Llyfrgell Genedlaethol Cymru.[51] Er praffed ei feddwl, ni lwyddodd i ddatblygu dull ysgolheigaidd boddhaol i fynegi a chyflwyno ei syniadau, a diau y bu hynny (heb sôn am ddieithrwch y syniadau) yn faen tramgwydd i olygyddion cylchgronau ac ysgolheigion proffesiynol. Serch hynny, mae ei erthyglau yn dra sylweddol ac yn cynnwys deunydd pwysig y byddai'n wiw inni dalu sylw iddo.

Bûm yn astudio syniadau Wade-Evans a Brown yn ofalus dros y blynyddoedd gyda chymysgedd o amheuaeth a chrediniaeth, ond gan ddod i'r casgliad yn y diwedd fod eu barn yn gywir yn ei hanfod (ni waeth am ambell fanylyn) ac yn wir yn ychwanegu'n fawr at ein dealltwriaeth o Gildas, ei waith a'i gyfnod. Yr hyn yr wyf am ei wneud yn awr yw cyflwyno dadleuon pellach seiliedig ar waith Wade-Evans a Brown, ond yn bennaf oll ar waith yr olaf gan fod ei syniadau, er yn ddyledus i eiddo Wade-Evans, hefyd yn datblygu rhai ohonynt gan dorri tir newydd.

Esboniodd Wade-Evans ei safbwynt yn llawn yn ei *Welsh Christian Origins* (1934), a chanlyniad ydoedd i'w farn bod y Dinistr yn llawer diweddarach na'r Llythyr. Ei fan cychwyn oedd tystiolaeth y Dinistr ei hun. Dywed awdur hwn, ac yntau bellach yn 43 mlwydd oed, ddarfod ei eni ym mlwyddyn buddugoliaeth y Brythoniaid ar y Saeson ym mrwydr Mynydd Baddon. Yn awr, yng nghronicl Harley 3859 gwelir crybwyll 'brwydr Baddon' mewn dau le, y cyntaf dan y flwyddyn 516, a'r ail dan 665 fel *Bellum Badonis secundo,* 'Brwydr Baddon am yr eilwaith'. Fel arfer cymerir, o'r ddwy, mai brwydr 516 oedd yr un ddilys ac ni thelir fawr sylw i'r ail – hynny er gwaethaf ei chofnodi. Ond ym marn Wade-Evans, brwydr 665 oedd yr un wreiddiol, a brwydr 516 yn greadigaeth ddiweddarach. Dewisodd ef y flwyddyn 665 rhagor 516 oherwydd cymryd o ddifrif dystiolaeth a ystyriai yn ganolog i'n dealltwriaeth o'r Dinistr, sef y broffwydoliaeth ymysg y Sacsoniaid, a gofnodir yn y gwaith: y byddent, ar ôl cyrraedd yr ynys (sef Ynys Prydain), yn byw yno am 300 mlynedd gan ei diffeithio'n fynych am hanner cyntaf y cyfnod; a chan ei fod o'r farn mai 514, pryd y cyrhaeddodd y Jiwtiaid Stuf a Wihtgar lannau Prydain, oedd gwir adeg yr *adventus Saxonum*, ac nid tua 449x56 fel y credai'r hanesydd Beda, roedd yn dilyn mai 664 oedd diwedd y cyfnod o ryfela o 150 mlynedd ac mai 665 oedd dechrau'r cyfnod newydd o heddwch, blwyddyn a welodd hefyd ymladd brwydr Mynydd Baddon a thrwy hynny derfyn ar yr holl frwydro blaenorol. Dyna felly ategu tystiolaeth 'ail' Frwydr Mynydd Baddon â thystiolaeth allanol. Y rheswm pam y derbynnir 516 fel y dyddiad dilys oedd i Beda ei dderbyn felly ar gam ac i eraill wedyn hyd heddiw ei ddilyn ar sail ei awdurdod ef fel hanesydd. Yn olaf, os 665 oedd gwir adeg y frwydr, y mae'n dilyn mai yn 708, pan oedd yn 43 oed, yr ysgrifennodd awdur y Dinistr ei waith. Os cywir hyn oll, amhosibl priodoli undod i'r Ddogfen gan mai dau awdur gwahanol mewn dwy oes bell oddi wrth ei gilydd a fu wrthi.

Yng ngoleuni'r ymresymu hwn, aeth J. P. Brown ati i ddatblygu syniadau Wade-Evans ymhellach. Gwelir hyn yn bennaf yn ei ysgrif 'The Purpose, Date and Significance of "De Excidio Britanniae"', lle cyflwynir 19 o ddadleuon yn erbyn ystyried y Ddogfen yn undod. Manteisiaf o hyn ymlaen ar ei waith gwerthfawr, ond rhaid imi bwysleisio hefyd fod ei arddull 'nodiadol', gywasgedig yn peri nad hawdd bob amser oedd deall rhediad ei feddwl, ac oherwydd hyn yn bennaf bernais, wrth ailgyflwyno ei ddadleuon, fod cyfiawnhad dros beth ailfynegi, aildrefnu, dethol a gwrthod, chwyddo a chwtogi, ac ychwanegu ambell gyffyrddiad o'm heiddo fy hun.

Edrychwn ar ddadleuon Brown fesul un.

Dadl 1: Rhestr gynnwys y Ddogfen

Seiliodd Brown ei ddadl gyntaf yn erbyn undod y Ddogfen ar natur ei hail bennod, brawddeg sengl, hirfaith sy'n gweithredu fel pont rhwng diwedd pennod 1 o'r Llythyr a dechrau corff y Dinistr ym mhennod 3. Sylweddolasai Wade-Evans mai'r hyn yw'r bennod hon, rhwng y geiriau *Sed ante promissum Deo volente pauca* ar ei dechrau a *dicere conamur* ar ei diwedd, yw cyfres o benawdau wedi ei throi'n un frawddeg faith ac mai rhestr gynnwys i'r Dinistr ydoedd yn wreiddiol; a hawdd yw gweld hynny oherwydd y gyfatebiaeth agos y gellir ei chanfod rhwng pob pennawd a phob prif gam o hanes y Dinistr. Yng ngoleuni hyn, tynnodd Brown y casgliad, gan nad yw'r frawddeg yn sôn dim am y Llythyr eithr am y Dinistr yn unig, nad yw'n perthyn i'r Llythyr ac na all y Ddogfen o'r herwydd fod yn undod. Gellid ychwanegu at ddadl Brown: pe bai'r Dinistr yn perthyn i'r Ddogfen, y disgwylid gweld rhestr yn nodi cynnwys y Llythyr hefyd ar ddechrau'r Ddogfen, sef y lle naturiol iddi fod.

Gwrthoda Brown farn Michael Lapidge bod pennod 2 yn barhad o bennod 1 ac yn ddiweddglo iddi, a'r ddwy bennod yn ffurfio *exordium*, sef y term technegol mewn rhethreg Ladin am ran gyntaf araith, lle mae'r areithydd yn esbonio ei resymau dros areithio ac yn ceisio paratoi ei wrandawyr ar gyfer ei ddadleuon. Honna Lapidge hyn ar sail cymhariaeth ag araith fawr Cicero, *Pro Sestio*, lle mae Cicero, meddai, yn cloi ei *exordium* trwy restru, mewn cyfres o ymadroddion yn dechrau â *de* (ynghylch), megis ym mhenawdau pennod 2 o'r Dinistr, y pynciau y bydd yn eu trafod sy'n berthnasol i Sestius. Ond nid yw Cicero yn cloi ('concludes' yw gair Lapidge) ei *exordium* â chyfres o ymadroddion yn dechrau â *de*, oblegid dilynir hwy gan ryw ddeg o linellau cyn cyrraedd diwedd yr *exordium*. Yn hyn o beth nid yw trefn yr adran hon o *exordium* honedig y Dinistr yn cyfateb i eiddo *Pro Sestio*. Hefyd, y mae rhai o'r ymadroddion sy'n dechrau â *de* yn y Dinistr yn fyr iawn. Chwedl Brown: 'As a contents list, it is excellent and similar lists are found in the early lives of Samson and Patrick and in the *Historia Brittonum*.' Yn bwysicach, yn y bennod daw'r deunydd i'r testun fel crwydriad ('digression') – *Sed ante promissum* – ac nid fel rhan o *exordium*. Tebygrwydd arwynebol, damweiniol a rhannol mewn ffurf ac nid mewn swyddogaeth, a geir rhwng hon a *Pro Sestio*.

Tyn Brown sylw hefyd at amhriodoldeb y geiriau *Deo volente* wedi dechrau'r frawddeg. Fel arfer, defnyddir yr ymadrodd hwn gan rywun nad yw'n sicr a gaiff ef amser byth i fyw i orffen rhyw orchwyl. Ond os oedd cwblhau'r Dinistr yn ansicr, ac os un awdur piau'r Ddogfen, pam y dywed awdur y Llythyr, sy'n llawer hwy na'r Dinistr (ac a fyddai felly'n cymryd mwy o amser i'w ysgrifennu), yn hyderus 'talaf yn awr y ddyled'(1.16)? Tebyg mai tipyn o lenwad yw'r ymadrodd *Deo volente* yn yr achos hwn – rhan o'r ymgais i roi gwedd lenyddol ar beth mor beiriannol ac anllenyddol â rhibidires drymlwythog o frawddeg seiliedig ar restr gynnwys – ond serch hynny nis disgwylid gan awdur y Llythyr.

Dadl 2: Peroratio'r Dinistr

Mae brawddeg olaf ond un y Dinistr (c. 26.4 *Quorum ... deflevero*) yn berorasiwn, sef man yn niweddglo araith lle crynhoir ei chynnwys gan ddwysáu teimladau'r gwrandawyr ar yr un pryd, ond fel y sylwa Brown, mae'r Llythyr hefyd (c. 110.3 *Ipse ... Amen*) yn terfynu â pherorasiwn. Pe bai'r Ddogfen yn undod, a fyddai'r awdur wedi cynnwys perorasiwn cynharach ynddi? Awgrymir felly mai gwaith annibynnol â'i ddiweddglo ei hun yw'r Dinistr yn y bôn.

Dadl 3: Brawddeg olaf y Dinistr (c. 26.4 Quippe ... nationes?)

Sylwodd Brown mai chwithig yw safle'r frawddeg hon gan ei bod yn darllen fel disgynneb ar ôl y frawddeg flaenorol, sy'n berorasiwn a heb fod yn berthnasol iawn i'r thema cyn hynny (sef angen cyhuddo pobl ddrwg ar berygl maeddu enw da pobl dda). Oherwydd hyn, credai nad oedd y frawddeg yn perthyn i'r Dinistr yn wreiddiol ond i ddiwedd c. 1 o'r Llythyr, a bod rhywun wedi ychwanegu'r Dinistr rhwng y fan honno a dechrau c. 27, lle yr ailymddengys y Llythyr, eithr yn y broses ddarfod dadleoli'r frawddeg yn ddamweiniol o'i phriod le gyda'r canlyniad iddi lanio yn union wedi diwedd y Dinistr yn lle aros yn union o'i flaen.[52]

Dyma arwydd arall, fel y credai Brown, o ychwanegu un gwaith at waith arall mewn testun nad yw o'r herwydd yn ffurfio undod.

Cytunaf â Brown nad yw'r frawddeg dan sylw yn perthyn i'r Dinistr eithr i'r Llythyr. Ond credaf hefyd nad wrth ddiwedd c. 1 y Llythyr y dylid ei chydio, ond wrth ddechrau'r parhad o'r Llythyr sy'n dilyn diwedd y Dinistr (c. 27), posibilrwydd nad ystyriwyd gan Brown. Fy ngharn am hyn yw tystiolaeth y dyfyniad o'r Llythyr ym muchedd Ruys lle ceir y frawddeg (sy'n amrywio ychydig oddi wrth fersiwn Winterbottom) yn yr union safle hwn:

> *Oblegid yn wir*, meddai, *a fydd y dinasyddion yn celu nid yn unig yr hyn sy'n ymwneud â'n rhai ni* [sef y brenhinoedd] *ond hefyd yr hyn y mae'r cenhedloedd o'n cwmpas yn ei edliw inni? Oblegid y mae gan Brydain frenhinoedd ...*

Ni welaf ddim rheswm dros amau tystiolaeth y mynach – a chofier hefyd fod ei ffynhonnell ef yn hŷn o gryn dipyn na thestun Cotton Vitellius A. VI. Mae'r frawddeg hefyd yn darllen yn ddigon naturiol yn canlyn diwedd c. 1 y Llythyr ac yn dechrau c. 27. Os felly, datodwyd hi o'i phriod le a'i gwneud yn ddiweddglo i'r Dinistr. Pam? Awgrymaf mai ymgais sydd yma i liniaru'r trawsnewid o derfynoldeb y perorasiwn i ddechrau gweddill y Llythyr, techneg a ddwg ar gof c. 2 sy'n bont rhwng diwedd c. 1 y Llythyr a dechrau'r Dinistr yn c. 3.

Golyga hyn wrthod barn Brown am leoliad gwreiddiol y frawddeg y buwyd yn ei thrafod (sef ar gwt c. 1 y Llythyr), ond fe ellir serch hynny, trwy dderbyn lleoliad y mynach ar ei chyfer, ei defnyddio i gyrraedd casgliad tebyg i eiddo Brown, sef ei bod yn arwydd – yn yr achos hwn trwy weithredu fel 'clustog' rhwng diwedd y Dinistr a dechrau gweddill y Llythyr – fod y Dinistr yn rhyngosodiad ac nad yw'r Ddogfen, gan hynny, yn ffurfio undod.

Dadl 4: Cyfeiriadau ffurfiol yn y Dinistr at y Llythyr

Y mae geiriau olaf y frawddeg o'r Dinistr sy'n cynnwys y perorasiwn (c. 26.4), geiriau olaf oll y Dinistr ond odid, sef 'nid wedi barnu yn gymaint ag wedi wylo', yn adleisio geiriau cyntaf y Llythyr, 'Yn hyn o lythyr, beth bynnag a ddywedaf – a hynny gan wylo yn hytrach na chollfarnu ...'. Sylwer hefyd ar y gyfatebiaeth ynddi rhwng 'gan bentwr o bechodau' (*cumulo malorum*) a c.1.1, 'pentyrru pethau drwg' (*malorumque cumulum*). Ymhellach, yn y frawddeg sy'n rhagflaenu'r perorasiwn (c. 26.3), mae'r geiriau 'ychydig rai – ychydig iawn' (*paucis et valde paucis*) yn adleisio brawddeg olaf un y Llythyr (c. 110.3). Ymddengys fod awdur y Dinistr nid yn unig yn gyfarwydd â'r Llythyr ond hefyd yn dymuno cyplysu'r ddau waith yn ffurfiol. Os felly, mae'n fwy tebygol mai rhywun gwahanol i awdur y Llythyr oedd awdur y Dinistr, gŵr a edmygai'r Llythyr yn fawr ac a ddymunai ei gysylltu ei hun â'i thema a'i enwogrwydd. Os awdur y Llythyr oedd yn gyfrifol am y cyplysiad, anodd gweld beth oedd ei reswm dros wneud peth mor gywrain. Mympwy artistig? Ond haws credu nad ef oedd yn gyfrifol.

Dadl 5: Y teitl 'De Excidio Britanniae'

Soniwyd eisoes am deitlau'r Ddogfen. Dadl Brown yn y bôn yw fod ei theitl arferol, sef *De Excidio Britanniae*, er yn addas ar gyfer y Dinistr, yn anaddas ar gyfer y Llythyr hefyd, a bod y Dinistr, felly, yn wreiddiol, yn waith ar wahân.

Dadl 6: Amhwysigrwydd y glerigaeth yn y Dinistr

Gwelir gwahaniaeth sylweddol rhwng ymdriniaeth y Dinistr â'r glerigaeth ac eiddo'r Llythyr. Yn y Dinistr canmolir clerigwyr

Prydain (cc. 9-12); mae'r trychineb crefyddol cyntaf i daro'r famwlad (*patria*) yn un tramor (c. 12.3); nid enwir y glerigaeth, a defnyddir y digwyddiad, yn hytrach, i geryddu mamwlad y dydd. Crybwyllir pechodau'r glerigaeth fel y cyfryw am y tro cyntaf yn c. 21.6, 'a'i fugeiliaid, a ddylasai fod yn esiampl i'r holl bobl', ac mae gwahaniaeth pwysig ac arwyddocaol rhwng y cerydd hwn ac eiddo'r Llythyr (c. 66.1) *populos docentes, sed praebendo pessima exempla* (dysgant bobloedd, ond trwy ddangos iddynt yr esiamplau gwaethaf), y cyntaf yn cynrychioli'r math ceidwadol o glerigwr a'r ail y diwygiwr oesol. Yn olaf, yn y Dinistr cynhwysir y glerigaeth ymysg y rhengoedd (*ordines*) dirywiedig (c. 26.2-3) *et ob hoc reges, publici, privati, sacerdotes, ecclesiastici, suum quique ordinem servaverunt* (ac oherwydd y cymorth hwn cadwodd brenhinoedd, pobl gyhoeddus a phreifat, offeiriaid ac eglwyswyr bob un ei briod swydd), hynny yw heb roi dim sylw neilltuol iddynt yno. Gan hynny, didaro braidd yw cyfeiriadau'r Dinistr at y glerigaeth, yn wahanol i'r Llythyr sy'n rhoi mwy na hanner ei hyd i'w pechodau. Anodd dal bod y Dinistr yn ddeunydd addas i yrru adref neges y Llythyr, a haws credu mai cynnyrch awdur arall ydyw.

Noda Brown hefyd yn y Ddadl hon, er yn ddigyswllt braidd, fod y feirniadaeth o'r glerigaeth fel y cyfryw yn c. 21.6 (*Et non solum* ...) yn dilyn y feirniadaeth o frenhinoedd Prydain yn c. 21.4-5 (*Ungebantur reges* ...) yn ddi-fwlch, a thyn y casgliad bod c. 21.3-6, gan hynny, yn grynodeb o'r Llythyr – sy'n dilyn yr un thema yn yr un drefn – ac yn un o ffynonellau'r Dinistr. Rhannol yn unig yw cyswllt y sylw hwn â chorff Dadl 6 gan ei fod yn symud y pwyslais oddi ar y glerigaeth i ffynonellau'r Dinistr, ond y mae o bwys, serch hynny, i'r ail bwnc.

Dadl 7: Eneinio

Yn y Dinistr c. 21.4 (*Ungebantur reges* ...) cyfeirir at eneinio brenhinoedd, ac mae'n eglur mai eneinio yn llythrennol a olygir. Nododd Wade-Evans fod y bumed ganrif yn anghyfoes â'r arfer hon ac na cheir achosion yn Ewrop tan y seithfed ganrif. Y mae'n bosibl yr eneinid er yn gynnar yn nheyrnasoedd y Brythoniaid, efallai oherwydd eu parch hysbys at Bysantiwm. (Gallai barn ysgolhaig Bysantaidd fod o gymorth yn hyn o beth.) Pa un bynnag, ymddengys yn fwy tebygol bod y cyfeiriad hwn yn arwydd arall o ôl llaw awdur diweddarach na wyddai nad oedd eneinio ar arfer eto yn yr oes a oedd ganddo mewn golwg.

Dywed Brown hefyd y dichon mai ymgais yw c. 21.4 i esbonio hanes llofruddio'r ddau lanc brenhinol gan y brenin drygionus Constantinus (c. 28.1) yng ngwisg abad duwiol (*sub sancti abbatis amphibalo*); hynny yw, fel yr esbonia Brown mewn man arall, roedd Constantinus wedi mynd i abaty lle roedd ymgeiswyr ifainc dichonol am ei orsedd yn byw gydag abad. Tybiai'r awdur, felly, os deallaf Brown yn iawn, fod Constantinus yn gweithredu neu'n ymrithio fel eneiniwr cyn cyflawni ei anfadwaith.[53] Ond cywir neu beidio, nid ychwanega'r cynnig hwn ddim at wedd amseryddol y cyfeiriad at eneinio gan mai'r cyfeiriad sy'n bwysig yn hyn o beth ac nid rhesymau'r awdur dros ei gynnwys.

Dadl 8: Geirfa

Dyfynnaf yma eiriad J. P. Brown o'r ddadl hon: 'Lapidge (GNA pp 36-37) notes two unusual words which occur twice in the Document: *catasta* and *macero*. In the *Epistola*, he believes, both are used in the "classical" sense (109.3 [*catasta*, gol.]; 32.3 [*macero*, gol.]) whereas in the *De excidio* the first (23.4 [*catasta*, gol.]) and perhaps the second (7.1 [*macero*, gol.]) are used in the sense of the Glossaries.' Nid yw'r crynodeb hwn o ddadl Lapidge yn hollol gywir, oherwydd dywed Lapidge am *macero*: 'Gildas uses the word twice, but in each case he uses it in its correct Classical Latin sense', ac nid yn ystyr y geirfaoedd. Ynglŷn â *catasta*, ar y llaw arall, cydnebydd Lapidge ei fod yn wahanol ei ystyr yn y Dinistr (c. 23.4) ac yn y Llythyr (c. 109.3): yn yr ail enghraifft, perthyn iddo ei ystyr mewn Lladin clasurol, sef 'a platform on which slaves were exposed for sale', ac yn yr enghraifft gyntaf golyga '*troop*', ystyr a geir yn y geirfaoedd. Oherwydd credu bod y Ddogfen yn waith un dyn, ni wêl Lapidge ddim arwyddocâd o ran awduraeth yn y gwahaniaeth hwn, a chred fod yr awdur wedi arbrofi mewn dull barddonol â'r ystyr glasurol 'such that it became a pointed term of abuse – "a larger troop of followers and dogs", all no doubt worthy (in Gildas' estimation) to be sold as slaves on the auction-block or platform'. Ond os gwaith dau awdur gwahanol yw'r Llythyr a'r Dinistr, yna gall yr ystyr wahanol hon fod yn arwydd o awdur amgen nag eiddo'r Dinistr, un na wyddai'n iawn, efallai, ystyr glasurol gair mor anarferol.

Dadl 9: Ysgrifeniadau'r famwlad

Yn ôl y Dinistr c. 4.4, nid yw ysgrifeniadau (*scripta*) na chofnodion awduron (*scriptorumve monimentis*) y famwlad (*patria*), os buont erioed (*vel si qua fuerint*), ar gael mwyach, ond dyfynna awdur y Llythyr ei gydwladwyr dair gwaith:

(i) c. 38.2 'oherwydd, fel y dywed un ohonom yn dda: *Nid â natur y pechod y mae a wnelom eithr â thorri gorchymyn.*'

(ii) c. 62.3 'Ysywaeth, *pwy a fydd byw*, chwedl un o'n rhagflaenwyr, *pan gyflawnir y pethau gan ein dinasyddion*, os gellir eu cyflawni yn unman?'

(iii) c. 92.3 'Da y dywed un o'n plith ni: *Dymunwn yn daer ar i elynion yr eglwys fod yn elynion i ninnau hefyd heb ddim cynghrair â ni, ac ar i'w chyfeillion a'i hamddiffynwyr hi gael eu hystyried nid yn unig yn gynghreiriaid ond hefyd yn dadau ac arglwyddi inni.*'

Y mae'r dyfyniadau hyn yn ddigon o dystiolaeth bod gan awdur y Llythyr fynediad i ffynonellau ysgrifenedig yn ymwneud â'i famwlad. Pam, gan hynny, yr honnodd awdur y Dinistr nad oeddynt ar gael mwyach? Esboniad Brown yw fod ffynonellau ysgrifenedig y famwlad wedi eu difetha gan yr holl ryfela rhwng cyfnod y Llythyr a chyfnod y Dinistr a ddisgrifir yn yr ail (cf. geiriau awdur y Dinistr ei hun yn c. 4.4 lle dywed eu bod 'os buont erioed – naill ai o ganlyniad i'w llosgi gan danau'r gelyn neu ynteu i'w cludo ymhell i ffwrdd yn llongau ein dinasyddion pan alltudiwyd hwy – wedi eu colli'). Nid effeithiwyd fel hyn ar y dyfyniadau Beiblaidd a geir gan awdur y Dinistr gan fod i'r Beibl ei fodolaeth annibynnol ac ehangach ei hun. Os felly, roedd awdur y Dinistr yn perthyn i oes ddiweddarach nag awdur y Llythyr.

Dadl 10: Aevi huius historia

Digwydd y geiriau hyn yn y frawddeg yn c. 37.1: 'Yma, bid sicr, neu ynghynt y dylid bod wedi cloi'r adroddiant wylofus hwn o gwynion am ddrygau'r oes bresennol, fel na lefarai fy ngenau ragor ynghylch gweithredoedd dynion.' Yn '*tam flebilis haec querulaque malorum aevi huius historia',* dealla Brown '*aevi huius historia*' i olygu 'hanes yr oes hon' (cf. 'history …' Winterbottom) ond gan nodi bod tua 55% o'r Ddogfen cyn y frawddeg, hynny yw yn y Dinistr, yn disgrifio oesoedd a fu, tra bod y 45% arall, yn y Llythyr, yn ymwneud bron yn gyfan gwbl â'r oes bresennol. Sut, felly, pe bai'r Ddogfen gyfan yn waith un dyn, y gallai awdur y frawddeg uchod sôn am ysgrifennu hanes sy'n ymwneud â'r presennol os ysgrifennodd hefyd o fewn yr un gwaith, a hynny'n helaethach, hanes sy'n ymwneud â'r gorffennol? Onid yr ateb i'r anghysonder yw mai dau awdur gwahanol a fu wrthi?

Yn ôl Hugh Williams, ystyr *historia* yma, gyda *querula*, yw 'a narrative setting forth definite charges or complaints', hynny yw 'account' yn hytrach na 'history'. Os cywir hyn, nid cyfeirio at ysgrifennu hanes – hanesyddiaeth – fel y cyfryw y mae'r awdur yn gymaint ag at gyfres o gwynion y mae'n eu dwyn yn erbyn pum brenin cyfoes, felly nid yw'r geiriau *aevi huius historia* yn berthnasol i'r cwestiwn ai gwaith un awdur ynteu dau yw'r Ddogfen. Ateg i ddadl Hugh Williams yw mai peth yn ymwneud â'r gorffennol yn bennaf oll yw hanesyddiaeth, ond â'r presennol yn gyfan gwbl y mae a wnelo *historia* Gildas (ei ymosodiadau ar Faelgwn Gwynedd ac eraill, pobl a oedd yn gyfoeswyr iddo). O'r ddau ddehongliad hyn o ystyr *historia*, eiddo Hugh Williams sy'n argyhoeddi fwyaf yn fy marn i.

Dadl 11: Beda a Gildas

Yr oedd Beda yn gyfarwydd â'r Llythyr a'r Dinistr, fel y gwelir yn ei *Historia Ecclesiastica Gentis Anglorum*. Dyfynna'n helaeth o'r Dinistr yn Llyfr i o'i waith. Yna, mewn geiriau sy'n adlais digamsyniol o'r frawddeg o'r Llythyr a ddyfynnwyd uchod (Dadl 10), cyfeiria, ar ffurf crynodeb byr iawn, at y Llythyr gan enwi Gildas:

> Ymhlith pechodau anhraethadwy eraill, a ddisgrifir mewn iaith wylofus gan eu hanesydd, Gildas, ychwanegasant hwn hefyd, sef nad ymroddasant erioed i bregethu gair y ffydd i genedl y Saeson neu'r Eingl a oedd yn byw gyda hwy ym Mhrydain. (HEGA i.22)

Er ei bod yn amlwg wrth y darn hwn fod Beda yn ystyried y Llythyr yn waith Gildas, nid yw'n eglur a oedd yn priodoli'r Dinistr hefyd iddo. Os felly, rhaid ystyried y posibilrwydd nad Gildas yw awdur y Dinistr, a dyna gwestiynu eto undod honedig y Ddogfen.

Y mae ddarfod i Beda osod yn ail hanner y bumed ganrif adroddiad awdur y Dinistr o hanes brwydrau'r Sacsoniaid yn erbyn y Brythoniaid yn dangos yn o eglur ei fod ef yn ystyried y Dinistr yn waith Gildas gan agosed yw'r digwyddiadau i'w flynyddoedd ef. Os nad oedd Beda'n ystyried y Dinistr yn waith rhywun amgen na Gildas, ni ddylid defnyddio amwysedd y frawddeg uchod fel rheswm arall dros amau undod y Ddogfen. Mater arall, wrth gwrs, yw a oedd Beda yn gywir yn meddwl bod y Dinistr yn waith Gildas.

Dadl 12: Eilunaddoliaeth

Sonia awdur y Dinistr am ei famwlad (*patria*), sef, fe ymddengys, Prydain gyfan, fel pe bai eilunaddoliaeth wedi darfod yno ers talwm, oherwydd cyfeiria at hen ddelwau erchyll y gellid gweld rhai ohonynt o hyd yn gorwedd yn segur y tu mewn neu'r tu allan i furiau dinasoedd anghyfannedd (c. 4.2). Fodd bynnag, o feddwl bod St. Samson, yn ôl ei Fuchedd, wedi taro ar eilunaddolwyr hyd yn oed ymysg y Brythoniaid tua chanol y chweched ganrif, a bod y tiroedd a ddelid gan y Sacsoniaid yn llawn eilunaddoliaeth yr adeg honno, mae'n dilyn na wyddai awdur y Dinistr beth oedd y wir sefyllfa ar y pryd a'i fod felly'n perthyn i oes ddiweddarach nag awdur y Llythyr.[54]

Dadl 13: Beddrodau'r merthyron

Yn c. 10.2 dywedir na allai'r Brythoniaid ymweld â

chysegrfannau'r merthyron Alban o Verulam ac Aaron a Julius o Gaerlleon oherwydd rhaniad trychinebus a wnaed gan y barbariaid (h.y. y Sacsoniaid). Byddai sefyllfa o'r fath, yn ôl Brown, yn llawer llai dealladwy rhwng 485 a 545 na rhyw ddwy ganrif yn ddiweddarach. Unwaith eto awgrymir awdur o oes ddiweddarach, un gwahanol i awdur y Llythyr.

*Dadl 14: Y geiriau **Britannia** ac **insula***

Gwêl Brown wahaniaeth rhwng terminoleg ddaearyddol y Llythyr a'r Dinistr o ran y ffordd y defnyddir y geiriau *Britannia* ac *insula* ynddynt i ddynodi endidau gwahanol. Yn y ddadl hon gwelir llawer o wreiddioldeb yn rhai o'i syniadau.

Yn gyntaf, *Britannia*. Canfu Wade-Evans fod *Britannia* yn y Llythyr yn cyfateb nid i'r ynys ddaearyddol eithr i'r rhan honno ohoni, sef yn fras de'r Alban, Cymru a Chernyw, a oedd yn dal i lynu'n llawn wrth *Romanitas* – crefydd, diwylliant, ac awdurdod Rhufain – yn y chweched ganrif. Yn y Dinistr, ar y llaw arall, dynoda Brydain gyfan neu Brydain Rufeinig gyfan. Yr unig eithriad bosibl yw *subversor Britanniae* yn c. 21.4, lle disgrifir amodau wedi 446, ond mae'n debycach mai rhan yw *Britannia* yma o ymadrodd ystrydebol a fathwyd gyntaf yn y cyfnod uchel Rufeinig yn hytrach nag enw cyfystyr â *Britannia* y Llythyr.

Yn ail, *insula*. Yn y Llythyr, cyfystyr ydyw â'r hyn a ddealla'r awdur wrth *Britannia*. Rhaid cydnabod y gall hyn daro'r darllenydd yn od. Onid 'ynys' (*island*) yw ystyr *insula*? Pam, felly, nad yw'r *insula* hon yn dynodi Prydain gyfan? Yr ateb yw fod ystyr arall, lai cyfarwydd, i'r gair. Fel y sylwodd Wade-Evans, '*insula* meant not only land surrounded wholly but also partly by water'; hynny yw 'gorynys / penrhyn'; ac yn ngeiriau Brown, 'It is easy to find "islands" in ancient sources, which are not surrounded by water, but are simply distant or

Y PUM PRYDAIN, yn ôl y rhaniad Rhufeinig.

outlying regions.' O edrych ar fap o Brydain, gwelir ei bod ar ei hochr orllewinol yn ymrannu'n dair gorynys neu dri phenrhyn, sef Cernyw, Cymru a'r Alban, a digon naturiol, fe ymddengys i mi, fyddai cyfeirio at y tair *insula* hyn, er mwyn crynoder, fel un *insula* – 'penrhyndir' Prydain, megis. Yn ôl Brown, yr ystyr hon i *insula* a geir yn *Ynys Prydein* y traddodiad Cymreig (megis yn *Trioedd Ynys Prydein*), cyfieithiad o'r Lladin *insula Britanniae;* gw. rhagair 'Nennius', NHB 35).

Fel y mae'n digwydd, ac yn ffodus, ceir disgrifiad o derfynau'r wir *Ynys Prydein* mewn ffynhonnell dra phwysig ac iddi'r teitl 'Enweu Ynys Prydein yw hynn,' er ychwanegu ati ddeunydd a gyfetyb i'r camsyniadau diweddarach amdani.[55] Yn ôl hon, ymestynnai o *Benryn Blat(h)aon* (John o' Groats yng Nghothnais, ond odid, eithr cynigiwyd lleoedd eraill hefyd yn yr un sir, megis Duncansby Head a Phentir Gafran, gw. TYP4 251) *ym Brydein* (bai am *Prydyn*, sef gwlad y Pict yng ngogledd yr Alban) *hyt ym Penryn Penwaed* (Saesneg, Penwith) *yg Kerniw* (ond Cernyw fwy ei maint na heddiw yn ôl Brown); ac o *Grugyll y Mon hyt yn Soram*. Yn ôl TYP4 252, Sarre, gyferbyn ag Ynys Thanet yn swydd Gaint, a olygir, ond cynigia Brown mai ffurf ydyw, yn hytrach, ar *Sarum* (Brythoneg *Sorviodunum*). Y mae'r enw *Blathaon* yn arwyddocaol gan fod gan dad hwn, Murheth, enw Gwyddeleg, ac fe'i henwir yn y Trioedd fel pennaeth un o *Teir Llyghes Kynniweir* ('crwydrol', Saesneg '*roving*') *Enys Prydein,* pwyntiau sydd ym marn Brown yn golygu bod gwladfa Wyddelig Dalriada yn rhan o *Ynys Prydein*. Rhennid yr *Ynys* yn dri rhanbarth, pob un â'i ynys gyferbyn (*rhagynys*) ei hun, sef *Mona*, *Manaw* ac *Ynys Weir*. Arwyddocaol yw'r enw olaf, un diweddarach am yr enw gwreiddiol 'Ynys Wyth' (Brythoneg, *Vectis*). Ei ystyr yw 'Ynys y *Ware* (Saesneg), cf. enw Beda ar ei thrigolion, sef *Vict**uarii*** (HE I.15), hefyd yr enw *Din**guayr**di* (bai am *Dinguayroi* yn ôl NHB 79 n6) neu *Din**guoar**oy* ('Caer y

Ware'), sef Bamburgh heddiw, a geir gan 'Nennius'. Ystyr -*ware* yw 'gwŷr, rhyfelwyr' ond dengys yr enwau lleoedd Cymraeg hefyd mai *Ware* oedd enw brodorol yr ail genedl o'r *Saxones,* a elwid yn *Frissones* gan Procopius ac yn *Iutae* gan Beda (yr *Angli*, 'Eingl', oedd y genedl gyntaf). Yr oedd Jiwtiaid hefyd, gan hynny, o fewn *Ynys Prydein*, yn ei rhan dde-ddwyreiniol gyferbyn â Chernyw.

Diddorol nodi i geidwaid y traddodiad Cymreig, pan ganfuant fod oes newydd yn drysu rhwng yr hen *Ynys Prydein* a'r ynys ddaearyddol, newid rhai o Drioedd *Ynys Prydain* yn Drioedd 'Llys Arthur' er mwyn cadarnhau (yn gam neu'n gymwys) mai Brython oedd Arthur a chan fynnu trwy hynny mai treftadaeth y Cymry, nid y Saeson, oedd y Trioedd.

Y mae'n werth oedi ennyd fan yma i ddweud rhagor am *Ynys Prydein* gan mor ddiddorol yw rhai o syniadau Brown amdani. Yr oedd hi hefyd, yn ddiau, nid yn unig yn diriogaeth ddaearyddol neilltuol ac iddi ei chymeriad ei hun ond hefyd yn uned wleidyddol o dair talaith (*provincia*), a'r rheini'n cyfateb i Gernyw, Cymru a de'r Alban. Oherwydd, meddai Brown: 'Nid oes rheswm … i amau'r traddodiad ddarfod sefydlu *Ynys Prydein* gan Facsen Wledig (Magnus Maximus), cadfridog y fyddin Rufeinig ym Mhrydain, a hynny i ddatrys dwy broblem: terfysg pobl ucheldiroedd Prydain Rufeinig (baich mawr i'r fyddin) ac ymosodiadau'r Gwyddyl a'r Pictiaid. Felly rhoes ddinasyddiaeth i'r ucheldirwyr, a math o hunanlywodraeth, ac yn anarferol ac yn beryglus, arfau – felly "Ynys y Cedyrn"; ni allai dinesydd ddwyn arfau ond mewn argyfwng … Wrth reswm, byddai arweinydd *Ynys Prydein* yn atebol i reolwr Prydain Rufeinig, a cheisiodd Macsen sicrhau na fyddai gwrthryfel yn hawdd.'[56] Â Brown cyn belled, yn wir, â honni mai arweinydd *Ynys Prydein* a arwyddoceir gan y geiriau *insularis draco* a geir yn y Llythyr wrth gyfarch Maelgwn Gwynedd, nid 'Draig Ynys

Môn' fel y tybir yn gyffredin, a maentumia, pan gyfarcha Iolo Goch Rosier Mortimer, disgynnydd Llywelyn Fawr, fel 'Ŵyr burffrwyth Iôr Aberffraw, / Draig ynysoedd yr eigiawn', mai cyfieithu a diweddaru'r teitl *insularis draco* a wna.[57] Ond beth bynnag a feddylir am y swydd dybiedig hon, hawdd credu mai tri rhanbarth Penrhyndir Prydain – 'Teir Ynys Prydein', fel y'u gelwid yn ddiweddarach – a olygir wrth 'ynysoedd yr eigiawn'.

Ond defnyddid y gair *insula* nid yn unig am Ynys Prydein yn ei chrynswth. Yn ôl Brown, oherwydd y rhaniadau daearyddol mawr rhwng ei thair talaith, gallai *insula* fod yn ddisgrifiad o unrhyw un o'r rhain yn ogystal ag o'r endid cyfan, ac yn ddiweddarach cyfeirid at Ynys Prydein hefyd fel 'Teir Ynys Prydein', megis, er enghraifft, yn stori Culhwch ac Olwen: 'digawn o bont uydei y lu Teir Ynys Prydein a'e Their Rac Ynys ac eu hanreitheu.'

Gallai *insula*, gan hynny, yng nghyd-destun Prydain, ddynodi: (1) Prydain gyfan neu Brydain Rufeinig gyfan; (2) 'Penrhyndir' Prydain (os caf fathu'r gair); (3) un o dair talaith y Penrhyndir.

Yng ngoleuni hyn edrychwn ar y defnydd o'r gair *insula* yn y Dinistr. Ceir 14 enghraifft a 13 ohonynt yn ymwneud â Phrydain.[58] Amwys yw ei hystyr mewn mannau. Yn cc. 3.1; 5.2; 8; 13.1; 15.3 golyga Brydain gyfan ac mae'r cyd-destun fel arfer yn ddaearyddol. Mae'n bosibl bod ystyr wahanol yn c. 21.1: *Picti in extrema parte insulae tunc primum et deinceps requiverunt, praedas et contritiones nonnumquam facientes* (Y pryd hwnnw, am y tro cyntaf ac o hynny ymlaen, ymsefydlodd y Pictiaid yng nghwr eithaf yr ynys, gan ysbeilio a difrodi weithiau). Os arwyddocâd y ferf *requieverunt* yma yw 'ymsefydlasant' yn hytrach nag 'ymdawelasant', yna yn wyneb y sôn yn c. 15.3 am godi clawdd (sef Mur Antwn) ar draws yr ynys ddaearyddol er mwyn cadw allan y Pictiaid, ymddengys i'r rhain gael eu hel i ogledd-dir eithaf Ynys Prydein eithr i'r rhanbarth hwnnw beidio wedyn â bod yn rhan o Ynys Prydein gyda'i hetifeddiaeth Rufeinig oherwydd ei boblogi gan farbariaid. Os felly, roedd yr *insula* hon yn llai na Phrydain ac efallai'n gyfunffin ag *insula* y Llythyr. Y mae'n wir bod yr awdur yn galw'r Pictiaid yn genedl dramor (*transmarina*, c. 14), ond yng ngherdd Aneirin ceir gair wedi ei ffurfio o'r un gwraidd, sef *tramerin*, ynglŷn â'r Pictiaid a ddaw dros Aber Gweryd (Merin Iodeo) o ardal Methil yn Fife (*llu meithlyon*) i ymosod ar y Gododdin ger Caeredin (CA 23-4, llau. 575-607; 48, ll. 1209). Ymhellach ymlaen, byddai'r *insula* lewyrchus a ddisgrifir yn c. 21.2 yn haws ei huniaethu â Britannia drefnus y Llythyr lle gall brenhinoedd erlyn lladron ledled y *patria*, ond dichon hefyd ei bod yn dynodi endid llai fyth. Mae'r *insula* yn cc. 23.1, 4, 5 (x 2); 24.1; 26.2 yr ymosodwyd arni gan *illi ... Saxones* (c. 23.1) yn sicr yn rhywbeth llai: *regio* (c. 22.1) yn unig ydyw ac ymesyd y barbariaid arni â thân 'nes llosgi bron y cyfan o wyneb yr ynys' (c. 24.1). Gall fod yn arwyddocaol hefyd na chrybwyllir Britannia (h.y. yr ynys gyfan) yn y disgrifiad o'r rhyfel hwn. Ai enghraifft sydd yma, felly, o ddefnyddio *insula* am un o dair *insula* ('gorynys / penrhyn') *Insula Britanniae*, 'Penrhyndir Prydain'?

Gellir gweld, felly, fod defnyddio'r geiriau *Britannia* ac *insula* mewn gwahanol ffyrdd yn y Llythyr a'r Dinistr. Yn y Llythyr dynoda'r ddau Benrhyndir Prydain. Yn y Dinistr, ar y llaw arall, dynoda *Britannia* Brydain gyfan, ac *insula* Brydain gyfan ac, fe ymddengys, ran yn unig o Benrhyndir Prydain. Go brin mai ffrwyth meddwl un awdur yw hyn oll.

Dadl 15: Proffwydoliaeth y Sacsoniaid

Ailgyflwyniad Brown yw'r Ddadl hon o resymau Wade-Evans dros ddyddiad hwyr i'r Dinistr. Rhoddais amlinelliad o'r rheini uchod, a cheir llawer o'r un deunydd yn nadl Brown yma, ond gyda phwyntiau ychwanegol, hwythau'n seiliedig ar waith Wade-Evans yn bennaf.

Yn y rhan o'r Dinistr sy'n sôn am ddyfodiad y Sacsoniaid i Brydain, rywbryd wedi'r llythyr at Aëtius (446x54), cofnodir proffwydoliaeth sicr o'u heiddo (*certo apud eum praesagio*) y byddai *illi ... Saxones* yn byw yn yr *insula* am 300 mlynedd, gan ei diffeithio'n fynych am hanner cyntaf y cyfnod (c. 23.1,3). Gallai'r Lladin *certo* arwyddocáu bod y broffwydoliaeth yn sicr ym meddyliau'r Sacsoniaid yn unig, neu ynteu ei bod wedi ei gwireddu – ei bod yn ffaith. Oherwydd gwedd oruwchnaturiol y broffwydoliaeth, tueddwyd i'w hanwybyddu fel tystiolaeth a allai fod o bwys cronolegol. Ni sonia Beda amdani, efallai am iddo ei diystyru fel tystiolaeth annigonol i'w safonau ef fel hanesydd neu hyd yn oed fel ofergoeliaeth. Beth bynnag oedd ei reswm, dichon mai dilyn ei esiampl ef a barodd na chafodd y broffwydoliaeth ei sylw haeddiannol. Ond da y dywed Brown:

> Evidence is not invalidated because it mentions the supernatural – some have wrongly ignored Procopios because he records superstition. If the prophecy had not been fulfilled up to the time of writing, the author would either have not bothered to record it or he would have recorded it with a jeer at *certo apud eum praesagio*. He did record it, without a jeer, so it was presumably accurate at the time of writing. (The antiquity of the prophecy, its genuineness, does not concern us, only its accuracy.)

Os felly, yn wyneb y pwyslais a rydd yr awdur ar y gwrthgyferbyniad rhwng y cyfnod o ryfel a'r heddwch presennol, y mae'n dilyn bod y Sacsoniaid wedi bod yn yr *insula* am 193 o flynyddoedd, hynny yw 150 (hanner y cyfnod o 300 mlynedd a grybwyllir yn y broffwydoliaeth) + 43, sef y 43 mlynedd o ddiwedd cyfnod y rhyfela a dyddiad geni'r awdur hyd adeg ysgrifennu'r

Dinistr a nodir yn c. 26.1. Gan hynny, nid ysgrifennwyd y Dinistr tan y seithfed ganrif ar y cynharaf, ymhell wedi amser y Llythyr, na ellid bod wedi ei gyfansoddi yn hwyrach na 550 (y dyddiad hwyraf ar gyfer ieuenctid cymharol Gildas), a phrin, felly, y gellir priodoli'r ddau i'r un awdur.

Cynigiodd Wade-Evans amseriad manylach ar gyfer adeg cyfansoddi'r Dinistr, gan ddechrau gyda dyddiad y *Bellum Badonis,* 'Brwydr Baddon', a gofnodir yn Llawysgrif Harley 3859. Os edrychir ar y ddogfen hon, gwelir crybwyll y frwydr mewn dau le, y cyntaf dan y flwyddyn 516, a'r ail dan 665 – *Bellum Badonis secundo,* 'Brwydr Baddon am yr eilwaith'. Fel arfer cymerir, o'r ddwy, mai brwydr 516 oedd yr un ddilys ac ni thelir fawr sylw i'r ail, fel pe bai'n annilys (hynny er gwaethaf ei chofnodi), ond ym marn Wade-Evans, brwydr 665 oedd yr un wreiddiol, a brwydr 516 yn greadigaeth ddiweddarach. Disgrifir brwydr 516 yn y cronicl gyda chymorth manylion wedi eu haddasu am frwydr *Castellum Guinnon* a enwir yn y rhestr o frwydrau Arthur yn *Historia Brittonum* 'Nennius', ac amlwg bod Brwydr Baddon yn y rhestr honno yn fewnosodiad a ddisodlodd un o'r brwydrau gwreiddiol ynddi. (Odid na wnaed y mewnosodiad ar ôl benthyca'r manylion am frwydr *Castellum Guinnon.*) Unwaith i'r Dinistr enwogi brwydr Baddon ac unwaith y priodolwyd y gwaith i ŵr o'r enw Gildas a drigai yn y chweched ganrif, ni fyddai'n syndod gweld cynnwys y frwydr yng nghofnodion cynnar Llsgr. Harley 3859 a'r *Historia Brittonum* nac ychwaith briodoli'r fuddugoliaeth, fel y gwneir yno, i'r gwron lled chwedlonol Arthur, er mai yn hollol ddi-sail y gwnaed hynny gan na sonnir dim amdano yn y Dinistr na manylu dim am yr ornest. Gellir canfod rheswm hefyd am y dyddiad 516, oherwydd byddai'n dodi'r 'ail' frwydr Baddon yn y 150fed flwyddyn wedi'r frwydr Baddon 'gyntaf' (hynny yw, gyda blwyddyn gyntaf y cyfnod 150 mlynedd yn dechrau yn 516, nid 517), awgrym o'r parch a fodolai ar y pryd at y broffwydoliaeth a dilysrwydd cofnod 665. Ychwanegiad, gyda llaw, yw'r gair *secundo* sy'n dilyn *Bellum Badonis* a wnaed er mwyn gwahaniaethu rhwng y frwydr hon a 'brwydr' 516. Casglodd Wade-Evans yn rhesymol mai un Frwydr Baddon yn unig a gofnodwyd, a honno wedi ei dyddio'n gywir yn y cronicl Cymreig a'i chofnodi'n ddiddyddiad yn y Dinistr mewn man yn yr adroddiant na fyddai'n anghydnaws â 665. Gan dderbyn y farn arferol am y 43 mlynedd (*quique ... emenso*), dyddiodd Wade-Evans y Dinistr i 708.

Â Brown ymlaen wedyn i sôn am faterion nad ydynt, hyd y gwelaf, mor uniongyrchol berthnasol i bwnc dyddiad y Dinistr ac undod y Ddogfen ond cynhwysaf hwy yma gan eu bod o bwys i agweddau eraill ar y Dinistr.

Defnyddiodd Wade-Evans y broffwydoliaeth Sacsonaidd nid yn unig i ddyddio'r Dinistr ond hefyd i gyrraedd y casgliad mai'r Jiwtiaid, Stuf a Wihtgar, a laniodd yn *Cerdicesora,* 'traeth Cerdic' ar lannau swydd Hampshire yn 514 yn ôl y Cronicl Eingl-Sacsonaidd, oedd y rhai a ddiffeithiodd yr *insula* a grybwyllir yn y Dinistr (c. 23 yml.). Trwy dynnu 150 (hanner cyfnod y broffwydoliaeth) o 665 (brwydr Mynydd Baddon), ceid 515, y flwyddyn wedi glaniad y Jiwtiaid, ond gellid gosod terfyn y cyfnod 150 mlynedd yn 664, gan wneud 514 yn fan cychwyn y cyfnod hwnnw, gyda brwydr Mynydd Baddon yn dilyn yn union wedi'r terfyn yn y flwyddyn ganlynol (h.y. 665). Er i'r cyfnod o 150 mlynedd o frwydro gyrraedd ei anterth yn mrwydr Mynydd Baddon, nid yw hynny'n gyfystyr â dweud mai ym mlwyddyn olaf y cyfnod y bu hynny. Dadleuodd Wade-Evans hefyd, gyda llawer o reswm, fod glaniad Stuf yn hanesyddol ddilys, mai ef oedd arweinydd *illi ... Saxones* (c. 23.1) a wahoddwyd gan y *superbo tyranno*, mai uchel bennaeth Brythonig o'r enw Cerdic – Ceredig – oedd hwnnw, ac nad oedd adroddiadau am y Sacsoniaid yn glanio mewn rhannau eraill o Brydain yn berthnasol i'r Dinistr.

Yn ôl Brown, ategir casgliad Wade-Evans gan fanylion 'talaith' neu yn ddiweddarach 'ynys' (*insula*) Cernyw yn Ynys Prydain. Gan fod hon yn cynnwys Old Sarum (ger Caersallog) ac Ynys Wyth, ymddengys yn debygol ei bod yn terfynu wrth y *litus Saxonicum,* 'y Glannau Sacsonaidd'; hynny yw nad oedd yn cynnwys Portchester ac mai Clausentum (Bitterne) oedd ei safle cyntaf yn y Sianel. Mae'n annhebygol bod Caer-wynt o fewn Ynys Prydain. Gellir cymryd bod y ffin yn ymestyn hyd 'Penryn Austin yg Kernyw', sef penrhyn, am a wyddys, ger Aust ar ochr ddwyreiniol Môr Hafren, a'i hamddiffyn gan Walbury (swydd Berkshire), Wansdyke (swydd Wiltshire), a Wirtgernesburg (ger Bradford-on-Avon). Os Cernyw yw *insula* y Dinistr, sylwer mor addas yw'r geiriau *in orientali parte insulae* (c. 23.4) ar gyfer enwau lleoedd disgrifiad y Cronicl Eingl-Sacsonaidd. Ymddengys i Beda ddefnyddio'r ymadrodd i olygu 'Prydain' er mwyn uniaethu glaniad Stuf ag ymgyrchoedd 'Hengist' yn swydd Gaint. Mae'n bosibl hefyd ddeall yn llythrennol yr ysbeilio (nid anheddu) 'o fôr i fôr' – *de mari usque ad mare* (c. 24.1), hynny yw o Fôr Udd hyd Fôr Hafren, a derbyn (gan gydnabod y gor-ddweud rhethregol arferol) 'llosgi bron y cyfan o wyneb yr ynys' – *cunctam paene exurens insulae superficiem.*

Dadl 16: Cronoleg y Dinistr

Hyd yn oed os anwybyddir proffwydoliaeth y Sacsoniaid, y mae'n anodd, os cymerir mai awdur y Llythyr oedd awdur y Dinistr, rhannu digon o amser i'r holl ddigwyddiadau a ddisgrifir rhwng y llythyr at Aëtius (446x54) a 550, sef y dyddiad hwyraf posibl ar gyfer ieunctid (cymharol) Gildas, ac ymddengys nad oes neb o bleidwyr undod y Ddogfen wedi cynnig ateb argyhoeddiadol i'r broblem hon. Mae cynnig Ian Wood fel pe bai'n anwybyddu'r cyfnodau hir sy'n oblygedig ar ôl llythyr Aëtius (cc. 20.2-21.4) a brwydr Baddon (c. 26.2, 3).[59] Anodd, o dderbyn cronoleg Wood, sy'n amseru brwydr Baddon ac adeg ysgrifennu'r Dinistr 43 o flynyddoedd wedi buddugoliaeth Ambrosius Aurelianus, yw dychmygu awdur y llith yn dathlu 'buddugoliaeth derfynol y famwlad' – *postrema patriae victoria* (c. 2) trwy ei hysgrifennu o fewn mis. Sylwer hefyd, yn ôl y Llythyr, fod y brenhinoedd yn ymlid lladron ledled y *patria* (c. 27), tipyn o gamp os oeddynt newydd orchfygu'r goresgynwyr. Derbynia David Dumville y cyfnodau maith hyn ond gan ddadlau, yn betrus, o blaid cyfnod byr – tua phum mlynedd – rhwng buddugoliaeth Ambrosius Aurelianus a brwydr Baddon.[60] Myn Wood a Dumville fod y gair *avitus* yn yr ymadrodd *avita bonitate* (c. 25.3) yn cysylltu'r Ambrosius hwn â dyddiad ysgrifennu'r Dinistr dros gyfnod o ddwy genhedlaeth. Fodd bynnag, defnyddid *avitus* yn ehangach weithiau yn yr ystyr 'cyndadol, hynafol', a gelwir disgynyddion Ambrosius yn *suboles*, nid *nepotes,* 'neiaint'. Gall, yn wir, fod dwy genhedlaeth o leiaf rhwng Ambrosius Aurelianus a'r awdur. Pwynt arall nad yw o blaid syniad Dumville, fod y fuddugoliaeth gyntaf a brwydr Baddon yn agos i'w gilydd mewn amser, yw'r geiriau *postrema victoria* (lle mae ffurf gref gradd eithaf yr ansoddair *postrema* yn awgrymu cyfres o frwydrau) ar gyfer yr ail. Honnwyd cyn hyn i Ambrosius Aurelianus ennill brwydr Baddon yn ogystal; os felly, ni fyddai llawer iawn o fwlch amseryddol rhwng ei fuddugoliaeth gychwynnol ef a brwydr Baddon. Ond os cywir hynny, mae'n syndod ddarfod ei phriodoli yn ddiweddarach i Arthur ac mai ef, nid Ambrosius, a ddaeth yn arwr cenedlaethol. Odid nad enwyd Ambrosius ynglŷn â'r gyfres hon o frwydrau am mai ei fuddugoliaeth ef oedd y gyntaf (cf. 'the Battle of Britain' yn yr Ail Ryfel Byd), a sylwer hefyd ddarfod ennill y fuddugoliaeth derfynol â 'chymorth annisgwyl' – *insperatique ... auxilii*, geiriau nad ydynt yn taro'n briodol i filwr fel Ambrosius ac a allai hyd yn oed fod yn gyfeiriad at *auxiliares* tramor. Wrth gwrs, os oedd cyfnod hir rhwng buddugoliaeth Ambrosius a brwydr Baddon, nid yw hynny'n anghyson â datganiad y Dinistr ddarfod glynu'r 'sôn am y dinistr anaele a wnaed ar yr ynys, ac am y cymorth annisgwyl a ddaeth, yng nghof y rhai a oroesodd yn dystion o'r ddau ryfeddod' (26.2), oherwydd ni fuasai'r bobl a oedd wedi mwynhau 43 o flynyddoedd o *serenitas* erbyn adeg ysgrifennu'r Dinistr yn rhy hen i fod wedi profi'r tipyn terfynol o'r *excidium* yn eu blynyddoedd cynnar.

Er gwaethaf ei gynnig am frwydr fer ei pharhad, dymuna Dumville ddyddio'r Dinistr i tua 545, hynny yw y dyddiad hwyraf posibl bron os Gildas yw ei awdur, a hynny yn ddiau gan ei fod am rannu digon o amser i'r cyfnodau a ystyrir gan Wood yn rhai byr. Ond â Brown rhagddo wedyn a dweud:

> But the *Epistola*, which, I take it, is now generally accepted as the work of Gildas, condemns (66, 3) a clerical practice which seems to be the same as one condemned, when practised by Bretons, by Licinius, bishop of Tours from 509 to 521. One would have expected the practice to have begun in Britain and not to have been of long standing when Gildas wrote.

Nid yw'r rhan hon o'r ddadl yn eglur i mi ond ymddengys mai ei byrdwn yw fod yr arfer a gondemnir gan Gildas wedi dechrau ym Mhrydain nid ymhell cyn 521 a bod y Dinistr, gan hynny, yn groes i ddadleuon Dumville, yn gynharach o gryn dipyn na c. 545. Fodd bynnag, nid yw'n dilyn, am i Licinius gondemnio'r arfer yn y cyfnod 509-21, mai dyna pryd y gwnaeth Gildas yntau yr un peth gan fod y ddau ddyn, hyd y gwyddys, yn gweithredu'n annibynnol ar ei gilydd, ac y gallai Gildas, o ran hynny, fod wedi ei chondemnio cyn 509 neu rywbryd wedi 521. Yr unig gyswllt rhwng Gildas a Licinius yw eu bod yn collfarnu'r un pechod ond nid oes mwy o arwyddocâd i hynny na phe baent yn collfarnu unrhyw bechod arall gan fod y pechod dan sylw wedi ymwreiddio ym Mhrydain a Llydaw fel ei gilydd. Ni allaf, gan hynny, dderbyn y rhan hon o ymresymu Brown, er nad yw'n annilysu ei brif ddadl.

Yn wyneb y problemau cronolegol hyn, awgrymir bod y digwyddiadau dan sylw yn ymestyn dros gyfnod llawer hwy a bod y Dinistr, gan hynny, yn gynnyrch oes ac awdur diweddarach.

Dadl 17: Medr milwrol Britannia

Nododd Wade-Evans fod y Dinistr yn darlunio llwfrdra a thwpdra'r *cives* (y dinasyddion Rhufeinig), yr hyn a arweiniodd at ryfeloedd, ond y Llythyr yn canmol milwyr dewr. Byddai angen y cyfryw filwyr i gadw'r 'gyfraith a threfn' (rhagor cyfiawnder) a deyrnasai (c. 27). Nid oes dim sôn am drychineb cyffredinol yn y Llythyr; atgoffeir rhai o'r brenhinoedd o dynghedau personol eu ceraint, ond uffern fel rheol a fygythir arnynt.

Dadl 18: Gwahaniaeth arddull

Er bod clasurwyr o'r farn nad oes gwahaniaeth arddull rhwng y Llythyr a'r Dinistr, ac er bod lle i ddadlau bod y Llythyr yn fath o batrwm i'r Dinistr (gw. Dadl 4 uchod), eto gellir ymdeimlo yn y Ddogfen â dau feddwl, dau anianawd gwahanol. Mae awdur y Llythyr yn drwm a phregethwrol, ond awdur y Dinistr yn fywiog ac ymosodol – ac yn llai tebygol o fod yn hollol ddiffuant. Dichon y byddai beirniad llenyddol yn fwy cymwys na chlasurwr i farnu yn hyn o beth. Fy unig sylw yma yw y buasai'n well, efallai, disgrifio'r gwahaniaeth y sonia Brown amdano fel gwahaniaeth personoliaeth yn hytrach nag arddull.

Dadl 19: Gwahaniaeth amcan

Arwain y ddwy ddadl flaenorol at ddadl bwysicaf Wade-Evans, ym marn Brown, dros ddau awdur, sef bod dwy ran y

Ddogfen yn dangos dwy agwedd wahanol iawn at wleidyddiaeth, agweddau y gallai Brown, fel Sais sylwgar, eu gweld yng Nghymru hyd ei ddydd ef ac na allai neb, meddai, eu cofleidio ar yr un pryd, o leiaf yn yr un cyfnod o'i fywyd.

Mae awdur y Llythyr yn collfarnu pechodau personol a chymdeithasol arweinwyr ei wlad sydd, meddai, yn achosi dinistr ysbrydol cyffredinol. Dyma neges llawer proffwyd yn yr Hen Destament, ac fe'i crynhoir yn c. 62.2, 'Carwch gyfiawnder, ... chwi sy'n barnu'r ddaear' – *Diligite ... iustitiam, qui iudicatis terram*. Gwelai Brown yr un neges yng ngeiriau Cymry o'i oes a lachiai bechodau eu pobl eu hunain, yn Gymraeg bron yn ddieithriad, heb ystyried unrhyw ddarllenwyr eraill er dyfynnu weithiau farn tramorwyr am y Cymry er mwyn ategu eu cerydd. Roedd unrhyw wendid yn eu cydglerigwyr o ddiddordeb arbennig iddynt, a byddent fel rheol yn osgoi ymwneud ('relations') rhwng Cymry a Saeson. Hyd y gellir barnu, nid yw awdur y Llythyr yn cefnogi unrhyw blaid wleidyddol neilltuol o gwbl, gydag un eithriad, sef c. 92.3: 'Dymunwn yn daer ar i elynion yr eglwys fod yn elynion i ninnau hefyd heb ddim cynghrair â ni, ac ar i'w chyfeillion a'i hamddiffynwyr hi gael eu hystyried nid yn unig yn gynghreiriaid ond hefyd yn dadau ac arglwyddi inni.' Cyfeiriad yw hyn, fe ymddengys, at ystyried defnyddio milwyr hur (efallai i ddelio â chyrchoedd). Mae'r awdur yn cymeradwyo hyn, er nad ydyw am i'r milwyr cyflog fod yn baganiaid yn hytrach nag yn rhyw fath o Gristnogion. Ond nid yw hyn yn gwneud yr awdur yn wleidydd. Yn hytrach, un enghraifft yn unig ydyw o liaws o glerigwyr anwleidyddol eu bryd sy'n cloffi pan fo diogelwch yr Eglwys fel sefydliad yn y fantol, agwedd gwbl ddealladwy sydd, er yn gwanhau ymbiliau'r glerigaeth am gyfiawnder cyffredinol, yn peidio hefyd â'u tanseilio'n llwyr. A pha mor bwysig bynnag oedd diogelwch yr Eglwys gan yr awdur, go brin y byddai wedi ysgrifennu llythyr mor hir gyda'r prif amcan o gollfarnu

defnyddio paganiaid o filwyr hur.

O droi golwg at y Dinistr, ar y llaw arall, ymdeimlir ag awyrgylch cwbl wahanol. Cystal yma imi ddyfynnu geiriau J. P. Brown ei hun:

> The author reminds me of Welshmen who write in the *Daily Post* (Liverpool), the *Observer* or the *New Statesman* … or a Welsh member of a main British political party writing (in Welsh) in *Y Faner* … These have as a chief theme that there is not, and there ought not to be, an independent political future for Wales. As well as condemning nationalists, they often criticise the political weaknesses of the Welsh, as if to undermine their confidence, rather than to correct their faults. They ignore the clergy, except when they 'interfere in politics'. Reading them, I sense that, even when they write in Welsh, they are asking themselves: 'Would an English reader approve this?' Nevertheless, they are often inordinately proud of their Welshness in non-political, 'cultural' fields and sometimes react sharply to English criticism in such fields.

Nid yw safbwyntiau'r Llythyr a'r Dinistr yn hollol wrthwynebus i'w gilydd: mae'r ail yn wrthgenedlaetholgar eithr nid yw'r cyntaf yn genedlaetholgar ond i'r graddau ei fod yn cymryd bodolaeth a daioni sylfaenol y *patria* yn ganiataol. Yr un yw safiad sylfaenol awdur *Historia Brittonum* ag eiddo awdur y Dinistr, er balched ydyw o'i Gymreictod.

Ymhen y rhawg sylweddolodd Brown y dylai'r Dinistr, os oedd yn waith ar wahân, ddatgan ei nod yn ffurfiol. A hynny a wna. Amcan syml y Llythyr yw dwyn brenhinoedd, barnwyr ac yn enwedig glerigwyr y *patria*, a hwythau'n pechu yn erbyn Duw a'u cyd-ddinasyddion, yn ôl at lwybrau cyfiawnder trwy ymosod ar eu camweddau a'u hannog i dderbyn trugaredd y Creawdwr. Oherwydd ystyried y Dinistr yn rhan o'r Llythyr, fe'i triniwyd fel pe na bai iddo ei amcan ei hun, ond y mae iddo ei amcan ei hun, un a ddatgenir yn ffurfiol ac sy'n wahanol iawn i eiddo'r Llythyr.

Dechreua (ar ôl y rhestr o'r cynnwys) gyda rhagdraeth daearyddol (c. 3). Yn union wedyn cawn: 'Y mae hon [deall. Britannia] … yn gwrthryfela'n anniolchgar, yn awr yn erbyn Duw, droeon eraill yn erbyn dinasyddion, weithiau hyd yn oed yn erbyn brenhinoedd tramor a'u deiliaid.' (Sylwer yn neilltuol ar amser presennol y ferf.) Mae'r frawddeg nesaf yn tanlinellu hyn mewn modd rhethregol: 'gwarafun ofn i Dduw, cariad i gyd-ddinasyddion da, anrhydedd dyledus (nid, wrth gwrs, ar draul ffydd) i ddeiliaid swyddi pwysig ...' (c. 4.1). Thema'r Llythyr yw'r pechodau yn erbyn Duw a chyd-ddinasyddion, ond yma, yn y Dinistr, ni wnânt ond rhoi gwedd barchus ar brif gonsýrn yr awdur – sy'n absennol o'r Llythyr – sef ymostyngiad y *patria* (mamwlad) i allu gwleidyddol allanol, uwch. Cyhuddir y *cives* (dinasyddion) o wrthryfela yn erbyn brenhinoedd tramor (nid rhai estron yn unig) a'u deiliaid. Nid yw'n eglur a yw'r deiliaid, hwythau, yn dramor; ymddengys yn fwy tebygol nad ydynt neu o leiaf, nad dros y môr y deuir i gysylltiad â hwy. Sylwer hefyd fod y galluoedd allanol hyn yn Gristnogol, neu o leiaf nad ydynt yn wrth-Gristnogol. Difater, ar y llaw arall, yw awdur y Llythyr ynghylch pwy a fo mewn grym, cyhyd ag na bo'n elyn i'r Eglwys, a gwelir hyn yn ei gred bod awdurdod Maglocunus yn dod oddi wrth Dduw, er gwaethaf ddarfod iddo gipio'r awenau trwy lofruddio ei ewythr (c. 33.2, 4).

Mae'r hanes am fradychu Rhufain gan y *patria* (c. 4.4 yml.) yn hollol berthnasol i'r amcan a ddatgenir yn c. 4.1. Baich y cyfeiriadau at lwfrdra a thwpdra'r *cives* yw: 'Rydych yn gwrthod awdurdod oddi allan, ond nid ydych yn gymwys i reoli eich gwlad eich hunain.' Sylwer na allant drechu'r *Saxones* heb rywun *Romanae gentis* (c. 25.3) neu heb *insperatum ... auxilium* (c. 26.2). Un fuddugoliaeth yn unig a roddir i'r *cives* a hynny trwy gymorth Duw yn unig, sef honno ar y Pictiaid a'r Sgotiaid (cc. 20.3, 21.1). Diau bod y fuddugoliaeth hon mor enwog fel mai ffolineb fuasai ceisio ei chelu, ond cais yr awdur ei bychanu trwy ensynio â'i rethreg bod cof ei ddarllenwyr amdani wedi pylu.

Gwyddom, fodd bynnag, fod y *Brittones* yn ymhyfrydu yn eu *Romanitas* (dyna pam y'u gelwid gan y Saeson yn *Welsh*, lluosog *Wealh*, gair Almaeneg cyfoes a olygai 'Rhufeiniad'), ac yn ymhyfrydu yn eu Cristnogaeth hefyd. Yn ôl hen draddodiad a gofnodwyd ar Golofn Eliseg, ger Glyn y Groes yn Nyffryn Llangollen, Magnus Maximus oedd ffynhonnell y *Romanitas* honno. Ond yn hytrach na chydnabod y *Romanitas* hon, ymesyd awdur y Dinistr yn chwyrn ar awdurdod Maximus, heb ei ystyried ef yn Rhufeiniad 'go iawn', fel y Rhufeiniaid a drwsiodd amddiffynfeydd Prydain ar ôl eu dymchwel, ond yn hytrach yn fath o Frython – 'impyn o'i phlaniad chwerw ei hun' (c. 13.1). Ei ddadl, felly, yw bod *Romanitas* y *cives* yn annilys fel y saif. Amlwg ei fod yn cefnogi rhywun sy'n mynnu bod y *cives* yn ymostwng yn enw'r drefn Rufeinig.

Casgliad

Er gwaethaf ambell wendid megis anghywirdeb, anghydlynedd a diffyg eglurder, credaf fod dadleuon J. P. Brown yn eu crynswth yn ateg sylweddol iawn a phwysig i osodiad Wade-Evans fod Llythyr Gildas a Dinistr Prydain yn gynnyrch dau awdur gwahanol. Yn gyntaf, ceir arwyddion yn nechrau a diwedd y Dinistr ei fod wedi ei asio wrth y Llythyr. Yn ail, o graffu ar gynnwys y Dinistr yn ei wahanol agweddau a'i gymharu ag eiddo'r Llythyr, gwelir bod llawer o wahaniaethau nid bychain rhwng y ddau, megis oed, terminoleg, personoliaeth, gwleidyddiaeth, amcan, heb sôn am adleisiau yn y Dinistr o'r Llythyr (ond nid yn y Llythyr o'r Dinistr). Yn drydydd, ceir gwrthdaro rhwng tystiolaeth y Dinistr a ffynonellau hanesyddol, sy'n dangos ei fod yn ddiweddarach na'r Llythyr. Yn olaf ond nid yn lleiaf, yr ystyriaethau cronolegol mewnol sy'n dangos gliriaf fod yn y Ddogfen waith dau awdur gan eu bod yn dyddio'r Dinistr mewn oes ry ddiweddar iddo fod yn gynnyrch awdur y Llythyr. Ychwaneger at hyn oll dystiolaeth awgrymog Buchedd Gildas gan fynach Ruys, ac y mae'n anodd osgoi'r casgliad nad gwaith un dyn mo'r Ddogfen, fel y buwyd yn credu, ond clytwaith o ddwy ddogfen wahanol a ysgrifennwyd gan awduron gwahanol, ar adegau gwahanol ac mewn lleoedd gwahanol.

Pam y cyfunwyd y Dinistr â'r Llythyr?

Cwestiwn perthnasol yw pam y cyfunwyd Dinistr Prydain â Llythyr Gildas yn y lle cyntaf. Awgryma Brown yn betrus mai rhywun amgen nag awdur y Dinistr oedd yn gyfrifol, rhywun a ddymunai eu cael wedi eu casglu ynghyd rhwng yr un cloriau, rhywun a gredai hefyd mai Gildas oedd awdur y Dinistr yn ogystal â'r Llythyr. Gwendid y ddadl hon, fe ymddengys i mi, yw nad yw'n esbonio pam, felly, y dodwyd y Dinistr yng nghorff y Llythyr ac nid ar ei ôl (neu hyd yn oed o'i flaen), a hynny gyda'r rhestr gynnwys, y dadleuwyd uchod fod c. 2 yn addasiad ohoni, yn ei ragflaenu. O ran hynny, os casgliad o waith Gildas a ddymunid, oni ellid bod wedi cynnwys cyfansoddiadau eraill ganddo hefyd, megis ei benydlyfr? Rheswm mwy credadwy dros y cyfuno, mi gredaf, yw fod rhywun, am resymau gwleidyddol a phropagandyddol, wedi dymuno bwrw anfri ar y Cymry trwy gynnwys yn y Llythyr gyfansoddiad gwrth-Gymreig (gyda pheth soldro wrth ei ddechrau a'i ddiwedd) a oedd yn ei farn ef yn gydnaws ag ymosodiadau Gildas ar y pum brenin ond a ychwanegai hefyd elfennau megis hiliaeth ac imperialaeth nad ydynt i'w cael yn y Llythyr, gan droi dicter cyfiawn Gildas tuag at ei gyd-Frythoniaid pechadurus – dicter penboeth ac eithafol gŵr ifanc, mae'n wir, ond diffuant serch hynny – yn gasineb afiach, hilyddol. Os oedd yn credu mai Gildas oedd awdur y Dinistr, yna rhwng hynny a thebygrwydd ymddangosiadol ieithwedd ac arddull y gwaith i eiddo'r Llythyr, buasai'n hawdd iddo wneud fel y gwnaeth. Ar y llaw arall, os gwyddai *nad* Gildas ond rhywun arall oedd awdur y Dinistr, bu'n Faciafelaidd o ddiegwyddor. Nid wyf yn credu mai awdur y Dinistr oedd yn gyfrifol am y cyfuno: byddai iddo osod ei waith ei hun yng ngwaith rhywun arall fel pe bai'n gynnyrch hwnnw, heblaw bod yn anonest, yn sylfaenol anghyson â'r parch amlwg a welir yn y Dinistr at y Llythyr. Haws credu mai rhyw Sais o eglwyswr dylanwadol a bydol ei naws a oedd yn gyfrifol, rhywun fel y Daniel hwnnw, esgob Caer-wynt (705-44), a ddatganodd yn groyw mai manteisiol weithiau oedd ffugio (*simulatio*) yn ôl yr achlysur, ac a allai hyd yn oed, ym marn Wade-Evans, fod yn awdur y Dinistr.[61] Ond pwy bynnag a gyfunodd y ddau waith, a pha un a gredai mai gwaith Gildas oedd y Dinistr ai peidio, gwnaed hyn, 'the first, great, and prevailing tragedy of Wales,' chwedl Wade-Evans, nid yn fympwyol neu'n ddiniwed ond yn fwriadol a phwyllog dan gymhelliad rhesymau maleisus a niweidiol. Fe'i gwnaed hefyd yn ddigon cynnar, rywbryd rhwng 708 a 731, i'r fersiwn hwn o'r Llythyr ddod i ddwylo Beda a'i defnyddiodd yn ei 'Hanes Eglwysig Cenedl y Saeson' gan godi stori'r Dinistr i lefel newydd o barchusrwydd a dylanwad.

Y testun ei hun

Yn yr ymdriniaeth uchod, cyrhaeddwyd y casgliad bod Dinistr Prydain yn waith annibynnol ac nid yn rhan o Lythyr Gildas. Y mae'n bosibl bellach droi sylw at agweddau eraill ar y testun, ond yn gyntaf rhoddir amlinelliad o gynnwys y Dinistr gan mai fel hyn, mi gredaf, y gellir dwyn y gwaith i ffocws orau.

Ychwanegir hefyd beth sylwadaeth achlysurol pan fernir bod ei hangen.

Cynnwys y Dinistr

Gellir disgrifio Dinistr Prydain fel pamffled ymddangosiadol foesol ond sylfaenol wleidyddol ei natur a ysgrifennwyd yn y flwyddyn 708 gan ryw eglwyswr cymysglyd ei hunaniaeth a throfaus ei wleidyddiaeth i ddwyn pwysau ar garfan neilltuol o bobl mewn rhanbarth neilltuol o Brydain i ymostwng i awdurdod allanol uwch a gysylltid ganddo â hynny a oedd yn weddill o awdurdod a threfn Rhufain. I ategu ei ddadl teifl yr awdur ei olygon dros hanes Prydain o gyfnod y Rhufeiniaid hyd ei ddydd ef ei hun mewn ymgais i brofi mai seithug oedd ymdrechion cyndadau'r garfan hon, sef dinasyddion Brythonig talaith Rufeinig Prydain a'u disgynyddion, i'w rheoli eu hunain. Yn unol â'i ogwydd a'i amcan cyflwyna ddarlun bylchog, ystumiedig, ac unochrog o hanes Prydain.

Yn dilyn brawddeg sy'n nodi cynnwys y Dinistr (c. 2), ac a oedd yn ddiau yn rhestr gynnwys yn wreiddiol, egyr y Dinistr â brawddeg hirfaith (c. 3) sy'n ddisgrifiad daearyddol o Ynys Prydain yn null y daearyddwyr clasurol, ond sydd hefyd yn delynegol bron ei heffaith, gyda rhai cyffyrddiadau prydferth a barddonol, megis pan sonnir am feysydd, bryniau, porfeydd, blodau, ffynhonnau a llynnoedd y wlad. Fel hyn, yn ddiamau, yr hoffai'r awdur i Brydain aros, ond yn union wedyn (c. 4.1), i dorri ar y darlun heddychlon a threfnus hwn, daw'r geiriau cras:

> Y mae hon, meddaf, un wargaled a balch, byth er pan gyfanheddwyd hi gyntaf yn gwrthryfela'n anniolchgar, yn awr yn erbyn Duw, droeon eraill yn erbyn dinasyddion, weithiau hyd yn oed yn erbyn brenhinoedd tramor a'u deiliaid.

Dyma'r sarff yn Eden, megis, sef rhyw garfan falch a gwrthryfelgar a oedd yn tarfu ar y drefn oedd ohoni am resymau nad yw'r awdur yn eu hegluro. Nis enwir na'u lleoli, ond gellir casglu wrth holl ogwydd gwrth-Frythonig y Dinistr mai Brythoniaid oeddynt, a sonnir mwy isod am eu hunion leoliad. Sylwer, gyda llaw, ar amser presennol y ferf: y mae arferion y gorffennol yn parhau hyd y presennol ac adeg ysgrifennu'r Dinistr. Sylwer hefyd ar y gair *civibus*, gair pwysig yn y Dinistr sy'n dynodi dinasyddion Rhufeinig rhagor barbariaid. Dyma'r garfan y perthynai'r awdur iddi, a Brythoniaid oeddynt o ran hil.

Fe â'r awdur rhagddo yn awr i gyflwyno fersiwn o hanes y Brythoniaid a fydd yn gwasanaethu ei amcanion. Esbonia yn gyntaf y bydd yn mynd heibio i'r cyfnod cyn-Gristnogol (ond nid heb gyfeirio'n dywyll at hen arferion a delwau paganaidd a rhoi pwyth i deyrnedd gormesol a oedd, yn ei farn ef, yn byw yn y cyfnod hwnnw) ac y gorfydd arno, yn niffyg ffynonellau brodorol (a oedd, fe dybiai, wedi eu difetha neu eu cludo dros y môr), ddibynnu ar dystiolaeth awduron tramor, ffaith mor bwysig efallai â'i ogwydd gwleidyddol wrth ystyried safon ei hanesyddiaeth.

Gellir rhannu'r hyn a ganlyn, gan ddilyn rhaniad Michael Winterbottom, yn hanes pedwar prif gyfnod, sef: Prydain Rufeinig; Prydain annibynnol (h.y. wedi ymadawiad y Rhufeiniaid); dyfodiad y Sacsoniaid; a buddugoliaeth brwydr Mynydd Baddon.

1. *Prydain Rufeinig (cc. 4-13)*

Wedi iddynt sefydlu ymerodraeth fawr a chlodwiw, try'r Rhufeiniaid eu golygon tua Phrydain (yn y ganrif gyntaf o Oed Crist) a glanio yma. Darostyngant y trigolion, sef y Brythoniaid, a oedd yn anrhyfelgar a diymddiried, nid trwy ddulliau rhyfel ond trwy fygythion a chosbau cyfreithiol. Yna, ar ôl penodi rheolwyr i dynhau gafael Rhufain ar yr ynys, dychwelant adref eithr gan adael ar eu holau boblogaeth anfoddog ac arwynebol eu hufudd-dod. Yna cyfyd y trigolion mewn gwrthryfel a gwneud lladdfa ar y rheolwyr. Yn union deg, anfona Rhufain fyddin i wastrodi pobl a wêl hi fel 'llwynogod bach dichellgar' (*vulpeculas ... subdolas*, c. 6.2), ond megis yn achos y darostyngiad cyntaf, nid amddiffynna'r Brythoniaid eu hunain ag arfau eithr ildio'n ddiwrthwynebiad a llwfr i gledd y concwerwr – aethant, medd yr awdur, yn enwog am fod yn llwfr mewn rhyfel ac yn anffyddlon mewn heddwch. Lladdodd y Rhufeiniaid lawer o'r rhai bradwrus, cadw rhai yn gaethweision, a dychwelyd i Rufain, eithr nid heb adael rhai goruchwylwyr ar ôl i'w disgyblu'n ddidrugaredd, gyda'r amcan yn y pen draw o ddileu pob arlliw o'r hunaniaeth frodorol a Rhufeineiddio'r holl ynys – *Romania* yn lle *Britannia* (c. 7).

Sylwer nad oes mo'r awgrym lleiaf bod yr awdur yn meddwl i'r Brythoniaid gael cam trwy eu goresgyn a'u darostwng gan y Rhufeiniaid. I'r gwrthwyneb yn llwyr, gwêl y Rhufeiniaid fel iachawdwyr rhyw giwed ddilewyrch, ddiafael a oedd yn anniolchgar iddynt am y gymwynas o'u corffori yn yr ymerodraeth. Ys dywedodd Fergil:

> Tu regere imperio populos, Romane, memento
> (hae tibi erunt artes) pacique imponere morem,
> parcere subiectis et debellare superbos.

'Cofia di, Rufeiniwr, lywio'r bobloedd â'th awdurdod (dyma fydd dy ddoniau di), a phriodi moes a heddwch, trugarhau wrth y gorchfygedig a rhyfela yn erbyn y beilchion.' Dyna linellau a fuasai wrth fodd calon awdur y Dinistr (a rhai yr oedd, yn ôl pob tebyg, yn gyfarwydd â hwy), serch bod dyn yn synhwyro nad oedd ei agwedd tuag at arbed y gorchfygedig mor drugarog ag eiddo'r penprydydd dwys. Dengys yr awdur y gogwydd Rhufeingarol hwn trwy gydol y Dinistr. Law yn llaw â hyn, dengys ddirmyg a chasineb at y Brythoniaid, agwedd sy'n chwyddo neu'n pellhau yn ôl y cyd-destun.

Try'r awdur yn awr at ddatblygiad newydd yn hanes yr ynys dan y Rhufeiniaid, sef dyfodiad Cristnogaeth i'n glannau. Yn ystod teyrnasiad yr ymerawdwr Tiberius (O.C. 14-37) y bu hyn, medd yr awdur (eithr yn anghywir). Derbyniwyd yr efengyl yn glaear gan y trigolion ond parhaodd yn ddi-lwgr ymysg rhai, ac yn llai felly ymysg eraill, hyd erledigaeth naw mlynedd ffyrnig yr ymerawdwr Diocletian (teyrnasodd o 284 hyd 305). Gwelodd y cyfnod hwn erchyllterau enbyd: dymchwel eglwysi, llosgi copïau lawer o'r Beibl, lladd offeiriaid a'u preiddiau, ffoedigaethau, cyflafanau, cosbi trwy arteithio, trafferthion a achoswyd gan wrthgilwyr, cynddaredd yr erlidwyr – ceisio, yn wir, lwyr ddifa Cristnogaeth; ond ar yr un pryd, bu'r saint yn ddioddefgar iawn ac o ganlyniad i hynny ymburodd yr Eglwys gan gefnu ar y byd a chodi ei golygon tua'r nef.

Cafwyd merthyron hefyd yn y cyfnod hwn, ac fe roddodd Duw yn ei drugaredd ei chyfran ohonynt i Brydain hithau, sef Alban o Verulam, Aaron a Julius o Gaerlleon, a nifer mawr o rai eraill, yn ddynion a merched, o amryw leoedd. Gresyna'r awdur nad oedd yn bosibl gweld eu beddrodau a mannau eu dioddefaint mwyach er adeiladaeth i'r enaid a hynny oherwydd rhaniad (*divortio*, c. 10.2) a achoswyd iddo ef a'i gyd-ddinasyddion Rhufeinig am eu pechodau gan y barbariaid – cyfeiriad at y rhannau o Brydain a oedd ym meddiant Sacsoniaid. Rhydd yn nesaf ddisgrifiad o'r amgylchiadau rhyfeddol – a gynhwysai agor gan Alban Sant, o ganlyniad i'w weddïau, ffordd sych trwy afon Tafwys – a arweiniodd at ei ferthyrdod ef, ond ni fanylir ar y modd gwaedlyd y'i merthyrwyd. Am y Cristnogion eraill a erlidiwyd, cafodd rhai eu merthyru trwy ddulliau erchyll ond gan gipio coron ogoneddus merthyrdod yn y nef, tra ffodd eraill i ddiogelwch mannau anghysbell gan ymddiried yn Nuw i wneud cyfiawnder am y cam a gawsent ac i warchod eu bywydau.

Wedi i'r erlid chwythu ei blwc, daeth heddwch a thangnefedd nefol i'r trigolion, gydag ailadeiladu eglwysi dymchweledig, codi rhai newydd er anrhydedd i'r merthyron, a mynychu gwasanaethau yn sanctaidd a gorfoleddus eu bryd. Fodd bynnag, ac fel yr oedd gwaetha'r modd, ni pharhaoddd y cytgord hwn yn hir, oherwydd ymledodd heresi wenwynig Arius i Brydain gan greu rhwygiadau rhwng brodyr a'i gilydd, a'i dilyn yn y man gan heresïau eraill. Rhydd yr awdur y bai am hyn ar y Brythoniaid, a oedd, meddai, bob amser yn awyddus i glywed rhywbeth newydd heb lynu'n sefydlog wrth ddim. Ar ôl eu canmol fel merthyron, dychwel i'w hen arfer o'u bychanu y foment y daw gau-athrawiaethau i'w plith (er bod yr un syniadau wedi teithio i genhedloedd eraill hefyd).

Try'r awdur ei olygon yn awr at y sefyllfa wleidyddol yn ei wlad. Buasai gormesdeyrnedd (*tyrannorum*, c. 13.1) lawer yn dod i amlygrwydd ar yr ynys – cyfeiriad at y milwyr ym Mhrydain yn y drydedd a'r bedwaredd ganrif a geisiodd bob un ei sefydlu ei hun yn ymerawdwr Rhufain – ac o danynt hwy cadwodd hi yr enw Rhufeinig ond nid arfer a chyfraith Rhufain. Penllanw hyn oedd i'r Brythoniaid benodi yn anghyfreithlon ŵr anghymwys o'r un cyff â hwy eu hunain (*germen suae plantationis amarissimae*, c. 13.1) yn ymerawdwr, ynghyd â thorf fawr o ddilynwyr, i gipio'r orsedd yn Rhufain. Magnus Maximus oedd hwn, sef Macsen Wledig y traddodiad Cymreig. Llwyddodd i ddiorseddu'r ddau ymerawdwr cyfreithlon ond cyn hir cyfarfu â'i ddiwedd yn Aquileia (388).

Y mae agwedd yr awdur at Facsen yn arwyddocaol iawn. Yr oedd y Brythoniaid yn ymhyfrydu yn eu Rhufeindod (*Romanitas*) ac yn eu Cristnogaeth, ac yn ôl traddodiad a gofnodwyd ar Biler

Eliseg, Macsen oedd ffynhonnell y Rhufeindod hwn. Credent mai hwy, ac nid unrhyw genedl arall, oedd gwir feibion Rhufain ac etifeddion yr ynys. Trwy ymosod ar Facsen, gan honni ei fod yn hanu o wehelyth cynhenid (hynny yw Brythonig) yr ynys, fel pe bai hynny'n ei wneud yn israddol i Rufeiniwr 'go iawn', a chan roi'r wedd dduaf bosibl ar ei gymeriad a'i weithredoedd am ei ymgais i'w orseddu ei hun yn ben ar yr ymerodraeth, dweud y mae'r awdur mewn gwirionedd fod Rhufeindod y Brythoniaid yn annilys. A thrwy ddweud hynny, odid nad ydyw'n ensynio'r un peth am y garfan wrthryfelgar yr ymesyd arnynt yn nechrau ei lith (c. 4.1), a oedd hwythau o'r un cyff, gan ddefnyddio ei eiriau fel ffrewyll i gael ganddynt ymddarostwng.

Fel y mae'n digwydd, nid Brython oedd Macsen ond gŵr o Galicia yn Sbaen. Dichon mai ei boblogrwydd ymysg y Brythoniaid oedd sail awdur y Dinistr dros ei ystyried yn Frython. Nid oedd ychwaith yn llai o Rufeiniwr na neb arall yn nhueddau Rhufeinig yr ynys gan mai dinasyddion Rhufeinig – *cives* – oeddynt i gyd yn swyddogol ac eithrio Pictiaid y pellafdir gogleddol. Synia'r awdur amdano mewn termau hiliol yn bennaf, fel pe bai'n Frython wedi ei drawsblannu o'i oes ef yn ôl i'r bedwaredd ganrif.

2. *Prydain Annibynnol (cc. 14-21)*

Bu canlyniadau alaethus i Brydain yn sgil cyrchoedd tramor Macsen: fe'i hamddifadwyd o'i holl filwyr arfog, ei chyflenwadau milwrol, ei rheolwyr, a'i gwŷr ifainc a ddilynodd Facsen heb ddychwelyd byth eto. A hithau bellach yn ddiamddiffyn, agorwyd y dorau i ddwy genedl dramor dra milain, sef y Gwyddyl o'r gogledd-orllewin a'r Pictiaid o'r gogledd, ei mathru am flynyddoedd lawer; ond diau mai camddealltwriaeth neu anwybodaeth a barodd i'r awdur ddisgrifio'r Pictiaid fel cenedl *dramor* gan mai gogledd yr Alban oedd eu cartref. Oherwydd yr ymosodiadau hyn, gwnaeth y trigolion gais taer i Rufain am gymorth, ac yn y man wele gyrraedd dros y môr leng rymus a ddifaodd niferoedd mawr o'r gelyn a hel y cwbl ohonynt o'r wlad. Gorchmynnwyd wedyn i'r trigolion godi mur amddiffynnol o fôr i fôr, ond roedd y gorchwyl yn ormod i griw amddifad o synnwyr ac arweinydd, a'r canlyniad fu mur tyweirch aneffeithiol. Tebyg mai Mur Antwn a olygai'r awdur ond roedd ei gronoleg ymhell ar gyfeiliorn.

Dychwelodd y lleng adref yn fuddugoliaethus, ond cyn hir dyma'r hen elyn yn ei ôl a gwneud galanastra mawr eto. Felly cyflwynodd y trigolion ail gais i Rufain am gymorth. Fe'u cyffelybir gan yr awdur i 'gywion ofnus yn ymwasgu dan adenydd diogel eu rhieni, i sicrhau cymorth gan y Rhufeiniaid rhag i'w gwlad annedwydd ddioddef llwyr ddinistr ac i enw Rhufain (a adleisiai yn eu clustiau fel gair yn unig), o'i gnoi gan gegau sarhaus cenhedloedd estron, fynd yn ddi-werth' (c. 17.1). Prin, ar y llaw arall, yn ei edmygedd dilyffethair o'r Rhufeiniaid, y gall yr awdur ymatal rhag pentyrru clod a rhethreg Fergilaidd ei naws arnynt yn eu hymgyrch i amddiffyn y Brythoniaid: roedd cyrchoedd y 'cynorthwywyr ardderchog' (c. 17.3) ar dir a môr megis hynt eryrod a'u hymosodiad ar y gelyn fel ergyd anorchfygol, hollddifaol llifeiriant dŵr anferth o uchelderau'r mynydd ar ôl stormydd a'u glawogydd. Ysgubwyd y gelyn yn ôl dros y moroedd. Rhaid, yn wir, yw llongyfarch yr awdur ar ei ddychymyg yn y mannau hyn megis mewn mannau eraill – mater arall yw pa mor gywir neu beidio yw ei honiadau!

Y tro hwn, dywedodd y Rhufeiniaid wrth y trigolion na fynnai eu byddin – 'y fyddin fawr a gwych honno', chwedl yr awdur (c. 18.1), gan ddangos unwaith eto ei edmygedd addolgar bron – gael eu blino mwyach ar gownt pobl anrhyfelgar a ddylai, yn hytrach, sefyll ar eu traed eu hunain a dysgu sut i ymladd ag arfau. Ymhellach, er mwyn eu helpu i'w hamddiffyn eu hunain ond gan eu cynnwys hefyd yn y gwaith, codasant fur arall, gwahanol i'r un blaenorol, 'mur yn ôl y dull arferol o adeiladu a ymestynnai yn llinell unionsyth o fôr i fôr rhwng trefi a oedd wedi eu lleoli yno efallai o ofn y gelyn' (c. 18.2), cyfeiriad at Fur Hadrian, serch bod yr awdur ymhell ohoni eto yn amseryddol a heb sylweddoli mai hwn, nid Mur Antwn, oedd y cyntaf o'r ddau i'w adeiladu. Codasant hefyd dyrau ar yr arfordir tua'r de i ddiogelu'r boblogaeth rhag ymosodiadau heidiau barbaraidd, cyfeiriad at y *Litus Saxonicum,* y 'Glannau Sacsonaidd', cyn canu'n iach a dychwelyd adref.

Ond y foment iddynt gael cefnau'r Rhufeiniaid a deall bod eu hymadawiad yn derfynol, dyma'r Gwyddyl a'r Pictiaid, a ddisgrifir mewn iaith grotésg, yn dychwelyd eto yn hyderus ac yn ymosod am y drydedd waith ar y trigolion. Cipiant y cwbl o ogledd-dir eithaf yr ynys i lawr hyd Fur Hadrian, ond roedd y gwarchodlu yno yn rhy bwdr ac ofnus i frwydro'n ôl na hyd yn oed i ffoi, ac aethant yn ysglyfaeth i'r gelyn didrugaredd gyda'i bicellau bachog a'i arteithiau. Aeth pethau o ddrwg i waeth, gyda'r dinasyddion yn cilio o'r mur a'r trefi, yn ffoi a chwalu a chael eu rhwygo'n ddarnau gan y barbariaid. Aeth bwyd hefyd yn brin, gyda'r dinasyddion yn lladrata ymborth ei gilydd neu'n gorfod troi at hela, ac fel pe na bai'r Gwyddyl a'r Pictiaid yn ddigon o boendod, arweiniodd eu holl waith yn anrheithio at derfysgoedd cartref.

Dyma'r trigolion truenus – hynny a oedd ar ôl ohonynt erbyn hyn – yn troi unwaith eto tua Rhufain am gymorth, a chan bwysleisio enbydrwydd eu cyfyngder yn anfon llythyr at Flavius Aëtius, prif weinidog rhanbarth gorllewinol yr ymerodraeth, rywbryd rhwng y blynyddoedd 446 a 454, ond ofer fu'r cais. I ychwanegu at eu gwae, dyma newyn ofnadwy yn dod ar eu gwarthaf gyda'r canlyniad i lawer ohonynt ildio i'r gelyn rhag iddynt lwgu. Serch hynny – a dyma drobwynt mawr yn yr adroddiant – gwrthryfelodd eraill yn erbyn y Gwyddyl a'r Pictiaid a dechrau, am y tro cyntaf, wneud lladdfeydd mawr arnynt. Ond, yn gyson â'i agwedd gyffredinol, ni fyn yr awdur roi dim clod iddynt am hyn. Llwyddasant, meddai, trwy ymddiried yn Nuw. Ni wêl ddim o'i le yn yr ymddiried hwn – yn wir, gellid disgwyl y byddai'n ei gymeradwyo – ond y mae fel pe bai'n meddwl ar yr un pryd nad oedd dim dewis arall yn agored iddynt, gan ensynio felly eu bod yn rhy ddiffaith a llwfr i lwyddo trwy eu hadnoddau dynol eu hunain.

Ond wedi'r llwyddiant hwn, dechreuodd y trigolion ymroi eto i'w camweddau, oherwydd gwan fuont erioed, meddai'r awdur, yn gwrthsefyll y gelyn ond cryf yn cynnal rhyfeloedd cartref a chanlyn drygioni. Dychwelodd y Gwyddyl adref am y tro ac ymsefydlodd y Pictiaid yng ngogledd-dir eithaf yr ynys gan ysbeilio a difrodi'n achlysurol. Rhoddodd hyn gyfle i'r trigolion wella o'u clwyfau.

Ond yn y man aethant yn ysglyfaeth i bechodau lu yn sgil syrffed digyffelyb o gyfoeth materol, ac yma cymer yr awdur rwydd hynt i'w disgrifio. Y drwg cyntaf oedd anlladrwydd na chlywyd erioed am ei debyg; yna casineb at y gwirionedd a chariad at ffalster, addoli dihirwch yn lle caredigrwydd, ac ati – mewn gair, cofleidio'r tywyllwch yn lle'r goleuni. Eneinid brenhinoedd nid yn enw Duw ac am eu doethineb ond am eu creulonder a buan yr olynid un teyrn gan un arall gwaeth fyth. Gwneid yn ysgafn o ewyllys Duw, ac yn awr cyffelyba'r awdur y bobl i Israeliaid oes Eseia 1: 4-6 pan gerydda Duw hwy: 'Yr ydych chwi feibion digyfraith … wedi cefnu ar Dduw, ac yr ydych wedi cyffroi Sanct Israel i ddigofaint. I beth y trewir chwi mwyach a chwithau'n ychwanegu drygioni? Mae pob pen yn wan a phob calon yn galaru; o wadn y troed hyd at y corun nid oes unman iach ynddo.'(c. 21.5). Roeddynt yn gwneud popeth a oedd yn groes i feddyginiaeth achubol yr Arglwydd, nid yn unig y lleygwyr ond hefyd fugeiliaid yr Eglwys a ddylasai fod yn esiampl i'w praidd, 'fel y gellid gweld yn glir iawn, megis heddiw, fod "dirmyg yn cael ei dywallt ar dywysogion, eu bod yn cael eu llithio gan eu gwagedd a'u bod yn crwydro mewn lle diarffordd ac nid ar y ffordd iawn.'" (Salm 106: 40.) Sylwer ar y geiriau 'megis heddiw', cyfeiriad arall at wrthrych cyfoes ymosodiadau'r awdur.

3. *Dyfodiad y Sacsoniaid (cc. 22-4)*

Aeth cyflwr moesol y Brythoniaid o ddrwg i waeth, ac ofer fu cymelliadau Duw ei hun i'w deffro i'r peryglon a'u hamgylchynai yn awr. Er clywed bod y Gwyddyl a'r Pictiaid yn eu bygwth eto fyth, gan fwriadu eu dinistrio'n llwyr a chyfanheddu eu holl wlad, ni ddysgasant eu gwers eithr ymroi fwyfwy i ddrygioni, hyd yn oed wedi i bla marwol ddifa lluoedd ohonynt, ac yma tyn yr awdur gymariaethau trwy ddyfynnu eto o'r Hen Destament.

Yn y diwedd, a'r gelyn yn gwasgu'n ddidrugaredd o bob cyfeiriad, dyma benderfynu galw cyngor i benderfynu sut orau i'w wrthsefyll. Yna, ynghyd â rhywun a ddisgrifir fel 'teyrn balch' (*superbo tyranno*, c. 23.1), gwnaed y penderfyniad cibddall, ynfyd a chwbl drychinebus o wahodd 'y Sacsoniaid … hynny' (*illi ... Saxones*, c. 23.1) – neu efallai ryw garfan ohonynt – i'w cynorthwyo, pobl a ddisgrifir fel rhai 'tra ffyrnig' ac 'yn gas gan Dduw a dynion' (*ferocissimi ... deo hominibusque invisi*, c. 23.1). 'Tywysogion ffôl Soan … yn rhoi cyngor hurt i Pharo', medd yr awdur, gan ddyfynu Eseia (c. 23.2).

Wele yn awr 'genfaint o genawon yn rhuthro allan o wâl y llewes greulon mewn tair *cyula*, ys dywedant yn eu hiaith hwy am longau rhyfel ein hiaith ni' (*grex catulorum de cubili leaenae barbarae, tribus, ut lingua eius exprimitur, cyulis, nostra longis navibus*, c. 23.1). Sylwer na ddiffinnir y 'llewes', sef rhyw wlad neu diriogaeth, ac mai mewn tair llong yn unig y daw'r Sacsoniaid. Ychwanega'r awdur fod yn eu plith broffwydoliaeth sicr y byddent yn byw am dri chan mlynedd yn y tir yr hwylient tuag ato ac y byddent, am hanner y cyfnod hwnnw, yn ei anrheithio'n fynych. Cofnodir hyn yn sobr a diduedd, heb arlliw o goegni na dychan. Dan orchymyn y teyrn uchod, cyraeddasant 'ran ddwyreiniol yr ynys' (*orientale parte insulae*, c. 23.4) ond â'u bryd nid ar ymladd dros y wlad yn gymaint ag ymosod arni. Wedi iddynt gael llwyddiant cychwynnol, dyma'r 'llewes' yn anfon allan fintai arall, helaethach, o ddihirod i ymuno â hwy, a dyna ddechrau gofidiau i'r wlad. Cam nesaf y barbariaid oedd manteisio ar haelioni eu gwestywyr i sicrhau cyflenwadau bwyd iddynt eu hunain dros gyfnod hir, fel pe baent yn filwyr go iawn ar fin wynebu peryglon mawr er eu mwyn, yna hawlio dognau mwy, ac yn y diwedd fygwth anrheithio pob cwr o'r ynys pe na chaent y rheini, ac ni fuont yn fyr o wireddu eu bygythion.

Dyma ddialedd Duw ar ei braidd anffyddlon yn awr yn cyrraedd ei benllanw. Llosgodd y Sacsoniaid 'bron y cyfan o wyneb yr ynys' (*cunctam paene exurens insulae superficiem*, c. 24.1) ynghyd â'r dinasoedd a'r tiroedd cyfagos o fôr i fôr, dinistr a gyffelybir gan yr awdur i ymosodiad yr Asyriaid gynt ar Jwdea. Dymchwelwyd yr holl drefedigaethau (*coloniae*, c. 24.4) a difa'r holl breswylwyr, yn lleyg a llên, gwelid malurion gwaedlyd cyrff dynol hyd y lle, ac nid oedd mannau claddu teilwng i'w cael ar eu cyfer. Go brin hefyd, ym marn yr awdur, fod llawer o'r meirw wedi eu cludo i'r nef wedyn oherwydd maint dirywiad y winllan ddynol a fuasai gynt mor dda – clewten arall fwy gwleidyddol nag ysbrydol ei naws.

4. *Buddugoliaeth Mynydd Baddon (cc. 25-6)*

Am y gweddillion truenus a oroesodd, eu difa ar y mynyddoedd, ildio dan wasgfa newyn i'r gelyn a chaethiwed, a ffoi i wledydd tramor fu rhan llawer ohonynt, ond arhosodd eraill yn eu mamwlad gan lechu'n ofnus mewn mannau anghysbell a gwyllt. O'r diwedd, wedi rhyw ysbaid o amser nas diffinnir (*tempore ... interveniente aliquanto,* c. 25.2), dychwelodd y gelyn adref – ni ddywedir i ble yn benodol – a chafodd gweddillion y bobl nerth gan Dduw i ymladd yn ôl. Ymunwyd â hwy ar bob llaw gan ddinasyddion truenus o wahanol leoedd yn llenwi'r nef â gweddïau dirifedi rhag llwyr ddinistr. Beth oedd perthynas y garfan niferus hon â 'gweddillion y bobl'? Os wrth 'ynys' y golygai'r awdur Brydain oll ac nad oedd ar ôl o'i phoblogaeth ond 'gweddillion', o ble y daeth y lleill i ochri â hwy? Un ateb yw mai rhan yn unig o'r ynys a oresgynnwyd gan y Sacsoniaid a bod y Brythoniaid eraill a dyrrodd at y 'gweddillion' yn dod o barthau eraill o'r ynys gyfan. Arweiniwyd y Brythoniaid gan ŵr o'r enw Ambrosius Aurelianus a ddisgrifir gan yr awdur yn gymeradwyol fel gŵr bonheddig a'r olaf o'r Rhufeiniaid, gan ei gyferbynnu yn hyn o beth â'i ddisgynyddion a oedd wedi dirywio'n fawr – hynny yw, gellir tybio, wedi eu 'Brythoneiddio', arwydd arall o Rufeingarwch ffroenuchel yr awdur. Dan arweiniad Ambrosius, heriodd y Brythoniaid y concwerwr (a oedd, fe ymddengys, wedi dychwelyd o'i gartref) ac ennill buddugoliaeth arno. Yn gyson â'i anian a'i dueddfryd, nid ymatalia'r awdur rhag ychwanegu mai trwy ffafr Duw y bu hyn.

O'r pwynt hwn ymlaen, pendiliai buddugoliaethau rhwng y dinasyddion a'u gelynion er mwyn i Dduw roi prawf ar gariad y cyntaf, a gyffelybir i Israel gyfoes, tuag ato. Parhaodd hyn hyd flwyddyn gwarchae Mynydd Baddon, pryd y trechwyd y giwed gnafaidd yn derfynol, 'blwyddyn sydd (fel y gwn yn dda)', medd yr awdur, 'yn dechrau fel y bedwaredd a deugain, ac un mis eisoes wedi mynd heibio, ac sydd hefyd yn flwyddyn fy ngeni' (*quique quadragesimus quartus (ut novi) orditur annus mense iam uno emenso, qui et meae nativitatis est,* c. 26.1), sef O.C. 708.

Ond er gwaethaf y llwyddiant tyngedfennol hwn, darlun du a geir gan yr awdur o'r cyfnod dilynol. Yr oedd dinasoedd y wlad wedi eu diboblogi ac erbyn hyn yn llanastr anghyfannedd, 'oherwydd er bod rhyfeloedd allanol wedi peidio, nid felly rai cartref' (*cessantibus licet externis bellis, sed non civilibus,* c. 26.2). Ymddengys mai rhyfeloedd cartref a gynhelid gan y sawl a ddisodlodd y Brythoniaid yn hytrach na chan y Brythoniaid eu hunain a olyga'r awdur wrth y rhain, gan fod yr olaf, meddai, wedi eu gwasgaru gan y gelyn i fryniau'r gorllewin. Ceid sefydlogrwydd ymysg y bobl a oedd wedi profi enbydrwydd y rhyfeloedd a'r fuddugoliaeth a ddaeth wedyn, ond wedi iddynt farw wele do newydd na wyddai ond heddwch y presennol, gan fwrw dros gof y gwerthoedd moesol gynt a chofleidio anwiredd ac anghyfiawnder. Er gwaethaf hynny, yng nghanol y dorf enfawr o eneidiau a ruthrai bob dydd i uffern yr oedd eto'n aros garfan fechan nas enwir o ffyddloniaid duwiol, un ddibris gan yr Eglwys, a oedd yn cynnal yr awdur â'u gweddïau. Terfyna'r awdur trwy brysuro i egluro bod y rheini sy'n gwasanaethu eu boliau a'r diafol yn fwy o achos wylofain iddo nag o farn, gosodiad sy'n taro dyn yn anniffuant.

Amseriad

Amlinellwyd uchod resymau Wade-Evans, ar sail tystiolaeth fewnol y Dinistr, dros ei farn mai yn 708 y cyfansoddwyd y gwaith hwn, ac fe'i hategwyd a'i datblygu ryw gymaint gan J. P. Brown. Edrychir hefyd isod ar y frawddeg enwog ac amwys ei chronoleg sy'n llenwi c. 26.1 a dod i'r casgliad bod y 43 mlwydd a mis a grybwyllir yno yn dilyn blwyddyn brwydr Mynydd Baddon yn 665 ac nid yn ei rhagflaenu. Rhwng popeth credaf fod lle cryf i dderbyn mai yn y flwyddyn 708 y lansiwyd y Dinistr.

Awduraeth

Wrth drafod awduraeth Llythyr Gildas uchod, dywedwyd bod Beda, ein hawdurdod cynharaf yn hyn o beth, yn ei briodoli i Gildas. Bu peth ansicrwydd a yw Beda, yn yr un lle, yn priodoli'r Dinistr hefyd iddo, ond dadleuais ei bod yn oblygedig ei fod yn ystyried y Dinistr hefyd yn waith Gildas. Pa un bynnag, os yw'r Dinistr, fel y dadleuir yma, ryw ddau gan mlynedd yn ddiweddarach na'r Llythyr, y mae'n dilyn yn anorfod mai gwaith rhywun arall ydyw, a gellir anwybyddu'r hysbysiadau yn y llawysgrifau a mannau eraill sy'n ei roi i awdur y Llythyr.

Pwy, gan hynny, oedd awdur y Dinistr? Dichon nad oes modd gwybod – o leiaf ar hyn o bryd – ond yn y cyfamser da o beth, mi gredaf, fyddai atgyfodi'r syniad canlynol na chafodd nemor ddim sylw. Bu cred gan rai ysgolheigion fod dau ŵr o'r enw Gildas, ar sail y gwahaniaeth mawr a welir rhwng y Fuchedd gan y mynach o Ruys a honno gan Garadog o Lancarfan. (Er mor anghyffredin yw'r enw Gildas, nid oes dim rheswm *per se* pam na allesid ei ddewis yn enw ar rywun arall hefyd.) Yn ôl J.E. Lloyd, nid oedd unrhyw sail i'r gred fod 'dau Gildas', ac roedd portread Buchedd Llancarfan o Gildas, meddai, gan ddilyn barn Hugh Williams, yn 'figment of the monks of Glastonbury, who desired to connect so famous a Briton with the early history of their house and had a life written to order for the purpose'.[62] Ond maentumiodd Wade-Evans fod Caradog, er yn amcanu at ddweud hanes yr un gŵr â gwrthrych Buchedd Ruys, wedi ei gymysgu â St. Gildas o Street, pentref yng Ngwlad yr Haf nid nepell o Ynys Wydrin (Glastonbury):

> Caradog of Nantcarfan's account of Gildas is of particular interest in that he tells of his life and death and burial in *Glastonia* (Glastonbury), *in aestiva regione*, Somerset, where he wrote *historias de regibus Britanniae,* 'the history of the kings of Britain'

> (with reference no doubt to at least the *de excidio Britanniae*); where he lived a hermit's life *supra ripam fluminis proximi Glastoniae*, 'on the bank of a river close to Glastonbury,' where he had built a church in the name of the Holy Trinity. This church, although no longer perhaps on the same spot, is represented at the present time by the parish church of Street, near Glastonbury, dedicated to the Trinity, but known in the Middle Ages as that of St. Gildas. It was also known as *Capella fortunarum*.
>
> Nor is it to be lightly disposed of, that William of Malmesbury (1124-1125), states on the authority of elders (*sicut a maioribus accepimus*) that Gildas had lived for many years at Glastonbury, a quiet retreat, where he may well have acquired information of that subversion of Britain to which he refers.
>
> … Moreover, as founder of the Church of Gildas in Street, he was regarded with veneration as a saint. It is doubtless his festival which appears at September 28 in an ancient Kalendar of Saints from the West Country found in B.M. Nero II dated 1020-30, but containing much older elements.[63]

At ddadl Wade-Evans gellir ychwanegu fod Caradog, yn ogystal â dweud bod y Gildas hwn wedi ysgrifennu *historias de regibus Britanniae*, hefyd yn cyfeirio ato mewn dwy fan arall fel *historiographus,* disgrifiad anaddas o awdur y Llythyr ond cywir ddigon o awdur y Dinistr. Os glynir wrth farn Hugh Williams a Lloyd fod y Fuchedd gan Garadog o Lancarfan yn stori a ffugiwyd er clod i'r Brenin Arthur ac Ynys Wydrin, rhaid esbonio (yn hytrach nag anwybyddu) yr olion y tyn Wade-Evans sylw atynt o bresenoldeb rhywun go iawn, rhagor rhyw ffigwr chwedlonol, o'r enw Gildas yng nghyffiniau Ynys Wydrin. Onid yw'r hyn a ddywed Caradog am ymwneud Gildas ag Ynys Wydrin yn debycach o fod yn ffeithiol yn hytrach nag yn ffug ac felly'n dystiolaeth berthnasol iawn a phwysig i'r holl 'Gwestiwn Gildasaidd'? Sylw gochelgar J. P. Brown ar farn Wade-Evans yw: 'Wade-Evans's suggestions that he [sef awdur y Dinistr] came from Glastonbury and was a namesake of the 6th c. Gildas seems plausible but not provable.' Y mae llu o bethau ym myd ysgolheictod, wrth gwrs, na ellir eu 'profi' fel y cyfryw ond nad ydynt o'r herwydd yn llai teilwng o ystyriaeth. Fy marn bersonol ar hyn o bryd yw fod Wade-Evans yn gywir yn hyn o beth, fel yr oedd ynglŷn â chynifer o bethau.

Sylwodd Wade-Evans hefyd fod Caw, a enwir fel tad gwrthrychau dwy Fuchedd Gildas (serch ei gamsillafu yn *Nav* yn y fuchedd gan Garadog) hefyd yn cael ei alw yn *Cadw* weithiau, ac yn unol â'i gred bod awdur y Dinistr yn byw yng nghyffiniau Ynys Wydrin a Street yng Ngwlad yr Haf, awgrymodd y gallai Caw y Fuchedd Gymreig fod yr un gŵr â Chadwr fab Cadfor, un o boblogaeth o Frythoniaid o hil gerdd a drigai yn yr un ardal tua'r un adeg ag awdur y Dinistr a disgynnydd i Glast, gorwyr i Gunedda Wledig o'r Hen Ogledd.[64] Yn ôl y ddamcaniaeth hon fe allai fod awdur y Dinistr yn fab i Gadwr fab Cadfor ac yn ffigwr o dras anrhydeddus. Ceir enghreifftiau, bid siŵr, o *Caw* yn ymgyfnewid â *Cadw,* ond ni welais enghreifftiau o *Cadw* yn ymgyfnewid â *Cadwr*, er tebyced eu ffurf. Er mor ddiddorol, felly, yw syniad Wade-Evans, gwell ymatal, megis yntau – o leiaf am y tro – rhag uniaethu Caw y Fuchedd gan Garadog o Lancarfan â Chadwr fab Cadfor o Ynys Wydrin.

Gellir dysgu tipyn am awdur y Dinistr o'i waith. Fel y ceisiwyd dangos, ganwyd ef yn y flwyddyn 665 ac roedd ar ei bedwaredd flwyddyn a deugain ers mis pan lansiodd ei lith yn 708, ond ni wn am ddim arwyddion o adeg ei farw. Amlwg ei fod mewn urddau eglwysig, a derbyniodd addysg dda, tyst o'i wybodaeth o'r Ysgrythur ac awduron Cristnogol cynnar megis Eusebius (trwy gyfieithiad Lladin Rufinus), Sulpicius Severus a Sierôm, a hefyd o lên seciwlar, Fergil yn neilltuol. Yr oedd hefyd yn Lladinydd da iawn, a gwell un, yn fy marn i, nag awdur Llythyr Gildas, fel y gwelir yn enwedig yn adeiladwaith cliriach a mwy cytbwys ei frawddegau. Roedd ganddo hefyd ryw wybodaeth o'r Saesneg, ond amhosibl gwybod pa faint gan na ddyfynna ond un gair ohoni.

Pwnc dyrys ddigon yw ceisio diffinio union genedligrwydd awdur y Dinistr. Y peth cyntaf i ddal arno yw ei fod yn ymuniaethu â'r bobl a ddisgrifia yn ei 'hanes' am Brydain. Ystyriai ei hun yn un ohonynt. Gwelir hyn gliriaf yn c. 10 (duwyd y mannau perthnasol):

> **1.** Amlhaodd yr Arglwydd, felly, ei drugaredd **tuag atom**, gan ewyllysio *bod pob dyn yn gadwedig* a chan alw ato bechaduriaid lawn cymaint â'r rhai sy'n eu hystyried eu hunain yn gyfiawn. O'i rad rodd ei hun, adeg yr erledigaeth uchod (fel y dyfalwn ni), rhag llwyr orchuddio Prydain dan gaddug tew nos ddu, cynheuodd ffaglau disglair y merthyron sanctaidd **inni**. **2.** Byddai beddau eu cyrff a mannau eu dioddefaint, pe na baent yn cael eu dwyn yn llu oddi arnom ni ddinasyddion oherwydd **ein** pechodau gan y rhaniad trist a achoswyd gan y barbariaid, yn ysbrydoli meddyliau'r sawl a syllai arnynt â fflam nid bechan o gariad dwyfol. Sôn yr wyf am Alban Sant o Verulam, Aaron a Julius, dinasyddion o Gaerlleon, a'r rhelyw o'r ddau ryw mewn gwahanol leoedd a safodd yn ddiysgog, gan ddangos y mawrfrydigrwydd mwyaf, ym myddin Crist.[65]

Ar y llaw arall, dywedwyd digon uchod wrth grynhoi cynnwys y Dinistr i ddangos mai dirmygu a bychanu'r Brythoniaid a wna'r awdur gan amlaf o lawer, agwedd sy'n cyrraedd ei huchabwynt yn ei brif gocyn hitio, Magnus Maximus (Macsen Wledig). Caiff merthyron y Brythoniaid glod ganddo (nid bod hynny'n syndod: eglwyswr ydoedd wedi'r cwbl) ond yr unig leygwr o Frythoniad a glodforir yw Ambrosius Aurelianus a hynny nid yn unig am ei ddewrder yn gorchfygu'r gelyn ond hefyd am ei fod yn Rhufeiniwr urddasol, yn wahanol i'w ddisgynyddion dirywiedig.

Y cwestiwn sy'n codi yma yw sut y gallai rhywun a'i cyfrifai ei hun yn Frython fod mor elyniaethus tuag at ei gyd-Frythoniaid.

Sylwodd Wade-Evans ar y ddeuoliaeth hon, a'i esboniad ef oedd bod awdur y Dinistr yn dod o ardal Frythonig Glastonbury yn nheyrnas Wessex ac mai'r hyn a oedd wrth wraidd ei gasineb at ei gydgenedl oedd iddo ochri gyda phlaid Caergaint i dderbyn ei dull hi o ddyddio'r Pasg yn groes i eiddo'r Eglwys Frythonig yng Nghymru a Chernyw:

> … this small enclave of Britons of Glastonbury had sided with Canterbury in the bitter conflict, which began between Augustine of Canterbury and the Welsh ecclesiastics who met him at Augustine's Oak (Cricklade) about 603. This amply explains our author's attitude towards his fellow-Britons … one sees in him a partisan of Canterbury and therefore a hostile witness against his fellow-Britons.[66]

Dichon fod Wade-Evans yn iawn yn ystyried yr awdur yn Frython o Glastonbury, ac yn sicr y mae lle i gredu ei fod yn byw o fewn ffin ddwyreiniol *Britannia Prima* yn y Penrhyn Dyfneintaidd ('Dumnonian Peninsula') lle ceid carfanau o Frythoniaid. Ond ni ellir derbyn ei ddisgrifiad ohono fel 'partisan of Canterbury'. Chwedl J. P. Brown, 'If so, why is there no reference in the *De excidio* to the disputes between the Bishops of Rome and the "Churches of the West"?' Dadleuir isod mai sefyllfa wleidyddol, nid eglwysig, rhwng Brython a Sais a oedd yn ei yrru, sefyllfa er hynny a allai achosi rhwyg meddwl a gelyniaeth debyg i'r hyn a ddisgrifir gan Wade-Evans.

Gellir dysgu mwy am genedligrwydd awdur y Dinistr trwy sylwi ar ei agwedd at y Rhufeiniaid. Fel y dywedwyd eisoes, ymfalchïai'r Brythoniaid yn fawr yn eu Rhufeindod, mewn bod yn geidwaid ôl-drefedigaethol traddodiadau Rhufain. Gwahanol iawn oeddynt yn hyn o beth i'r Saeson, a oedd o dras baganaidd a heb ond wedi hanner eu Cristioneiddio erbyn canrifoedd cynnar eu hanes ym Mhrydain. Yn awr, fel y Brythoniaid, yr oedd awdur y Dinistr yntau yn llawn edmygedd o'r Rhufeiniaid, a chyfeiria hefyd at Frythoniaid Prydain fel *cives,* 'dinasyddion Rhufeinig', trwy gydol y cyfnod a ddisgrifir ganddo hyd frwydr Mynydd Baddon. Ymhellach, y mae ei fod ar yr un pryd yn defnyddio rhagoriaeth y Rhufeiniaid i danlinellu gwendidau a beiau'r Brythoniaid yn cryfhau ei gymeradwyaeth ohonynt. Dyma, felly, agwedd sy'n ei gysylltu â Rhufeingarwch y Brythoniaid.

Gall ymddangos yn od bod gan Frython o eglwyswr gof mor fyw am ran Rhufain yn hanes ei bobl mor ddiweddar â'r wythfed ganrif, a'r ymerodraeth Rufeinig, yn ôl y gred gyffredin, wedi hen ddod i ben yn 476 gyda marwolaeth Romulus Augustulus, ei phennaeth olaf yn y Gorllewin. Fodd bynnag, mae digon o dystiolaeth mai gwydn iawn fu'r cof am Rufain ymysg y Brythoniaid, a chydag ymddangosiad *Historia Regum Britanniae* Sieffre o Fynwy yn 1136-8 rhoddwyd hwb anferth i'r ymdeimlad hwn. Ymhellach, fel yr ydys yn dod i ddeall yn well erbyn hyn, parhaodd y drefn Rufeinig yn ffurfiol yn y Gorllewin, gan gynnwys ym Mhrydain, dan Ymerawdwr Caergystennin hyd flwyddyn coroni Siarlymaen yn 800 O.C. o leiaf. Yn wir, mae awdur y Dinistr yn siarad fel pe bai'n ei ystyried ei hun yn ddinesydd Rhufeinig (!) ond tebyg bod elfen o ymagweddu hunandybus yn hyn. Meddai Wade-Evans: '... One may note here that the hostile attitude of the author of the *de excidio* (13) towards Maximus, whom he charges with tyranny, cunning, perjury and falsehood, is hardly that of a Briton of Wales or Cornwall, though it may well reflect that of a *Britannus*, a man of Britain, posing as a (Roman) provincial.' Sylwer yn arbennig ar y gair 'posing'.

Credaf ei bod yn rhesymol casglu, ar bwys yr ystyriaethau hyn, mai Brython oedd awdur y Dinistr o ran hil, ond dinesydd Seisnig yn wleidyddol, gŵr a ddirdynnid rhwng balchder yn ei hil rannol Rufeinig ei hun ar y naill law a gelyniaeth at ei threfn wleidyddol a gysylltid yn bennaf â Macsen Wledig ar y llaw arall, gelyniaeth hefyd a gadarnheid trwy ei fod yn byw dan drefn wleidyddol Seisnig na fyddai'n gydnaws bob amser â 'threfn Macsen'; gŵr rhanedig nad yw'n anodd dod o hyd i gymheiriaid iddo yng Nghymru heddiw, fel y sylwodd J. P. Brown. Meddai Wade-Evans eto: 'He appears to be himself a *Britannus* and a *civis*, citizen, although against the *Britanni* as mere Britons he displays bias.'

Mae angen symud o'r ffordd ddau wrthwynebiad posibl i'r casgliad hwn. Yn gyntaf, os oedd awdur y Dinistr yn byw dan drefn wleidyddol Seisnig a'r drefn honno yn tueddu i borthi ei ddirmyg tuag ei gydgenedl, pam, felly, yn ei ddisgrifiad o ddyfodiad y Sacsoniaid i Brydain, y mynega atgasedd a ffieidd-dod llwyr tuag atynt: 'y Sacsoniaid ffyrnig hynny, melltigedig eu henw ac atgas gan Dduw a dynion' – *ferocissimi illi nefandi nominis Saxones deo hominibusque invisi* (c. 23.1), a '[c]enfaint o genawon ... o wâl y llewes greulon' – *grex catulorum de cubili leaenae barbarae* (c. 23.3)? Y mae'n bwysig deall nad term am hil yw *Saxones*, fel y'n dysgwyd gan Beda, ond – ym marn Wade-Evans – term Rhufeinig cyffredinol 'under which name the Romans grouped piratical searovers between Britain and the continent'. Ac fe allai'r Lladin *illi* yn y dyfyniad cyntaf, fel y dadleua Brown, arwyddocáu carfan *neilltuol* o Sacsoniaid. Dadleua Brown ymhellach y dichon mai Jiwtiaid oeddynt:

> The important word is *illi*; it could mean 'those (particular)'. If *nefandi* has its literal meaning here, the 'unspeakable' name could be *Iutae*. If 'accursed' is intended, the pun *Iutae* (Briton pronunciation **Iudae / Iudaei*) may be in mind. The *Iutae* were *deo invisi* i.e. pagans till Caedwalla's time. I suggest that the author could condemn the *Iutae* without offending the first nation of the *Saxones*, the *Angli*.

Y mae'r ddamcaniaeth hon yn gwneud llawer o synnwyr: bu llawer o frwydro ffyrnig rhwng yr Eingl (Angles) a'r Jiwtiaid, ac ymddengys fod yr ail yn farbariaid arbennig o ddistrywgar a gwaedlyd; ac os yw'r awdur yn mwyseirio'n gynnil yma, nid yw hynny'n beth dieithr iddo. Os felly, gwelir yma elyniaeth nid tuag at Saeson yn gyffredinol ond at garfan yn unig ohonynt. Tybed, gyda llaw, nad am y Jiwtiaid yr oedd yr awdur yn meddwl hefyd pan sonia am y rhaniad alaethus (*lugubri divortio*, c. 10.2) a oedd wedi ei greu rhwng y Brythoniaid a'r barbariaid (*barbarorum*)? Daeth y Jiwtiaid at Gristnogaeth yn ddiweddarach yn eu hanes na'r Angli, y llwyth arall, cyntaf, o Ellmyn a ffurfiai'r genedl Seisnig.

Yn ail, addefa'r awdur anwybodaeth o ffynonellau brodorol ar gyfer ei hanes, gan ddweud, os buont erioed, eu bod un ai wedi eu llosgi gan danau'r gelyn neu ynteu wedi eu cludo ymhell i ffwrdd yn llongau'r dinasyddion pan alltudiwyd hwy (c. 4.4). Os oedd yr awdur yn Frython o glerigwr dysgedig (megis 'Nennius' mewn oes ddiweddarach), gellid dadlau y byddai wedi dod o hyd i ddogfennau perthnasol yn ei wlad ei hun, eithr yn niffyg hynny mai Sais ydoedd gan na fyddai ganddo gystal syniad â Brython ymhle orau i ddod o hyd i'w ddeunydd. Ond dadl fregus fyddai hon, a dichon mai rhesymau hollol ymarferol – megis dinistrio'r dogfennau mewn rhyfeloedd – oedd yn gyfrifol am ei anwybodaeth. Yn bwysicach, y mae'n mynd yn groes i ymuniaethiad yr awdur ei hun â'r Brythoniaid.

Tarddiad

Ni sonia awdur y Dinistr yn unman ymhle y lansiodd ei bamffled, ond os gellir ei uniaethu â St. Gildas o bentref Street yng Ngwlad yr Haf nid nepell o Ynys Wydrin, gellir o leiaf awgrymu mai yno, neu rywle heb fod ymhell iawn i ffwrdd, yr ysgrifennodd ei waith. Petrus iawn er hynny, afraid dweud, yw'r awgrym hwn gan mor symudol y gallai llawer o glerigwyr fod yn y cyfnod.

Beth yn union oedd 'dinistr Prydain'?

Wrth ddarllen Dinistr Prydain fe gyfyd problem, sef y bwlch rhwng tystiolaeth y testun ei hun a'r ffordd y cafodd ei ddeall ar hyd y canrifoedd, diolch yn y lle cyntaf i'r ysgolhaig o Sais Beda, a ddefnyddiodd y Dinistr wrth lunio'i waith enwog a dylanwadol. Dangosodd Wade-Evans, trwy gymhariaeth fanwl o rannau perthnasol y Dinistr â rhannau cyfatebol yr *Historia Ecclesiastica*, sut yr ystumiodd Beda – gŵr na chynhesai at y Brythoniaid – y stori trwy gamddeall, hepgor, ychwanegu a dychmygu. Canlyniad y bwnglera hwn oedd portread llachar o Brydain fel ynys y daeth llwythau Almaenaidd ffyrnig y Sacsoniaid, yr Eingl a'r Jiwtiaid iddi am y tro cyntaf yn ail hanner y bumed ganrif, gan ymosod ar y boblogaeth Frythonig, sef y rhan fwyaf o drigolion yr ynys, a'i difa *en masse* neu'i hel i fryniau'r gorllewin.

Er mor rymus y mae'r gred hon yn dal ei thir mewn llawer man, o'r braidd y gellir ei derbyn fel adlewyrchiad cywir o'r hyn a fu. Yn un peth, er cyfeirio yn Nhrioedd Ynys Prydain at y Saeson fel un o'r 'tair gormes' a ddaeth i'r ynys, nid oes sôn yn y traddodiad Cymreig am unrhyw ffôedigaeth anferthol i diroedd y gorllewin megis honno a ddisgrifir gan Beda. A sut y mae cyfrif am yr holl enwau lleoedd Celtaidd eu tarddiad sy'n britho'r tir a gyfetyb yn awr i Loegr ond trwy gymryd bod carfanau o Frythoniaid wedi aros yno gan drosglwyddo'r enwau i'r meistri? Ymhellach, ceir tystiolaeth lenyddol ac archaeolegol bod carfanau Tiwtonaidd wedi ymsefydlu ym Mhrydain ymhell cyn ymadawiad y Rhufeiniaid a'u bod yn gwasanaethu'r olaf mewn gwahanol ffyrdd, yn enwedig fel milwyr cynorthwyol (*auxiliarii*) neu gynghreiriol (*foederati*).[67] Felly yng ngogledd Lloegr, yn Efrog a Lincoln, roeddynt yn helpu i amddiffyn tiroedd bras a gwannach eu hamddiffyniad y De a'r Dwyrain rhag ymosodiadau Gwyddyl a Phictiaid o'r Gogledd a'r Gogledd-Orllewin. Nid llai arwyddocaol ychwaith yw olion dylanwad celfyddyd Geltaidd ar eiddo'r cyfnod Eingl-Sacsonaidd yn ne a dwyrain yr ynys, arwydd arall o barhad. Pa faint bynnag o wrthdaro a fu rhwng Brython a Thiwton o bryd i'w gilydd ac o le i le, ceid hefyd gymysgu a chyd-fyw. Yn y proses hwn collodd y Brython ei feddiant ar yr ynys yn y pen draw; nid trwy doriad mawr trychinebus a therfynol ar ei fyd y bu hynny.

Gan hynny, os bu dinistr – ac yn ddiau fe fu, tyst o ddisgrifiadau'r awdur – a hwnnw heb fod yn un a ysgubodd dros yr ynys gyfan, ymddengys mai rhan yn unig ohoni a drawyd. Ond os felly, pa ran?

Yr oedd Wade-Evans o'r farn i'r gwir ddinistr ddigwydd nid trwy Brydain benbaladr yn 449x456, fel y mynnai Beda, ond mewn congl ohoni yn 514. Dadleuodd mai'r hyn a oedd ym meddwl awdur y Dinistr oedd ymgyrch dan arweiniad y Jiwtiaid Stuf a Wihtgar (*illi Saxones* …) a laniodd yn Cerdicesora ('Cerdic's Shore') ar lannau Hampshire yn 514, digwyddiad a arweiniodd at gyfres o frwydrau yn erbyn disgynyddion dinasyddion y dalaith Rufeinig gynt a chyrraedd ei anterth ym mrwydr Mynydd Baddon (*Mons Badonicus*) yn 665. Ymledodd y brwydro o lannau Môr Udd (y Sianel) hyd Fôr Hafren gan dorri dros ffiniau *Britannia Prima*, y rhanbarth o Brydain a gynhwysai Gymru a De-orllewin Lloegr, ac achosi terfysg mawr a gwae gan mai'r ymosodiad hwn oedd y cyntaf o'i fath ar randir a oedd yn wahanol iawn ei draddodiadau a'i werthoedd i'r hyn a geid tua'r dwyrain. Y mae manteision mawr i'r dehongliad hwn, ffrwyth dadansoddi ac ailddehongli mawr gan Wade-Evans ar y ffynonellau arferol a fu'n sail i'r darlun traddodiadol, ac nid y lleiaf yw rhoi digon o amser i'r holl ddigwyddiadau yn dilyn y llythyr at Aëtius (446x54) a ddisgrifir gan yr awdur.

Ymhellach, os edrychir ar y derminoleg ddaearyddol yn adroddiad yr awdur o'r ymdaro rhwng *illi Saxones*, sef y Jiwtiaid, mae'n debyg, a'r Brythoniaid (cc. 23-6), gwelir y gellir ei chysoni â'r dehongliad hwn. Dychwelaf yma at ddadleuon J. P. Brown. Ym Mhrydain yr oedd tiriogaeth yr awdur, a defnyddia'r enw hwnnw, *Britannia*, i olygu Prydain gyfan. Fodd bynnag, defnyddia air arall ynglŷn â thiriogaeth, sef *insula*, 'ynys', ac nid mor hawdd yw pennu ystyr hwn mewn mannau. Dadleuwyd uchod y gallai olygu nid yn unig 'ynys' yn ein hystyr ni heddiw ('island') ond hefyd 'gorynys', 'penrhyn' neu 'penrhyndir' a bod yr awdur yn ei ddefnyddio fel hyn am orllewindir mynyddig Prydain, sef Cymru, Cernyw a'r Alban. Dadleuwyd ymhellach y gellid ei ddefnyddio i ddynodi unrhyw un o'r tri pharth hyn ar wahân yn ogystal â'r tri gyda'i gilydd. (Ymddengys mai gair cyffredinol am diriogaeth y Dinistr yw *patria.*) Yn cc. 3.1; 5.2; 8; 13.1; 15.3 golyga, megis *Britannia*, Brydain gyfan ac mae'r cyd-destun fel arfer yn ddaearyddol. Ymhellach ymlaen, byddai'r *insula* lewyrchus a ddisgrifir yn c. 21.2 yn haws ei huniaethu â *Britannia* drefnus Llythyr Gildas, ond dichon hefyd ei bod, mewn mannau eraill, yn dynodi endid llai fyth. Mae'r *insula* yn cc. 23.1, 4, 5 (x 2); 24.1; 26.2 yr ymosodwyd arni gan *illi ... Saxones* (c. 23.1) yn sicr yn rhywbeth llai: yn c. 22.1 *regio* yn unig ydyw, gair amhendant ei arwyddocâd daearyddol ('rhandir' yw fy nghynnig i), ac ymesyd y barbariaid arni â thân 'nes llosgi bron y cyfan o wyneb yr ynys' – *cunctam paene exurens insulae superficiem* (c. 24.1). Gall fod yn arwyddocaol hefyd na chrybwyllir *Britannia* (h.y. yr ynys gyfan) yn y disgrifiad o'r rhyfel hwn. Ai enghraifft sydd yma, gan hynny, o ddefnyddio *insula* nid am Brydain gyfan ond am un o dair *insula* a ffurfiai *Insula Britanniae,* 'Penrhyndir Prydain'? Os dyna sydd, odid nad y Penrhyn Dyfneintaidd ('Dumnonian Peninsula') oedd yr *insula* hon gan mai hwn fuasai'r 'penrhyn' agosaf o lawer a hawsaf ei gyrraedd i Jiwtiaid ar eu ffordd o lannau Hampshire a'u bryd ar oresgyn un o barthau Rhufeinig Prydain. Ymddengys fod egin y syniad hwn ym meddwl Wade-Evans ei hun yn ei sylw ar ddatganiad awdur y Dinistr fod y Sacsoniaid wedi glanio 'yn rhan ddwyreiniol yr ynys' (*in orientali parte insulae,* c. 23.4-5), oherwydd dywed mewn troednodyn am yr ynys y cyfeirir ati, 'This may originally have referred to the 'Island of Britain' in Britain … but not necessarily so.'

Os derbynnir dadleuon Wade-Evans am 'ddinistr Prydain' a datblygiad J. P. Brown ohonynt, a hefyd y gorliwio gan awdur y Dinistr ar ei adroddiant, gellir honni'n rhesymol mai mater cymharol fychan a chyfyngedig oedd y dinistr dan sylw, ac nid y goresgyniad ysgubol Prydain-eang ar yr holl frodorion a beintir gan Beda. Er hynny, ym meddwl yr awdur yr oedd yn ddiau yn ergyd ddifrifol iawn gan mai dyma'r tro cyntaf i ffiniau ei ardal ef o *Britannia Prima* gael eu treisio yn y fath fodd.

Amgylchiadau a chymhellion ysgrifennu'r Dinistr

Beth a ysgogodd ysgrifennu Dinistr Prydain yn y lle cyntaf? Dyma'r geiriau allweddol eto:

> Y mae hon, meddaf, un wargaled a balch, byth er pan gyfanheddwyd hi gyntaf yn gwrthryfela'n anniolchgar, yn awr yn erbyn Duw, droeon eraill yn erbyn dinasyddion, weithiau hyd yn oed yn erbyn brenhinoedd tramor a'u deiliaid. Oherwydd pa beth mwy gwrthun a pha beth mwy anghyfiawn a all fod neu a ellir ei gyflwyno trwy hyfdra dynol na gwarafun ofn i Dduw, cariad i gyd-ddinasyddion da, anrhydedd dyledus (nid, wrth gwrs, ar draul ffydd) i ddeiliaid swyddi pwysig, a thorri amod â synnwyr dwyfol a dynol, a bod rhywun, ar ôl bwrw ymaith ofn nef a daear, yn mynd yn ysglyfaeth i'w ddyfeisiau a'i drachwantau ei hun? (c. 4.1)

Fel y dywedwyd uchod wrth ddisgrifio'r cynnwys, cyfeiria'r awdur yma at ryw garfan falch ym Mhrydain nas enwa na'i lleoli, ond daw'n amlwg yng nghwrs ei waith mai Brythoniaid o ryw fath oeddynt. Sylwer hefyd ar y modd y mae'r ail frawddeg yn manylu rhywfaint ar Dduw, y dinasyddion, a'r brenhinoedd tramor a'u deiliaid a grybwyllir yn y frawddeg gyntaf. Dyma felly oedd achos uniongyrchol lansio'r Dinistr – gwaith rhyw Frythoniaid yn cynnal gwrthryfel sifil neu wleidyddol, am ryw reswm, yn erbyn awdurdodau'r dydd. Cyfyd hyn yn awr ddau gwestiwn, sef (1) pwy oedd y bobl hyn? a (2) yn erbyn pwy neu beth yr oeddynt yn gwrthryfela?

Wrth ystyried pwy oedd y 'garfan wrthryfelgar' (os caf gyfeirio atynt felly), cofier yn gyntaf bod awdur y Dinistr, mae'n fwy na thebyg, yn byw rywle yn *insula* ddeheuol *Britannia Prima* (*insula* yn yr ystyr 'penrhyn'), hynny yw yn yr hyn a alwaf yma, o ran hwylustod a chysonder terminoleg, y Penrhyn Dyfneintaidd ac a gynhwysai, yn fras, swydd Ddyfnaint yn bennaf ond hefyd Gernyw a rhan o Wlad yr Haf, gyda'i ffin ddwyreiniol yn newid dros amser wrth i deyrnas Seisnig Wessex ymwthio fwyfwy tua'r gorllewin. Adlewyrchir hyn gan yr holl sylw a rydd yr awdur i ymosodiad ffyrnig y Jiwtiaid am y tro cyntaf ar ffiniau *Britannia Prima* yn y rhanbarth hwnnw ohoni, lle roedd ei diriogaeth hanesyddol ef; go brin y byddai wedi rhoi'r fath sylw pe bai'n byw gryn bellter oddi yno (e.e. yng Nghymru neu dde-ddwyrain Lloegr). Os felly, y mae'n fwy na thebyg mai yno hefyd yn rhywle, yn yr un rhanbarth, yr oedd y garfan wrthryfelgar gan na fyddai fel arall o gymaint pwys iddo – ac yr oedd, mae'n amlwg, yn wybodus yn ei chylch.

Ym mha le yn union, gan hynny, yn y Penrhyn Dyfneintaidd yr oedd y garfan hon? Y mae angen bwrw cipolwg sydyn dros beth o hanes gwleidyddol y parthau hyn er mwyn dod yn nes at yr ateb. Cyn i'r Jiwtiaid Stuf a Wihtgar osod troed ar lannau

Hampshire yn 514, gellir dweud bod yr holl wlad i'r gorllewin oddi yno hyd Gernyw yn sylfaenol Frythonig. Yn y cyfnod dilynol, fodd bynnag, gwelwyd y Brythoniaid yn graddol golli tir i Saeson de Lloegr, yn enwedig wrth i frenhinoedd teyrnas Wessex, a oedd yn gyfyngedig i swydd Berkshire yn wreiddiol, wthio eu tiriogaeth ymhellach i'r gorllewin nes ei bod erbyn teyrnasiad y brenin Ine (688-726) wedi tyfu i gynnwys swyddi Hampshire, Wiltshire a Gwlad yr Haf, y cwbl dan goron 'Wessex Newydd'. Gwyddys fod pocedi o Frythoniaid i'w cael yn yr endid cymysg hwn, megis y ddwy garfan a geir o boptu afon Parrett: trigai'r naill ar ochr ddwyreiniol yr afon yn Glastonbury a'i darostwng yn 658, a'r llall ar ochr orllewinol yr afon a'i threchu (ac, fe ymddengys, ei darostwng hefyd) yn 682. Ond faint o wrthryfela, os dim, y gellid ei ddisgwyl gan gymunedau o'r fath erbyn 708, sef adeg ysgrifennu'r Dinistr, a hwythau bellach wedi eu cloi o fewn terfynau teyrnas rymus Wessex ac yn fwyfwy agored i elfennau Seisnig a Seisnigeiddiol?

Ystyriaethau megis y rhain a arweiniodd J. P. Brown i'r casgliad mai Brythoniaid Cernyw oedd cynulleidfa darged y Dinistr. Yn sicr, mae Cernyw yn fan mwy addawol na gorllewin Wessex. Yma y ceid yr unig Frythoniaid yn y Penrhyn a oedd heb eu darostwng i Loegr pan ddaeth y brenin Caedwalla, saernïwr gwreiddiol y 'Wessex Newydd', i'r orsedd yn 685-88, ac fe gadwodd y bobl wydn hon ei hannibyniaeth hyd ail hanner y nawfed ganrif. Ymhellach, canola Brown yr helynt ar ymwneud Geraint, brenin Cernyw, ag Ine, brenin Wessex (688-726), gan dybio bod Ine wedi cymell Geraint i ildio ei deyrnas i Wessex. Gwrthododd Geraint y cais ac yn 710 fe aeth yn rhyfel rhwng y ddau, a arweiniodd yn y pen draw at ladd Geraint. Y tyndra gwleidyddol hwn, dadleua Brown, oedd cefndir ac achos lansio Dinistr Prydain yn 708, gyda'r bwriad o ddwyn pwysau ar Geraint i ildio i gais Ine, bwriad a fu'n ofer. Ymddengys yr esboniad hwn ar amgylchiadau a chymhellion ysgrifennu'r Dinistr yn un cwbl gredadwy i mi, ac os felly, y mae'r pamffled yn ychwanegiad o bwys at yr ychydig a wyddys am hanes Cernyw yn y cyfnod hwn ac yn dystiolaeth huawdl i'w hewyllys ddi-ildio i ddiogelu ei therfynau rhag ymyrraeth ei chymydog pwerus.

Cyn cau pen y mwdwl ar yr adran hon, y mae angen rhoi gair ychwanegol o esboniad ar y rhai yr oedd y garfan wrthryfelgar yn codi yn eu herbyn, sef Duw, y dinasyddion, a'r brenhinoedd tramor a'u deiliaid. Ni welaf anhawster ynglŷn â'r ail gategori, y dinasyddion: gellir cymryd mai pobl gyffredin oeddynt – Saeson efallai yn bennaf – yn rhywle ar y ffin rhwng teyrnasoedd Geraint ac Ine a deimlai effeithiau'r gwrthdaro rhyngddynt. Gall nad yw'r cyfeiriad at Dduw ond ffordd ystrydebol o briodoli drygioni mawr i ryw bobl. Tybed, er hynny, nad oes yma adlais o'r hen anghydfod rhwng y Brythoniaid a'r Saeson ynghylch dyddiad y Pasg oherwydd i'r Brythoniaid lynu yn llawer hwy wrth yr hen drefn? Ysgrifennodd Aldhelm, abad Malmesbury, cyn ei gysegru'n esgob Sherborne yn 705, lythyr at Geraint a'i esgobion i'w perswadio i roi'r gorau i'r Pasg a'r tonsur Celtaidd a mabwysiadu'r arfer Rufeinig. Roedd y geidwadaeth hon wedi para hyd yn oed ymysg deiliaid Brythonig Wessex. Meddai Thomas Charles-Edwards:

> In the years around 700, therefore, some areas, at least, of the kingdom were British, and moreover, they had remained faithful to the traditional Easter dating followed by the Britons, the Irish, and the Picts even though the West Saxon Church had long followed Roman practice.[68]

Yn ôl Beda, llwyddodd Aldhelm i droi llawer o'r Brythoniaid 'a oedd yn ddarostyngedig i Sacsoniaid y Gorllewin' (*multos ... eorum, qui Occidentalibus Saxonibus subditi erant Brettones*), ond os felly, ni wyddys ar ba gyflymder y digwyddodd hynny a diau y byddai'r cof am gyndynrwydd y Brythoniaid i newid eu ffyrdd wedi glynu'n hir ym meddyliau'r garfan Rufeinig a'i gwelai efallai fel peth annuwiol – yn amarch ar Dduw – am ei fod yn groes i awdurdod Rhufain.

Ond beth a arwyddoceir gan y 'brenhinoedd tramor a'u deiliaid' na fynnai'r elfen wrthnysig blygu iddynt? Os Ine, yn yr achos hwn, oedd y gŵr yr oedd Geraint yn ei wrthsefyll, beth sydd a wnelo hyn â brenhinoedd tramor a'u deiliaid? Soniwyd uchod fod trefn yr ymerodraeth Rufeinig wedi para, o leiaf yn ffurfiol, ymhell wedi marwolaeth ei phennaeth olaf yn y Gorllewin, Romulus Augustulus, yn 476, a hyd y nawfed ganrif. Yn y gyfundrefn hon yr oedd Prydain dan oruchwyliaeth swyddog o'r enw *Vicarius Britanniarum*, 'Dirprwy'r Prydeiniau', a oedd yn atebol i'r *Praefectus Galliarum*, 'Swyddog y Galau', dirprwy'r Ymerawdwr yn Rhufain, a hwnnw yn ei dro'n atebol i'r Ymerawdwr yng Nghaergystennin. Yn awr, dywed J. P. Brown:

> By the time of Justinian [yn y chweched ganrif], Theuderbert the Frank was behaving like the *Praefectus* in his direct correspondence with Constantinople, the Bretwalda had replaced the *Vicarius* … Of course, this Roman order was in general decline; the office-holders listed would administer the order only when they could and when it paid them and there were often two (or more?) contenders for the offices. But we can be quite sure that all would appeal to the order when seeking the loyalty of their subordinates. The apparent ignorance of Bede about the persistence of the secular Roman order is surprising, though he himself adds to the evidence for its survival.

Gellir gweld felly yng ngeiriau awdur y Dinistr, 'gwrthryfela'n anniolchgar ... weithiau hyd yn oed yn erbyn brenhinoedd tramor a'u deiliaid', fel y dadleua Brown, gyfeiriad at waith brenhinoedd Ffrainc yn defnyddio eu hawdurdod, fel tenantiaid swydd *Vicarius Galliarum*, dros eu 'deiliaid' ym Mhrydain pan farnent fod angen, yn yr achos hwn wedi i Geraint wrthdaro ag Ine. Cofier hefyd fod crybwyll Ffranciaid mewn cerddi ynghylch brwydro ar ororau Cymru tua'r cyfnod 600-650 ac awgryma enwau lleoedd i rai ohonynt ymsefydlu ar yr ochr Seisnig i'r ffin. Ai defnyddio o'r *Vicarius Galliarum* ei awdurdod, hynny yw er mwyn anfon milwyr allan i Brydain i dawelu'r dyfroedd mewn mannau, oedd y rheswm – neu un o'r rhesymau – am hyn? A dichon iddo wneud yr un peth adeg yr helynt rhwng Geraint ac Ine.

Erys un cwestiwn sy'n rhaid ei ateb: os oedd Cernyw wedi diogelu ei hannibyniaeth hyd at deyrnasiad Geraint ac yn ddiweddarach, pam y mae awdur y Dinistr yn cyfeirio at yr elfen wrthnysig fel pe baent yn ddarostyngedig i bŵer uwch? Onid dinasyddion rhydd oeddynt? Yn awr, diau bod Wade-Evans yn llygad ei le yn dal bod yr hysbysiad hwnnw a geir yn y Cronicl Galaidd dan y flwyddyn 443, sef *Brittaniae usque ad hoc tempus variis cladibus eventibusque laceratae in dicionem Saxonum rediguntur* (Darostyngir y Prydeiniau, a hwythau hyd yr amser hwn wedi eu rhwygo gan amryfal drychinebau a digwyddiadau, i awdurdodaeth y Sacsoniaid) yn arwyddocáu nid concro'r 'Prydeiniau' (sef y rhaniadau o Brydain yn bum *Britannia*) gan y Saeson eithr eu darostwng i'w hawdurdodaeth (*jurisdiction*) trwy drefniant gydag Aëtius. Dadleuodd Wade-Evans ar yr un pryd nad effeithiodd y trefniant newydd hwn ar Gernyw, Cymru a'r Hen Ogledd (y wlad tu hwnt i afon Humyr). Ar y llaw arall, dadleuodd Brown fod y drefn newydd yn cynnwys y rhanbarthau hyn yn ogystal ond eu bod hwy ar yr un pryd yn ffurfio uned hunanlywodraethol a oedd eisoes yn bodoli dan oruchwyliaeth swyddog a elwid yn *Insularis Draco* (lle mae'r *insula* yn derm daearyddol am y tri rhanbarth), a oedd yn atebol i'r *Vicarius Britanniarum*, sefyllfa a grewyd yn y ganrif flaenorol gan Facsen Wledig. Os felly, o safbwynt y Sacsoniaid, 'all *Brittones* were *subditi*, at least *de lege*' – er mai hawdd y gellir dychmygu na fyddai'r statws hwnnw wrth fodd llawer ohonynt, yn enwedig yn yr *insula* – a dyna pam, os gellir pwyso ar thesis Brown, y trinia awdur y Dinistr y garfan wrthnysig fel deiliaid i awdurdod allanol uwch.

Epilog: Dinistr Prydain ar newydd wedd

Ar sail y rhagymadroddi uchod, a gwahanu Dinistr Prydain oddi wrth Lythyr Gildas, hyderaf y gellir cyflwyno'r Dinistr mewn goleuni gwahanol i'r syniad traddodiadol amdano fel a ganlyn.

Pamffled gwleidyddol yw'r Dinistr, gyda llawer o foesoli a chollfarnu, a ryddhawyd yn 708 gan ryw eglwyswr a drigai rywle yn ne-orllewin Lloegr mewn ymateb i aflonyddwch gwleidyddol yn y rhanbarth hwnnw a chydag anogaeth gref ar i'r gwrthryfelwyr ymdawelu ac ymddarostwng i awdurdod allanol gwleidyddol uwch. Y mae'n bosibl mai gŵr arall o'r enw Gildas, a gysylltir â Street yng Ngwlad yr Haf, oedd yr awdur, a dadleuwyd uchod mai gwrthrych ei lith oedd Geraint, brenin Cernyw, pan oedd benben ag Ine, brenin Wessex, a ddymunai ychwanegu Cernyw at ei deyrnas. Brython oedd yr awdur o ran tras ond un yn byw o dan drefn wleidyddol Seisnig a osodwyd gan deyrnas Wessex ac a oedd, mewn rhan oherwydd hynny ac mewn rhan am na chymeradwyai'r math o Rufeindod Brythonig a gwrth-Seisnig a darddai o drefniadau Macsen Wledig, yn elyniaethus at ei gyd-Frythoniaid, a gwelir yn ei agwedd elfen o newrosis sy'n nodweddiadol o feddwl a dynnir rhwng cerhyntau croes.

Wrth baratoi ei lith yr oedd yn drwm dan ddylanwad Llythyr Gildas, ac yn ddiau yn fawr ei barch at yr awdur. Dyma esiampl orchestol, a chynsail anrhydeddus iddi, o eglwyswr yn ymosod ar frenhinoedd Brythonig ei oes am eu drygioni, mewn Lladin cywrain a dynnai ar holl dechnegau rhethreg er mwyn gwneud y neges mor effeithiol â phosib. Er mwyn cyrraedd ei nod yntau, efelychodd awdur y Dinistr arddull a geirwedd y Llythyr trwy astudiaeth fanwl a llwyddo i gyfansoddi llith Ladin debyg iawn yn y pethau hyn i eiddo Gildas. Llwyddodd mor dda, yn wir, nes mai anodd, heb graffu'n glòs iawn ar deithi ei iaith, yw gweld dim gwahaniaeth rhyngddi ac eiddo ei ragflaenydd, a rhaid edmygu ei feistrolaeth fanwl-gyfewin a'i ddawn yn hyn o beth.

Yn wahanol i Lythyr Gildas, nid oes unrhyw dystiolaeth yn y Dinistr at bwy yn benodol yr anfonwyd y gwaith, a gorffwys ei gysylltu â Geraint ar ddadleuon seiliedig ar ffactorau allanol. Y mae'n bosibl, wrth gwrs, os Geraint oedd y derbyniwr, fod rhyw ragdraeth ynghlwm yn wreiddiol a hysbysai hynny ac sydd bellach wedi hen ddiflannu. A ddichon, er hynny, yn niffyg enwi derbyniwr y Dinistr yng nghorff y testun, mai llith *am* Geraint yn hytrach nag *ato*, a honno wedi ei hanfon at rywun arall, yw'r gwaith? Os ydyw, dichon ei anfon yn gyntaf at Ine, a fyddai'n gwybod ar unwaith am beth yr oedd yr awdur yn sôn, er mwyn cryfhau achos Wessex dros ddarostwng Cernyw, a gellir tybio i Geraint dderbyn copi wedyn. Ond nid wyf yn credu bod angen dyfalu felly; y mae holl ddull y llith yn anuniongyrchol drwyddi ac nid oes dim rheswm pam na ellid defnyddio dull felly yn hytrach nag un mwy uniongyrchol lle crybwyllir enw'r derbyniwr ar dro. Cymeraf, felly, mai ar gyfer Geraint y bwriadwyd y Dinistr yn y lle cyntaf, ond hawdd credu iddo ddod i ddwylo Ine tua'r un adeg, os nad ffigurau dylanwadol eraill hefyd yn y ffurfafen wleidyddol ac eglwysig.

Dengys y dyfyniadau o'r Dinistr ym Muchedd Gildas gan fynach Ruys iddo gylchredeg fel gwaith annibynnol ar ôl cyflawni ei swyddogaeth wreiddiol. Rhywbryd wedyn, penderfynodd rhywun ei osod wrth gwt pennod gyntaf Llythyr Gildas. Nid Gildas y Llythyr oedd ei awdur, ond os mai Gildas o ardal Street yng Ngwlad yr Haf, a bod ei enw ynghlwm wrth y testun yn wreiddiol, hawdd fuasai i rywun – rhywun efallai fel Daniel, esgob Caer-wynt – feddwl mai gwaith awdur enwog y Llythyr ydoedd a phenderfynu, am resymau propagandyddol a maleisus, ei gynnwys gyda hwnnw er mwyn ychwanegu anfri ar y Brythoniaid. Ateg i'r posibilrwydd bod yr enw Gildas wrth y testun yw'r dyfyniadau ohono ym Muchedd Ruys lle priodolir y gwaith i Gildas er na sylweddolir yno mai Gildas gwahanol ydoedd i awdur y Llythyr. Fel rhan o Lythyr Gildas gan amlaf y daethpwyd i synio am Ddinistr Prydain byth wedyn.

Teg tybio mai rywbryd rhwng 708 a 731, pryd yr ymddangosodd *Historia Ecclesiastica Gentis Anglorum* Beda, yr ychwanegwyd y Dinistr at y Llythyr, oherwydd gwna Beda ddefnydd o'r ddau gyfansoddiad yn ei lyfr hanes ac yn enwedig o'r cyntaf. Gellid dadlau mai fel testun ar wahân, wedi ei briodoli i ŵr o'r enw Gildas ac na fanylai fwy amdano, y gwelodd Beda y Dinistr gan feddwl mai awdur y Llythyr enwog ydoedd. Os felly, dichon mai rywbryd wedi 731 y cyfunwyd y Dinistr â'r Llythyr. Pwynt nad yw'n cytgordio â'r posibilrwydd hwn yw bod Beda yn cyfeirio at y Dinistr ac yna'r Llythyr yn yr un drefn ag yn y testunau sy'n gyfuniad ohonynt (sef y Ddogfen, fel y'i gelwir uchod), ond gellid bod wedi cael yr un drefn, trwy gyd-ddigwyddiad, o ddefnyddio'r Dinistr ar wahân i'r Llythyr. Yn olaf, os fel testun ar wahân y gwelodd Beda y Dinistr, ni raid i hynny olygu nas cyfunwyd â'r Llythyr cyn 731, oherwydd gellid bod wedi gwneud hynny heb i'r cyfuniad ddod i sylw Beda, ond yma yr ydym ym myd dyfalu noeth a digon di-fudd. Rhwng popeth, y mae'n haws credu mai rhwng 708 a 731 y bu'r cyfuno.

Ym marn Wade-Evans, bu ychwanegu'r Dinistr at y Llythyr yn drychineb am ddau reswm: yn gyntaf, dug safon simsan a thrwyadl ragfarnllyd yr hanesyddiaeth anfri ar gymeriad y Brythoniaid; ac yn ail, defnyddiwyd y Dinistr yn anfeirniadol a chyda gogwydd gwrth-Frythonig gan Beda gyda'r canlyniad y cafwyd fersiwn gwallus ei gronoleg a ffug yn y rhan fwyaf o'i honiadau am y Sacsoniaid a'u concwest o'r Brythoniaid. Dyma, er hynny, diolch i ddawn a bri Beda, y fersiwn y daethpwyd i'w dderbyn fel yr un 'swyddogol'. Chwedl Wade-Evans, 'Dyma'r llyfryn – y cyntaf i ymdrin â hanes y Brythoniaid – sydd wedi gwenwyno ffynhonnau hanes y Cymry am ganrifoedd.'

Mae'n annhebygol, mi gredaf, mai *De Excidio Britanniae*, 'Dinistr Prydain', oedd teitl gwreiddiol y gwaith, os oedd iddo deitl o gwbl, a hynny am nad yw'n taro'n briodol ar gyfer y cynnwys. Adleisia'r teitl yr adran sy'n disgrifio ymosodiadau'r Sacsoniaid, cc. 23-6, ac yn fwy penodol c. 23.1 *excidium patriae* a c. 26.2 *insulae excidii*; ond er mai hon yw episod fwyaf llachar a dwys y Dinistr, rhaid cofio hefyd mai rhan yn unig ydyw o gyfres o ddigwyddiadau, ac os yw'r esboniad a gynigir yma o amcan y Dinistr yn gywir, nid dramateiddio'r dinistr oedd y prif nod eithr cymell plygu i deyrnas Wessex. Haws credu ddarfod dyfeisio'r teitl *De Excidio Britanniae* yn ddiweddarach gan rywun arall a hynny efallai dan ddylanwad gwaith Beda, lle portreadir colli Prydain gyfan gan y Brythoniaid, ac eithrio'r parthau gorllewinol, i'r Sacsoniaid. Fe allai fod yn arwyddocaol hefyd nad yw awdur Buchedd Ruys yn crybwyll y Dinistr trwy ddefnyddio'r teitl *De Excidio Britanniae* eithr trwy sôn am bethau yr oedd yr awdur wedi eu hysgrifennu ynddo *de miseriis et praevaricationibus et excidio Britanniae*, lle nad yw'r *excidium* ond un o'r drygau, yr un modd ag y cyfeiria yn nes ymlaen at Lythyr Gildas fel *epistolarem libellum*, nid *Epistola Gildae*. Dichon, felly, nad oedd y teitl *De Excidio Britanniae* yng nghynsail yr awdur, a'r gynsail honno efallai'n mynd yn ôl i adeg gynnar yn nhrosglwyddiad y testun, er nad oes dim sicrwydd am hyn. Pa un bynnag, ac ym mha destun bynnag y dyfeisiwyd y teitl hwn gyntaf, ymledodd nes mynd yn brif deitl y Dinistr a'r Llythyr fel ei gilydd.

Ceir manteision mawr o wahanu'r Dinistr oddi wrth y Llythyr. Yn enwedig, fe'i gwelir am yr hyn ydyw mewn gwirionedd, sef nid fel naid gan Gildas yn ôl i'r gorffennol pell er mwyn dangos i gynulleidfa'r Llythyr y trychinebau a ddaw os glynant wrth eu pechodau, eithr fel gwaith yn ei hawl ei hun a ymddangosodd yn 708 â'r amcan o ddefnyddio hanes, ac i raddau llai yr Ysgrythur, i ddibenion mwy bydol a gwleidyddol na moesol er mwyn dwyn pwysau ar garfan o boblogaeth Frythonig Prydain yng Nghernyw i roi'r gorau i wrthryfela ac i dderbyn awdurdod teyrnas Seisnig Wessex drostynt. Gwelir yr awdur hefyd yn gliriach am yr hyn ydoedd, sef Brython wedi dod dan ddylanwad, os nad i feddiant, grymusterau gwladychol Seisnig a arweiniodd at amwysedd dwfn yn ei enaid tuag at ei gyd-Frythoniaid a drigai dan drefn wleidyddol wahanol, enghraifft gynnar, ar ryw olwg, o fath o Brydeindod: Brython brith, rhanedig ei fryd. Ar yr un pryd daw cymeriad Gildas ei hun yn gliriach. Wedi ei ryddhau o hiliaeth a hanesyddiaeth wrth-Frythonig, wenwynllyd awdur y Dinistr, fe'i gwelir fel gŵr ifanc diffuant, dewr a dysgedig a oedd, er gwaethaf eithafrwydd chwyrn – penboeth, yn wir – ei oed, yn poeni ac yn malio am gyflwr moesol ei gydwladwyr, yn lleygwyr a chlerigwyr, ond yn awyddus hefyd i wneud ei orau i wella'r sefyllfa trwy anogaeth daer ar i'w gynulleidfa ddiwygio'i buchedd. Bron na ellid ei ddisgrifio fel rhagredegydd ysbrydol i rai Cymry ifainc mewn oesoedd diweddarach megis John Penri y Piwritan neu Robert Gwyn y reciwsantiad. Rhaid cyfaddef nad yw awdur y Dinistr, er gwaethaf ei edmygedd amlwg o Gildas, ar ei ennill ryw lawer o'r cyferbynnu hwn. Na fyddwn ry galed arno: rhywun arall, i bob golwg, a fu'n gyfrifol am ychwanegu ei bolemeg at waith ei ragflaenydd nodedig gyda holl ganlyniadau chwith hynny.

Gorffwys y dehongliad a gynigir yn y rhagymadrodd hwn i Ddinistr Prydain yn ei hanfod ar sylfaen gwaith A. W.

Wade-Evans a J. P. Brown. Myfyriais ar eu syniadau dros y blynyddoedd, nid yn anfeirniadol, a'u mabwysiadau gan eu haddasu ryw gymaint mewn mannau. Nid oes gennyf ond gobeithio na wneuthum gam â hwy wrth geisio dangos eu pwysigrwydd i ddeall gwir natur ac amcan Dinistr Prydain.

Nodiadau ar y Rhagymadrodd

1 Y cyfieithiadau arferol o *excidium* yw 'loss', 'coll' (megis yn CP), ond gwell gennyf 'dinistr'. Am *excidium* rhydd geiriadur Lladin Lewis a Short: 'overthrow, demolition, subversion, ruin (especially of cities, buildings, etc.), destruction'; ac medd R. E. Latham *et al.* yn DLMBS, 'destruction' (am le, person, sefydliad, cenedl, enaid), gan gynnwys enghraifft o'r Dinistr, c. 26.2.

2 Defnyddir y geiriau *Brython(-iaid)* a *Brythonig* yn y gyfrol hon fel termau hwylus i ddynodi hynafiaid y Cymry a drigai yng Nghymru ac ardaloedd eraill o Brydain (megis yr Hen Ogledd) cyn pennu ffiniau Cymru yn ddiweddarach fel endid ethnig a gwleidyddol.

3 Gw. John T. Koch, '*De sancto Iudicaelo rege historia* and its Implications for the Welsh Taliesin', yn Joseph Falaky Nagy a Leslie Ellen Jones (gol.), *CSANA Yearbook 3-4* (Dulyn, 2005), 247-62, yn enwedig 261.

4 HWales 160.

5 Gw. Michael Lapidge, adolygiad o Luca Larpi, *Prolegomena to a New Edition of Gildas Sapiens 'De Excidio Britanniae'* (Fflorens, 2012), yn CMCS lxvi (Winter 2013), 99-100.

6 Gw. Charles W. Jones (gol.), *Bedae Opera de Temporibus* (Cambridge, Massachusetts, 1943), 140-61, 173-291, 329-91.

7 John Henry Hessels (gol.), *A Late Eighth-Century Latin-Anglo-Saxon Glossary Preserved in the Library of the Leiden University* (Caergrawnt, 1906).

8 W.M. Lindsay (gol.), *The Corpus Glossary* (Caergrawnt, 1921).

9 Yn Thomas Jones (cyf.), *Gerallt Gymro: Hanes y Daith trwy Gymru, Disgrifiad o Gymru* (Caerdydd, 1938), 162, cyfieithir y Lladin *Britonum* yn 'ei [sef Gildas] genedl' ond amhenodol yw hyn.

10 Dilynwyd Gerallt yn MW 10 n3, a chan Karen George yn *Gildas's* De Excidio Britonum *and the early British Church* (Woodbridge, 2009).

11 Ceir hefyd y cyfieithiad canlynol i'r Ffrangeg: *Saint Gildas: de Excidio Britanniae 'Décadence de la Bretagne'*. Traduction par Christiane M.J. Kerboul-Vilhon. Notes par Christian Y.M. Kerboul. Préface par le Professeur Gwenaël Le Duc (Pontig Sautron, 1996). Ni wn a oes cyfieithiadau modern yn bod mewn ieithoedd eraill (e.e. yr Almaeneg).

[15] EWGT 63.

[12] Nora K. Chadwick, 'The Name Pict', *Scottish Gaelic Studies*, viii (1958), 171.

[13] Patrick Sims-Williams, 'Gildas and Vernacular Poetry', GNA 169 n2.

[14] Y mae Andrew Breeze, 'Where was Gildas Born?', *Northern History*, xlv (September 2008), 347-50, yn uniaethu Arglud â phlwyf Arclid i'r dwyrain o dref Sandbach yn swydd Gaer.

[16] *Ib.* 63, 66.

[17] WAB 73, 75, 88, 107, 110,

[18] J.B. Davies, *The Saints of Wales* (Caerdydd, 1969), 4.

[19] Saunders Lewis. 'The Tradition of Taliesin', yn Alun R. Jones a Gwyn Thomas (gol.), *Presenting Saunders Lewis* (Caerdydd, 1973), 148. Cyhoeddwyd yr erthygl yn wreiddiol yn THSC 1968, 293-8.

[20] F. Kerlouégan, 'Le Latin du De Excidio Britanniae de Gildas', yn CIB 171, 172.

[21] WAB 95. Diddorol yw'r rhagdraeth ar dopograffeg Prydain yn llsgr. Peterborough o'r Cronicl Eingl-Sacsonaidd lle nodir chwech o ieithoedd a siaredid yno gan wahaniaethu rhwng *Brittisc* a *Wilsc*. Awgryma'r golygydd mai'r Gernyweg efallai a feddylir wrth *Brittisc*; gw. Michael Swanton (cyf. a gol.), *The Anglo-Saxon Chronicles* (London, 2000), 3 n6. A ddichon er hynny mai'r Frythoneg a olygir? Nid oedd epil y Frythoneg yn ddigon gwahanol i'w gilydd ar y pryd i bobl synio amdanynt fel *ieithoedd* gwahanol. (WAB 92, '… the varieties of British remained dialects rather than independent languages until the twelfth century'.)

[22] Mynegodd Wade-Evans farn wahanol, EEW2 28, sef bod Gildas wedi marw yn Iwerddon: 'In the Breton "Life" Gildas, erroneously identified with St Gueltas of Ruys, is made in consequence to have died in Brittany. In the Welsh *Annales* (MS. B) Gildas towards the close of his Life sailed for Ireland, A.D. 565 … whence he does not seem ever to have returned.' Ceir arwyddion cryf o bresenoldeb Gildas yn Llydaw. Er enghraifft, fel y'm hysbyswyd gan yr Athro John T. Koch (5/5/16), y mae ôl ei arddull Ladin gymhleth yn drwm ar destunau Lladin cynnar yn Llydaw, yn wahanol i'r achos yng Nghymru.

[23] Michael Lapidge, 'Gildas's education and the Latin culture of sub-Roman Britain', GNA 48.

[24] Pierre Flobert, gol., *La Vie ancienne de Saint Samson de Dol* (Paris, 2002), 156.

[25] Cf. hefyd yr hyn a ddywed Richard Sharpe, 'Gildas as a Father of the Church', GNA 200: 'The *Vita S. Gildae* … gives a patently fictitious account of the saint's visit to Ireland to restore Christianity after a national lapse into paganism. In this way, British, or more accurately Breton, hagiographic tradition transforms what it hands on.'

[26] Owen Chadwick, 'Gildas and the Monastic Order', *Journal of Theological Studies*, new series, v (1954),78-80. Gw. hefyd W.H. Davies yn CIB 139 a'r awdurdodau a grybwyllir yn *ib.* 148 n88.

[27] A.W. Wade-Evans, 'Further Remarks on the "*De Excidio*"', *Archaeologica Cambrensis*, xcviii (1944), 115. Oherwydd hyn, honnodd hefyd, *loc.cit.*, mai ancriaid a feddylir yn c. 65.2.

[28] DEGAD 51.

[29] Charles Thomas, *Christianity in Roman Britain to AD 500* (Llundain, 1981), 351.

[30] HWales 173-4.

[31] Ar yr hyn a ganlyn, gw. Kathleen Hughes, 'The Celtic Church: Is this a Valid Concept?', CMCS i (Summer 1981), 1-20.

[32] WCO 27-8. Hefyd EEW2 25-6, 47-9, 51-2; VSBG vii; A.L.F. Rivet a Colin Smith, *The Place-names of Roman Britain* (2il arg., Llundain, 1981), 219. Ceir tystiolaeth Gerallt Gymro yn ei *De Invectionibus*, gw. W.S. Davies 'The Book of Invectives of Giraldus Cambrensis', *Y Cymmrodor,* xxx (1920), 130. Hefyd Ceri Davies (gol. a chyf.), *John Prise: 'Historiae Britannicae Defensio', A Defence of the British History* (Toronto, 2015), 140-3.

[33] Oherwydd y drefn hon cyfeirir mewn dogfennau Lladin yn aml at *Britanniae* 'Prydeiniau' yn hytrach nag at *Britannia* 'Prydain'. Yn yr un modd, cyfeirid at dalaith Gâl yr ochr arall i'r Sianel fel *Galliae,* 'Galau' (megis) yn hytrach na *Gallia,* 'Gâl', oherwydd ei rhannu'n ddau ranbarth – *Gallia Cisaplina* a *Gallia Transalpina*, un bob ochr i'r Alpau. Gw. hefyd VSBG vii, a cf. defnydd Asser o *Britannia* mewn dwy ystyr. Charles-Edwards, WAB 1: 'on the one hand, it was the entire island, an island which the Britons had long conceived as their own, with other peoples as later intruders; on the other hand, it was Wales.'

[34] Eithriadau, heblaw O'Sullivan, oedd Wade-Evans a awgrymodd i Faelgwn farw cyn 512, EEW2 2 n3, a Grosjean a gredai mai rywbryd yn y cyfnod 500-20 y bu hynny. Gw. Margaret Deansely a Paul Grosjean, 'The Implications of the Term *Sapiens* as applied to Gildas', yn D. J. Gordon, gol., *Fritz Saxl, 1890-1948; A Volume of Memorial Essays from his friends in England* (Llundain, 1957), 53, 75.

[35] John Morris (gol. a chyf.), *Nennius: British History and the Welsh Annals* (Llundain a Chichester, 1979), 85.

[36] DEGAD 81-6.

[37] HWales 135.

[38] Saunders Lewis, *art.cit.* Ni chyfeiria at Lloyd.

[39] François Kerlouégan, *Le De Excidio Britanniae de Gildas: Les Destinées de la Culture Latine dans l'Isle de Bretagne au VIe Siècle* (Paris, 1987), yr adran 'Notes de l'Introduction' 126 n349.

[40] Ar y dadansoddiad sy'n dilyn, gw. Lapidge, *art.cit.* 43-4. Cynhwysir yno *narratio* hefyd, sef cc. 3-26 ym marn Lapidge, ond gan nad wyf yn ystyried cc. 2-26 yn rhan o'r Llythyr, hepgorais ef.

[41] Nid oes sicrwydd mai Nennius oedd enw'r gŵr y cysylltir yr *Historia Brittonum* ag ef, gw. CLC2 532, felly arferir â'i enwi rhwng dyfynodau.

[42] Neil Wright, 'Gildas's Prose Style and its Origins', yn GNA 115-28.

[43] Sylwer, er hynny, fod John T. Koch wedi dadlau bod yr awdl Gymraeg *Marwnad Cunedda* i'w dyddio yn y 5g. Chwedl yntau, '... if authentic, *Marwnad Cunedda* would be the oldest surviving Welsh poem by a century or more', CCHE iv, 1261. Gw. hefyd *id.* (gol.), *Cunedda, Cynan, Cadwallon, Cynddylan: Four Welsh Poems and Britain 383-655* (Aberystwyth, 2013), 39-103.

[44] Patrick Sims-Williams, *art.cit.* 171.

[45] John Rhys, *Celtic Britain* (3ydd arg., Llundain, 1904). Fe'i dilynwyd gan Wade-Evans yn WCO 186, 262.

[46] Thomas O'Loughlin, *Gildas and the Scriptures: Observing the World through a Biblical Lens* (Brepols, 2012), 50.

[47] T. Charles-Edwards, *Saint Winefride and Her Well: The Historical Background* (Llundain, 1962), 9-10.

[48] Dyfynnir yn DEGAD 3.

[49] *ib.* 71.

[50] Ar hanes hyn, sy'n tarddu yn bennaf o syniadau Alfred Anscombe yn y 19g., gw. *ib.*, penodau 1 a 2. Yn gynharach yn yr un ganrif, yr oedd Peter Roberts a Thomas Wright o'r farn mai ffugiad, ond cyfanwaith er hynny, oedd y Ddogfen, *ib.*

[51] Cyflwyniad da i'w syniadau am Gildas yw ei erthygl 'By Law Established: The Beginnings of the English Nation and Church', *New Blackfriars*, vol. 53, no. 629 (October 1972), 455-65.

[52] Pe derbynnid yr esboniad hwn, gellid damcaniaethu, er enghraifft, fod pennod 1, cynsail y rhyngosodwr, yn diweddu â'r geiriau *illud excipient* (c. 1.16) wrth waelod tudalen, a bod y geiriau *Quippe quid celabunt cives ...* ar frig y tudalen dilynol. Byddai'r fan honno rhwng y ddwy frawddeg, y naill yn diweddu tudalen a'r llall yn dechrau un newydd, yn fan cyfleus i fewnosod y Dinistr.

[53] Yn DEGAD 12, 13 n40, dilynir Eric John sydd o'r farn bod *ungebantur* yn gyfystyr ag *electis* ('wedi eu hethol') yn y cyd-destun ac mai 'biblical reminiscence' ydyw 'rather than a literal statement of fact', fel pe na bai'r awdur ond yn amrywio ychydig ar ei eirfa; ond â John yn groes iddo'i hun wedyn trwy honni na fyddai cynulleidfa'r awdur yn deall yr ystyr hon i *ungebantur* oni bai eu bod yn uniongyrchol gyfarwydd â defod eneinio brenin.

[54] Gw. WCO 225-6. Dichon, er hynny, mai rhyw ddefod ddiniwed ddigon a oedd erbyn hynny wedi colli ei grym a'i harwyddocâd cysefin oedd yr hyn a welodd Samson; gw. *ib.* 226: 'it seems to have been some traditional rural revelry, which had really lost whatever pagan signification it may have once had'. Gw. hefyd Hugh Williams, *Christianity in Early Britain* (Rhydychen, 1912), 378. Pe Prydain gyfan a olygid, ni ellid honni ei bod wedi diosg paganiaeth, oherwydd cytunir bod rhan helaeth o Brydain Rufeinig yn nwylo paganiaid o Saeson yn hanner cyntaf y 6g.; gw. J. P. Brown, 'Occidentis Ecclesiae', CC xiv (Haf 2002), 22.

55 TYP4 246. Gw. hefyd J. P. Brown, *art.cit.* 'By Law Established ....' 458: 'Thus "The three chief rivers of *Ynys Prydein*: Thames, Severn and Humber" and "It has three archbishoprics: one at St David's, the second at Canterbury and the third at York" contrast with "Three chief ports of *Ynys Prydein*: Portskewett [*sic*] in Monmouthshire, Cemais in Anglesey and Gwyddno's port in the North" and "(It has) three Fore-Islands: Anglesey, Man and Wight". The first pair include modern England in Britain, the second pair seem to exclude both eastern England and the Scottish islands.'

56 Brown, *art.cit.* 'Occidentis Ecclesiae' 25.

57 J. P. Brown, 'Insularis Draco', Llyfrgell Genedlaethol Cymru, ex 1959 (1980). 'Rhwygwyd hi [deall. *Ynys Prydein*] o'r dechrau, fe ymddengys, gan arfordiroedd a berthynai i 'Weddill Prydain' ar Fôr Hafren (o Afon Avon i Afon Gwy?) ac ar Fôr Iwerddon (o Aber Dyfrdwy i Gaer Liwelydd). Dibynnai ei chydgysylltiadau ar longau neu ar deithio drwy 'Weddill Prydain', gyda chaniatâd neu hebddo.'

58 Sef cc. 3.1; 5.1, 2; 8; 13.1; 15.3; 21.1, 2; 23.1, 4, 5 (x 2); 24.1; 26.2. Yr eithriad yw c. 5.1 (*insulis*). Yn c. 13.1, lle anfona'r *insula* Facsen i Âl, mae'n naturiol meddwl am ynysigrwydd daearyddol Prydain. Gellid dadlau ei fod wedi dod o Gaer Seiont yn *Ynys Prydein*, gw. Brown, *art.cit.* 'Insularis Draco' 3, ond ymddengys hynny'n llai tebygol.

59 Ian Wood, 'The End of Roman Britain: Continental evidence and parallels', yn GNA 23.

60 David Dumville, 'The Chronology of the *De Excidio Britanniae*, Book 1' yn *ib.* 83.

61 EEW2 78, 114 yn enwedig.

62 HWales 134-5. Gw. hefyd 390-1.

63 EEW2 11-12. Gw. hefyd 159-60.

64 EEW2 12, 13, 77. Ar achau Cadw ap Cadfor, gw. hefyd *Nennius*, 111; EWGT 12, 49, 108.

65 Hefyd cc. 12.3 **nobis** evomens venena; 20.3 nec tamen **nostrorum** malitia; 23.4 **nostris** condigna meritis, in **nostro** cespite; 24.2 quoque in **nobis**.

66 EEW2 14. Gw. hefyd 104 n1.

67 Donald Nicholl, 'Celts, Romans and Saxons', *Studies* (Autumn 1958), 298-304.

68 WAB, 429.

Y Testun
Lladin a Chymraeg

EPISTOLA GILDAE

Praefatio

1 **1.** In hac epistola quicquid deflendo potius quam declamando, vili licet stilo, tamen benigno, fuero prosecutus, ne quis me affectu cunctos spernentis omnibusve melioris, quippe qui commune bonorum dispendium malorumque cumulum lacrimosis querelis defleam, sed condolentis patriae incommoditatibus miseriisque eius ac remediis condelectantis edicturum putet.
2. Quia non tam fortissimorum militum enuntiare trucis belli pericula mihi statutum est quam desidiosorum, silui, fateor, cum inmenso cordis dolore, ut mihi renum scrutator testis est Dominus, spatio bilustri temporis vel eo amplius praetereuntis, imperitia sic ut et nunc una cum vilibus me meritis inhibentibus ne qualemcumque admonitiunculam scriberem.
3. Legebam nihilominus admirandum legislatorem ob unius verbi dubitationem terram desiderabilem non introiisse: filios sacerdotis alienum admovendo altari ignem cito exitu periisse: populum verborum Dei praevaricatorem sexcentorum milium duobus exceptis veracibus et quidem Deo carissimum, quippe cui iter levissime stratum profundi glarea maris rubri, cibus caelestis panis, potus novus ex rupe viator, acies invicta manuum sola intensa erectio fuerit, bestiis ferro igni per Arabiae deserta

LLYTHYR GILDAS

Cyflwyniad

1 **1**. Yn hyn o lythyr, beth bynnag a ddywedaf – a hynny gan wylo yn hytrach na chollfarnu ac mewn arddull sydd, er yn wael, eto'n garedig – na foed i neb feddwl y byddaf yn ei ddweud dan ddylanwad dirmyg at y ddynoliaeth neu ymdeimlad o ragoriaeth arni am fy mod yn galaru'n ddagreuol gwynfanus ynghylch dirywiad cyffredinol daioni ac ynghylch pentyrru pethau drwg. Boed iddo feddwl, yn hytrach, y byddaf yn llefaru fel un sy'n cydymdeimlo'n ddwys â cholledion a dioddefiannau fy mamwlad ac yn llawenhau mewn meddyginiaethau ar ei chyfer.

2. Oherwydd imi benderfynu adrodd, nid am beryglon a wynebwyd gan wŷr glew mewn rhyfeloedd, yn gymaint ag am rai a achoswyd gan ddynion segurllyd, cyfaddefaf imi, a'm calon yn ddolurus drwyddi (tyst o'r Arglwydd sy'n ei chwilio), atal fy nhafod trwy gydol y deng mlynedd diwethaf neu'n hwy; roedd fy niffyg profiad, megis yn awr, ynghyd â'm doniau di-nod, yn fy lluddias rhag ysgrifennu unrhyw air byr o rybudd.

3. Arferwn ddarllen, serch hynny, fel y bu i un deddfroddwr rhyfeddol fethu mynd i mewn i wlad y dymuniad oherwydd petruso ynghylch un gair; fod meibion yr offeiriad, trwy gyrchu tân dieithr at yr allor, wedi trengi'n sydyn; fod pobl a dorrodd eiriau Duw – chwe chan mil ohonynt ac eithrio dau a oedd yn eirwir –, er eu bod yn annwyl gan Dduw, wedi mynd yn ysglyfaeth yma ac acw i fwystfilod gwyllt, y cledd a thân trwy ddiffeithdiroedd Arabia; pobl a gawsai raean dyfnderoedd y Môr Coch yn llwybr llyfn iddynt, bara nefol yn fwyd, diod newydd o'r graig yn gydymaith, a byddin anorchfygol heb iddynt ond codi

sparsim cecidisse: **4.** post ingressum ignotae ac si Iordanis portae urbisque adversa moenia solis tubarum clangoribus iussu Dei subruta, palliolum aurique parum de anathemate praesumptum multos stravisse: Gabaonitarum irritum foedus, calliditate licet extortum, nonnullis intulisse exitium: ob peccata hominum querulas sanctorum prophetarum voces et maxime Hieremiae *ruinam civitatis suae quadruplici plangentis alphabeto*.

5. Videbamque etiam nostro tempore, ut ille defleverat, *solam sedisse urbem viduam, antea populis plenam, gentium dominam, principem provinciarum, sub tributo fuisse factam*. Id est ecclesiam, *obscuratum aurum coloremque optimum mutatum*, quod est verbi Dei splendorem, *filios Sion*, id est sanctae matris ecclesiae, *inclitos et amictos auro primo, amplexatos fuisse stercora*; **6.** et quod illi intolerabiliter utpote praecipuo, mihi quoque licet abiecto, utcumque ad cumulum doloris crescebat dum ita eosdem statu prospero viventes egregios luxerat ut diceret: *candidiores Nazaraei eius nive, rubicundiores ebore antiquo, sapphiro pulchriores*.

7. Ista ego et multa alia veluti speculum quoddam vitae nostrae in scripturis veteribus intuens, convertebar etiam ad novas, et ibi legebam clarius quae mihi forsitan antea obscura fuerant, cessante umbra ac veritate firmius inlucescente. **8.** Legebam, inquam, Dominum dixisse: *non veni nisi ad oves perditas domus Israel*. Et e contrario: *filii autem regni huius eicientur in tenebras exteriores, ibi erit fletus et stridor dentium*. Et iterum: *non est bonum tollere panem filiorum et mittere canibus*. Itemque: *vae*

dwylo. **4.** Wedi iddynt fynd trwy borth dieithr – Iorddonen, fel petai – a dymchwel muriau gelyniaethus y ddinas â sŵn utgyrn yn unig trwy orchymyn Duw, darllenais fod mantell fechan ac ychydig aur a gipiwyd o offrwm cythreulig wedi llorio llawer; fod torri'r cyfamod â'r Gibeoniaid (er ei ennill trwy ystryw) wedi dod â dinistr i rai; ac oherwydd pechodau dynion fod lleisiau'r proffwydi sanctaidd yn codi i gwyno, yn enwedig llais Jeremeia *sy'n cwyno am ddinistr ei ddinas mewn pedair cân wyddorol eu trefn*.

5. Gwelwn hefyd hyd yn oed yn ein hoes ni, a dyfynnu geiriau wylofus Jeremeia, *fod y ddinas weddw*, sef yr eglwys, *yn eistedd yn unig, hyhi a fu gynt yn llawn pobl, yn arglwyddes y cenhedloedd, yn dywysoges y taleithiau, ac wedi ei darostwng i drethi*; *fod yr aur*, sef ysblander gair Duw, *wedi pylu a'i liw gorau wedi newid*; *fod meibion Seion*, sef y fam eglwys sanctaidd, *a fu gynt yn enwog ac wedi eu dilladu â'r aur gorau, wedi cofleidio baw*; **6.** ac roedd yr hyn oedd yn annioddefol iddo ef yn ei fawredd yn annioddefol i minnau hefyd, er fy nistatled, pryd bynnag y cyrhaeddai binacl gofid, tra galarai gymaint dros yr un dynion dethol a oedd yn byw yn dda eu byd nes iddo ddweud: *Gwynnach yw ei Nasareaid nag eira, cochach na hen ifori, harddach na saffir*.

7. Gan graffu ar y pethau hyn a llawer o bethau eraill yn yr Hen Destament megis ar ddrych o'n bywyd ninnau, dechreuais droi at y Testament Newydd, ac yno ddarllen yn gliriach fy neall yr hyn a fuasai gynt efallai'n dywyll imi, wrth i'r cysgodion gilio ac i'r gwirionedd ddisgleirio'n rymusach. **8.** Darllenwn, meddaf, i'r Arglwydd ddweud: *Ni ddeuthum ond at ddefaid colledig tŷ Israel*. Ac ar y llaw arall: *Ond bydd meibion y deyrnas hon yn cael eu taflu allan i'r tywyllwch eithaf, yno y bydd wylofain a rhincian dannedd*. A thrachefn: *Nid yw'n deg cymryd bara'r meibion*

vobis, scribae et Pharisaei, hypocritae. **9.** Audiebam: *multi ab oriente et occidente venient et recumbent cum Abraham et Isaac et Iacob in regno caelorum*; et e diverso: *et tunc dicam eis: discedite a me, operarii iniquitatis*. Legebam: *beatae steriles et ubera quae non lactaverunt*; et e contrario: *quae paratae erant, intraverunt cum eo ad nuptias, postea venerunt et reliquae virgines dicentes: Domine, Domine, aperi nobis*; quibus responsum fuerat: *non novi vos*. **10.** Audiebam sane: *qui crediderit et baptizatus fuerit, salvus erit, qui autem non crediderit, condemnabitur*. Legebam apostoli voce oleastri ramum bonae olivae insertum fuisse, sed a societate radicis pinguedinis eiusdem, si non timuisset, sed alta saperet, excidendum.

11. Sciebam misericordiam Domini, sed et iudicium timebam; laudabam gratiam, sed redditionem unicuique secundum opera sua verebar; oves unius ovilis dissimiles cernens merito beatissimum dicebam Petrum ob Christi integram confessionem, at Iudam infelicissimum propter cupiditatis amorem, Stephanum gloriosum ob martyrii palmam, sed Nicolaum miserum propter immundae haereseos notam. **12.** Legebam certe: *erant illis omnia communia;* sed et quod dictum est: *quare convenit vobis temptare Spiritum Dei?* Videbam e regione quantum securitatis hominibus nostri temporis, ac si non esset quod timeretur, increverat.

13. Haec igitur et multo plura quae brevitatis causa omittenda decrevimus cum qualicumque cordis compunctione attonita mente saepius volvens, si, inquam, peculiari ex omnibus nationibus populo, semini regali gentique sanctae, ad quam

a'i daflu i'r cŵn. Yr un modd: *Gwae chwi, Ysgrifenyddion a Phariseaid, ragrithwyr!* **9**. Clywn: *Daw llawer o'r dwyrain a'r gorllewin a gorwedd gydag Abraham ac Isaac a Jacob yn nheyrnas nefoedd*. Ac ar y llaw arall: *Ac yna dywedaf wrthynt: ewch ymaith oddi wrthyf, chwi ddrwgweithredwyr*. Darllenwn: *Gwyn eu byd y gwragedd diffrwyth a'r bronnau na roesant sugn*. Ac yn erbyn hynny: *Aeth y rhai a oedd yn barod i mewn gydag ef i'r wledd briodas. Yn ddiweddarch, daeth y genethod eraill gan ddweud: Syr, syr, agor y drws i ni; atebodd yntau: Nid wyf yn eich adnabod*. **10**. Clywn, bid sicr: *Yr hwn a gred ac a fedyddir, fe gaiff ei achub, ond yr hwn ni chred, fe'i condemnir*. Darllenwn yng ngeiriau'r apostol fod cangen o'r olewydden wyllt wedi ei himpio ar olewydden dda, ond pe na bai yn ofni, gan feddwl, yn hytrach, bethau mawreddog, y byddai'n rhaid ei thorri ymaith rhag cyfranogi ohoni ym maeth gwreiddyn yr olewydden.

11. Adwaenwn drugaredd yr Arglwydd, ond ofnwn ei farn hefyd; canmolwn ei raslonrwydd, ond achos dychryn imi oedd ei wobr i bob un yn ôl ei weithredoedd; wrth imi weld ŵyn annhebyg yn yr un gorlan, ystyriwn Bedr yn ŵr haeddiannol wynfydedicaf oherwydd ei addefiad cyflawn o Grist, ond Jwdas yn druenusaf oherwydd ei gariad at chwant; Steffan yn ogoneddus oherwydd palmwydden merthyrdod, ond Nicolas yn anffodus oherwydd staen heresi ddiffaith. **12.** Darllenwn, bid sicr: *Roedd popeth yn gyffredin iddynt*; ond hefyd y dywediad: *Sut y bu ichwi gytuno i roi prawf ar Ysbryd Duw*? Gwelwn yn glir gymaint yr oedd difrawder wedi cynyddu yn nynion ein hoes, fel petai dim i'w ofni.

13. Gan ystyried, felly, y pethau hyn yn fynych – a llawer o rai eraill y penderfynais eu hepgor er mwyn crynoder – gydag edifeirwch calon a meddwl syfrdan, dyma fi'n gofyn: os nad arbedodd yr Arglwydd bobl a oedd yn arbennig iddo o

dixerat: *primogenitus meus Israel*, eiusque sacerdotibus, prophetis, regibus, per tot saecula apostolo ministro membrisque illius primitivae ecclesiae Dominus non pepercit, cum a recto tramite deviarint, quid tali huius atramento aetatis facturus est? cui praeter illa nefanda immaniaque peccata quae communiter cum omnibus mundi sceleratis agit, accedit etiam illud veluti ingenitum quid et indelebile insipientiae pondus et levitatis ineluctabile.

14. Quid? (mihimet aio) tibine, miser, veluti conspicuo ac summo doctori talis cura committitur ut obstes ictibus tam violenti torrentis, et contra hunc inolitorum scelerum funem per tot annorum spatia ininterrupte lateque protractum serves depositum tibi creditum et taceas? Alioquin hoc est dixisse pedi: *speculare* et manui: *fare*. Habet Britannia rectores, habet speculatores. Quid tu nugando mutire disponis? Habet, inquam, habet, si non ultra, non citra numerum. Sed quia inclinati tanto pondere sunt pressi, idcirco spatium respirandi non habent.

15. Praeoccupabant igitur se mutuo talibus obiectionibus vel multo his mordacioribus veluti condebitores sensus mei. Hi non parvo, ut dixi, tempore, cum legerim *tempus esse loquendi et tacendi*, et in quadam ac si angusta timoris portico luctabantur. Obtinuit vicitque tandem aliquando creditor, si non es, inquiens, talis audaciae ut inter veridicas rationalis secundae a nuntiis derivationis creaturas non pertimescas libertatis aureae decenti nota inuri, affectum saltem intellegibilis asinae eatenus elinguis

blith yr holl genhedloedd, hil frenhinol a chenedl sanctaidd y dywedasai wrthi: *Israel yw fy nghyntaf-anedig*, na'i hoffeiriaid na'i brenhinoedd, a fuasai drwy gynifer o oesoedd yn apostol, yn weinidog ac yn aelodau'r eglwys gyntefig honno – os nad arbedodd hwy, meddaf, pan wyrasant oddi ar y llwybr union, beth a wna â'r fath staen du ar ein cenhedlaeth ni? Cenhedlaeth yr ychwanegwyd ati hefyd, heblaw'r pechodau anhraethol ac aruthr y mae hi'n eu cyflawni yn gyffredin â holl wneuthurwyr drygioni y byd, rywbeth sydd megis yn gynhenid iddi, sef baich annileadwy ac annihangol o ynfydrwydd ac anwadalwch.

14. 'Beth?' meddaf wrthyf fy hun. 'A roddir i ti, wael greadur, megis i ddysgawdwr amlwg ac aruchel, y fath gyfrifoleb, sef sefyll yn erbyn ergydion rhyferthwy mor chwyrn, ac, yn wyneb y gyfres hon o droseddau cynhwynol sy'n ymestyn yn ddi-dor ac ar led dros gynifer o flynyddoedd, gadw i ti dy hun yr hyn a ymddiriedwyd iti ac aros yn fud?' Fel arall, ni waeth dweud wrth y droed *edrych* nac wrth y llaw *llefara*. Mae gan Brydain reolwyr, mae ganddi wylwyr. Pam yr wyt ti am fwmial gyda'th lol? Maent hwy ganddi, meddaf, maent hwy ganddi, ac os nad oes gormod ohonynt, nid oes ry ychydig ychwaith. Ond gan eu bod yn crymu dan gymaint pwysau, nid oes ganddynt gyfle i gael eu hanadl atynt.

15. Byddai fy nheimladau, felly, megis cyd-ddyledwyr â mi, yn gwarchae ar ei gilydd bob yn ail trwy'r cyfryw wrth-ddadleuon neu rai mwy brathog o lawer. Ymgodyment, fel y dywedais, am hyd nid bychan o amser ac megis mewn rhyw dramwyfa gyfyng o ofn, pan ddarllenais *fod amser i lefaru ac amser i dewi*. Yn y diwedd, yr echwynnwr a fu gryfaf ac a orfu gan ddweud: os nad wyt ti'n ddigon hy i beidio ag ofni dy serio â nod gweddus y rhyddid euraid a geir ymysg creaduriaid geirwir, rhesymol sy'n ail i'r angylion yn unig o ran tarddiad, paid, o leiaf, â dirmygu

non refugito Spiritu Dei afflatae, nolentis se vehiculum fore tiarati magi devoturi populum Dei, quae in angusto maceriae vinearum resolutum eius attrivit pedem, ob id licet verbera hostiliter senserit, cuique angelum caelestem ensem vacuum vagina habentem atque contrarium, quem ille cruda stoliditate caecatus non viderat, digito quodammodo, quamquam ingrato ac furibundo et innoxia eius latera contra ius fasque caedenti, demonstravit.

16. In zelo igitur domus Domini sacrae legis seu cogitatuum rationibus vel fratrum religiosis precibus coactus nunc persolvo debitum multo tempore antea exactum, vile quidem, sed fidele, ut puto, et amicale quibusque egregiis Christi tironibus, grave vero et importabile apostatis insipientibus. Quorum priores, ni fallor, cum lacrimis forte quae ex Dei caritate profluunt, alii autem cum tristitia, sed quae de indignatione et pusillanimitate deprehensae conscientiae extorquetur, illud excipient.

DE EXCIDIO BRITANNIAE

Argumentum

2 Sed ante promissum Deo volente pauca de situ, de contumacia, de subiectione, de rebellione, item de subiectione ac diro famulatu, de religione, de persecutione, de sanctis martyribus, de diversis haeresibus, de tyrannis, de duabus

agwedd yr asen ddeallus a gafodd, er yn fud hyd hynny, ei heneinio gan Ysbryd Duw. Ni fynnai fod yn gludydd i'r dewin coronog a oedd ar fin melltithio pobl Dduw; cleisiodd hi ei droed lipa ar lwybr cyfyng rhwng magwyrydd y gwinllannau, er iddi ar gyfrif hynny ddioddef ergydion fel rhai gelyn ganddo. Tynnodd ei sylw, â'i bys, fel petai, at angel nefol, nad oedd ef yn nallineb ei dwpdra dideimlad wedi ei weld, yn dal cleddyf noeth ac yn sefyll ar y ffordd, er ei fod, y gŵr anniolchgar, cynddeiriog, yn curo'i hystlysau dieuog yn groes i bob rheol a chyfiawnder.
16. Gan hynny, yn fy sêl dros gyfraith sanctaidd tŷ'r Arglwydd, wedi fy nghymell un ai gan ymresymiadau fy myfyrdodau neu ynteu weddïau duwiolfrydig fy mrodyr, talaf yn awr y ddyled yr euthum iddi amser maith yn ôl. Mae'r taliad yn wael ei fynegiant, bid sicr, ond yn ffyddlon, mi gredaf, ac yn gyfeillgar i bob milwr glew i Grist, eithr yn drwm ac yn annioddefol i wrthgilwyr ffôl. Bydd y garfan gyntaf, oni chamsyniaf, yn ei dderbyn, efallai, gyda'r dagrau sy'n llifo o gariad at Dduw; ond yr ail gyda thristwch, eithr y tristwch a wesgir o ddicter a gwangalondid cydwybod a ddeffrowyd.

DINISTR PRYDAIN

Cynnwys

2 Ond cyn cyflawni'n haddewid, ceisiwn draethu ychydig, os Duw a'i myn, ynghylch safle daearyddol y famwlad, ei chyndynrwydd, ei darostyngiad, ei gwrthryfel, ei hail ddarostyngiad a'i chaethiwed alaethus, ei chrefydd, ei herlid, ei merthyron sanctaidd, ei hamryfal heresïau, ei gormeswyr, ei

gentibus vastatricibus, de defensione itemque vastatione, de secunda ultione tertiaque vastatione, de fame, de epistolis ad Agitium, de victoria, de sceleribus, de nuntiatis subito hostibus, de famosa peste, de consilio, de saeviore multo primis hoste, de urbium subversione, de reliquiis, de postrema patriae victoria, quae temporibus nostris Dei nutu donata est, dicere conamur.

De situ patriae, id est Britanniae

3 **1.** Brittannia – insula in extremo ferme orbis limite circium occidentemque versus divina, ut dicitur, statera terrae totius ponderatrice librata ab Africo boriali propensius tensa axi, octingentorum in longo milium, ducentorum in lato spatium, exceptis diversorum prolixioribus promontoriorum tractibus, quae arcuatis oceani sinibus ambiuntur, tenens, cuius diffusiore et, ut ita dicam, intransmeabili undique circulo absque meridianae freto plagae, quo ad Galliam Belgicam navigatur, vallata, duorum ostiis nobilium fluminum Tamesis ac Sabrinae veluti brachiis, per quae eidem olim transmarinae deliciae ratibus vehebantur, aliorumque minorum meliorata, **2.** bis denis bisque quaternis civitatibus ac nonnullis castellis, murorum turrium serratarum portarum domorum, quarum culmina minaci proceritate porrecta in edito forti compage pangebantur, munitionibus non improbabiliter instructis decorata; **3.** campis late pansis collibusque amoeno situ locatis, praepollenti culturae aptis, montibus alternandis animalium pastibus

dwy genedl a'i hysbeiliodd, ei hamddiffyn a'i hysbeilio yr ail waith, ei hail ddialedd a'i hysbeilio y drydedd waith, ei newyn, ei llythyr at Agitius, ei buddugoliaeth, ei chamweddau, ei gelynion a hysbyswyd iddi yn sydyn, ei phla enwog, ei chyngor, ei gelyn ffyrnicach o lawer na'r un cyntaf, dymchwel ei dinasoedd, ei goroeswyr, a'i buddugoliaeth derfynol a roddwyd trwy ewyllys Duw yn ein hamseroedd ni.

Safle daearyddol y famwlad, sef Prydain

3 **1.** Ynys yw Prydain bron yn nherfyn eithaf y byd tua'r gorllewin a'r gogledd-orllewin, sy'n gorffwys yn gytbwys yn y glorian ddwyfol (ys dywedir), cynheiliad pwysau yr holl ddaear; sy'n ymestyn o'r de-orllewin gan ogwyddo ryw gymaint at begwn y gogledd; sy'n llenwi arwynebedd wyth can milltir o hyd a dau gant o led, heb gyfrif y rhandiroedd hwy o amryfal benrhynau a gwmpasir gan faeau crymion yr eigion; sydd wedi ei hamddiffyn gan gylch eang ac (os caf ddweud) anhramwyadwy y môr ar bob ochr ac eithrio culfor y glannau deheuol lle y mordwyir i Âl Felgaidd; sy'n mwynhau mantais aberoedd dwy afon urddasol, Tafwys a Hafren, breichiau, megis, o'r môr y mewnforid ar hyd-ddynt gynt foethau tramor gan longau, yn ogystal ag aberoedd afonydd eraill llai; **2.** sydd wedi ei thecáu ag wyth ar hugain o ddinasoedd a rhai cestyll, ac ag amddiffynfeydd gwych ddigon eu saernïad o furiau, tyrau ysgithrog, pyrth, a thai a'u toeau cedyrn yn ymgodi i uchder bygythiol mewn adeiladwaith dyrchafedig cadarn; **3.** sydd wedi ei harddu, megis priodferch ddethol â'i hamryw emau, â gwastadeddau eang a bryniau dymunol eu lleoliad, addas i'r driniaeth ragoraf, a mynyddoedd o'r hwylusaf at newid

maxime convenientibus, quorum diversorum colorum flores humanis gressibus pulsati non indecentem ceu picturam eisdem imprimebant, electa veluti sponsa monilibus diversis ornata, **4.** fontibus lucidis crebris undis niveas veluti glareas pellentibus, pernitidisque rivis leni murmure serpentibus ipsorumque in ripis accubantibus suavis soporis pignus praetendentibus, et lacubus frigidum quae torrentem vivae exundantibus irrigua.

De contumacia eius

4 **1.** Haec erecta cervice et mente, ex quo inhabitata est, nunc Deo, interdum civibus, nonnumquam etiam transmarinis regibus et subiectis ingrata consurgit. Quid enim deformius quidque iniquius potest humanis ausibus vel esse vel intromitti negotium quam Deo timorem, bonis civibus caritatem, in altiore dignitate positis absque fidei detrimento debitum denegare honorem et frangere divino sensui humanoque fidem, et abiecto caeli terraeque metu propriis adinventionibus aliquem et libidinibus regi?

2. Igitur omittens priscos illos communesque cum omnibus gentibus errores, quibus ante adventum Christi in carne omne humanum genus obligabatur astrictum, nec enumerans patriae portenta ipsa diabolica paene numero Aegyptiaca vincentia, quorum nonnulla liniamentis adhuc deformibus intra vel extra deserta moenia solito more rigentia torvis vultibus intuemur, **3.** neque nominatim inclamitans montes ipsos aut colles vel

porfeydd yr anifeiliaid, porfeydd y rhoddai eu blodau amryliw damsangedig dan draed dynion wedd darlun nid annymunol iddynt; **4.** sydd wedi ei dyfrhau gan ffynhonnau clir niferus â'u dyfroedd megis yn gyrru ymlaen eu graean eirwyn, a nentydd disglair yn ymdroelli gan dawel furmur a chynnig ernes o felys gwsg i'r rheini'n gorffwys ar eu glannau, a llynnoedd yn gorlifo gan ffrydiau oer o ddŵr bywiol.

Ei chyndynrwydd

4 **1.** Y mae hon, meddaf, un wargaled a balch, byth er pan gyfanheddwyd hi gyntaf yn gwrthryfela'n anniolchgar, yn awr yn erbyn Duw, droeon eraill yn erbyn dinasyddion, weithiau hyd yn oed yn erbyn brenhinoedd tramor a'u deiliaid. Oherwydd pa beth mwy gwrthun a pha beth mwy anghyfiawn a all fod neu a ellir ei gyflwyno trwy hyfdra dynol na gwarafun ofn i Dduw, cariad i gyd-ddinasyddion da, anrhydedd dyledus (nid, wrth gwrs, ar draul ffydd) i ddeiliaid swyddi pwysig, a thorri amod â synnwyr dwyfol a dynol, a bod rhywun, ar ôl bwrw ymaith ofn nef a daear, yn mynd yn ysglyfaeth i'w ddyfeisiau a'i drachwantau ei hun?

2. Gan hynny, af heibio i'r cyfeiliornadau hynny gynt, cyffredin i bob cenedl, yr oedd yr holl hil ddynol cyn dyfodiad Crist yn y cnawd yn drwyadl gaeth iddynt; ni rifaf ychwaith angenfilod dieflig fy mamwlad, lluosocach bron nag eiddo'r Aifft, y gwelir rhai ohonynt hyd heddiw, yn hagr eu gwedd, y tu mewn neu'r tu allan i furiau dinasoedd anghyfannedd, a'u trem erwin fel arfer yn galed i gyd. **3.** Ni ddifrïaf ychwaith wrth eu henwau y mynyddoedd, y bryniau, neu'r afonydd, a oedd gynt yn farwol

fluvios olim exitiabiles, nunc vero humanis usibus utiles, quibus divinus honor a caeco tunc populo cumulabatur, et tacens vetustos immanium tyrannorum annos, qui in aliis longe positis regionibus vulgati sunt, ita ut Porphyrius rabidus orientalis adversus ecclesiam canis dementiae suae ac vanitatis stilo hoc etiam adnecteret: *Britannia*, inquiens, *fertilis provincia tyrannorum*, **4.** illa tantum proferre conabor in medium quae temporibus imperatorum Romanorum et passa est et aliis intulit civibus et longe positis mala: quantum tamen potuero, non tam ex scriptis patriae scriptorumve monimentis, quippe quae, vel si qua fuerint, aut ignibus hostium exusta aut civium exilii classe longius deportata non compareant, quam transmarina relatione, quae crebris inrupta intercapedinibus non satis claret.

De subiectione eius

5 **1.** Etenim reges Romanorum cum orbis imperium obtinuissent subiugatisque finitimis quibusque regionibus vel insulis orientem versus primam Parthorum pacem Indorum confinium, qua peracta in omni paene terra tum cessavere bella, potioris famae viribus firmassent, non acies flammae quodammodo rigidi tenoris ad occidentem caeruleo oceani torrente potuit vel cohiberi vel extingui, **2.** sed transfretans insulae parendi leges nullo obsistente advexit, imbellemque populum sed infidelem

ond sydd bellach yn addas i anghenion dynion, y pentyrrid anrhydedd dwyfol arnynt yn yr oes honno gan bobl gibddall. Ymddistawaf hefyd ynghylch y blynyddoedd, amser a fu, pan deyrnasai gormeswyr dychrynllyd, y soniwyd amdanynt mewn parthau eraill pellennig nes i Porphyrius, y ci dwyreiniol ffyrnig o elyniaethus tuag at yr Eglwys, ychwanegu'r sylw hwn hefyd yn ei ddull lloerig a gorwag: *Mae Prydain*, meddai, *yn dalaith gyfoethog mewn gormeswyr*. **4.** Ceisiaf ddwyn i'r golwg y drygau hynny yn unig y bu i'r ynys eu dioddef yn ogystal â'u hachosi i ddinasyddion eraill, gan gynnwys rhai pell i ffwrdd, yn oes yr ymerawdwyr Rhufeinig. Gwnaf hyn, fodd bynnag, hyd y gallaf, nid yn gymaint trwy ysgrifeniadau neu gofnodion awduron fy mamwlad (gan eu bod, os buont erioed – naill ai o ganlyniad i'w llosgi gan danau'r gelyn neu ynteu i'w cludo ymhell i ffwrdd yn llongau ein dinasyddion pan alltudiwyd hwy – wedi eu colli) â thrwy adroddiad awduron tramor – sydd, oherwydd ei dorri gan fylchau lawer, ymhell o fod yn glir.

Ei darostyngiad

5 **1.** Pan oedd brenhinoedd y Rhufeiniaid wedi ennill rheolaeth dros y byd ac, ar ôl darostwng yr holl ranbarthau ac ynysoedd cyfagos tua'r dwyrain, wedi sefydlu, trwy rym eu bri rhagorach, eu heddwch cyntaf gyda'r Parthiaid sy'n ffinio â'r India, trefniant o'i gyflawni a roddodd derfyn ar ryfeloedd ymron bob gwlad ar y pryd – wedi hyn oll, meddaf, nid oedd modd atal na diffodd min angerddol y fflam hon ar ei rhawd ddiwyro tua'r gorllewin gan genllif glas yr eigion; **2.** yn hytrach, gan groesi'r culfor, dygodd i'r ynys yn ddiwrthwynebiad gyfreithiau i ufuddhau iddynt, a darostyngodd – nid trwy'r cledd, y fflam

non tam ferro igne machinis, ut alias gentes, quam solis minis vel iudiciorum concussionibus, in superficie tantum vultus presso in altum cordis dolore sui oboedientiam proferentem edictis subiugavit.

De rebellione eius

6 **1.** Quibus statim Romam ob inopiam, ut aiebant, cespitis repedantibus et nihil de rebellione suspicantibus rectores sibi relictos ad enuntianda plenius vel confirmanda Romani regni molimina leaena trucidavit dolosa. **2.** Quibus ita gestis cum talia senatui nuntiarentur et propero exercitu vulpeculas ut fingebat subdolas ulcisci festinaret, non militaris in mari classis parata fortiter dimicare pro patria nec quadratum agmen neque dextrum cornu aliive belli apparatus in litore conseruntur, sed terga pro scuto fugantibus dantur et colla gladiis, gelido per ossa tremore currente, manusque vinciendae muliebriter protenduntur, ita ut in proverbium et derisum longe lateque efferretur quod Britanni *nec in bello fortes sint nec in pace fideles*.

Item de subiectione eius ac diro famulatu

7 Itaque multis Romani perfidorum caesis, nonnullis ad servitutem, ne terra penitus in solitudinem redigeretur, mancipalibus reservatis, patria vini oleique experte Italiam

a pheiriannau rhyfel, megis yn achos cenhedloedd eraill, yn gymaint â thrwy fygythion neu gosbau cyfreithiol yn unig – bobl anrhyfelgar ond annheyrngar na ddangosent ond ufudd-dod arwynebol i'r deddfau gan wasgu eu dicllonedd yn ddwfn i'w calonnau.

Ei gwrthryfel

6 **1.** A hwythau'n dychwelyd i Rufain oherwydd (meddent) annigonolrwydd cynnyrch y pridd, a heb amau dim y codai gwrthryfel, yn ddi-oed llofruddiodd y llewes dwyllodrus y rheolwyr a adawsid ar ôl ganddynt i gyhoeddi'n llawnach a chyfnerthu ymdrechion llafurfawr llywodraeth Rhufain. **2.** Wedi hyn, pan hysbyswyd y newyddion i'r senedd, a honno'n prysuro gyda byddin chwim i ddial ar y llwynogod bach dichellgar (fel y dychmygent hwy), nid oedd dim llynges filwrol yn barod ar y môr i ymladd yn ddewr dros y famwlad, na byddin reolaidd nac adain dde nac unrhyw gyfarpar milwrol arall wedi eu cydlynu ar y lan. Yn hytrach, cynigiasant [deall. y Brythoniaid] eu cefnau yn lle'u tarianau i'w herlidwyr, eu gyddfau i'r cledd, *a chryndod oer yn cyniwair trwy'u hesgyrn*; ac estynasant eu dwylo'n fenywaidd i'w rhwymo – nes iddi fynd yn ddihareb ac yn destun gwawd ar hyd ac ar led *nad yw* trigolion Prydain *yn ddewr mewn rhyfel nac yn ffyddlon mewn heddwch.*

Ei hail ddarostyngiad a'i chaethiwed alaethus

7 Gan hynny, wedi lladd llawer o'r bradwyr a chadw rhai ar gyfer caethwasanaeth rhag i'r tir droi'n ddiffeithwch llwyr, a'r famwlad yn amddifad o win ac olewydd, dychwelodd y Rhufeiniaid i'r Eidal. Gadawsant rai o'u goruchwylwyr yn

petunt, suorum quosdam relinquentes praepositos indigenarum dorsis mastigias, cervicibus iugum, solo nomen Romanae servitutis haerere facturos ac non tam militari manu quam flagris callidam gentem maceraturos et, si res sic postulavisset, ensem, ut dicitur, vagina vacuum lateri eius accommodaturos, ita ut non Britannia, sed Romania censeretur et quicquid habere potuisset aeris argenti vel auri imagine Caesaris notaretur.

De religione eius

8 Interea glaciali frigore rigenti insulae et velut longiore terrarum secessu soli visibili non proximae verus ille non de firmamento solum temporali sed de summa etiam caelorum arce tempora cuncta excedente universo orbi praefulgidum sui coruscum ostendens, tempore, ut scimus, summo Tiberii Caesaris, quo absque ullo impedimento eius propagabatur religio, comminata senatu nolente a principe morte delatoribus militum eiusdem, radios suos primum indulget, id est sua praecepta, Christus.

De persecutione eius

9 **1.** Quae, licet ab incolis tepide suscepta sunt, apud quosdam tamen integre et alios minus usque ad persecutionem Diocletiani tyranni novennem, in qua subversae per totum mundum sunt ecclesiae et cunctae sacrae scripturae, quae inveniri

ffrewyllau i gefnau'r brodorion, yn iau i'w gyddfau, er mwyn peri i enw caethwasiaeth Rufeinig lynu wrth y pridd a blino'r genedl gyfrwys nid yn gymaint â grym milwriaeth ag â fflangellau, a'u taro, petai raid, â'r cleddyf dadweiniedig (ys dywedir) yn eu hystlys. Fel hyn byddid yn adnabod yr ynys nid fel un Brydeinig ond fel un Rufeinig, a byddai pa faint bynnag o bres, arian neu aur y gellid ei gael ohoni yn dwyn stamp delw Cesar.

Ei chrefydd

8 Yn y cyfamser, i ynys wedi fferru gan oerni rhewllyd a heb fod yn agos i'r haul gweladwy, a hithau megis mewn cilfach bellennig o'r ddaear, dyma'r gwir haul hwnnw, gan ddangos ei danbeidrwydd a'i ddisgleirder i'r holl fyd nid yn unig o'r ffurfafen dymhorol ond hefyd o entrych nef sydd goruwch pob amser, yn rhoi am y tro cyntaf ei belydrau ef, hynny yw ei orchmynion, yn anrheg: cyfeiriaf at Grist. Bu hyn, fel y gwyddom, ym mlynyddoedd olaf yr ymerawdwr Tiberius Cesar, pryd y lledaenid crefydd Crist yn ddirwystr am i'r ymerawdwr, yn groes i ddymuniad y senedd, fygwth â marwolaeth y rhai a fyddai'n achwyn ar y grefydd honno.

Ei herlid

9 **1.** Er derbyn y gorchmynion hyn yn glaear gan y trigolion, eto parhasant, yn ddilwgr ymysg rhai ac yn llai felly ymysg eraill, hyd erledigaeth naw mlynedd y gormesdeyrn Diocletian. Y pryd hwnnw dymchwelwyd eglwysi ledled y byd, llosgwyd yn y strydoedd yr holl gopïau o'r Ysgrythurau Sanctaidd y gellid cael

potuerunt, in plateis exustae et electi sacerdotes gregis Domini cum innocentibus ovibus trucidati, ita ut ne vestigium quidem, si fieri potuisset, in nonnullis provinciis Christianae religionis appareret, permansere. **2.** Tunc quantae fugae, quantae strages, quantae diversarum mortium poenae, quantae apostatarum ruinae, quantae gloriosorum martyrum coronae, quanti persecutorum rabidi furores, quantae e contrario *sanctorum patientiae* fuere, Ecclesiastica Historia narrat, ita ut agmine denso certatim relictis post tergum mundialibus tenebris ad amoena caelorum regna quasi ad propriam sedem tota festinaret ecclesia.

De sanctis martyribus eius

10 **1.** Magnificavit igitur misericordiam suam nobiscum Deus volens *omnes homines salvos fieri* et vocans non minus peccatores quam eos qui se putant iustos. Qui gratuito munere, supra dicto ut conicimus persecutionis tempore, ne penitus crassa atrae noctis caligine Britannia obfuscaretur, clarissimos lampades sanctorum martyrum nobis accendit, **2.** quorum nunc corporum sepulturae et passionum loca, si non lugubri divortio barbarorum quam plurima ob scelera nostra civibus adimerentur, non minimum intuentium mentibus ardorem divinae caritatis incuterent: sanctum Albanum Verolamiensem, Aaron et Iulium Legionum Urbis cives ceterosque utriusque sexus diversis in locis summa magnanimitate in acie Christi perstantes dico.

hyd iddynt, a lladdwyd offeiriaid etholedig praidd yr Arglwydd ynghyd â'u defaid diniwed, fel na bai i'w weld yn rhai o'r taleithiau, pe gallesid hynny, gymaint ag ôl y grefydd Gristnogol. **2**. Y mae'r Hanes Eglwysig yn adrodd pa ffoedigaethau a fu wedyn, pa gyflafanau, pa gosbedigaethau trwy wahanol ddulliau o farwolaeth, pa gwympau i wrthgilwyr, pa goronau gogoneddus i ferthyron, pa gynddaredd gorffwyll ar ran erlidwyr ac, ar y llaw arall, pa *ddioddefgarwch ar ran y saint*. O ganlyniad, mewn rhengoedd agos a chan droi gwegil yn eiddgar ar gysgodion y byd, prysurodd yr holl Eglwys ei chamre tua pheuoedd hyfryd y nefoedd megis tua'i phriod drigfan.

Ei merthyron sanctaidd

10 **1.** Amlhaodd yr Arglwydd, felly, ei drugaredd tuag atom, gan ewyllysio *bod pob dyn yn gadwedig* a chan alw ato bechaduriaid lawn cymaint â'r rhai sy'n eu hystyried eu hunain yn gyfiawn. O'i rad rodd ei hun, adeg yr erledigaeth uchod (fel y dyfalwn ni), rhag llwyr orchuddio Prydain dan gaddug tew nos ddu, cynheuodd ffaglau disglair y merthyron sanctaidd inni. **2.** Byddai beddau eu cyrff a mannau eu dioddefaint, pe na baent yn cael eu dwyn yn llu oddi arnom ni ddinasyddion oherwydd ein pechodau gan y rhaniad trist a achoswyd gan y barbariaid, yn ysbrydoli meddyliau'r sawl a syllai arnynt â fflam nid bechan o gariad dwyfol. Sôn yr wyf am Alban Sant o Verulam, Aaron a Julius, dinasyddion o Gaerlleon, a'r rhelyw o'r ddau ryw mewn gwahanol leoedd a safodd yn ddiysgog, gan ddangos y mawrfrydigrwydd mwyaf, ym myddin Crist.

11 **1.** Quorum prior postquam caritatis gratia confessorem persecutoribus insectatum et iam iamque comprehendendum, imitans et in hoc Christum *animam pro ovibus ponentem*, domo primum ac mutatis dein mutuo vestibus occuluit et se discrimini in fratris supra dicti vestimentis libenter persequendum dedit, ita Deo inter sacram confessionem cruoremque coram impiis Romana tum stigmata cum horribili fantasia praeferentibus placens signorum miraculis mirabiliter adornatus est, ut oratione ferventi illi Israeliticai arenti viae minusque tritae, stante diu arca prope glareas testamenti in medio Iordanis canali, simile iter ignotum, trans Tamesis nobilis fluvii alveum, cum mille viris sicco ingrediens pede suspensis utrimque modo praeruptorum fluvialibus montium gurgitibus aperiret et priorem carnificem tanta prodigia videntem in agnum ex lupo mutaret et una secum triumphalem martyrii palmam sitire vehementius et excipere fortius faceret.

2. Ceteri vero diversis cruciatibus torti sunt et inaudita membrorum discerptione lacerati ut absque cunctamine gloriosi in egregiis Ierusalem veluti portis martyrii sui trophaea defigerent. Nam qui superfuerant silvis ac desertis abditisque speluncis se occultavere, expectantes a iusto rectore omnium Deo carnificibus severa quandoque iudicia, sibi vero animarum tutamina.

12 **1.** Igitur bilustro supra dicti turbinis necdum ad integrum expleto emarcescentibusque nece suorum auctorum nefariis edictis, laetis luminibus omnes Christi tirones quasi post

11 **1.** Bu i'r cyntaf o'r rhain, dan gymhelliad cariad, guddio cyffeswr a oedd yn ffoi rhag ei erlidwyr ac ar fin ei ddal ganddynt, gan efelychu yn hyn o beth Grist *yn rhoi ei einioes dros ei ddefaid.* Fe'i cuddiodd yn gyntaf yn ei dŷ, ac yna, wedi cyfnewid dillad ag ef, dododd ei hun o'i wirfodd mewn perygl o'i erlid trwy wisgo dillad y brawd uchod. Gan ryngu bodd Duw fel hyn, yn ystod yr adeg rhwng ei gyffes sanctaidd a'i farwolaeth waedlyd, yng ngŵydd dynion annuwiol a oedd ar y pryd yn dwyn baneri Rhufain gyda rhwysg dychrynllyd, fe'i hanrhydeddwyd yn rhyfeddol ag arwyddion gwyrthiol, nes iddo, trwy daer weddi, agor ffordd anhysbys trwy wely afon fawreddog Tafwys, un debyg i'r ffordd sych, ddisathr honno o eiddo'r Israeliaid pan orffwysodd arch y cyfamod am hir ysbaid ar y graean yng nghanol llif afon Iorddonen; gyda mil o ddynion cerddodd rhagddo'n droetsych, a dyfroedd chwyrn yr afon yn crogi o boptu megis mynyddoedd clogwynog, a throi ei ddienyddiwr cyntaf, a hwnnw'n gweld y fath ryfeddodau, yn oen o fod yn flaidd, a pheri iddo, ynghyd ag ef ei hun, sychedu'n fwy awchus byth am balmwydden fuddugoliaethus merthyrdod ac ymwroli mwy i'w chipio.

2. Am y rhelyw, fodd bynnag, cymaint y'u dirdynnwyd ag amryw arteithiau a darnio eu cymalau â rhwygiadau na chlywsid am eu tebyg, fel y codasant yn ddi-oed arwyddion coffadwriaeth o'u merthyrdod gogoneddus megis ym mhyrth ysblennydd Jerwsalem. Ar y llaw arall, ymguddiodd y rheini a oroesodd mewn coedwigoedd, diffeithleoedd ac ogofeydd dirgel, gan ddisgwyl oddi ar law Duw, rheolwr cyfiawn pawb, farnedigaeth lem, rywbryd, i'w harteithwyr, a diogelwch einioes iddynt eu hunain.

12 **1.** Gan hynny, a'r deng mlynedd o'r cythrwfl uchod heb lwyr ddirwyn i ben, a'r deddfau anfad yn colli eu grym trwy farwolaeth eu hawduron, dyma holl filwyr Crist,

hiemalem ac prolixam noctem temperiem lucemque serenam aurae caelestis excipiunt. **2.** Renovant ecclesias ad solum usque destructas; basilicas sanctorum martyrum fundant construunt perficiunt ac velut victricia signa passim propalant. Dies festos celebrant, sacra mundo corde oreque conficiunt. Omnes exultant filii gremio ac si matris ecclesiae confoti.

De diversis haeresibus eius

3. Mansit namque haec Christi capitis membrorumque consonantia suavis, donec Arriana perfidia, atrox ceu anguis, transmarina nobis evomens venena fratres in unum habitantes exitiabiliter faceret seiungi, ac sic quasi via facta trans oceanum omnes omnino bestiae ferae mortiferum cuiuslibet haereseos virus horrido ore vibrantes letalia dentium vulnera patriae novi semper aliquid audire volenti et nihil certe stabiliter optinenti infigebant.

De tyrannis eius

13 **1.** Itemque tandem tyrannorum virgultis crescentibus et in immanem silvam iam iamque erumpentibus insula, nomen Romanum nec tamen morem legemque tenens, quin potius abiciens germen suae plantationis amarissimae, ad Gallias magna comitante satellitum caterva, insuper etiam imperatoris

gyda llygaid llawen ac megis ar ôl noson aeafol a maith, yn derbyn tynerwch a goleuni tangnefeddus yr awelon nefol. **2.** Atgyweiriasant yr eglwysi, a oedd wedi eu dymchwel i'r llawr. Sylfaenasant, adeiladu a chwblhau eglwysi er anrhydedd i'r merthyron sanctaidd a'u harddangos ym mhobman fel llumanau buddugoliaeth; cadwasant ddyddiau gŵyl; gweinyddasant y gwasanaethau sanctaidd yn lân eu calonnau a'u gwefusau; gorfoleddasant oll megis plant wedi eu hymgeleddu ym mynwes eu mam yr eglwys.

Ei hamryfal heresïau

3. Oherwydd parhaodd y cytgord melys hwn rhwng Crist y pen a'i aelodau nes i'r brad Ariaidd, megis sarff ffyrnig, gan chwydu arnom ei wenwyn tramorol, beri rhwyg dinistriol rhwng brodyr a drigai'n gytûn. Fel hyn, megis pe gwnaethid llwybr dros y môr, dechreuodd bwystfilod gwyllt o bob lliw a llun, gan boeri o'u safnau ffiaidd wenwyn marwol pob math o heresi, wanu â chlwyfau angheuol eu dannedd famwlad a oedd bob amser yn awyddus i glywed rhywbeth newydd ac na lynai, bid sicr, yn sefydlog wrth ddim.

Ei gormeswyr

13 **1.** Yr un modd, o'r diwedd, a llwyni o ormeswyr yn tyfu a bellach yn brigo'n fforest anferth, cadwodd yr ynys yr enw Rhufeinig ond nid arfer a chyfraith Rhufain; yn hytrach, gan daflu ymaith impyn o'i phlaniad chwerw ei hun, anfonodd ŵr allan i'r ddwy Âl ynghyd â thorf fawr o ddilynwyr, a chanddo lumanau ymerawdwr hefyd (nad oedd ef wedi eu

insignibus, quae nec decenter usquam gessit, non legitime, sed ritu tyrannico et tumultuante initiatum milite, Maximum mittit. **2.** Qui callida primum arte potius quam virtute finitimos quosque pagos vel provincias contra Romanum statum per retia periurii mendaciique sui facinoroso regno adnectens, et unam alarum ad Hispaniam, alteram ad Italiam extendens et thronum iniquissimi imperii apud Treveros statuens tanta insania in dominos debacchatus est ut duos imperatores legitimos, unum Roma, alium religiosissima vita pelleret. Nec mora tam feralibus vallatus audaciis apud Aquileiam urbem capite nefando caeditur, qui decorata totius orbis capita regni quodammodo deiecerat.

De duabus gentibus vastraticibus

14 Exin Britannia omni armato milite, militaribus copiis, rectoribus licet immanibus, ingenti iuventute spoliata, quae comitata vestigiis supra dicti tyranni domum nusquam ultra rediit, et omnis belli usus ignara penitus, duabus primum gentibus transmarinis vehementer saevis, Scotorum a circione, Pictorum ab aquilone calcabilis, multos stupet gemitque annos.

De defensione eius

15 **1.** Ob quarum infestationem ac dirissimam depressionem legatos Romam cum epistolis mittit, militarem manum ad se vindicandam lacrimosis postulationibus poscens et

dwyn yn deilwng yn unman), ac wedi ei ethol nid yn gyfreithlon ond yn null teyrn ac ymysg milwyr terfysglyd – nid amgen, Macsen. **2.** Gan arfer celfyddyd gyfrwys yn hytrach na gwroldeb, clymodd hwn wrth ei deyrnas ddrygionus yr holl diroedd neu daleithiau cyfagos yn erbyn y wladwriaeth Rufeinig trwy rwydau anudoniaeth a chelwydd; a chan estyn un o'i esgyll i'r Ysbaen a'r llall i'r Eidal, a gosod gorsedd ei ymerodraeth ysgeler yn Trèves, cynddeiriogodd mor orffwyll wyllt yn erbyn ei arglwyddi nes iddo, o'r ddau ymerawdwr cyfreithlon, yrru'r naill o Rufain a'r llall o'i fywyd duwiol iawn. Er ei amddiffyn gan y gweithredoedd beiddgar a dinistriol hyn, buan y torrwyd ei ben melltigedig yn ninas Aquileia: gŵr a oedd, mewn rhyw fodd, wedi dymchwel pennau coronog ymerodraeth yr holl fyd.

Ei dwy genedl a'i hysbeiliodd

14 Yna amddifadwyd Prydain o'i holl filwyr arfog, ei chyflenwadau milwrol, ei rheolwyr, er creuloned oeddynt, ac o'i gwŷr ieuainc cedyrn, a ddilynodd gamre'r teyrn uchod heb ddychwelyd adref byth eto. A hithau'n hollol anghyfarwydd yn holl arferion rhyfel, ac am y tro cyntaf yn agored i'w mathru gan ddwy genedl dramor dra milain, sef y Gwyddyl o'r gogledd-orllewin a'r Pictiaid o'r gogledd, bu'r ynys yn griddfan yn syfrdan am flynyddoedd lawer.

Ei hamddiffyn

15 **1.** Oherwydd ymosodiadau'r cenhedloedd hyn a'u gorthrwm echrydus, anfonodd Prydain genhadon gyda llythyrau i Rufain, gan erfyn, gydag ymbiliau dagreuol, am fintai

subiectionem sui Romano imperio continue tota animi virtute, si hostis longius arceretur, vovens. **2**. Cui mox destinatur legio praeteriti mali immemor, sufficienter armis instructa, quae ratibus trans oceanum in patriam advecta et cominus cum gravibus hostibus congressa magnamque ex eis multitudinem sternens et omnes e finibus depulit et subiectos cives tam atroci dilacerationi ex imminenti captivitate liberavit. **3**. Quos iussit construere inter duo maria trans insulam murum, ut esset arcendis hostibus turba instructus terrori civibusque tutamini; qui vulgo irrationabili absque rectore factus non tam lapidibus quam cespitibus non profuit.

De secunda vastatione

16 Illa domum cum triumpho magno et gaudio repedante illi priores inimici ac si ambrones lupi profunda fame rabidi, siccis faucibus ovile transilientes non comparente pastore, alis remorum remigumque brachiis ac velis vento sinuatis vecti, terminos rumpunt caeduntque omnia et quaeque obvia maturam ceu segetem metunt calcant transeunt.

De secundo ultione

17 **1.** Itemque mittuntur queruli legati, scissis, ut dicitur, vestibus, opertisque sablone capitibus, inpetrantes a Romanis auxilia ac veluti timidi pulli patrum fidissimis alis succumbentes, ne penitus misera patria deleretur nomenque

arfog i ddial ei cham, a chan addo ymddarostwng yn barhaol a chyda holl nerth calon i ymerodraeth Rhufain pe cedwid y gelyn ymhell draw. **2.** Cyn hir paratowyd iddi leng, a fwriasai dros gof ddrygioni'r gorffennol, wedi ei chyflawn arfogi. Wedi iddi groesi'r môr mewn llongau i Brydain, aeth i'r afael â'r gelynion gormesol; medodd dorf fawr ohonynt, gyrrodd y cwbl o'r cyffiniau, a gwaredodd drigolion a ddioddefasai gigyddio mor erchyll rhag y caethiwed a'u bygythiai. **3.** Gorchmynnwyd iddynt godi mur ar draws yr ynys rhwng y ddau fôr fel y byddai, o'i gyflenwi â gwarchodlu, yn ddychryn i elyn yr oedd angen ei gadw draw ac yn amddiffynfa i'r dinasyddion. Ni fu hwn, a oedd wedi ei wneud nid yn gymaint o feini ag o dyweirch, yn fanteisiol i giwed ddifeddwl amddifad o arweinydd.

Ei hysbeilio yr ail waith

16 A'r lleng honno'n dychwelyd adref yn fawr ei buddugoliaeth a'i llawenydd, wele'r hen elynion, megis bleiddiaid rheibus, cynddeiriog gan fawr newyn, ar ôl eu cludo drosodd gan rwyfau adeiniog a breichiau'r rhwyfwyr a hwyliau llawn o ymchwydd y gwynt, yn neidio'n safnrhwth i mewn i'r gorlan ddifugail, gan dorri trwy ffiniau'r wlad, difa popeth, medi beth bynnag a safai yn eu ffordd fel pe bai'n ŷd wedi aeddfedu, mathru dan draed, a cherdded drwy'r tir.

Ei hail ddialedd

17 **1.** Yr un modd, anfonwyd cenhadon ymbilgar, a'u dillad wedi eu rhwygo (ys dywedir) a'u pennau wedi eu gorchuddio â llwch, a'u hymddygiad fel eiddo cywion ofnus yn ymwasgu dan adenydd diogel eu rhieni, i sicrhau cymorth gan y

Romanorum, quod verbis tantum apud eos auribus resultabat, vel exterarum gentium opprobrio obrosum vilesceret. **2.** At illi, quantum humanae naturae possibile est, commoti tantae historia tragoediae, volatus ceu aquilarum equitum in terra, nautarum in mari cursus accelerantes, inopinatos primum, tandem terribiles inimicorum cervicibus infigunt mucronum ungues, casibusque foliorum tempore certo adsimilandam hisdem peragunt stragem, ac si montanus torrens crebris tempestatum rivulis auctus sonoroque meatu alveos exundans ac sulcato dorso fronteque acra, erectis, ut aiunt, ad nebulas undis (luminum quibus pupilli, persaepe licet palpebrarum convolatibus innovati, adiunctis rimarum rotantium lineis fuscantur) mirabiliter spumans, ast uno obiectas sibi evincit gurgite moles. **3.** Ita aemulorum agmina auxiliares egregii, si qua tamen evadere potuerant, praepropere trans maria fugavaerunt, quia anniversarias avide praedas nullo obsistente trans maria exaggerabant.

18 **1.** Igitur Romani, patriae denuntiantes nequaquam se tam laboriosis expeditionibus posse frequentius vexari et ob imbelles erraticosque latrunculos Romana stigmata, tantum talemque exercitum, terra ac mari fatigari, sed ut potius sola consuescendo armis ac viriliter dimicando terram substantiolam coniuges liberos et, quod his maius est, libertatem vitamque totis viribus vindicaret, et gentibus nequaquam sibi fortioribus, nisi segnitia et torpore dissolveretur, inermes vinculis vinciendas nullo modo, sed instructas peltis

Rhufeiniaid rhag i'w gwlad annedwydd ddioddef llwyr ddinistr ac i enw Rhufain (a adleisiai yn eu clustiau fel gair yn unig), o'i gnoi gan gegau sarhaus cenhedloedd estron, fynd yn ddiwerth. **2.** Wedi eu cynhyrfu gymaint ag sy'n bosibl i'r natur ddynol gan hanes y fath drychineb, ysbardunodd y Rhufeiniaid gyrchoedd eu marchogion ar y tir a'u morwyr ar y môr, cyrchoedd a oedd megis eiddo eryrod; planasant ewinedd eu cleddyfau, a oedd yn annisgwyl i ddechrau ac yn ddychrynllyd yn y diwedd, yng ngyddfau eu gelynion a gwneud cyflafan y gellir ei chyffelybu i ddisgyniad dail yn eu hamser apwyntiedig. Roeddynt fel llifeiriant ar fynydd wedi ei chwyddo gan ffrydiau lawer ar ôl stormydd ac ar drystfawr hynt yn torri ei lannau, yn rhychog ei gefn a ffyrnig ei olwg, ei ddyfroedd, ys dywedir, yn ymddyrchafu hyd y cymylau (ac yn cymylu ein llygaid, er adfywio'r rheini yn fynych gan symudiadau'r amrannau, â chydgyfarfyddiad llinellau eu holltau chwyrlïol), yn ewynnu'n rhyfeddol ac *ag un rhuthr yn dymchwel y rhwystrau yn ei ffordd.* **3.** Fel hyn y gyrrodd ein cynorthwywyr ardderchog ar unwaith dorfeydd y gelyn ar ffo dros y moroedd, os oedd dianc, yn wir, yn bosibl iddynt: oherwydd dros y moroedd y buasent, heb neb i wrthwynebu, yn pentyrru'n farus eu hanrheithiau blynyddol.

18 **1.** Gan hynny, hysbysodd y Rhufeiniaid ein mamwlad nad oedd dichon iddynt, ar un cyfrif, gael eu haflonyddu'n rhy fynych gan ymgyrchoedd mor llafurfawr, nac i faneri'r Rhufeiniaid – y fyddin fawr a gwych honno – gael eu blino ar dir a môr oherwydd pobl anrhyfelgar a rhyw ladronach crwydrol. Anogasant y famwlad, yn hytrach, i sefyll ar ei thraed ei hun, a thrwy ymgynefino ag arfau ac ymladd yn ddewr i amddiffyn â'i holl nerth ei thir, ei heiddo, ei gwragedd, ei phlant, ac, yn bwysicach, ei rhyddid a'i bywyd; ac i beidio, mewn un modd, estyn dwylo di-arf i'w rhwymo gan genhedloedd nad oeddynt

ensibus hastis et ad caedem promptas protenderet manus, suadentes, **2**. quia et hoc putabant aliquid derelinquendo populo commodi adcrescere, murum non ut alterum, sumptu publico privatoque adiunctis secum miserabilibus indigenis, solito structurae more, tramite a mari usque ad mare inter urbes, quae ibidem forte ob metum hostium collocatae fuerant, directo librant; fortia formidoloso populo monita tradunt, exemplaria instituendorum armorum relinquunt. **3.** In litore quoque oceani ad meridianam plagam, quo naves eorum habebantur, quia et inde barbaricae ferae bestiae timebantur, turres per intervalla ad prospectum maris collocant, et valedicunt tamquam ultra non reversuri.

De tertia vastatione

19 **1.** Itaque illis ad sua remeantibus emergunt certatim de curucis, quibus sunt trans Tithicam vallem evecti, quasi in alto Titane incalescenteque caumate de artissimis foraminum caverniculis fusci vermiculorum cunei, tetri Scottorum Pictorumque greges, moribus ex parte dissidentes, sed una eademque sanguinis fundendi aviditate concordes furciferosque magis vultus pilis quam corporum pudenda pudendisque proxima vestibus tegentes, cognitaque condebitorum reversione et reditus denegatione solito confidentiores omnem aquilonalem extremamque terrae partem pro indigenis muro tenus capessunt. **2.** Statuitur ad haec in edito arcis acies, segnis ad pugnam,

yn gryfach na hi o gwbl oll – oni ddigwyddai iddi fynd yn feddal gan ddiogi a syrthni – eithr dwylo wedi eu harfogi â tharianau, cleddyfau a gwaywffyn, a pharod i ladd. **2.** Ac am eu bod yn meddwl y byddai'n fantais ychwanegol i bobl yr oeddynt am eu gadael, cododd y Rhufeiniaid fur, gwahanol i'r llall, ag arian cyhoeddus a phreifat, gan gynnwys y trigolion anhapus hwythau yn y gwaith: mur yn ôl y dull arferol o adeiladu, a ymestynnai yn llinell unionsyth o fôr i fôr rhwng trefi a oedd wedi eu lleoli yno efallai o ofn y gelyn; rhoddasant gynghorion grymus i bobl ddychrynedig, a gadael ar eu holau esiamplau ar gyfer gwneud arfau. **3.** Ar yr arfordir hefyd, tua'r de, lle cedwid eu llongau, gosodasant dyrau bob yn hyn a hyn yn wynebu ar y môr oherwydd ofn bwystfilod gwyllt o farbariaid o'r cyfeiriad hwnnw yn ogystal, a chanasant yn iach fel dynion heb fwriad dychwelyd byth eto.

Ei hysbeilio y drydedd waith

19 **1.** Felly pan oeddynt yn dychwelyd adref, wele'n dod yn awchus o'r coryglau a'u cludodd dros ddyffryn y môr, megis heidiau cethin o bryfetach o gegau cyfyng eu hogofeydd bach pan fo'r haul yn uchel a'r gwres yn codi, dyrrau dychrynllyd o Sgotiaid a Phictiaid. Roeddynt ryw gymaint yn wahanol yn eu harferion ond yn unfath o ran eu hawch am dywallt gwaed, ac yn chwanocach i orchuddio eu hwynebau milain â blew na'u haelodau dirgel a'r mannau cyfagos â dillad. Wedi iddynt ddeall bod ein cynorthwywyr wedi ymadael a'u bod yn gwrthod dychwelyd, aethant yn fwy hyderus fyth a chipio'r cwbl o eithafdir gogleddol yr ynys oddi ar y trigolion hyd at y Mur. **2.** I'w gwrthwynebu, gosodwyd gwarchodlu yn uchelfannau'r

inhabilis ad fugam, trementibus praecordiis inepta, quae diebus ac noctibus stupido sedili marcebat. Interea non cessant uncinata nudorum tela, quibus miserrimi cives de muris tracti solo allidebantur. Hoc scilicet eis proficiebat immaturae mortis supplicium qui tali funere rapiebantur, quo fratrum pignorumque suorum miserandas imminentes poenas cito exitu devitabant.

De fame eius

3. Quid plura? Relictis civitatibus muroque celso iterum civibus fugae, iterum dispersiones solito desperabiliores, iterum ab hoste insectationes, iterum strages accelerantur crudeliores; et sicut agni a lanionibus, ita deflendi cives ab inimicis discerpuntur ut commoratio eorum ferarum assimilaretur agrestium. **4.** Nam et ipsos mutuo, perexigui victus brevi sustentaculo miserrimorum civium latrocinando, temperabant: et augebantur externae clades domesticis motibus, quod huiuscemodi tam crebris direptionibus vacuaretur omnis regio totius cibi baculo, excepto venatoriae artis solacio.

De epistolis eius ad Agitium

20 **1.** Igitur rursum miserae mittentes epistolas reliquiae ad Agitium Romanae potestatis virum, hoc modo loquentes: *Agitio ter consuli gemitus Britannorum*; et post pauca querentes: *repellunt barbari ad mare, repellit mare ad barbaros;*

amddiffynfa, un hwyrfrydig i ymladd, afrosgo i ffoi, lletchwith gan lwfrdra, a ddihoenai ddydd a nos ar ei wyliadwriaeth ynfyd. Yn y cyfamser, ni fu pall ar y picellau bachog a daflai'r gelynion noeth, gan lusgo'r dinasyddion anffodus oddi ar y muriau a'u hyrddio i'r ddaear. Roedd gwewyr marwolaeth annhymig yn fantais, yn wir, i'r rhai a gipiwyd gan angau o'r fath gan iddynt, trwy eu diwedd buan, osgoi'r arteithiau alaethus a fygythiai eu brodyr a'u hanwyliaid.

Ei newyn

3. Beth rhagor a ddywedaf? A'r dinasoedd a'r Mur uchel wedi eu gadael, drachefn dyma'r dinasyddion yn ffoi, drachefn dyma wasgaru mwy diobaith nag erioed, drachefn dyma erlid gan y gelyn, drachefn dyma amlhau cyflafanau creulonach fyth. Ac megis ŵyn gan gigyddion, felly y rhwygid y dinasyddion truain yn ddarnau gan y gelyn, nes gallu cyffelybu eu dull o fyw i eiddo anifeiliaid gwyllt. **4.** Oherwydd, a chynhaliaeth o ychydig fwyd byr ei barhad ar gael ar gyfer y dinasyddion anffodus, ymddygent hefyd trwy ei ladrata oddi ar ei gilydd. Ffyrnigid trychinebau o'r tu allan gan derfysgoedd cartref, oherwydd trwy ysbeilio mor fynych o'r fath câi'r rhandir cyfan ei amddifadu o gynhaliaeth pob bwyd, ac eithrio hwnnw a gaent i'w cysuro trwy gelfyddyd hela.

Ei llythyr at Agitius

20 **1**. Gan hynny, anfonodd gweddill truenus y bobl lythyr drachefn at Agitius, gŵr o awdurdod dan y Rhufeiniaid, gan ei gyfarch fel hyn: *At Aetius, conswl deirgwaith, griddfanau'r Brythoniaid*; ac ychydig wedi hynny, dan gwyno: *Gwthia'r barbariaid ni yn ôl tua'r môr, a gwthia'r môr ni yn ôl tuag at*

inter haec duo genera funerum aut iugulamur aut mergimur; nec pro eis quicquam adiutorii habent.

2. Interea famis dira ac famosissima vagis ac nutabundis haeret, quae multos eorum cruentis compulit praedonibus sine dilatione victas dare manus, ut pauxillum ad refocillandam animam cibi caperent, alios vero nusquam: quin potius de ipsis montibus, speluncis ac saltibus, dumis consertis continue rebellabant.

De victoria eius

3. Et tum primum inimicis per multos annos praedas in terra agentibus strages dabant, non fidentes in homine, sed in Deo, secundum illud Philonis: *necesse est adesse divinum, ubi humanum cessat auxilium*. Quievit parumper inimicorum audacia nec tamen nostrorum malitia; recesserunt hostes a civibus nec cives a suis sceleribus.

De sceleribus eius

21 **1.** Moris namque continui erat genti, sicut et nunc est, ut infirma esset ad retundenda hostium tela et fortis esset ad civilia bella et peccatorum onera sustinenda, infirma, inquam, ad exequenda pacis ac veritatis insignia et fortis ad scelera et mendacia. Revertuntur ergo impudentes grassatores Hiberni domos, post non longum temporis reversuri. Picti in extrema parte insulae tunc primum et deinceps requieverunt, praedas et contritiones nonnumquam facientes.

y barbariaid; rhwng y ddau fath hyn o farwolaeth fe'n lleddir ynteu ein boddi. Ac ni dderbyniasant gymorth.

2. Yn y cyfamser, gwasgai newyn enbyd, mawr y sôn amdano, ar y bobl grwydrol ac ansefydlog, a gorfododd lawer ohonynt i estyn dwylo gorchfygedig yn ddi-oed tuag at y lladron gwaedlyd er mwyn cael tamaid o fwyd i'w dadebru. Ond nid effeithiodd felly ar eraill yn unman: yn hytrach, gwrthryfelent yn ddi-baid, ie, o'r mynyddoedd eu hunain, o ogofeydd a choedwigoedd, a dryslwyni tewfrig.

Ei buddugoliaeth

3. Ac yna am y tro cyntaf, gan ymddiried nid mewn dyn ond yn Nuw yn unol â'r gair hwnnw o eiddo Philo: *rhaid wrth gymorth dwyfol pan ballo'r dynol*, dechreusant wneud lladdfeydd mawr ar y gelyn, a fuasai ers blynyddoedd lawer yn anrheithio'r tir. Tawelodd hyfder y gelyn am ennyd fach ond nid drygioni ein pobl; ciliodd y gelyn oddi wrth y dinasyddion ond nid felly y dinasyddion oddi wrth eu camweddau.

Ei chamweddau

21 **1.** Oherwydd arfer cyson y genedl hon, megis heddiw hefyd, oedd bod yn wan yn gwrthsefyll picellau'r gelyn ac yn gryf yn cynnal rhyfeloedd cartref a beichiau pechodau; yn wan, meddaf, yn canlyn baneri heddwch a gwirionedd ac yn gryf yn troseddu a chelwydda. Aeth y gwylliaid digywilydd o Wyddyl, felly, yn ôl adref, i ddychwelyd eto cyn pen hir. Y pryd hwnnw, am y tro cyntaf ac o hynny ymlaen, ymsefydlodd y Pictiaid yng nghwr eithaf yr ynys, gan ysbeilio a difrodi weithiau.

2. In talibus itaque indutiis desolato populo saeva cicatrix obducitur, fame alia virulentiore tacite pullulante. Quiescente autem vastitate tantis abundantiarum copiis insula affluebat ut nulla habere tales retro aetas meminisset, cum quibus omnimodis et luxuria crescit. Crevit etenim germine praepollenti, ita ut competenter eodem tempore diceretur: *omnino talis auditur fornicatione qualis nec inter gentes*.

3. Non solum vero hoc vitium, sed et omnia quae humanae naturae accidere solent, et praecipue, quod et nunc quoque in ea totius boni evertit statum, odium veritatis cum assertoribus amorque mendacii cum suis fabricatoribus, susceptio mali pro bono, veneratio nequitiae pro benignitate, cupido tenebrarum pro sole, exceptio Satanae pro angelo lucis. **4.** Ungebantur reges non per Deum sed qui ceteris crudeliores extarent, et paulo post ab unctoribus non pro veri examinatione trucidabantur aliis electis trucioribus. Si quis vero eorum mitior et veritati aliquatenus propior videretur, in hunc quasi Britanniae subversorem omnium odia telaque sine respectu contorquebantur, **5.** et omnia quae displicuerunt Deo et quae placuerunt aequali saltem lance pendebantur, si non gratiora fuissent displicentia; ita ut merito patriae illud propheticum, quod veterno illi populo denuntiatum est, potuerit aptari, *filii* inquiens *sine lege, dereliquistis Deum, et ad iracundiam provocastis sanctum Israel. Quid adhuc percutiemini apponentes iniquitatem? Omne caput languidum et omne cor maerens: a planta pedis usque ad verticem non est in eo sanitas*. **6.** Sicque agebant cuncta quae saluti contraria fuerint,

2. Ac felly yn ystod cadoediadau o'r fath iacheid craith dostlem y bobl amddifad. Tra oedd newyn arall, mwy gwenwynig, yn blaguro'n ddistaw, ond yr anrheithio'n tawelu, gorlifai'r ynys â chyflenwadau mor fawr o olud fel na chofiai'r un oes am feddiannu dim tebyg cyn hynny, a chyda'r pethau hyn fe dyfodd pob math o anlladrwydd. Tyfodd, yn wir, gan ymwreiddio'n nerthol, fel y dywedid yn briodol yr adeg honno: *Clywir, yn bendifaddau, am buteindra nad oes mo'i fath hyd yn oed ymysg y cenhedloedd.*
3. Nid y drwg hwn yn unig, yn wir, a brifiodd, ond pob un hefyd y mae'r natur ddynol yn gyffredinol yn dueddol iddo, ac yn enwedig yr un sydd heddiw yn dinistrio yn ogystal gyflwr popeth da yn yr ynys, sef casineb at y gwirionedd a'i amddiffynwyr a chariad at anwiredd a'i ddyfeiswyr, cofleidio drygioni yn lle daioni, addoli dihirwch yn lle caredigrwydd, chwenychu'r cysgodion yn lle'r haul, croesawu Satan yn angel goleuni. **4.** Eneinid brenhinoedd nid yn enw Duw ond er mwyn iddynt ragori ar eraill mewn creulonder, ac ymhen ychydig llofruddid hwy gan eu heneinwyr heb ddim ymchwiliad i'r gwirionedd ac ethol rhai mwy bwystfilaidd fyth. Ped ymddangosai un ohonynt, fodd bynnag, yn dirionach a rhywfaint yn nes at y gwirionedd na'r lleill, hyrddid yn erbyn hwn, heb ddim parch, bicellau casineb pawb, fel pe bai'n ddinistriwr Prydain; **5.** ac roedd popeth a oedd wrth fodd Duw neu'n gas ganddo yn gyfartal eu pwysau, o leiaf, yn y fantol, os nad, yn wir, yr oedd y pethau cas ganddo'n fwy derbyniol; fel y gellid cymhwyso i'n mamwlad ni gyda chyfiawnder y geiriau a ddatganodd y proffwyd yn erbyn y bobl honno gynt: *Yr ydych chwi feibion digyfraith*, meddai, *wedi cefnu ar Dduw, ac yr ydych wedi cyffroi Sanct Israel i ddigofaint. I beth y trewir chwi mwyach a chwithau'n ychwanegu drygioni? Mae pob pen yn wan a phob calon yn galaru; o wadn y troed hyd at y corun nid oes unman iach ynddo.* **6.** Fel hyn gwnaent bopeth a oedd

ac si nihil mundo medicinae a vero omnium medico largiretur. Et non solum haec saeculares viri, sed et ipse grex Domini eiusque pastores, qui exemplo esse omni plebe debuerint, ebrietate quam plurimi quasi vino madidi torpebant resoluti et animositatum tumore, iurgiorum contentione, invidiae rapacibus ungulis, indiscreto boni malique iudicio carpebantur, ita ut perspicue, sicut et nunc est, *effundi* videretur *contemptio super principes, seduci vanis eorum et errare in invio et non in via.*

De nuntiatis subito hostibus eius

22 **1.** Interea volente Deo purgare familiam suam et tanta malorum labe infectam auditu tantum tribulationis emendare, non ignoti rumoris penniger ceu volatus arrectas omnium penetrat aures iamiamque adventus veterum volentium penitus delere et inhabitare solito more a fine usque ad terminum regionem. Nequaquam tamen ob hoc proficiunt, sed comparati iumentis insipientibus strictis, ut dicitur, morsibus rationis frenum offirmantes, per latam diversorum vitiorum morti proclive ducentem, relicto salutari licet arto itinere, discurrebant viam.

De famosa peste eius

2. Dum ergo, ut Salomon ait, *servus durus non emendatur verbis*,

yn groes i iachawdwriaeth, megis pe na bai dim meddyginiaeth wedi ei rhoi i'r byd gan wir Feddyg pawb. Ac nid gwŷr lleyg yn unig a wnâi hyn, ond praidd yr Arglwydd hefyd a'i fugeiliaid, a ddylasai fod yn esiampl i'r holl bobl; aeth llawer iawn ohonynt, fel pe baent wedi eu mwydo mewn gwin trwy feddwi, yn swrth a llegach, ac yn gymaint ysglyfaeth i elyniaethau cynyddol, cynhennau chwyrn, crafangau rheibus cenfigen, barnedigaethau na wahaniaethent rhwng y da a'r drwg, fel y gellid gweld yn glir iawn, fel sydd yn wir heddiw, fod *dirmyg yn cael ei dywallt ar dywysogion, eu bod yn cael eu llithio gan eu gwagedd a'u bod yn crwydro mewn lle diarffordd ac nid ar y ffordd iawn.*

Ei gelynion a hysbyswyd iddi yn sydyn

22 **1.** Yn y cyfamser, a Duw yn dymuno puro ei deulu ac, am ei fod wedi ei ddifwyno gan gymaint pla o ddrygau, ei ddiwygio trwy i'r aelodau *glywed* yn unig am drallod, fe ddaeth i glustiau astud pawb ohonynt, megis ehediad adeiniog, si nid anghyfarwydd iddynt, fod eu hen elynion eisoes wedi cyrraedd â'u bryd ar lwyr ddinistr ac, yn unol â'u harfer, ar gyfanheddu'r rhandir o ben bwygilydd iddo. Fodd bynnag, nid elwasant ddim oll o'r newydd hwn, eithr, fel anifeiliaid disynnwyr, gan wasgu ffrwyn rheswm â dannedd tynn (ys dywedir), dechreusant redeg yn ôl ac ymlaen ar hyd ffordd lydan yr amryfal wydiau sy'n arwain tuag i waered i angau, gan ymadael â'r llwybr sydd, er ei guled, yn achub.

Ei phla enwog

2. *Ni chywirir â geiriau*, chwedl Solomon, *y gwas ystyfnig,* fflangellir yr ynfyd ac nis teimla. Oherwydd trawodd haint

flagellatur stultus et non sentit, pestifera namque lues feraliter insipienti populo incumbit, quae in brevi tantam eius multitudinem remoto mucrone sternit, quantam ne possint vivi humare. Sed ne hac quidem emendantur, ut illud Esaiae prophetae in eo quoque impleretur dicentis: *et vocavit Deus ad planctum et ad calvitium et ad cingulum sacci: ecce vitulos occidere et iugulare arietes, ecce manducare et bibere et dicere: manducemus et bibamus, cras enim moriamur.*

De superbo tyranno et de consilio eius

3. Appropinquabat siquidem tempus quo eius iniquitates, ut olim Amorrhaeorum, complerentur. Initur namque consilium quid optimum quidve saluberrimum ad repellendas tam ferales et tam crebras supra dictarum gentium irruptiones praedasque decerni deberet.

23 **1.** Tum omnes consiliarii una cum superbo tyranno caecantur, adinvenientes tale praesidium, immo excidium patriae ut ferocissimi illi nefandi nominis Saxones Deo hominibusque invisi, quasi in caulas lupi, in insulam ad retundendas aquilonales gentes intromitterentur. **2.** Quo utique nihil ei usquam perniciosius nihilque amarius factum est. O altissimam sensus caliginem! o desperabilem crudamque mentis hebetudinem! Quos propensius morte, cum abessent, tremebant, sponte, ut ita dicam, sub unius tecti culmine invitabant: *stulti principes*, ut dictum est, *Taneos dantes Pharaoni consilium insipiens*.

dinistriol y bobl hurt hyn gyda chanlyniadau alaethus, a llorio mewn byr amser, heb gleddyf yn agos, lu mor fawr ohonynt fel na fedrai'r byw gladdu eu meirw. Ond ni ddiwygiwyd hwy hyd yn oed gan y pla hwn, fel y cyflawnwyd ynddynt hwythau hefyd air y proffwyd Eseia pan ddywed: *A galwodd Duw am alaru ac eillio pen a gwregysu â sachliain: wele ladd lloi a lladd meheryn, wele fwyta ac yfed a dweud: Gadewch inni fwyta ac yfed, oherwydd yfory byddwn farw.*

Ei theyrn balch a'i chyngor

3. Fel hyn dynesai'r adeg pryd y byddid yn cyflawni anwireddau'r wlad, megis eiddo'r Amoriaid gynt. Oherwydd cynhaliwyd cyngor ynghylch beth y dylid penderfynu arno fel y ffordd orau a diogelaf i droi yn ôl ruthriadau ac ysbeiliadau mor ddifaol ac mor fynych y cenhedloedd uchod.

23 **1.** Yna dallwyd yr holl gynghorwyr, ynghyd â'r teyrn balch, pan ddyfeisiasant yr amddiffyn hwn – dinistr, yn wir – i'w mamwlad, sef derbyn i mewn i'r ynys, fel bleiddiaid i ganol corlannau, y Sacsoniaid ffyrnig hynny, melltigedig eu henw ac atgas gan Dduw a dynion, er mwyn hel yn eu holau y cenhedloedd gogleddol. **2.** Ni wnaethpwyd dim mwy niweidiol, yn sicr, na dim chwerwach i'r ynys yn unman na hyn. Y fath dywyllwch synnwyr dudew! Y fath hurtrwydd meddwl anobeithiol ac affwysol! Câi'r dynion a ofnent yn eu habsenoldeb yn fwy nag angau eu gwahodd ganddynt o'u gwirfodd, os caf ddweud felly, dan orchudd yr un to. *Tywysogion ffôl Soan*, ys dywedir, *yn rhoi cyngor hurt i Pharo.*

De saeviore multo primis hoste eius

3. Tum erumpens grex catulorum de cubili leaenae barbarae, tribus, ut lingua eius exprimitur, cyulis, nostra longis navibus, secundis velis omine auguriisque, quibus vaticinabatur, certo apud eum praesagio, quod ter centum annis patriam, cui proras librabat, insideret, centum vero quinquaginta, hoc est dimidio temporis, saepius vastaret, **4.** evectus, primum in orientali parte insulae iubente infausto tyranno terribiles infixit ungues, quasi pro patria pugnaturus sed eam certius impugnaturus. Cui supradicta genetrix, comperiens primo agmini fuisse prosperatum, item mittit satellitum canumque prolixiorem catastam, quae ratibus advecta adunatur cum manipularibus spuriis. Inde germen iniquitatis, radix amaritudinis, virulenta plantatio nostris condigna meritis, in nostro cespite, ferocibus palmitibus pampinisque pullulat. **5.** Igitur intromissi in insulam barbari, veluti militibus et magna, ut mentiebantur, discrimina pro bonis hospitibus subituris, impetrant sibi annonas dari: quae multo tempore impertitae clauserunt, ut dicitur, canis faucem. Item queruntur non affluenter sibi epimenia contribui, occasiones de industria colorantes, et ni profusior eis munificentia cumularetur, testantur se cuncta insulae rupto foedere depopulaturos. Nec mora, minas effectibus prosequuntur.

Ei gelyn ffyrnicach o lawer na'r rhai cyntaf

3. Yna dyma genfaint o genawon yn rhuthro allan o wâl y llewes greulon mewn tair *cyula*, ys dywedant yn eu hiaith hwy am longau rhyfel ein hiaith ni, a'r gwynt yn llenwi eu hwyliau, a chydag argoel a rhagarwyddion. Yn y rhain darogenid, ar sail proffwydoliaeth sicr yn eu plith, y byddent yn meddiannu am dri chan mlynedd y wlad y cyfeiriai blaenau eu llongau tuag ati, ac am gan mlynedd a hanner – sef am hanner y cyfnod – yn anrheithio'n fynych. **4.** Hwyliasant allan, ac yn gyntaf, dan orchymyn y teyrn anffodus, suddasant eu crafangau ofnadwy yn rhan ddwyreiniol yr ynys, fel dynion â'u bryd ar ymladd dros y famwlad ond mewn gwirionedd ar ymosod arni. A hithau'n deall bod llwyddiant wedi dod i ran y fintai gyntaf, dyma fam uchod y genfaint, yr un modd, yn danfon allan ati fintai helaethach, nid ffit ond i'w gwerthu'n gaethweision, o gefnogwyr a chorgwn a hwyliodd drosodd mewn ysgraffau ac ymuno â'u cydfilwyr bastardaidd. O hynny ymlaen dechreuodd hedyn drygioni, gwreiddyn chwerwder, fel planhigyn gwenwynig teilwng o'n haeddiannau, dyfu yn ein pridd ni ynghyd ag egin a changhennau gwyllt. **5.** Gan hynny, wedi eu derbyn i'r ynys, llwyddodd y barbariaid i sicrhau rhoi cyflenwadau bwyd iddynt eu hunain, megis pe baent yn filwyr ac ar fin wynebu, fel yr honnent yn gelwyddog, beryglon mawr er mwyn eu gwestywyr hynaws. Bu i'r cyflenwadau hyn, o'u cael dros hir amser, gau genau'r ci (ys dywedir). Yr un modd, achwynasant na roddid dognau misol toreithiog iddynt, gan orliwio achosion o hyn yn fwriadol, a datganasant, pe na phentyrrid haelioni arnynt yn afratach, y byddent yn torri'r cytundeb ac yn anrheithio pob cwr o'r ynys. Ac ni fuont yn fyr o roi eu bygythion ar waith.

De urbium subversione eius

24 **1.** Confovebatur namque ultionis iustae praecedentium scelerum causa de mari usque ad mare ignis orientali sacrilegorum manu exaggeratus, et finitimas quasque civitates agrosque populans non quievit accensus donec cunctam paene exurens insulae superficiem rubra occidentalem trucique oceanum lingua delamberet. **2.** In hoc ergo impetu Assyrio olim in Iudaeam comparando completur quoque in nobis secundum historiam quod propheta deplorans ait: *incenderunt igni sanctuarium tuum in terra, polluerunt tabernaculum nominis tui*, et iterum: *Deus, venerunt gentes in hereditatem tuam; coinquinarunt templum sanctum tuum*, et cetera: **3.** ita ut cunctae coloniae crebris arietibus omnesque coloni cum praepositis ecclesiae, cum sacerdotibus ac populo, mucronibus undique micantibus ac flammis crepitantibus, simul solo sternerentur, et miserabili visu in medio platearum ima turrium edito cardine evulsarum murorumque celsorum saxa, sacra altaria, cadaverum frusta, crustis ac si gelantibus purpurei cruoris tecta, velut in quodam horrendo torculari mixta viderentur, **4.** et nulla esset omnimodis praeter domorum ruinas, bestiarum volucrumque ventres in medio sepultura, salva sanctarum animarum reverentia, si tamen multae inventae sint quae arduis caeli id temporis a sanctis angelis veherentur. Ita enim degeneraverat tunc vinea illa olim bona in amaritudinem uti raro, secundum prophetam, videretur quasi post tergum vindemiatorum aut messorum racemus vel spica.

Dymchwel ei dinasoedd

24 **1.** O fôr i fôr fe fflamiai tân dialedd cyfiawn am droseddau cynharach, a'i ddwysáu gan y llu dihirod o'r dwyrain; ac wrth iddo ddifa'r holl ddinasoedd a thiroedd cyfagos, ni phallodd, o'r foment y'i cynheuwyd, nes llosgi bron y cyfan o wyneb yr ynys a llyfu'r eigion gorllewinol â'i dafod coch, ffyrnig. **2.** Yn yr ymosodiad hwn, felly, a ddeil ei gymharu ag eiddo'r Asyriaid gynt ar Jwdea, cyflawnir ynom ninnau hefyd, yn ôl yr hanes, yr hyn a ddywed y proffwyd dan gwynfan: *Llosgasant dy gysegr â thân yn y tir, halogasant breswylfod dy enw*. A thrachefn: *O Dduw, daeth y cenhedloedd i'th etifeddiaeth, halogasant dy deml sanctaidd*, ac yn y blaen. **3.** Fel hyn medwyd i'r llawr ar yr un pryd yr holl drefedigaethau gan fynych ergydion hwrddbeiriannau, a'u holl breswylwyr ynghyd ag esgobion yr eglwys, yr offeiriaid, a'r bobl, tra oedd cleddyfau yn fflachio ar bob ochr a fflamau'n clindarddach; a – golygfa drist! – gwelid yng nghanol y strydoedd feini isaf tyrau ucheldrawst dymchweledig a muriau tal, allorau cysegredig, a darnau o gyrff dynol wedi eu gorchuddio â tholchenni ceuledig yr olwg o waed rhuddgoch, fel pe baent wedi eu cymysgu mewn rhyw winwryf erchyll; **4.** ac nid oedd claddfa o unrhyw fath heblaw mewn adfeilion tai, neu foliau bwystfilod ac adar yr awyr agored – gyda phob parch i'w heneidiau sanctaidd, os cafwyd llawer ohonynt, yn wir, y pryd hwnnw i'w dwyn gan yr angylion sanctaidd i uchelfannau nef. Oherwydd roedd y winllan, a fuasai gynt yn dda, erbyn hynny wedi dirywio'n ffrwyth mor chwerw fel mai anfynych y gwelid, chwedl y proffwyd, swp o rawnwin neu dywysen o wenith, fel petai, tu ôl i gefn y cynaeafwyr grawnwin neu'r medelwyr.

De reliquiis eius

25 **1.** Itaque nonnulli miserarum reliquiarum in montibus deprehensi acervatim iugulabantur: alii fame confecti accedentes manus hostibus dabant in aevum servituri, si tamen non continuo trucidarentur, quod altissimae gratiae stabat loco: alii transmarinas petebant regiones cum ululatu magno ceu celeumatis vice hoc modo sub velorum sinibus cantantes: *dedisti nos tamquam oves escarum et in gentibus dispersisti nos*: alii montanis collibus minacibus praeruptis vallatis et densissimis saltibus marinisque rupibus vitam suspecta semper mente credentes, in patria licet trepidi perstabant.

2. Tempore igitur interveniente aliquanto, cum recessissent domum crudelissimi praedones, roborante Deo reliquiae, quibus confugiunt undique de diversis locis miserrimi cives, tam avide quam apes alveari procella imminente, simul deprecantes eum toto corde et, ut dicitur, innumeris *onerantes aethera votis*, ne ad internicionem usque delerentur, **3.** duce Ambrosio Aureliano viro modesto, qui solus forte Romanae gentis tantae tempestatis collisione occisis in eadem parentibus purpura nimirum indutis superfuerat, cuius nunc temporibus nostris suboles magnopere avita bonitate degeneravit, vires capessunt, victores provocantes ad proelium: quis victoria Domino annuente cessit.

Ei goroeswyr

25 **1.** Delid rhai o'r gweddillion truenus, o ganlyniad, ar y mynyddoedd a'u difa'n domennydd. Âi eraill, wedi eu trechu gan newyn, at y gelyn ac ildio'u hunain yn gaethweision iddynt am byth – onis lleddid yn y fan a'r lle, yr hyn a gyfrifid cystal â'r gymwynas bennaf. Ceisiai eraill wledydd tramor gan wylofain yn uchel fel pe baent, yn wahanol i gainc lon y morwr dan lawn hwyliau, yn canu hyn: *Gwnaethost ni fel defaid i'w lladd, a gwasgeraist ni ymysg y cenhedloedd.* Glynai eraill, er yn ofnus, wrth eu mamwlad gan ymddiried eu bywydau, yn wastadol bryderus eu bryd, i fryniau cribog bygythiol, clogwynog a chaerog, ac i goedwigoedd tewfrig a chreigiau glannau'r môr. **2.** Ymhen rhyw gymaint o amser, gan hynny, a'r lladron creulon wedi dychwelyd adref, trwy nerth Duw dyma weddillion y bobl – yr ymdyrrodd y dinasyddion truenus atynt ar bob llaw o wahanol leoedd mor eiddgar â gwenyn yn cilio i'w cwch pan fo ystorm yn bygwth gan weddïo ar yr un pryd arno Ef â'u holl galon, ac, megis y dywedir, *gan lwytho'r awyr ag ymbiliau* afrifed na fyddai iddynt ddioddef llwyr ddinistr – dyma hwy, meddaf, **3.** dan arweiniad Ambrosius Aurelianus yn cymryd arfau yn wrol ac yn herio eu concwerwyr i ymladd. Yr oedd hwn yn ŵr bonheddig, yr unig un o'r genedl Rufeinig a ddigwyddodd oroesi ergyd tymestl mor fawr (cawsai ei rieni, pobl yn ddiau a wisgai'r porffor, eu lladd ynddi) ac yn ŵr y mae ei epil yn ein dyddiau ni wedi dirywio'n fawr oddi wrth ardderchowgrwydd eu hynafiaid. Trwy ffafr yr Arglwydd daeth buddugoliaeth i'r rhain.

De postrema patriae victoria, quae temporibus nostris Dei nutu donata est

26 **1.** Ex eo tempore nunc cives, nunc hostes, vincebant, ut in ista gente experiretur Dominus solito more praesentem Israelem, utrum diligat eum an non: usque ad annum obsessionis Badonici montis, novissimaeque ferme de furciferis non minimae stragis, quique quadragesimus quartus (ut novi) orditur annus mense iam uno emenso, qui et meae nativitatis est. **2.** Sed ne nunc quidem, ut antea, civitates patriae inhabitantur; sed desertae dirutaeque hactenus squalent, cessantibus licet externis bellis, sed non civilibus. Haesit etenim tam desperati insulae excidii insperatique mentio auxilii memoriae eorum qui utriusque miraculi testes extitere: et ob hoc reges, publici, privati, sacerdotes, ecclesiastici, suum quique ordinem servarunt. **3.** At illis decedentibus cum successisset aetas tempestatis illius nescia et praesentis tantum serenitatis experta, ita cuncta veritatis ac iustitiae moderamina concussa ac subversa sunt ut earum non dicam vestigium sed ne monimentum quidem in supra dictis propemodum ordinibus appareat, exceptis paucis et valde paucis qui ob amissionem tantae multitudinis, quae cotidie prona ruit ad tartara, tam brevis numerus habentur ut eos quodammodo venerabilis mater ecclesia in suo sinu recumbentes non videat, quos solos veros filios habet. **4.** Quorum ne quis me egregiam vitam omnibus admirabilem Deoque amabilem carpere putet, quibus nostra infirmitas in sacris orationibus ut non penitus

Buddugoliaeth derfynol y famwlad a roddwyd trwy ewyllys Duw yn ein hamseroedd ni

26 **1.** O'r adeg honno, weithiau y dinasyddion fyddai drechaf, weithiau'r gelyn, er mwyn i'r Arglwydd, yn unol â'i arfer, brofi yn y genedl hon, Israel heddiw, a yw hi'n ei garu ef ai peidio. Parhaodd hyn hyd flwyddyn gwarchae Mynydd Baddon, a'r lladdfa olaf bron, ac nid y leiaf, a wnaed ar y giwed gnafaidd, blwyddyn sydd (fel y gwn) yn cychwyn fel y bedwaredd a deugain, ac un mis ohoni eisoes wedi mynd heibio, ac sydd hefyd yn flwyddyn fy ngeni. **2.** Ond y mae dinasoedd fy mamwlad, hyd yn oed yn awr, heb bobl yn byw ynddynt megis cynt, a hyd heddiw gorweddant yn llanastr anghyfannedd, maluriedig: oherwydd er bod rhyfeloedd allanol wedi peidio, nid felly rai cartref. Glynodd y sôn am y dinistr anaele a wnaed ar yr ynys, ac am y cymorth annisgwyl a ddaeth, yng nghof y rhai a oroesodd yn dystion o'r ddau ryfeddod, ac oherwydd y cymorth hwn cadwodd brenhinoedd, pobl gyhoeddus a phreifat, offeiriaid ac eglwyswyr bob un ei briod swydd. **3.** Ond wrth iddynt farw a'u dilyn gan oes a oedd heb wybod am y dymestl honno a heb brofi ond yr heulwen bresennol, ysgytiwyd a dymchwelwyd holl amddiffynfeydd gwirionedd a chyfiawnder i'r fath raddau fel nad oes nid yn unig unrhyw arlliw o'r gwerthoedd hynny i'w gael ymysg y rhengoedd uchod ond nid cymaint hyd yn oed ag atgof. Eithriaf ychydig rai – ychydig iawn – a gyfrifir, oherwydd colli cymaint torf o bobl sydd beunydd yn mynd bendramwnwgl i uffern, yn nifer mor fach fel nad yw'r Eglwys, ein parchedig fam, rywsut yn eu gweld, ei hunig wir feibion, wrth iddynt orwedd yn ei chôl. **4.** Na feddylied neb fy mod yn bychanu buchedd ardderchog, a edmygir gan bawb ac a gerir gan Dduw, y dynion hyn y mae eu gweddïau sanctaidd yn cynnal fy ngwendid, megis â

conlabatur quasi columnis quibusdam ac fulcris saluberrimis sustentatur, si qua liberius de his, immo lugubrius, cumulo malorum conpulsus, qui serviunt non solum ventri sed diabolo potius quam *Christo, qui est benedictus in saecula Deus*, non tam disceptavero quam deflevero. Quippe quid celabunt cives quae non solum norunt sed exprobrant iam in circuitu nationes?

EPISTOLA GILDAE (continuatio)

De nequitia regum et iudicum Britanniae

27 Reges habet Britannia, sed tyrannos; iudices habet, sed impios; saepe praedantes et concutientes, sed innocentes; vindicantes et patrocinantes, sed reos et latrones; quam plurimas coniuges habentes, sed scortas et adulterantes; crebro iurantes, sed periurantes; voventes, sed continuo propemodum mentientes; belligerantes, sed civilia et iniusta bella agentes; per patriam quidem fures magnopere insectantes, sed eos qui secum ad mensam sedent non solum amantes sed et munerantes; eleemosynas largiter dantes, sed e regione inmensum montem scelerum exaggerantes; in sede arbitraturi sedentes, sed raro recti iudicii regulam quaerentes; innoxios humilesque despicientes, sanguinarios superbos parricidas commanipulares et adulteros Dei inimicos, si sors, ut dicitur, tulerit, qui cum ipso nomine certatim delendi erant, ad sidera,

cholofnau ac ategion cadarn, rhag iddo gwympo'n yfflon i'r llawr. Na feddylied neb hynny os byddaf, mewn dull rhydd – ie, galarus – ac wedi fy nghymell gan bentwr o bechodau, nid wedi barnu yn gymaint ag wedi wylo ynghylch y rheini sy'n gwasanaethu nid yn unig eu boliau ond y diafol yn hytrach na *Christ, yr hwn sydd yn Dduw bendigedig yn oes oesoedd.* Oherwydd pam y cuddia dinasyddion yr hyn y mae'r cenhedloedd o'n cwmpas nid yn unig yn ei wybod eisoes ond hefyd yn ei edliw inni?

LLYTHYR GILDAS (parhad)

Drygioni brenhinoedd a barnwyr Prydain

27 Mae gan Brydain frenhinoedd, ond gormeswyr ydynt; mae ganddi farnwyr ond rhai annuwiol; maent hwy yn fynych yn ysbeilio ac yn brawychu – y dieuog; amddiffynnant a gwarchodant – yr euog a lladron; mae ganddynt wragedd niferus – puteiniaid a benywod godinebus; tyngant yn fynych – anudonau; addunedant – gan ddweud celwyddau bron ar unwaith; codant ryfeloedd – rhyfeloedd cartref a rhai anghyfiawn; ymlidiant ladron yn ddiwyd, bid sicr, trwy'r famwlad, eithr nid yn unig gan hoffi'r lladron hynny sy'n eistedd gyda hwy wrth y bwrdd ond hefyd gan eu gwobrwyo; rhoddant elusen yn hael, ond gan bentyrru, ar y llaw arall, fynydd anferth o droseddau; cymerant eu seddi i roi barn, eithr heb ymorol ond yn anfynych am reolau barnu'n uniawn; dirmygant y diniwed a'r distadl, gan fawrygu, hyd y gallant, hyd at y sêr eu cydfilwyr, dynion gwaedlyd, balch a llofruddiog, godinebwyr a gelynion Duw, os yw ffawd, ys dywedir, yn caniatáu felly – dynion y dylid bod wedi eu dinistrio'n selog ynghyd â'u henw; cadwant laweroedd wedi eu rhwymo mewn

prout possunt, efferentes; vinctos plures in carceribus habentes, quos dolo sui potius quam merito proterunt catenis onerantes, inter altaria iurando demorantes et haec eadem ac si lutulenta paulo post saxa despicientes.

Quinque reges tyrannici accusandi: Constantinus

28 **1.** Cuius tam nefandi piaculi non ignarus est inmundae leaenae Damnoniae tyrannicus catulus Constantinus. Hoc anno, post horribile iuramenti sacramentum, quo se devinxit nequaquam dolos civibus, Deo primum iureque iurando, sanctorum demum choris et Genetrice comitantibus fretis, facturum, in duarum venerandis matrum sinibus, ecclesiae carnalisque, sub sancti abbatis amphibalo, latera regiorum tenerrima puerorum vel praecordia crudeliter duum totidemque nutritorum – **2**. quorum brachia nequaquam armis, quae nullus paene hominum fortius hoc eis tempore tractabat, sed Deo altarique protenta in die iudicii ad tuae civitatis portas, Christe, veneranda patientiae ac fidei suae vexilla suspendent – inter ipsa, ut dixi, sacrosancta altaria nefando ense hastaque pro dentibus laceravit, ita ut sacrificii caelestis sedem purpurea ac si coagulati cruoris pallia attingerent.

3. Et hoc ne post laudanda quidem merita egit, nam multis ante annis crebris alternatisque faetoribus adulteriorum victus legitima uxore contra Christi magistrique gentium interdictum depulsa dicentium: *quod Deus coniunxit, homo non separet* et

carchardai, gan eu blino â chadwyni beichus oherwydd eu dichell eu hunain yn hytrach na'u haeddiant hwy, ac ymdroant rhwng yr allorau gan dyngu llwon ac yn fuan wedyn gan ddirmygu yr union allorau hynny fel pe baent yn feini budron.

Cyhuddo pum brenin gormesol: Custennin

28 **1.** Nid yw'r pechod anhraethadwy hwn yn anhysbys i Constantinus, cenau gormesol llewes aflan Damnonia. Eleni, ar ôl math dychrynllyd o lw lle yr ymrwymodd i beidio â defnyddio ystrywiau yn erbyn dinasyddion, a hwythau'n ymddiried yn gyntaf yn Nuw a'r llw ac yn olaf yng nghwmni corawdau'r saint a'r Fam, darfu iddo, yn arffed dwy fam barchedig – sef yr eglwys a'u mam yn ôl y cnawd – ac yng ngwisg abad duwiol, rwygo ystlysau a thu mewn tyner dau fachgen brenhinol a'u dau warcheidwad; roedd eu breichiau wedi eu hestyn allan nid ar gyfer arfau o gwbl – **2.** nad oedd nemor undyn yr adeg honno yn medru eu trin yn ddewrach na hwy – ond tuag at Dduw a'r allor; a bydd y breichiau hynny, ar Ddydd Barn, yn crogi ger pyrth dinas Crist fel arwyddion parchedig o'u dioddefaint a'u ffydd. Gwnaeth hyn, meddaf, rhwng yr allorau cysegrlan gan ddefnyddio ei gleddyf melltigedig a'i waywffon fel dannedd, nes i'w clogynnau rhuddgoch o waed ceuledig (fel petai) gyffwrdd â mangre'r aberth nefol.

3. Ac ni wnaeth hyn ar ôl unrhyw weithredoedd teilwng, clodwiw, oherwydd flynyddoedd lawer ynghynt fe'i llethwyd ef gan ddrewdod gweithredoedd mynych ac olynol o odineb ar ôl gyrru ymaith ei wraig gyfreithlon yn groes i waharddiad Crist ac Athro'r cenhedloedd: *Yr hyn a gysylltodd Duw, na wahaned dyn*

viri, diligite uxores vestras. **4.** Amarissima enim quoddam de vite Sodomorum in cordis sui infructuosa bono semini gleba surculamen incredulitatis et insipientiae plantaverat, quod vulgatis domesticisque impietatibus velut quibusdam venenatis imbribus irrigatum et ad Dei offensam avidius se erigens parricidii sacrilegiique crimen produxit in medium. Sed nec adhuc priorum retibus malorum expeditus priscis recentia auget malis.

29 **1.** Age iam (quasi praesentem arguo, quem adhuc superesse non nescio) quid stupes, animae carnifex propriae? quid tibi flammas inferni voluntarie accendis nequaquam defecturas? quid inimicorum vice propriis te confodis sponte ensibus hastis? An ne ipsa quidem virulenta scelerum ac si pocula pectus tuum satiare quiverunt? **2.** Respice, quaeso, et veni ad Christum, siquidem *laboras* et inmenso pondere curvaris, et ipse te, ut dixit, *requiescere faciet*; veni ad eum, qui *non vult peccatoris mortem, sed ut convertatur et vivat; dissolve* secundum prophetam *vincula colli tui, fili Sion*; redi, rogo, e longinquis licet peccatorum recessibus ad piissimum patrem, qui despicienti porcorum sordidos cibos ac pertimescenti dirae famis mortem et *revertenti sibi* laetus *occidere* consuevit *vitulum* filio *saginatum* et *proferre primam* erranti *stolam* et regium *anulum*, **3.** et tum spei caelestis ac si saporem praegustans senties quam *suavis est Dominus*. Nam si haec contempseris, scias te inextricabilibus tenebrosisque ignium torrentibus iam iamque inferni rotandum urendumque.

a *Chwi wŷr, carwch eich gwragedd.* **4.** Oherwydd roedd wedi plannu, *o winwydden chwerw gwŷr Sodom*, ym mhridd ei galon – pridd na ddygai ffrwyth i had da – flaguryn o anghrediniaeth ac ynfydrwydd. Dyfrhawyd hwn gan gamweddau cyhoeddus a theuluol, megis gan gawodydd gwenwynig, a thyfu'n awchus er tramgwydd i Dduw nes esgor ar droseddau tadladdiad a chysegr-ysbeiliad. Ond ac yntau heb ei ryddhau eto o faglau drygau blaenorol, ychwanega ddrygau newydd at yr hen.

29 **1.** Tyrd yn awr (rwy'n dy gyhuddo fel pe bait yn bresennol, a minnau'n gwybod yn burion dy fod yn dal yn fyw), pam yr wyt yn sefyll yn hurt, lofrudd dy enaid dy hun? Pam yr wyt yn cynnau i ti dy hun o'th wirfodd fflamau uffern na diffoddant byth? Pam yr wyt, gan gyfnewid lle â'th elynion, yn trywanu dy hun yn ddigymell â'th gleddyfau a'th waywffyn? Oni allodd hyd yn oed y drachtiau gwenwynllyd hynny (megis) o'th bechodau fodloni dy galon? **2.** Edrych yn ôl, erfyniaf arnat, a thyrd at Grist gan dy fod *yn dioddef* ac yn crymu dan faich enfawr, a bydd Ef, fel y dywedodd, yn *rhoi gorffwystra* iti; tyrd ato Ef *nad yw'n dymuno marwolaeth pechadur eithr iddo droi o'i ffordd a byw*; *tor*, chwedl y proffwyd, *y cadwyni ar dy war, ferch Seion*; dychwel, ymbiliaf arnat, o guddfannau pell dy bechodau, mae'n wir, at dy Dad cariadlon y mae'n arfer ganddo, pan wrthyd ei fab gibau aflan moch ac yr ofna farw o newyn enbyd ac y *dychwel ato, ladd* yn llawen *y llo pasgedig* er ei fwyn a *dwyn allan y wisg orau* i'r crwydryn, a *modrwy* frenhinol. **3.** Y pryd hwnnw fe fyddi, gan gael rhagflas, megis, o'r gobaith nefol, yn teimlo *mor bêr yw'r Arglwydd.* Oherwydd os dirmygi'r rhybuddion hyn, boed iti wybod y cei di, yn y man, dy droelli a'th ysu gan lifeiriaint tân diddianc a dudew uffern.

Aurelius Caninus

30 **1.** Quid tu quoque, ut propheta ait, *catule leonine*, Aureli Canine, agis? Nonne eodem quo supra dictus, si non exitiabiliore parricidiorum fornicationum adulteriorumque caeno velut quibusdam marinis irruentibus tibi voraris feraliter undis? Nonne pacem patriae mortiferum ceu serpentem odiens civiliaque bella et crebras iniuste praedas sitiens animae tuae caelestis portas pacis ac refrigerii praecludis? **2.** Relictus, quaeso, iam solus ac si arbor in medio campo arescens recordare patrum fratrumque tuorum supervacuam fantasiam, iuvenilem inmaturamque mortem. Num centennis tu ob religiosa merita vel coaevus Mathusalae exceptus paene omni prole servaberis? nequaquam.

3. Sed *nisi* citius, ut psalmista ait, *conversus fueris* ad Dominum, *ensem in te vibrabit in brevi suum* rex ille qui per prophetam *ego* inquit *occidam et ego vivere faciam; percutiam et ego sanabo, et non est qui de manu mea possit eruere*. Quam ob rem *excutere de faetido pulvere* tuo et convertere ad eum toto corde, qui creavit te, ut *cum exarserit in brevi ira eius, beatus sis sperans in eum*, sin alias, aeternae te manebunt poenae conterendum saeva continue et nequaquam absumendum tartari fauce.

Cynin

30 **1.** A thithau hefyd, y *cenau llew* (ys dywed y proffwyd), beth yr wyt ti yn ei wneud, Cynin? Onid wyt tithau'n cael dy draflyncu gan yr un dom – os nad un fwy marwol – o lofruddio, puteinio, a godinebu â'r gŵr a grybwyllwyd uchod, megis gan donnau'r môr yn rhuthro arnat yn ddifaol? Onid wyt, trwy ffieiddio heddwch dy famwlad, megis pe bai'n sarff wenwynig, ac awchu'n anghyfiawn am ryfeloedd cartref a mynych ysbail, yn cau pyrth tangnefedd a diddanwch nefol ar dy enaid? **2.** A thithau bellach wedi dy adael fel coeden unig yn crino yng nghanol maestir, dwg i gof, erfyniaf arnat, sioe wag dy dadau a'th frodyr ynghyd â'u marwolaethau annhymig ym mlodau eu dyddiau. A gei dithau, ar gyfrif cymwynasau â chrefydd, yn eithriad i'r cwbl bron o'th epil, dy gadw i fyw'n gant oed, neu gyn hyned â Methwsela? Na chei ddim.
3. Ond, fel y dywed y salmydd, *oni throi* yn fuan at yr Arglwydd, *bydd* y brenin hwnnw yn y man *yn chwifio ei gleddyf* yn dy erbyn, y brenin sy'n dweud trwy'r proffwyd '*Myfi fydd yn lladd a gwneud yn fyw; myfi fydd yn archolli ac yn iacháu, ac nid oes neb a all achub o'm gafael*'. Gan hynny, *ymysgwyd o'th lwch drewllyd* a throi â'th holl galon ato ef a'th greodd fel *pan gyneuo ei lid mewn dim y byddi'n wynfydedig, gan obeithio ynddo ef*; ond fel arall, bydd poenau tragwyddol yn dy aros ac fe'th falurir yn ddi-baid heb dy lwyr ddinistrio byth gan safn ddidostur uffern.

Vortiporius

31 **1.** Quid tu quoque, pardo similis moribus et nequitiis discolor, canescente iam capite, in throno dolis pleno et ab imis vertice tenus diversis parricidiis et adulteriis constuprato, boni regis nequam fili, ut Ezechiae Manasses, Demetarum tyranne Vortipori, stupide riges? quid te tam violenti peccatorum gurgites, quos ut vinum optimum sorbes, immo tu ab eis voraris, appropinquante sensim vitae limite non satiant? quid quasi culminis malorum omnium stupro, propria tua amota coniuge eiusdemque honesta morte, impudentis filiae quodam ineluctabili pondere miseram animam oneras?

2. Ne consumas, quaeso, dierum quod reliquum est in Dei offensam, quia *nunc tempus acceptabile* et *dies salutis* vultibus paenitenium lucet, in quo bene operari potes *ne fiat fuga tua hieme vel sabbato. Diverte* secundum psalmistam *a malo et fac bonum, inquire pacem bonam et sequere eam, quia oculi Domini super te bona agentem et aures eius erunt in preces tuas et non perdet de terra viventium memoriam tuam. Clamabis et exaudiet te et ex omnibus tribulationibus tuis eruet te.* Cor siquidem contritum et humiliatum timore eius nusquam Christus spernit. Alioquin *vermis* tortionis tuae *non morietur et ignis* ustionis tuae *non extinguetur.*

Gwrthefyr

31 **1.** A thithau hefyd, pam yr wyt yn ystyfnigo'n hurt, dydi sy'n debyg i lewpart yn dy arferion ac yn frych gan ddrwgweithredoedd, sydd â'th wallt eisoes yn britho yn eistedd ar orseddfainc lawn dichellion wedi ei halogi o'i bôn i'w brig gan amryfal lofruddiaethau a godinebau, fab diffaith i frenin da (megis Manasse fab Heseceia) – nid amgen Gwrthefyr, teyrn pobl Dyfed? Pam, a therfyn dy einioes yn graddol ddynesu, nad yw'r trobyllau chwyrn o bechodau yr wyt yn eu llymeitian fel dewis win, a thithau, yn hytrach, yn cael dy draflyncu ganddynt, yn dy ddiwallu? Pam, ar ôl rhoi heibio dy wraig ac yn dilyn ei marwolaeth anrhydeddus hi, yr wyt, trwy bechod sydd megis coron ar dy holl bechodau, sef ymlosgach â'th ferch ddigywilydd, yn llwytho dy enaid claf â baich annihangol?

2. Paid â threulio, erfyniaf arnat, weddill dy ddyddiau yn tramgwyddo Duw, canys *yn awr yw'r amser cymeradwy* ac *mae dydd iachawdwriaeth* yn llewyrchu ar wynebau'r edifeiriol, pryd y medri yn hawdd beri *na bo dy ffŏedigaeth yn y gaeaf nac ar y Saboth. Tro,* chwedl y salmydd, *oddi wrth ddrygioni a gwna dda, cais heddwch daionus a'i ganlyn, oherwydd bydd llygaid yr Arglwydd arnat wrth iti wneud da a'i glustiau'n agored i'th weddïau, ac ni fydd yn dileu dy goffa o dir y rhai byw. Byddi'n gweiddi a bydd ef yn dy glywed ac yn dy waredu o'th holl gyfyngderau.* Oherwydd *nid yw Crist byth yn dirmygu calon edifeiriol sy'n ymostwng o'i ofn ef.* Fel arall, ni fydd *pryf* dy boenedigaeth *yn marw, ac ni ddiffoddir tân* dy losgi.

Cuneglasus

32 **1.** Ut quid in nequitiae tuae volveris vetusta faece et tu ab adolescentiae annis, urse, multorum sessor aurigaque currus Receptaculi Ursi, Dei contemptor sortisque eius depressor, Cuneglase, Romana lingua lanio fulve? Quare tantum certamen tam hominibus quam Deo praestas, hominibus, civibus scilicet, armis specialibus, Deo infinitis sceleribus? **2.** Quid praeter innumerabiles casus propria uxore pulsa furciferam germanam eius, perpetuam Deo viduitatis castimoniam promittentem, ut poeta ait, summam ceu teneritudinem caelicolarum, tota animi veneratione vel potius hebetudine [nympharum] contra interdictum apostoli *denegantis posse adulteros regni caelestis esse municipes* suspicis? Quid gemitus atque suspiria sanctorum propter te corporaliter versantium, vice immanis leaenae dentium ossa tua quandoque fracturae, crebris instigas iniuriis?

3. *Desine*, quaeso, ut propheta ait, *ab ira, et derelinque* exitiabilem ac temetipsum maceraturum, quem caelo ac terrae, hoc est Deo gregique eius, spiras, *furorem*. Fac eos potius mutatis pro te orare moribus, quibus suppetit supra mundum alligandi, cum in mundo reos alligaverint, et solvendi, cum paenitentes solverint, potestas. **4.** *Noli*, ut ait apostolus, *superbe sapere vel sperare in incerto divitiarum, sed in Deo, qui praestat tibi multa abunde,* ut per emendationem morum *thesaurizes tibi fundamentum bonum in futurum et habeas veram vitam*, perennem profecto, non deciduam; **5.** alioquin scies et videbis etiam in hoc saeculo

Cynlas

32 **1.** Paham yr wyt tithau hefyd yn ymdrybaeddu yn hen sorod dy ddrygioni byth oddi ar flynyddoedd dy ieuenctid, dydi arth, marchog llaweroedd a gyrrwr cerbyd rhyfel Cadarnle'r Arth, dirmygwr Duw a sathrwr ei glerigwyr, nid amgen Cuneglasus, yn yr iaith Rufeinig 'rhwygwr o flaidd melynllwyd'? Pam yr wyt yn cynnal y fath ryfel yn erbyn dynion yn ogystal â Duw – yn erbyn dynion, sef dinasyddion, ag arfau neilltuol, ac yn erbyn Duw â throseddau dirifedi? **2.** Pam, heblaw camweddau aneirif ac ar ôl hel ymaith dy wraig dy hun, yr wyt, yn groes i waharddiad yr apostol sy'n dweud *na all godinebwyr fod yn ddinasyddion teyrnas nef,* yn llygadu â holl edmygedd (neu'n hytrach hurtrwydd) dy feddwl ei chwaer gnafaidd, sydd wedi addunedu gweddwdod bythol ddiwair i Dduw, yr hyn sydd, chwedl y bardd, megis tynerwch pennaf trigolion nef? Pam yr wyt, trwy fynych gamwri, yn peri griddfanau ac ocheneidiau i'r gwŷr duwiol sy'n bresennol yn y cnawd wrth dy ochr; dannedd llewes ddychrynllyd ydynt a fydd ryw ddydd yn dryllio dy esgyrn. **3.** *Paid*, erfyniaf arnat, *â'th ddigofaint*, ys dywed y proffwyd, *a rho heibio'r cynddaredd* dinistriol a fydd yn dy boenydio dithau ac yr wyt yn ei chwythu yn erbyn nef a daear, hynny yw yn erbyn Duw a'i braidd. Newidia dy ffyrdd a gwna i'r rheini, yn hytrach, weddïo drosot sydd â'r gallu i rwymo uwchlaw'r byd, pan fônt wedi rhwymo'r euog yn y byd, ac i ryddau, pan fônt wedi rhyddhau'r edifeiriol. **4.** *Paid*, fel y dywed yr apostol, *â bod yn falch, na gobeithio yn ansicrwydd cyfoeth eithr yn Nuw sy'n rhoi llawer iti yn helaeth,* er mwyn iti, ar ôl diwygio dy fuchedd, *gael iti dy hun drysor a fydd yn sylfaen sicr ar gyfer y dyfodol a gwir fywyd* – bywyd tragwyddol, bid sicr, nid meidrol. **5.** Fel arall, cei wybod a gweld hyd yn oed yn y bywyd hwn

quam malum et amarum est reliquisse te Dominum Deum tuum et non esse timorem eius apud te et in futuro taetro ignium globo aeternorum te exuri nec tamen ullo modo mori. Siquidem tam sceleratorum sint perpeti immortales igni animae quam sanctorum laetitiae.

Maglocunus

33 **1.** Quid tu enim, insularis draco, multorum tyrannorum depulsor tam regno quam etiam vita supra dictorum, novissime stilo, prime in malo, maior multis potentia simulque malitia, largior in dando, profusior in peccato, robuste armis, sed animae fortior excidiis, Maglocune, in tam vetusto scelerum atramento, veluti madidus *vino de Sodomitana vite expresso*, stolide volutaris? **2.** Quare tantas peccaminum regiae cervici sponte, ut ita dicam, ineluctabiles, celsorum ceu montium, innectis moles? Quid te non ei regum omnium regi, qui te cunctis paene Brittaniae ducibus tam regno fecit quam status liniamento editiorem, exhibes ceteris moribus meliorem, sed versa vice deteriorem? **3.** Quorum indubitatam aequanimiter conviciorum auscultato parumper adstipulationem, omissis domesticis levioribusque, si tamen aliqua sunt levia, palata solum longe lateque per auras admissa testaturam.

4. Nonne in primis adolescentiae tuae annis avunclum regem cum fortissimis propemodum militibus, quorum vultus non catulorum

mor ddrwg a chwerw ydyw dy fod wedi cefnu ar yr arglwydd dy Dduw ac nad oes arnat ei ofn, ac y byddi yn y byd a ddaw yn cael dy losgi mewn coelcerth erchyll o fflamau tragwyddol heb farw byth. Oherwydd y mae eneidiau pechaduriaid yn profi cymaint anfarwoldeb mewn tân bythol ag eneidiau'r saint mewn llawenydd.

Maelgwn

33 **1.** A thithau, ddraig yr ynys, sydd wedi hel llawer o'r gormeswyr uchod o'u teyrnasoedd yn ogystal ag o'u bywydau, dydi sy'n olaf yn fy llith ond yn gyntaf mewn drygioni, yn fwy na llawer mewn grym ac ar yr un pryd mewn malais, yn haelach yn rhoi, yn afratach mewn pechod, yn gadarn mewn arfau ond yn gryfach yn y pethau sy'n lladd yr enaid – nid amgen Maelgwn: pam yr wyt yn ymdrybaeddu'n hurt mewn inc pygddu mor hen o droseddau, fel un wedi meddwi ar *win a wasgwyd o winwydden Sodom*? **2.** Pam yr wyt o'th wirfodd yn clymu wrth dy wddf brenhinol y fath lwythi mawr diollwng o bechodau (os caf fynegi'r peth felly) megis mynyddoedd uchel? Pam na ddangosi dy hun i Frenin yr holl frenhinoedd, a'th wnaeth yn uwch na'r cwbl bron o arweinwyr Prydain, yn dy deyrnas yn ogystal ag yn dy gorffolaeth – pam, meddaf, na ddangosi dy hun iddo fel un gwell na'r lleill o ran cymeriad ac nid, i'r gwrthwyneb, fel un gwaeth? **3.** Rho glust amyneddgar am ennyd i adroddiad diamau o'r achwynion hyn, adroddiad a fydd – heb gynnwys materion teuluol a rhai ysgafnach (os oes rhai ysgafn hefyd) – yn tystio i'r troseddau hynny yn unig o'th eiddo sydd wedi crwydro ymhell, a'u cydnabod yn eang ar awelon y gwynt.

4. Oni orthrymaist, ym mlynyddoedd cynnar dy ieuenctid, dy ewythr y brenin, ynghyd â'r dewraf bron o'i filwyr, a oedd â'u

leonis in acie magnopere dispares visebantur, acerrime ense hasta igni oppressisti, parum cogitans propheticum dictum, *viri*, inquiens, *sanguinum et doli non dimidiabunt dies suos*? **5.** Quid pro hoc solo retributionis a iusto iudice sperares, etsi non talia sequerentur quae secuta sunt, itidem dicente per prophetam: *vae tibi qui praedaris, none et ipse praedaberis? et qui occidis, nonne et ipse occideris? et cum desiveris praedari, tunc cades*?

34 **1.** Nonne postquam tibi ex voto violenti regni fantasia cessit, cupiditate inlectus ad viam revertendi rectam, diebus ac noctibus id temporis, conscientia forte peccaminum remordente, de deifico tenore monachorumque decretis sub dente primum multa ruminans, dein popularis aurae cognitioni proferens, monachum sine ullo infidelitatis, ut aiebas, respectu coram omnipotente Deo, angelicis vultibus humanisque, **2.** ruptis, ut putabatur, capacissimis illis quibus praecipitanter involvi solent pingues tauri moduli tui retibus, omnis regni auri argenti et quod his maius est propriae voluntatis distentionibus ruptis, perpetuo vovisti, et tete, ac si stridulo cavum lapsu aerem valide secantem saevosque rapidi harpagones accipitris sinuosis flexibus vitantem ad sanctorum tibi magnopere fidas speluncas refrigeriaque salubriter rapuisti ex corvo columbam?

3. O quanta ecclesiae matri laetitia, si non te cunctorum mortalium hostis de sinu quodammodo eius lugubriter abstraxisset, foret! o quam profusus spei caelestis fomes desperatorum cordibus, te in bonis permanente, inardesceret! o qualia quantaque animam

trem ar faes y gad heb fod yn annhebyg iawn i eiddo cenawon llew, yn dost iawn â chleddyf, gwaywffon a thân heb feddwl fawr o eiriau'r proffwyd: *Ni fydd gwŷr gwaedlyd a thwyllodrus yn byw hanner eu dyddiau*? **5.** Am yr anfadwaith hwn yn unig, pa ddial a ddisgwylit gan y barnwr cyfiawn, hyd yn oed pe na bai'r cyfryw ganlyniadau ag a welwyd i ddigwydd, ac yntau, yr un modd, yn dweud trwy'r proffwyd: *Gwae di sy'n anrheithio, oni chei dithau dy anrheithio? A thi sy'n lladd, oni chei dithau dy ladd? A phan fyddi wedi gorffen anrheithio, yna y cwympi*?

34 **1.** Wedi i freuddwyd dy deyrnasiad treisgar fynd rhagddo yn ôl dy ddymuniad, oni wnaethost, a thithau wedi dy ddenu gan awydd i ddychwelyd i'r llwybr union a'th gof am dy bechodau efallai'n dy frathu, a chan ddwys ystyried yn gyntaf y pryd hwnnw, ddydd a nos, fuchedd dduwiol a rheolau'r mynaich ac yna gyhoeddi'r mater i'r byd a'r betws ei wybod – oni wnaethost, meddaf, adduned i fod byth mwy yn fynach? Gwnaed hyn, heb unrhyw fwriad (fel y dywedaist) i wrthgilio, gerbron Duw hollalluog ac yng ngolwg dynion ac angylion. **2.** Roeddit wedi dryllio, i bob golwg, y rhwydau anferth hynny yr arferir â dal teirw tew o'th fath di ar amrantiad ynddynt; wedi dryllio deniadau pob gallu brenhinol, aur ac arian, a'r hyn sy'n rymusach na'r rhain, sef deniadau dy ewyllys dy hun. Cipiaist dy hun yn llwyddiannus, megis edn yn hollti'r awyr denau yn nerthol â'i ehediad trystiog, ac yn osgoi crafangau creulon yr hebog chwimwth â'i symudiadau troellog, i fannau diogel iawn iti, sef ogofeydd y saint a'u diddanwch – yn golomen o fod yn gigfran!

3. Y fath lawenydd a fyddai i'r eglwys ein mam pe na bai gelyn yr holl ddynoliaeth wedi dy rwygo mor drychinebus rywfodd o'i chôl! Mor helaeth y byddai coed crin gobaith nefol yn tanio yng nghalonnau dynion diobaith pe bait yn glynu wrth lwybrau da! Y

tuam regni Christi praemia in die iudicii manerent, si non lupus callidus ille agnum ex lupo factum te ab ovili Dominico, non vehementer invitum, facturus lupum ex agno sibi similem, rapuisset! **4.** o quantam exultationem pio omnium patri Deo sanctorum tua salus servanda praestaret, si non te cunctorum perditorum infaustus pater, veluti magnarum aquila alarum unguiumque, daemon infelici filiorum suorum agmini contra ius fasque rapuisset!

5. Ne multa, tantum gaudii ac suavitatis tum caelo terraeque tua ad bonam frugem conversio quantum nunc maeroris ac luctus ministravit ad horribilem, *more molossi aegri, vomitum nefanda reversio*. Qua peracta *exhibentur membra arma iniquitatis peccato* ac diabolo quae oportuerat salvo sensu avide *exhiberi arma iustitiae Deo*. **6.** Arrecto aurium auscultantur captu non Dei laudes canora Christi tironum voce suaviter modulante neumaque ecclesiasticae melodiae, sed propriae, quae nihil sunt, furciferorum referto mendaciis, simulque spumanti flegmate proximos quosque roscidaturo, praeconum ore ritu bacchantium concrepante, ita ut vas Dei quondam in ministerio praeparatum vertatur in zabuli organum, quodque honore caelesti putabatur dignum merito proiciatur in tartari barathrum.

35 **1.** Nec tamen tantis malorum offendiculis tuus hebetatus insipientiae cumulo sensus velut quodam obice tardatur, sed fervidus ac si pullus, amoena quaeque inperagrata putans, per extensos scelerum campos inrevocabili furore raptatur, augendo priscis nova piaculis. **2.** Spernuntur namque primae post

fath wobrwyon o deyrnas Crist a'r fath nifer ohonynt a fyddai'n dy aros ar ddydd y farn pe na bai'r blaidd cyfrwys hwnnw wedi dy gipio o gorlan yr Arglwydd (nid o'th fawr anfodd), a thithau'n oen ar ôl bod yn flaidd, gan dy wneud yn flaidd, fel ef ei hun, ar ôl bod yn oen! **4.** Y fath orfoledd a barai dy achubiaeth, o'i sicrhau, i Dduw, tad caredig yr holl saint, pe na bai tad melltigedig yr holl ddamnedigion, y diafol, megis eryr mawr ei esgyll a'i grafangau, wedi dy gipio at dyrfa annedwydd ei blant ei hun yn groes i bob deddf a chyfiawnder!

5. Heb helaethu geiriau, dygodd dy dröedigaeth i fuchedd dda gymaint o lawenydd a melystra i nef a daear y pryd hwnnw ag y mae dy ddychweliad gwaradwyddus, *megis bytheiad afiach i'w gyfog gwrthun*, wedi ei achosi o dristwch a galar yn awr. Yn sgil hynny, *cyflwynir dy aelodau i bechod* a'r diafol *yn arfau drygioni* pryd y dylent, yn briodol, fod wedi eu *cyflwyno'n* eiddgar *i Dduw yn arfau cyfiawnder*. **6.** A sylw dy glustiau wedi ei gipio, nid moliannau Duw ar leisiau persain milwyr ifainc Crist yn canu'n felys a glywir, na sain peroriaeth yr eglwys, ond dy foliant dy hun, nad yw'n ddim, yng nghegau mawlfeirdd cnafaidd – cegau gorlawn o gelwyddau ac ar yr un pryd o lysnafedd ewynnog sy'n bygwth trochi pawb ar eu cyfyl – yn rhygnu'n aflafar fel addolwyr Bacchws. Fel hyn, newidir y llestr a baratowyd gynt er gwasanaethu Duw yn offeryn y diafol, a hyrddir yr hyn a ystyrid yn deilwng o anrhydedd nefol i ddyfnderoedd uffern.

35 **1.** Ac eto, a'th feddwl wedi ei bylu gan faich o ffolineb, nis arefir, megis gan ryw rwystr, gan feini tramgwydd mor fawr o ddrygioni, eithr fel ebol taer sy'n gweld pobman didramwy yn ddeniadol fe'i gyrrir ymlaen gyda ffyrnigrwydd diymatal trwy feysydd llydain o droseddau gan bentyrru pechodau newydd ar rai hen. **2.** Oherwydd dirmygir dy briodas

monachi votum inritum inlicitae licet, tamen propriae coniugis praesumptivae nuptiae, aliae expetuntur non cuiuslibet relictae, sed viri viventis, non externi, sed fratris filii adamatae. Ob quod dura cervix illa, multis iam peccaminum fascibus onerata, bino parricidali ausu, occidendo supra dictum uxoremque tuam aliquamdiu a te habitam, velut summo sacrilegii tui culmine de imis ad inferiora curvatur. **3.** Dehinc illam, cuius dudum colludio ac suggestione tantae sunt peccatorum subitae moles, publico et, ut fallaces parasitorum linguae tuorum conclamant, summis tamen labiis, non ex intimo cordis, legitimo, utpote viduatam, nostrae vero sceleratissimo adscivisti conubio.

4. Cuius igitur sancti viscera tali stimulata historia non statim in fletus singultusque proprumpant? Quis sacerdos, cuius cor rectum Deo patet, non statim haec audiens magno cum ululatu illud propheticum dicat: *quis dabit capiti meo aquam et oculis meis fontem lacrimarum? et plorabo in die et nocte interfectos populi mei.* **5.** Heu! Siquidem parum auribus captasti propheticam obiurgationem ita dicentem: *Vae vobis, viri impii, qui dereliquistis legem Dei altissimi: et si nati fueritis, in maledictionem nascemini et si mortui fueritis, in maledictionem erit pars vestra. Omnia quae de terra sunt, in terram ibunt: sic impii a maledictione in perditionem*: subauditur, si non revertantur ad Deum exaudita saltim tali admonitione: *Fili, peccasti.* **6.** *Ne adicias ultra, sed et de pristinis tuis deprecare*; et iterum: *Non tardes converti ad Dominum neque differas de die in diem. Subito enim venit ira*

dybiadol gyntaf, a oedd, er yn anghyfreithlon wedi i'th lw fel mynach fynd yn ddiddim, eto'n briodas rhyngot a'th wraig dy hun, a cheisir un arall nid â rhyw weddw ond â gwraig annwyl dyn byw a hwnnw heb fod yn ddieithryn ond yn fab dy frawd. Ac felly caiff y gwar caled hwnnw, sydd eisoes wedi ei lwytho â beichiau lawer o bechodau – â'r hyfdra llofruddiog dwbl o ladd y gŵr uchod a'th wraig wedi iti ei mwynhau am ryw gymaint – ei blygu i lawr gan uchafbwynt, megis, dy anfadwaith o'r troseddau isaf i rai is fyth. **3.** Yna priodaist â honno, a fu ychydig amser yn ôl trwy ei chynllwynion a'i hawgrymiadau yn achos y fath lwythi enfawr o bechodau disyfyd, mewn priodas a oedd yn gyhoeddus ac, a hithau'n weddw, yn gyfreithlon, fel y bloeddia tafodau twyllodrus dy fawlfeirdd (ond â'u gwefusau yn unig ac nid o waelod calon), eithr yn ôl fy nhafod i yn llwyr halogedig.

4. Pa sant sydd, gan hynny, wedi ei ddwysbigo hyd ei ymysgaroedd gan y fath hanes, na fyddai'n torri i wylo ac ubain? Pa offeiriad sydd, a'i galon gywir yn agored gerbron Duw, na fyddai ar unwaith, o glywed y pethau hyn, yn dweud, gan lefain yn uchel, y geiriau hynny o eiddo'r proffwyd: *Pwy a rydd ddŵr i'm pen a ffynnon o ddagrau i'm llygaid? Ac wylaf ddydd a nos am laddedigion fy mhobl.* **5.** Cyn lleied, ysywaeth, y clustfeiniaist ar gerydd y proffwyd pan ddywed fel hyn: *Gwae chwi, wŷr annuwiol, a gefnodd ar gyfraith y Duw goruchaf. Os cewch eich geni, i felltith y'ch genir, ac os byddwch farw, melltith fydd eich rhan. Y mae popeth sydd o'r ddaear i ddychwelyd i'r ddaear: felly yr â'r annuwiol o felltith i ddistryw*. Yr awgrym yw: os na ddychwelant at yr Arglwydd ar ôl clywed y rhybudd hwn o leiaf: *Fy mab, yr wyt wedi pechu.* **6.** *Paid â phechu rhagor, ond deisyf faddeuant am dy bechodau blaenorol*. A thrachefn: *Paid ag oedi cyn troi at yr Arglwydd, na'i ohirio o ddydd i ddydd. Oherwydd*

eius, quia, ut scriptura ait, *rege audiente verbum iniquum omnes, qui sub illo sunt, scelesti sunt*. Nimirum *rex*, ut propheta dixit, *iustus suscitat regionem*.

36 **1.** Sed monita tibi profecto non desunt, cum habueris praeceptorem paene totius Britanniae magistrum elegantem. Caveto igitur ne tibi quod a Salomone notatur accidat: *quasi qui excitat dormitantem de gravi somno, sic qui enarrat stulto sapientiam: in fine enim narrationis dicet: quid primum dixeras? Lava a malitia cor tuum*, sicut dictum est, *Hierusalem, ut salvus sis*. **2.** Ne contemnas, quaeso, ineffabilem misericordiam Dei, hoc modo per prophetam a peccatis impios provocantis: *repente loquar ad gentem et ad regnum, ut evellam et dissipem et destruam et disperdam*. Peccatorem hoc vehementer ad paenitentiam hortatur: *et si paenitentiam egerit gens illa a peccato suo, paenitentiam et ego agam super malo quod locutus sum ut facerem ei*. Et iterum: *quis dabit eis tale cor, ut audiant me et custodiant praecepta mea et bene sit eis omnibus diebus vitae suae?* **3**. Itemque in cantico Deuteronomii: *Populus*, inquit, *absque consilio et prudentia: utinam saperent et intellegerent ac novissima providerent. Quomodo persequatur unus mille et duo fugent decem milia?* Et iterum in euangelio Dominus: *Venite ad me omnes, qui laboratis et onerati estis, et ego vos requiescere faciam. Tollite iugum meum super vos et discite a me, quia mitis sum et humilis corde, et invenietis requiem animabus vestris*.

4. Nam si haec surdis auribus audias, prophetas contemnas, Christum despicias, nosque, licet vilissimae qualitatis simus,

yn ddisymwth y daw ei ddigofaint, oherwydd, fel y dywed yr Ysgrythur, *Os yw brenin yn gwrando ar air cam, y mae ei holl ddeiliaid yn ddrygionus*. Yn sicr, chwedl y proffwyd, *Y mae'r brenin cyfiawn yn cadarnhau'r tir*.

36 **1.** Ond, yn ddiau, nid wyt yn brin o rybuddion, gan iti gael yn hyfforddwr iti athro coeth Prydain gyfan bron. Gan hynny, gochela rhag i'r hyn a nodir gan Solomon ddigwydd i tithau: *Megis un yn deffro cysgadur o drymgwsg yw hwnnw sy'n traethu doethineb wrth ffŵl. Oherwydd ar ddiwedd y stori fe ddywed: Beth a ddywedaist gyntaf? Golch dy galon oddi wrth ddrygioni, Jerwsalem*, fel y dywedwyd, *iti gael dy achub*. **2.** Paid â dirmygu, erfyniaf arnat, drugaredd anhraethol Duw pan eilw'r drygionus oddi wrth eu pechodau, trwy enau'r proffwyd, fel hyn: *Llefaraf yn ddiatreg wrth y genedl ac wrth y deyrnas, er mwyn imi ddiwreiddio a gwasgaru a dinistrio a dymchwel*. Mae ef yn taer gymell y pechadur i edifeirwch fel hyn: *Ac os bydd y genedl honno yn edifarhau am ei phechod, byddaf finnau yn edifarhau am y drwg y dywedais y byddwn yn ei wneud iddynt hwy*. A thrachefn: *Pwy a fydd yn rhoi iddynt y galon i'm gwrando a chadw fy ngorchmynion a ffynnu holl ddyddiau eu hoes?* **3.** A'r un modd yng Nghân Deuteronomium: *Cenedl*, meddai, *ydynt heb gynllun na phwyll: O na baent yn ddoeth ac y deallent ac y rhagwelent eu diwedd olaf! Sut y gall un dyn ymlid mil, a dau yrru deng mil ar ffo?* A thrachefn yr Arglwydd yn yr efengyl: *Dewch ataf fi, bawb sy'n flinedig ac yn llwythog, ac fe roddaf fi orffwystra i chwi. Cymerwch fy iau arnoch a dysgwch gennyf, oherwydd addfwyn ydwyf a gostyngedig o galon, ac fe gewch orffwystra i'ch eneidiau.*

4. Oherwydd pe bait yn clywed y pethau hyn â chlustiau byddar, yn condemnio'r proffwydi, yn dirmygu Crist, ac yn fy

nullius momenti ducas (propheticum illud sincera animi pietate servantes utcumque: *si non ego implevero fortitudinem in Spiritu et virtute Domini, ut enuntiem domui Iacob peccata eorum et domui Israhel scelera eorum*, ne simus *canes muti non valentes latrare*, et illud Salomonis ita dicentis: *qui dicit impium iustum esse, maledictus erit populis et odibilis gentibus: nam qui arguunt, meliora sperabunt*, et iterum: **5.** *non reverearis proximum in casum suum, nec retineas verbum in tempore salutis*, itemque: *erue eos qui ducuntur ad mortem et redimere eos qui interficiuntur ne parcas*, quia *non proderunt*, ut idem propheta ait, *divitiae in die irae: iustitia a morte liberat*; *si iustus quidem vix salvus sit, impius et peccator ubi parebit?*), **6.** ille profecto te tenebrosus tartari torrens ferali rotatu undisque ac si acerrimis involvet semper cruciaturus et numquam consumpturus, cui tunc erit sera inutilisque poenae oculata cognitio ac mali paenitudo, a quo in hoc tempore accepto et die salutis ad rectum vitae iter differtur conversio.

Verba vatum sanctorum

37 **1.** Hic sane vel antea concludenda erat, uti ne amplius loqueretur os nostrum opera hominum, tam flebilis haec querulaque malorum aevi huius historia. Sed ne formidolosos nos aut lassos putent quominus illud Isaianum infatigabiliter caveamus: *vae*, inquiens, *qui dicunt bonum malum et malum bonum, ponentes tenebras in lucem et lucem in tenebras, amarum*

ystyried i – sydd, mae'n wir, yn ddi-nod – yn ddibwys (er fy mod yn dilyn y dywediad hwnnw o eiddo'r proffwyd yn ddidwyll dduwiol fy mryd: *Byddaf yn ddiau yn llenwi fy ngwroldeb ag ysbryd a nerth yr Arglwydd, imi gyhoeddi i dŷ Jacob ei bechodau ac i dŷ Israel ei droseddau*, rhag imi fod megis *cŵn mud heb fedru cyfarth*: a geiriau Solomon: *Bydd y neb a ddywed fod y drygionus yn gyfiawn yn felltigedig gan bobloedd ac yn gas gan genhedloedd; oherwydd bydd y rhai a gondemniant yn gobeithio am well pethau*, a thrachefn: **5.** *Paid â pharchu dy gymydog i'w niwed, ac na atal air pan wnâi hynny ddaioni*. Yr un modd: *Achub y rhai a ddygir i farwolaeth, a phaid â phetruso rhag pridwerthu'r rhai a leddir*, oherwydd fel y dywed yr un proffwyd, *Ni thycia cyfoeth yn nydd dicter: cyfiawnder sy'n rhyddhau o angau*; *os braidd yr achubir y cyfiawn, ble bydd yr annuwiol a'r pechadur yn sefyll?*). **6.** Bydd y llifeiriant tywyll hwnnw o eiddo uffern, gyda'i droelli angheuol a'i donnau cynddeiriog, yn cau amdanat, yn wir, gan dy arteithio'n wastadol a heb fyth dy ddifa. Di-fudd a rhy hwyr iti y pryd hwnnw fydd dy adnabyddiaeth eglur o gosb ac edifeirwch am bechod a thithau yn yr amser cymeradwy hwn ac ar ddydd iachawdwriaeth yn oedi dychwelyd i lwybr union bywyd.

Geiriau'r proffwydi sanctaidd

37 **1.** Yma, bid sicr, neu ynghynt y dylid bod wedi cloi'r adroddiant wylofus hwn o gwynion am ddrygau'r oes bresennol, fel na lefarai fy ngenau ragor ynghylch gweithredoedd dynion. Ond rhag iddynt feddwl fy mod yn ofnus neu'n flinedig gyda'r canlyniad nad wyf yn gochel yn ddi-baid rhag y rhybudd hwnnw o eiddo Eseias: *Gwae*, meddai, *y rhai sy'n galw drwg yn dda a da yn ddrwg, gan wneud tywyllwch yn oleuni a goleuni*

in dulce et dulce in amarum, *qui videntes non vident et audientes non audiunt*, *quorum cor crassa obtegitur* quadam vitiorum nube, **2.** libet quid quantumque his supradictis lascivientibus insanisque satellitum Faraonis, quibus eius periturus mari provocatur exercitus strenue rubro, eorumque similibus *quinque equis* minarum prophetica inclamitent strictim edicere oracula, quibus veluti pulchro tegmine opusculi nostri molimen, ita ut ne certatim irruituris invidorum imbribus extet penetrabile, fidissime contegatur.

3. Respondeant itaque pro nobis sancti vates nunc ut ante, qui os quodam modo Dei organumque Spiritus Sancti, mortalibus prohibentes mala, bonis faventes extitere, contumacibus superbisque huius aetatis principibus, ne dicant nos propria adinventione et loquaci tantum temeritate tales minas eis tantosque terrores incutere. **4.** Nulli namque sapientium dubium est in quantis graviora sunt peccata huius temporis quam primi, apostolo dicente: *legem quis transgrediens duobus mediis vel tribus testibus moritur: quanto putatis deteriora mereri supplicia qui filium Dei conculcaverit?*

Excerpta e Scriptura ubi reges mali condemnuntur

38 **1.** En primus occurrit nobis Samuel iussu Dei legitimi regni stabilitor, Deo antequam nasceretur dedicatus, a Dan usque Bersabee omni populo Israhel veridicus propheta,

yn dywyllwch, chwerw yn felys a melys yn chwerw, *yn gweld heb weld ac yn clywed heb glywed, sydd â'u calonnau wedi eu gorchuddio dan* gwmwl *tew* o gamweddau – **2.** rhag iddynt feddwl hynny, dymunir datgan yn gryno pa fygythion, a pha faint ohonynt, y mae oraclau'r proffwydi yn eu cyhoeddi yn erbyn y *pum march* nwydwyllt a gorffwyll uchod o osgordd Pharo sy'n gyrru ei fyddin yn daer i'w dinistr yn y Môr Coch, ac yn erbyn eu tebyg. Trwy'r oraclau hyn, megis dan do prydferth, gorchuddir llafur fy ngwaith bychan yn ddiogel fel na bo heb amddiffyn rhag stormydd glaw dynion gelyniaethus a fydd yn cystadlu i ymosod arno.

3. Boed, felly, i'r proffwydi sanctaidd – a safodd allan fel genau Duw, megis, ac offeryn yr Ysbryd Glân, gan omedd drygioni i ddynion a chan ffafrio'r daionus – ymateb ar fy rhan yn awr, megis cynt, yn erbyn tywysogion cyndyn a balch yr oes hon rhag iddynt ddweud mai trwy fy nyfais fy hun ac o ehudrwydd parablus yn unig yr wyf yn hyrddio'r fath fygythion a chymaint dychrynfeydd atynt. **4.** Oherwydd nid oes undyn doeth yn amau gymaint difrifolach yw pechodau'r amseroedd hyn nag eiddo'r dyddiau cynnar, pan ddywed yr apostol: *Y mae pwy bynnag sy'n torri'r gyfraith yn marw ar air dau neu dri o dystion: faint llymach yr ydych yn meddwl yw'r gosb y mae dyn a fathrodd Fab Duw yn ei haeddu?*

Dyfyniadau o'r Ysgrythur lle cyhuddir brenhinoedd drwg

38 **1.** Wele'r cyntaf i gwrdd â ni, sef Samuel, sefydlwr teyrnas gyfreithlon trwy orchymyn Duw, gŵr wedi ei gysegru i Dduw cyn ei eni, proffwyd geirwir i holl bobl Israel o Dan i Beerseba, un adnabyddus trwy arwyddion diamheuol

signis indubitanter admirandis notus, ex cuius ore Spiritus Sanctus cunctis mundi potestatibus intonuit, denuntiando primo regi apud Hebraeos dumtaxat Sauli pro eo quod quaedam de mandatis domini non compleverat, dicens: *Stulte egisti nec custodisti mandata domini Dei tui quae praecepit tibi. Quod si non fecisses, iam nunc pararet Deus regnum tuum super Israhel in sempiternum: sed nequaquam regnum tuum ultra consurget.* **2.** Quid ergo simile huius temporis sceleribus? adulteriumne vel parricidium fecit? Nullo modo, sed iussionis ex parte mutationem: quia, ut bene quidam nostrum ait, *non agitur de qualitate peccati, sed de transgressione mandati.*

3. Itemque illum obiecta, velut putabat, purgantem et apologias, ut generi humano moris est, sagaciter hoc modo adnectentem: *immo audivi vocem Domini et ambulavi in via per quam misit me*, tali animadversione multavit. *Numquid vult,* inquit, *dominus holocausta aut victimas et non potius ut oboediatur voci Domini? Melior est enim oboedientia quam victimae, et audire magis quam offerre adipem arietum, quoniam sicut peccatum ariolandi est repugnare et quasi scelus idolatriae nolle adquiescere. Pro eo ergo quod abiecisti sermonem Domini, abiecit et te, ne sis rex.* **4.** Et post pauca: *Scidit*, inquit, *Deus regnum Israhel a te hodie et dedit illud proximo tuo meliori te. Porro triumphator in Israhel non parcet et paenitudine non flectetur, neque enim homo est ut agat paenitentiam*; subauditur: super duris malorum praecordiis. **5.** Notandum ergo est quod dixit scelus idolatriae esse nolle Deo adquiescere. Non sibi scelerati isti, dum non gentium diis

ryfeddol. O'i enau ef fe daranodd yr Ysbryd Glân wrth holl alluoedd y byd, gan gyhuddo Saul, brenin cyntaf yr Hebreaid, am nad oedd wedi cyflawni rhai o orchmynion yr Arglwydd. Dywedodd: *Gweithredaist yn ffôl ac ni chedwaist orchmynion yr Arglwydd dy Dduw a orchmynnodd iti. Pe na bait wedi gwneud hyn, byddai Duw hyd yn oed yn awr yn cadarnhau dy frenhiniaeth ar Israel am byth. Ond ni fydd dy deyrnas yn codi dim mymryn yn uwch.* **2.** Beth, gan hynny, a gyflawnasai Saul a oedd yn debyg i droseddau'r oes hon? A gyflawnodd odineb neu lofruddiaeth? Ddim o gwbl, ond newidiodd ran o'r gorchymyn; oherwydd fel y dywed un ohonom yn dda: *Nid â natur y pechod y mae a wnelom eithr â thorri gorchymyn.*

3. A'r un modd, ac yntau, fel y tybiai, yn ei glirio'i hun o'r cyhuddiadau ac, yn ôl arfer yr hil ddynol, yn rhaffu esgusion yn ffel fel hyn: *Yn wir, gwrandewais ar lais yr Arglwydd a cherdded y ffordd yr anfonodd fi ar hyd-ddi*, cystwyodd y proffwyd ef â'r geiriau hyn o gerydd: *A yw'r Arglwydd*, meddai, *yn chwennych offrymau neu ebyrth ac nid, yn hytrach, ufuddhau i lais yr Arglwydd? Canys gwell yw ufudd-dod nag ebyrth, a gwrando nag offrymu braster hyrddod, canys megis pechod dewiniaeth yw gwrthsefyll ac fel trosedd eilunaddoliaeth yw cyndynrwydd. Gan hynny, am iti wrthod gair yr Arglwydd, y mae ef wedi dy wrthod dithau yn frenin.* **4.** Ac ychydig yn nes ymlaen: *Rhwygodd*, meddai, *yr Arglwydd frenhiniaeth Israel oddi wrthyt heddiw a'i rhoi i gymydog iti sy'n well na thi. Ymhellach, ni fydd y Buddugwr yn Israel yn arbed ac nis plygir gan edifeirwch, canys nid ydyw fel dyn o ran edifarhau* – hynny yw, oherwydd calonnau caled y drygionus.

5. Dylid nodi, felly, iddo ddweud mai pechod eilunaddoliaeth yw gwrthod plygu i Dduw. Na foed i'r rhai drygionus hynny,

perspicue litant, subplaudant, siquidem conculcantes porcorum more pretiosissimas Christi margaritas idolatrae.

39 **1.** Sed licet hoc unum exemplum, ac si invictus adstipulator, ad corrigendos iniquos abunde sufficeret, tamen, ut in ore multorum testium omne comprobetur Brittanniae malum, transeamus ad cetera.

2. Quid David numerando populum evenit? dicente ad eum propheta Gaad: *Haec dicit Dominus: trium tibi optio datur: elige unum quod volueris ex his ut faciam tibi. Aut septem annis veniet tibi fames, aut tribus mensibus fugies adversarios tuos et illi te persequentur, aut certe tribus diebus erit pestilentia in terra tua.*

3. Nam artatus tali condicione et volens magis incidere in manus misericordis Dei quam hominum, LXX milium populi sui strage humiliatur et, ni pro contribulibus apostolicae caritatis affectu ut illos plaga non tangeret mori optasset dicendo: *Ego sum qui peccavi, ego pastor inique egi: isti qui oves sunt quid peccarunt? Vertatur, obsecro, manus tua contra me et contra domum patris mei*, inconsideratam cordis elationem propria morte piaret.

4. Nam quid scriptura in consequentibus de filio eius narrat? *Fecit*, inquiens, *Salomon quod non placuerat coram domino, et non adimplevit ut sequeretur Dominum, sicut pater eius. Dixit Dominus ad eum: quia habuisti hoc apud te et non custodisti pactum meum et praecepta mea quae mandavi tibi, disrumpens scindam regnum tuum et dabo illud servo tuo.*

tra na bônt yn aberthu'n agored i dduwiau'r cenhedloedd, eu llongyfarch eu hunain, a hwythau'n *mathru dan draed* fel *moch berlau* mwyaf gwerthfawr Crist gan weithredu fel eilunaddolwyr.

39 **1.** Ond er y dylai'r un enghraifft hon, megis tyst diwrthbrawf, fod yn llawn ddigon i ddiwygio'r drygionus, gadewch inni, serch hynny, er mwyn i holl ddrygioni Prydain gael ei brofi yng ngenau tystion lawer, symud ymlaen at y gweddill.

2. Beth a ddigwyddodd i Ddafydd wrth iddo rifo'i bobl? Meddai'r proffwyd Gad wrtho: *Fel hyn y dywed yr Arglwydd: cynigir tri pheth iti. Dewis di pa un o'r rhain a fynni er mwyn imi ei wneud iti. Un ai daw newyn iti am saith mlynedd, ynteu byddi'n ffoi rhag dy wrthwynebwyr am dri mis a byddant hwythau'n dy erlid di, ynteu yn sicr bydd haint yn dy dir am dri diwrnod.* **3.** Oherwydd dan gyfyngiad y fath amod, a chan ddymuno syrthio i ddwylo Duw trugarog yn fwy nag i ddwylo dynion, fe'i darostyngir gan ddinistr 70,000 o'i bobl. A phe na bai, dan gynhyrfiad cariad apostolaidd, wedi dewis marw dros ei gydwladwyr fel na chyffyrddai'r pla â hwy, gan ddweud: *Myfi yw'r un a bechodd, myfi y bugail a weithredodd yn ddrwg. Y rheini sy'n ddefaid, pa bechod a gyflawnasant? Troer dy law, ymbiliaf arnat, yn fy erbyn i ac yn erbyn tŷ fy nhad* – pe na bai wedi gwneud hyn, byddai wedi talu am hyder difeddwl ei galon â'i farwolaeth ei hun.

4. Oherwydd beth a ddywed yr Ysgrythur mewn man ddilynol am ei fab? *Gwnaeth Solomon*, meddai, *yr hyn nad oedd yn gymeradwy yng ngolwg Duw ac ni lwyddodd i ganlyn yr Arglwydd megis y gwnaethai ei dad. Dywedodd yr Arglwydd wrtho: Oherwydd iti ymddwyn fel hyn ac na chedwaist fy nghyfamod na'm deddfau a orchmynnais iti, byddaf yn dryllio a rhwygo dy frenhiniaeth a'i rhoi i'th was.*

40 **1.** Quid duobus sacrilegis, aeque ut isti sunt, Israhel regibus Hieroboae et Baasae accidit audite: quibus sententia Domini dirigitur per prophetam ita dicentis: *Propter quod magnificavi te principem super Israhel, quia exacerbaverunt me in vanis eorum, ecce ego suscito post Baasam et post domum eius et tradam domum eius sicut domum Ieroboae Nabath. Qui mortuus fuerit de suis in civitate comedent eum canes, et mortuum corpus illius in campo comedent volatilia caeli.*
2. Quid illi quoque scelerato regi Israhel istorum conmanipulari, cuius colludio et uxoris dolo Naboth innocens propter paternam vineam oppressus est, sancto ore illius Heliae atque ignifero domini alloquio instructo minatur, ita dicente: *Occidisti insuper et possedisti. Et post haec addes: haec dicit dominus: in loco hoc in quo linxerunt canes sanguinem Naboth, lambent quoque tuum sanguinem*. Quod ita factum fuisse certissima ratione cognitum est.
3. Sed ne forte secundum supra dictum Achab *spiritus mendax loquens vana in ore prophetarum vestrorum* seducat vos, [ne] sermones Michaeae prophetae audiatis: *ecce permisit Deus spiritum mendacii in ore omnium prophetarum tuorum qui hic sunt et Dominus locutus est contra te malum.* **4.** Nam et nunc certum est aliquos esse doctores contrario spiritu repletos et magis pravam voluptatem quam veritatem adserentes: quorum *verba super oleum molliuntur et ipsa sunt iacula, qui dicunt: pax, pax, et non erit* in peccatis permanentibus pax; ut alibi propheta dicit: *non est gaudere inpiis, dicit Dominus.*

40 **1.** Clywch yr hyn a ddigwyddodd i ddau o frenhinoedd Israel a oedd yn gymaint halogwyr â'n rhai ninnau, sef Jeroboam a Baasa. Anelir barnedigaeth yr Arglwydd yn eu herbyn trwy'r proffwyd, sy'n llefaru fel hyn: *Yn gymaint ag imi dy ddyrchafu yn dywysog ar Israel, oherwydd iddynt fy nigio â'u ffolinebau, wele yr wyf yn diwreiddio disgynyddion Baasa a'i dŷ, a byddaf yn gwneud ei dŷ fel tŷ Jeroboam fab Nebat. Bwyteir y rheini o'i deulu a fydd farw yn y ddinas gan gŵn, a chyrff y rheini a fydd farw yn y maes gan adar yr awyr.*
2. Ac ynglŷn â'r brenin ysgeler hwnnw ar Israel, cymar addas i'n brenhinoedd ninnau, y bu ei gydgynllwyn a dichell ei wraig yn foddion mathru Naboth ddieuog er mwyn gwinllan ei hynafiaid – beth a fygythir gan enau sanctaidd Elias, dan gyfarwyddyd llais tanllyd yr Arglwydd? Dywed fel hyn: *Ymhellach, lleddaist a meddiannu. Ac wedyn ychwanegi hyn: Dyma a ddywed yr Arglwydd: Lle y llyfodd y cŵn waed Naboth, fe lyfant dy waed dithau.* Gwyddys yn ddilys ddiamau mai dyna a fu.
3. Ond rhag i *ysbryd celwyddog yn llefaru pethau ofer yng ngenau eich proffwydi* eich llithio chwi, megis yn achos Ahab uchod, i beidio â gwrando geiriau'r proffwyd Micah, *Wele, caniataodd Duw ysbryd celwyddog yng ngenau dy holl broffwydi sydd yma, a llefarodd yr Arglwydd ddrwg yn dy erbyn.* **4.** Oherwydd y dyddiau hyn hefyd mae'n ddiogel bod rhai dysgawdwyr wedi eu llenwi ag ysbryd gwrthwynebus sy'n datgan o blaid pleserau llwgr yn hytrach na'r gwirionedd, pobl y mae eu *geiriau yn feddalach nag olew, ac eto'n bicelli, sy'n dweud Heddwch, heddwch, ac ni fydd heddwch* i'r rheini sy'n aros yn eu pechodau, megis y dywed y proffwyd mewn man arall: *Nid oes lawenhau i'r annuwiol, medd yr Arglwydd.*

41 **1.** Azarias quoque filius Obed Asae revertenti de caede decies centenum milium exercitus Aethiopum locutus est dicens: *Dominus vobiscum est, dum estis cum ipso et si exquiseritis eum invenietur a vobis et si dereliqueritis eum derelinquet vos.*

2. Nam si Iosaphat ferens praesidium iniquo regi ita ab Ieu propheta Annaniae filio increpatur dicente: *si peccatorem tu adiuvas aut quem dominus odit tu diligis, propterea ira Dei est super te*, quid illis *qui propriis scelerum suorum criniculis compediuntur* fiet? Quorum nos necesse est, si in acie Dominica volumus dimicare, peccata odire, non animas, dicente psalmista *qui diligitis dominum, odite malum.*

3. Quid ad supradicti Iosaphat filium currus et auriga Israhel propheta Helias, Ioram scilicet parricidam, qui egregios fratres suos ut pro ipsis regnaret spurius trucidavit, effatus est? *Sic dicit*, inquit, *Dominus Deus patris tui David: eo quod non ambulaveris in via Iosaphat patris tui et in viis Asae regis Iuda et ambulasti in viis regum Israel et stuprose, ut gessit domus Achab, et fratres tuos filios Iosaphat meliores te interfecisti, ecce Dominus percutiet plaga magna te et filios tuos.* **4.** Et post pauca: *et tu eris in magna valitudine in languore ventris tui, donec exeat venter tuus cum ipsa infirmitate de die ex die.*

5. Et ad Ioam regem Israhel ut vos derelinquentem dominum quid Zacharias filius Ioiadae vatis minatus sit adtendite, qui surgens populo dixit: *Haec dicit Dominus: quare praeteritis praecepta domini et non prosperamini? Quia dereliquistis Dominum, et derelinquet vos.*

41 **1.** Hefyd, llefarodd Azariah fab Obed wrth Asa pan oedd hwnnw'n dychwelyd o ladd deg can mil o fyddin yr Ethiopiaid, gan ddweud: *Y mae'r Arglwydd gyda chwi tra ydych gydag ef, ac os ceisiwch ef fe'i cewch, ac os cefnwch arno bydd yntau'n cefnu arnoch chwithau.*

2. Oherwydd os ceryddir Jehosaffat, ac yntau'n dwyn cymorth i frenin drygionus, gan y proffwyd Jehu fab Ananias fel hyn: *Os wyt yn cynorthwyo pechadur neu'n caru'r sawl y mae'r Arglwydd yn ei gasáu, am hynny mae digofaint yr Arglwydd arnat*, beth a ddaw i'r rheini *a rwymir gan lyffetheiriau eu camweddau eu hunain*? Rhaid inni, os dymunwn frwydro ym myddin yr Arglwydd, gasáu pechodau'r bobl hyn, nid eu heneidiau. Fel y dywed y Salmydd: *Chwychwi sy'n caru'r Arglwydd, casewch ddrygioni.*

3. Beth a ddatganodd y proffwyd Elias, cerbyd rhyfel Israel a'i yrrwr, wrth fab Jehosaffat uchod, sef Jehoram y llofrudd a laddodd ei frodyr rhagorol er mwyn iddo ef, y bastard, deyrnasu yn eu lle? *Felly y dywed*, meddai, *yr Arglwydd, Duw Dafydd dy dad: Am na cherddaist yn ffordd Jehosaffat dy dad ac yn ffyrdd Asa brenin Jwda, ac iti gerdded yn ffyrdd brenhinoedd Israel a hynny'n anllad fel y gwnaeth tŷ Ahab, ac iti ladd dy frodyr, meibion Jehosaffat a oedd yn rhagorach na thi, wele, bydd yr Arglwydd yn dy daro di a'th feibion â phla mawr.* **4.** Ac ychydig yn nes ymlaen: *Ac fe gei di salwch mawr trwy afiechyd yn dy gylla, hyd nes i'th gylla syrthio allan wrth i'r gwendid ei hun barhau ddydd ar ôl dydd.*

5. A chlywch pa beth a fygythiodd Sechareia fab Jehoiada y proffwyd i Joas, brenin Israel, pan gefnodd hwnnw ar yr Arglwydd fel yr ydych chwithau'n gwneud. Cyfododd a dweud wrth y bobl: *Dyma a ddywed yr Arglwydd: Pam yr ydych yn esgeuluso gorchmynion yr Arglwydd ac nad ydych yn ffynnu? Am ichwi gefnu ar yr Arglwydd, a bydd yntau yn cefnu arnoch chwi.*

Verba Esaiae

42 **1.** Quid de auctore prophetarum Esaia dicam? qui prooemium profetiae suae vel visionem ita exorsus est dicens: *Audite, caeli, et auribus percipite, terra, quoniam Dominus locutus est. Filios enutrivi et exaltavi, ipsi autem spreverunt me. Cognovit bos possessorem suum et asinus praesepe domini sui, Israhel autem me non cognovit et populus meus non intellexit.*

2. Et post pauca minas meritas tantae insipientiae aptans: *derelinquetur*, inquit, *filia Sion ut tabernaculum in vinea et sicut tugurium in cucumerario, sicut civitas quae vastatur*. Et principes specialiter conveniens ait: *audite verbum Domini, principes Sodomorum; percipite legem Domini, populus Gomorrhae.*

3. Notandum sane quod iniqui reges principes Sodomorum vocentur. Prohibens namque Dominus sacrificia et dona sibi a talibus offerri (et nos inhiantes suscipimus quae Deo abominationi sunt [non placita], eademque egenis et paene nihil habentibus distribui in perniciem nostram non sinimus) cum latis divitiis oneratis, sordibus peccatorum intentis ait: *ne afferatis ultra sacrificium frustra; incensum abominatio est mihi.*

4. Itemque denuntiat: *et cum extenderitis manus vestras, avertam oculos meos a vobis, et cum multiplicaveritis orationem, non exaudiam*. Et hoc quare facit ostendit: *manus*, inquiens, *vestrae sanguine plenae sunt*. Simulque ostendens quomodo placaretur ait: *lavamini, mundi estote, auferte malum cogitationum vestrarum ab oculis meis, quiescite agere perverse, discite*

Geiriau Eseia

42 **1.** Beth a ddywedaf am Eseia, y pennaf o'r proffwydi? Dechreuodd ef ragarweiniad ei broffwydoliaeth, neu ei weledigaeth, gan ddweud: *Clywch, chwi nefoedd, a gwrando'n astud, ddaear, oherwydd llefarodd yr Arglwydd. Megais a meithrin fy meibion, ond fe'm dirmygasant. Y mae'r ych yn adnabod ei berchennog, a'r asyn breseb ei feistr; ond nid yw Israel yn fy adnabod i ac nid yw fy mhobl wedi deall.* **2.** Ac ychydig yn nes ymlaen, gan ychwanegu bygythion yr oedd y fath ffolineb yn eu llawn haeddu: *Bydd merch Seion*, meddai, *yn cael ei gadael fel pabell mewn gwinllan, ac fel cwt mewn gardd cucumerau, fel dinas a ysbeilir*. Ac wrth annerch y tywysogion yn neilltuol dywed: *Clywch air yr Arglwydd, chwi dywysogion Sodom; gwrandewch ar gyfraith Duw, chwi bobl Gomorra.*

3. Dylid nodi, bid sicr, y gelwir brenhinoedd anghyfiawn yn 'dywysogion Sodom'. Oherwydd mae'r Arglwydd, gan wahardd offrymu ebyrth a rhoddion iddo gan y cyfryw rai (a ninnau'n derbyn yn wancus bethau sy'n ffiaidd gan Dduw ac er ein dinistr ein hunain yn nacáu eu dosbarthu i'r rheini heb nemor ddim ar eu helw), yn dweud wrth ddynion sydd wedi eu llwytho â golud lawer ac â'u bryd ar bechodau aflan: *Peidiwch â chyflwyno aberth arall imi yn ofer; y mae arogldarth yn ffiaidd gennyf.*

4. A'r un modd mae'n cyhoeddi: *A phan estynnwch eich dwylo, trof fy llygaid oddi wrthych; a phan amlhewch eich gweddïau, nis gwrandawaf.* A dengys pam y gwna hyn, gan ddweud: *Y mae eich dwylo'n llawn gwaed.* A chan ddangos ar yr un pryd sut i'w foddio dywed: *Ymolchwch, ymlanhewch, ewch â drygioni eich meddyliau o olwg fy llygaid, peidiwch â gwneud*

benefacere, quaerite iudicium, subvenite oppresso, iudicate pupillo. **5.** Quasi placoris vicissitudinem adiungens ait: *Si fuerint peccata vestra ut coccinum, quasi nix dealbabuntur: et si fuerint rubra quasi vermiculus, velut lana alba erunt. Si volueritis et audieritis me, bona terrae manducabitis. Quod si nolueritis et me provocaveritis ad iracundiam, gladius devorabit vos.*

43 **1.** Accipite veracem publicumque adstipulatorem, boni malique vestri retributionem absque ullo adulationis fuco, non ut parasitorum venerata vestrorum venena in aures sibilant ora, testantem.

2. Itemque ad rapaces iudices sententiam dirigens ita effatur: *Principes tui infideles, socii furum, omnes diligunt munera, sectantur retributiones, pupillo non iudicant, causa viduae non ingreditur ad eos. Propter hoc ait Dominus exercituum, fortis Israhel: heu consolabor super hostibus meis et vindicabor de inimicis meis: et conterentur scelerati et peccatores simul et omnes, qui dereliquerunt Dominum, consumentur.* **3.** Et infra: *oculi sublimis hominis humiliabuntur et incurvabit altitudo virorum.* Et iterum: *vae impio in malum, retributio enim manuum eius fiet ei.* Et post pauca: *Vae qui consurgitis mane ad ebrietatem sectandam et ad potandum usque ad vesperam, ut vino aestuetis. Cithara et lyra et tympanum et tibia et vinum in conviviis vestris, et opus domini non respicitis et opera manuum eius non consideratis. Propterea captivus ductus est populus meus, quia non habuit scientiam, et nobiles eius interierunt fame et multitudo eius siti exaruit. Propterea dilatavit infernus animam suam et*

drwg, dysgwch wneud daioni, ceisiwch farn, achubwch gam y gorthrymedig, barnwch o blaid yr amddifad. **5.** Meddai, megis gan newid y cywair yn un o fodlonrwydd: *Os yw eich pechodau fel ysgarlad, fe'u gwneir yn wyn fel eira. Ac os ydynt yn goch fel fermiliwn, byddant yn wyn fel gwlân. Os bodlonwch a gwrando arnaf, cewch fwyta daioni'r tir. Ond os gwrthodwch ac ennyn fy llid, bydd y cleddyf yn eich ysu.*

43 **1.** Derbyniwch dyst geirwir a chyhoeddus sy'n tystiolaethu i'r gwobrwyon a ddêl am eich daioni a'ch drygioni a hynny heb arlliw o weniaith, yn wahanol i fel y mae cegau eich mawlfeirdd chwi yn sisial geiriau gwenieithus a gwenwynig yn eich clustiau.

2. A'r un modd, gan droi ei sylw at farnwyr rheibus, dywed fel hyn: *Y mae dy dywysogion yn anffyddlon, yn gyfeillion lladron, i gyd yn caru cil-dwrn, ac yn chwilio am wobrwyon; nid ydynt yn gwneud barn â'r amddifad ac nid yw achos y weddw yn cyrraedd atynt. Gan hynny, meddai Arglwydd y Lluoedd, Cadernid Israel: Aha, ymgysuraf ar fy ngelynion a dialaf ar fy ngwrthwynebwyr*; *a methrir y troseddwyr a'r pechaduriaid ar yr un pryd, a difethir pawb a gefnodd ar yr Arglwydd.* **3.** Ac isod: *Caiff trem y dyn penuchel ei hiselhau a balchder dynion ei ostwng.* A thrachefn: *Gwae'r anwir er drwg iddo, oherwydd daw gwobr ei ddwylo ar ei warthaf.* Ac ychydig yn ddiweddarach: *Gwae chwi sy'n codi'n fore i ganlyn meddwdod ac i ddiota hyd yr hwyr nes i'r gwin eich cynhyrfu. Y mae'r delyn a'r nabl, y tabwrdd a'r bibell a'r gwin yn eich gwleddoedd, ac nid ydych yn parchu gwaith yr Arglwydd nac yn ystyried gweithiau ei ddwylo. Oherwydd hynny arweiniwyd fy mhobl yn gaeth am na chafodd wybodaeth, a threngodd ei huchelwyr o newyn a gwywodd ei lliaws gan syched. Gan hynny,*

aperuit os suum absque ullo termino et descendent fortes eius et populi eius et sublimes gloriosique eius ad eum. **4.** Et infra: *Vae qui potentes estis ad bibendum vinum et viri fortes ad miscendam ebrietatem, qui iustificatis impium pro muneribus et iustitiam iusti aufertis ab eo. Propter hoc sicut devorat stipulam lingua ignis et calor flammae exurit, sic radix eorum quasi favilla erit et germen eorum ut pulvis ascendet. Abiecerunt enim legem Domini exercituum et eloquium Sancti Israhel despexerunt. In omnibus his non est aversus furor Domini, sed adhuc manus eius extenta.*

44 **1.** Et post aliquanta de die iudicii et peccatorum ineffabili metu disceptans ait: *Ululate, quia prope est dies Domini* – si tunc prope erat, quid nunc putabitur? – *quia vastitas a Deo veniet. Propter hoc omnes manus dissolventur et omne cor hominis tabescet et conteretur, tortiones et dolores tenebunt, quasi parturiens dolebunt. Unusquisque ad proximum suum stupebit; facies combustae vultus illorum. Ecce dies Domini veniet crudelis et indignationis plenus et irae furorisque ad ponendam terram in solitudinem et peccatores eius conterendos de ea, quoniam stellae caeli et splendour earum non expandent lumen suum, obtenebrabitur sol in ortu suo et luna non splendebit in tempore suo. Et visitabo super orbis mala et contra impios iniquitatem ipsorum et quiescere faciam superbiam infidelium et arrogantiam fortium humiliabo.* **2.** Et iterum: *ecce Dominus dissipabit terram et nudabit eam et affliget faciem eius et disperget habitatores eius, et erit sicut populus, sic sacerdos, et sicut servus, sic dominus eius, sicut ancilla, sic domina eius, sicut emens, sic ille qui vendit,*

lledodd uffern ei henaid ac agor ei safn yn ddiderfyn, a bydd ei glewion a'i llu a'i gwŷr urddasol a chlodfawr yn disgyn iddi. **4.** Ac isod: *Gwae chwi sy'n abl wrth yfed gwin ac yn wŷr cryfion wrth gymysgu medd-dod, sy'n cyfiawnhau'r anwir er gwobrau ac yn gwrthod cyfiawnder i'r cyfiawn. Oherwydd hyn, fel yr ysa tafod o dân y sofl ac y llosga gwres y fflam hwy yn ulw, felly y bydd eu gwreiddyn megis marwydos a bydd eu blaguryn yn codi fel llwch. Canys gwrthodasant gyfraith Arglwydd y Lluoedd a dirmygasant air Sanct Israel. Yn hyn oll ni throwyd ymaith lid yr Arglwydd, ond y mae ei law eto wedi ei hestyn allan.*

44 **1.** Ac ymhen ychydig, gan drafod dydd y farn ac ofn anhraethol pechaduriaid, dywed: *Udwch, canys y mae dydd yr Arglwydd gerllaw* – os ydoedd gerllaw y pryd hwnnw, beth a dybiwn yn awr? – *canys fe ddaw dinistr oddi wrth Dduw. Gan hynny, llaesir yr holl ddwylo a thodda pob calon ddynol a'i mathru; bydd poenedigaethau ac arteithiau yn eu dal, byddant mewn gwewyr fel gwraig yn esgor. Bydd pob un yn edrych yn syfrdan ar ei gymydog; eu trem fel wynebau ar dân. Wele, daw dydd yr Arglwydd yn greulon ac yn llawn digofaint a dicter a llid i wneud y ddaear yn ddiffaith a difa ei phechaduriaid ohoni; canys ni ledaena sêr y nefoedd a'u disgleirder eu goleuni, tywyllir yr haul ar ei godiad ac ni ddisgleiria'r lloer yn ei hamser. Ac ymwelaf â drygau'r byd ac, yn erbyn yr annuwiol, â'u hanwiredd, a pharaf i falchder yr anffyddloniaid dewi a gostyngaf draha y rhai cryfion.* **2.** A thrachefn: *Wele, bydd yr Arglwydd yn gwacáu'r ddaear a'i noethi, yn creithio'i hwyneb a gwasgaru ei thrigolion; a bydd yr un ffunud i bobl ac i offeiriad, i was ac i'w feistr, i lawforwyn ac i'w meistres, i brynwr ac i werthwr, i gredydwr ac i fenthyciwr, i'r un sy'n*

sicut fenerator, sic ille qui mutuum accipit, sicut qui repetit, sic qui debet. Dissipatione dissipabitur terra et direptione praedabitur. Dominus enim locutus est verbum hoc. Luxit et defluxit terra, defluxit orbis, infirmata est altitudo populi terrae et terra infecta est ab habitatoribus suis, quia transgressi sunt leges, mutaverunt ius, dissipaverunt foedus sempiternum. Propter hoc maledictio vorabit terram.

45 **1.** Et infra: *Ingemiscent omnes qui laetantur corde, cessabit gaudium tympanorum, quiescet sonitus laetantium, conticescet dulcedo citharae, cum cantico non bibent vinum, amara erit potio bibentibus illam. Attrita est civitas vanitatis, clausa est omnis domus nullo introeunte. Clamor erit super vino in plateis, deserta est omnis laetitia, translatum est gaudium terrae, relicta est in urbe solitudo et calamitas opprimet portas, quia haec erunt in medio terrae et in medio populorum.*

2. Et post pauca: *Praevaricantes praevaricati sunt et praevaricatione transgresssorum praevaricati sunt. Formido et fovea et laqueus super te, qui habitator es terrae. Et erit: qui fugerit a voce formidinis cadet in foveam, et qui se explicuerit de fovea tenebitur laqueo: quia cataractae de excelsis apertae erunt et concutientur fundamenta terrae. Confractione confringetur terra, commotione commovebitur, agitatione agitabitur sicut ebrius, et auferetur quasi tabernaculum unius noctis, et gravabit eam iniquitas sua, et corruet et non adiciet ut resurgat. Et erit: in die illa visitabit Dominus super militiam caeli in excelso et super reges terrae qui sunt super terram, et congregabuntur in*

hawlio dyled yn ôl ac i'r un sy'n ddyledus. Chwelir y ddaear yn deilchion ac fe'i hysbeilir yn llwyr. Canys yr Arglwydd a lefarodd y gair hwn. Galarodd y ddaear ac edwinodd; edwinodd y byd, gwanhawyd ffroenuchelder pobl y ddaear a halogwyd y ddaear gan ei thrigolion am iddynt dorri'r cyfreithiau, newid deddf a chwalu'r cyfamod tragwyddol. Am hyn, bydd melltith yn ysu'r ddaear.

45 **1.** Ac isod: *Bydd pawb sy'n llawenhau yn eu calonnau yn griddfan, paid lloniant y tabyrddau, distawa sŵn y gorfoleddwyr, derfydd melyster y delyn, nid yfant win gyda chân, chwerw fydd y ddiod i'r rhai a'i hyf. Drylliwyd dinas gwagedd, caewyd pob tŷ a neb yn mynd i mewn iddo. Bydd gweiddi am win yn yr heolydd, ymadawyd â phob llawenydd, cludwyd ymaith loniant y tir, gadawyd anghyfanedd-dra yn y ddinas a bydd trychineb yn dryllio ei phyrth, canys fe ddigwydd y pethau hyn yng nghanol y tir ac yng nghanol y bobloedd.*

2. Ac ychydig wedyn: *Twyllasant yn arw, a thwyllasant â thwyll troseddwyr. Dychryn a phwll a magl sydd ar dy gyfer, breswylydd daear. Ac fe ddigwydd hyn: Bydd y sawl a ffy rhag llais y dychryn yn syrthio i'r pwll, a delir y sawl a'i rhyddha ei hun o'r pwll yn y fagl, canys agorir y llifddorau oddi uchod ac ysgydwir seiliau'r ddaear. Dryllir y ddaear yn llwyr, fe'i hysgydwir yn ddirfawr, bydd yn gwegian yn aruthr fel meddwyn ac fe'i dygir ymaith fel pabell unnos; a bydd ei drygioni yn pwyso'n drwm arni, fe syrth ac ni chais godi eto. Ac fe ddigwydd hyn: Yn y dydd hwnnw bydd yr Arglwydd yn ymweld â byddin y nef sydd yn y goruchaf ac â brenhinoedd y ddaear sydd ar y ddaear; ac fe'u cydgynullir yn gynulliad o un pentwr*

congregationem unius fascis in lacum et claudentur ibi in carcerem et post multos dies visitabuntur. Et erubescet luna et confundetur sol cum regnaverit Dominus exercituum in monte Sion et in Ierusalem, et in conspectu senum suorum fuerit glorificatus.

46 **1.** Et post aliquanta, rationem reddens quam ob rem talia minaretur, ita ait: *Ecce non est abbreviata manus Domini, ut salvare nequeat, neque adgravata est auris eius, ut non exaudiat. Sed iniquitates vestrae diviserunt inter vos et Deum vestrum, et peccata vestra absconderunt faciem eius a vobis, ne exaudiret. Manus enim vestrae pollutae sunt sanguine et digiti vestri iniquitate: labia vestra locuta sunt mendacium et lingua vestra iniquitatem fatur. Non est qui vocet iustitiam neque est qui iudicet vere, sed confidunt in nihil, et loquuntur vanitates et conceperunt dolorem et pepererunt iniquitatem.* **2.** Et infra: *Opera eorum inutilia et opus iniquitatis in manibus eorum. Pedes eorum in malum currunt, et festinant ut effundant sanguinem innocentem. Cogitationes eorum cogitationes inutiles, vastitas et contritio in viis eorum et viam pacis non cognoverunt et non est iudicium in gressibus eorum. Semitae eorum incurvatae sunt eis: omnis qui calcat in eis ignorant pacem. Propter hoc elongatum est iudicium a vobis et non apprehendit vos iustitia.*

3. Et post pauca: *Et conversum est retrorsum iudicium et iustitia longe stetit, quia corruit in platea veritas et aequitas non potuit ingredi. Et facta est veritas in oblivione, et qui recessit a malo praedae patuit. Et vidit Dominus, et non placuit in oculis eius quia non est iudicium.*

i'r pwll, ac fe'u cloir yno mewn carchar, ac ymhen llawer o ddyddiau ymwelir â hwy. A bydd y lleuad yn gwrido a'r haul yn cywilyddio pan deyrnasa Arglwydd y Lluoedd ar Fynydd Seion ac yn Jerwsalem a'i ogoneddu yng ngolwg ei henuriaid.

46 **1.** Ac wedi ennyd, gan roi rheswm pam y bygythiai'r fath bethau, dywed fel hyn: *Wele, ni fyrhawyd llaw yr Arglwydd fel na allo achub, ac ni thrymhawyd ei glust fel na chlywo. Eithr creodd eich camweddau raniad rhyngoch a'ch Duw a chuddiodd eich pechodau ei wyneb rhagoch fel na'ch clywai. Canys halogwyd eich dwylo gan waed a'ch bysedd gan gamwedd; dywedodd eich gwefusau gelwydd a llefara eich tafod ddrygioni. Nid oes a eilw am gyfiawnder ac nid oes a farn yn onest, ond ymddiriedant mewn gwegi a llefarant ofer bethau, a beichiogasant ar boen ac esgor ar ddrygioni.*

2. Ac isod: *Di-fudd yw eu gweithredoedd a gwaith trawster sydd yn eu dwylo. Rhed eu traed at gamwri a phrysurant i dywallt gwaed diniwed. Di-fudd yw eu meddyliau, distryw a dinistr sydd yn eu ffyrdd ac nid adwaenant ffordd heddwch, ac nid oes farn yn eu camre. Crymwyd eu llwybrau ac ni ŵyr neb sy'n eu troedio heddwch. Am hyn pellhawyd barn oddi wrthych ac ni afaelodd cyfiawnder ynoch.*

3. Ac ymhen ychydig: *A throwyd barn yn ei hôl a safodd cyfiawnder o bell, canys cwympodd gwirionedd yn yr heol ac ni fedrodd unionder ddod i mewn. Ac fe aeth gwirionedd yn angof a gwnaeth y sawl a giliodd oddi wrth ddrygioni ei hun yn agored i'w ysbeilio. A gwelodd yr Arglwydd hyn ac ni ryngodd fodd i'w lygaid nad oes farn.*

Verba Ieremiae

47 **1.** Hucusque Esaiae prophetae pauca de multis dixisse sufficiat. Nunc vero illum qui priusquam formaretur in utero praescitus et priusquam exiret de vulva sanctificatus et in cunctis gentibus propheta positus est, Ieremiam scilicet, quid de populo insipiente rigidisque regibus pronuntiaverit parumper attendentes audite, hoc modo leniter verba initiantem: **2.** *Et factum est verbum Domini ad me dicens: vade et clama in auribus Ierusalem et dices: audite verbum Domini, domus Iacob et omnes cognationes domus Israhel. Haec dicit Dominus: quid invenerunt in me patres vestri iniquitatis, qui elongati sunt a me et ambulaverunt post vanitatem et vani facti sunt et non dixerunt: ubi est qui ascendere nos fecit de terra Aegypti?* Et post pauca: **3.** *A saeculo confregisti iugum meum, rupisti vincula mea, dixisti: non serviam. Ego plantavi te vineam electam, omne semen verum. Quomodo ergo conversa es in pravum vinea aliena? Si laveris te nitro et multiplicaveris tibi herbam borith, maculata es iniquitate tua coram me, dicit Dominus*. **4.** Et infra: *Quid vultis mecum iudicio contendere? Omnes me dereliquistis, dicit Dominus. Frustra percussi filios vestros, disciplinam non receperunt. Audite verbum Domini: Num quid solitudo factus sum Israhel aut terra serotina? Quare ergo dixit populus meus: recessimus, non veniemus ultra ad te? Num quid obliviscitur virgo ornamenti sui aut sponsa fasciae pectoralis suae? Populus vero meus oblitus est me diebus innumeris. Quia stultus est populus meus, me non cognovit: filii*

Geiriau Jeremeia

47 **1.** Bydded i'r ychydig a ddyfynnwyd yma o blith geiriau lawer y proffwyd Eseia fod yn ddigon. Clywch yn awr am ennyd fach y gŵr hwnnw, ac yntau'n rhagwybyddus cyn ei lunio yn y groth ac wedi ei sancteiddio cyn ei eni, a benodwyd hefyd yn broffwyd ymysg yr holl genhedloedd, nid amgen Jeremeia – clywch, meddaf, gan wrando'n astud, yr hyn a gyhoeddodd ef am bobl ffôl a brenhinoedd gwargaled gan ddechrau ei eiriau'n dyner fel hyn: **2.** *A daeth gair yr Arglwydd ataf gan ddweud: Dos, a gwaedda yng nghlustiau Jerwsalem, a dywed: Clywch air yr Arglwydd, dŷ Jacob a holl geraint tŷ Israel. Dyma a ddywed yr Arglwydd: Pa fai a gafodd eich tadau ynof, iddynt ymbellhau oddi wrthyf a rhodio ar ôl oferedd a mynd yn ofer a pheidio â dweud: Ble mae'r hwn a barodd inni esgyn o dir yr Aifft?* **3.** Ac ychydig ymhellach: *Torraist fy iau ers talwm, drylliaist fy nghadwyni; dywedaist: Ni wasanaethaf. Fe'th blennais yn winwydden ddethol, gwir had drwodd a thro. Sut, gan hynny, y'th drowyd er gwaeth yn winwydden estron? Os golchi dy hun â neitr ac amlhau sebon i ti dy hunan, yr wyt wedi dy staenio â'th ddrygioni ger fy mron, medd yr Arglwydd.* **4.** Ac isod: *Pam y dymunwch ddadlau mewn barn â mi? Yr ydych oll wedi fy ngadael, medd yr Arglwydd. Yn ofer y trewais eich meibion, ni dderbyniasant ddisgyblaeth. Clywch air yr Arglwydd: Ai anialwch a fûm i Israel ynteu tir yr hwyrnos? Pam, felly, y dywedodd fy mhobl: Ciliasom, ni ddown mwyach atat ti? A anghofia morwyn ei thlysau neu briodasferch ei gwregys priodas? Eto y mae fy mhobl wedi fy anghofio ers dyddiau dirifedi. Canys y mae fy mhobl yn ffôl, nid adwaenant*

insipientes sunt et vecordes: sapientes sunt, ut faciant mala, bene autem facere nescierunt.

48 **1.** Tum propheta ex sua persona loquitur dicens: *Domine, oculi tui respiciunt fidem. Percussisti eos et non doluerunt; attrivisti eos et renuerunt accipere disciplinam; induraverunt facies suas super petram et noluerunt reverti.*
2. Itemque Dominus: *Annuntiate hoc domui Iacob et auditum facite in Iuda dicentes: audi, popule stulte, qui non habes cor, qui habentes oculos non videtis et aures et non auditis. Me ergo non timebitis, ait Dominus, et a facie mea non dolebitis? qui posui harenam terminum mari praeceptum sempiternum, quod non praeteribit; et commovebuntur et non poterunt, intumescent fluctus eius et non transibunt illud. Populo autem huic factum est cor incredulum et exasperans, recesserunt et abierunt, et non dixerunt in corde suo: metuamus Dominum Deum nostrum.*
3. Et iterum: *Quia inventi sunt in populo meo impii insidiantes quasi aucupes, laqueos ponentes et pedicas ad capiendos viros. Sicut decipula plena avibus, sic domus eorum plenae dolo. Ideo magnificati sunt et ditati, incrassati sunt et inpinguati, et praeterierunt sermones meos pessime, causam pupilli non dixerunt ei iudicium pauperum non iudicaverunt. Numquid super his non visitabo, dicit Dominus, aut super gentem huiusmodi non ulciscetur anima mea?*

49 **1.** Sed absit ut vobis eveniat quod sequitur: *loqueris ad eos omnia verba haec et non audient te et vocabis eos et non respondebunt tibi et dices ad eos: haec est gens quae*

fi: meibion gwirion ac ynfyd ydynt, yn gall i wneud drygioni ond heb wybod sut i wneud daioni.

48 **1.** Yna llefara'r proffwyd yn ei berson ei hun gan ddweud: *O Arglwydd, y mae dy lygaid yn parchu gonestrwydd. Trewaist hwy ac ni ofidiasant; methraist hwy a gwrthodasant dderbyn disgyblaeth; gwnaethant eu hwynebau'n galetach na'r graig a gwrthod dychwelyd.*

2. Yr un modd, dywed yr Arglwydd: *Cyhoeddwch hyn i dŷ Jacob a pherwch ei glywed yn Jwda gan ddweud: Clywch, chwi bobl hurt heb galon, nad ydych, a llygaid gennych, yn gweld nac, a chlustiau gennych, yn clywed. Felly oni'm hofnwch, medd yr Arglwydd, ac oni ofidiwch ger fy wyneb i, myfi a osododd y tywod yn derfyn i'r môr trwy orchymyn tragwyddol nad â heibio iddo? Cynhyrfir y tonnau ac ni thyciant, ymchwyddant ac nid ânt drosto. Ond i'r bobl hon aeth eu calon yn anffyddlon a gwrthryfelgar. Ciliasant a mynd ymaith, ac ni ddywedasant yn eu calon: Bydded inni ofni'r Arglwydd ein Duw.* **3.** A thrachefn: *Canys cafwyd ymysg fy mhobl ddynion annuwiol sy'n gwylio megis adarwyr gan osod rhwydau a maglau i ddal dynion. Megis y mae cawell yn llawn adar, felly y mae eu tai yn llawn twyll. Gan hynny, aethant yn fawr a chyfoethog, yn fras a thew, ac anwybyddasant fy ngeiriau yn y modd gwaethaf; ni ddadleuasant achos yr amddifad ac ni farnasant achos y tlawd. Onid ymwelaf â hwy am y pethau hyn, medd yr Arglwydd, neu oni ddial fy enaid ar y gyfryw genedl â hon?*

49 **1.** Ond na foed i'r hyn a ganlyn ddigwydd ichwi: *Lleferi'r holl eiriau hyn wrthynt ac ni wrandawant arnat; gelwi hwynt ac ni'th atebant; a byddi'n dweud wrthynt:*

non audivit vocem Domini Dei sui nec recepit disciplinam; periit fides et ablata est de ore eorum. Et post aliquanta: *Numquid qui cadit non resurget et qui aversus est non revertetur? Quare ergo aversus est populus iste in Ierusalem aversione contentiosa? Apprehenderunt mendacium et noluerunt reverti. Attendi et auscultavi, nemo quod bonum est loquitur. Nullus est qui agat paenitentiam super peccato suo dicens: quid feci? Omnes conversi sunt ad cursum suum quasi equus impetu vadens in proelium. Milvus in caelo cognovit tempus suum, turtur et hirundo et ciconia custodierunt tempus adventus sui, populus meus non cognovit iudicium Dei.*

2. Et tam vehementi sacrilegiorum caecitate et ineffabili ebrietate propheta conterritus et deflens eos qui se ipsos non deflebant, ut et nunc infelices tyranni agunt, optat sibi auctionem fletuum a Domino concedi, hoc modo dicens: *Super contritione filiae populi mei contritus sum: stupor obtinuit me. Numquid resina non est in Galaad aut medicus non est ibi? Quare ergo non obducta est cicatrix filiae populi mei? Quis dabit capiti meo aquam et oculis meis fontem lacrimarum? Et plorabo die et nocte interfectos populi mei. Quis dabit mihi in solitudine diversorium viatorum? et derelinquam populum meum et recedam ab eis, quando omnes adulteri sunt, coetus praevaricatorum. Et extenderunt linguam suam quasi arcum mendacii et non veritatis: confortati sunt in terra, quia de malo ad malum egressi sunt et me non cognoverunt, dicit Dominus.* **3.** Et iterum: *et dixit Dominus: quia dereliquerunt legem meam, quam dedi eis, et non audierunt vocem meam et*

Dyma genedl na wrandawodd ar lais yr Arglwydd ei Duw na derbyn disgyblaeth. Darfu am ffydd a'i dwyn o'u cegau. Ac ymhen ennyd: *Oni chyfyd eto y sawl a syrth ac oni ddychwel y sawl a drowyd ymaith? Pam, felly, y trodd y bobl hyn yn Jerwsalem ymaith yn gyndyn eu gwrthgiliad? Glynasant wrth gelwydd a gwrthod dychwelyd. Daliais sylw a gwrandewais: ni lefara neb dda. Nid oes neb a wna benyd am ei bechod gan ddweud: beth a wneuthum? Trodd pob un i'w redfa ei hun megis march yn mynd ar ruthr i'r gad. Edwyn y barcud yn yr awyr ei dymor; cadwodd y durtur a'r wennol a'r ciconia amser eu dyfodiad; ond ni ŵyr fy mhobl farn yr Arglwydd.*

2. Ac y mae'r proffwyd, wedi ei ddychryn drwyddo gan dallineb mor ffyrnig wrth halogi pethau cysegredig a chan y medd-dod anhraethol, a chan wylo dros y rhai na wylent drostynt eu hunain (megis y mae teyrnedd truenus heddiw hefyd yn ymddwyn), yn dymuno rhagor o ddagrau iddo'i hun oddi ar law yr Arglwydd gan ddweud fel hyn: *Oherwydd briw merch fy mhobl fe'm briwiwyd innau; meddiannodd syfrdandod fi. Onid oes balm yn Gilead, neu onid oes meddyg yno? Pam, felly, na chaewyd craith merch fy mhobl? Pwy a rydd ddŵr i'm pen a ffynnon ddagrau i'm llygaid? Ac fe wylaf ddydd a nos dros laddedigion fy mhobl. Pwy a rydd imi yn yr anialwch lety fforddolion? A gadawaf fy mhobl a chilio oddi wrthynt am eu bod i gyd yn odinebwyr, yn gynulliad o dwyllwyr. A phlygasant eu tafod megis bwa i draethu celwydd ac nid gwirionedd. Aethant yn gryf yn y tir am iddynt fynd o ddrwg i ddrwg ac ni'm hadwaenant, medd yr Arglwydd.*

3. A thrachefn: *A dywedodd yr Arglwydd: Am iddynt wrthod fy nghyfraith a roddais iddynt, a pheidio â gwrando ar fy llais na*

non ambulaverunt in ea, et abierunt post pravitatem cordis sui, idcirco haec dicit Dominus exercituum Deus Israhel: ecce ego cibabo populum istum absinthio et potum dabo eis aquam fellis: **4.** et post pauca, quod etiam crebrius stilo propheta adiunxit, dicens ex persona Dei: *tu ergo noli orare pro populo hoc, et ne assumas pro eis laudem et orationem, quia non exaudiam in tempore clamoris eorum ad me et afflictionis eorum.*

50 **1.** Quid ergo nunc infausti duces facient? Illi pauci invenientes viam angustam amota spatiosa, prohibiti a Deo ne preces pro vobis fundant perseverantibus in malis et tantopere incitantibus; quis e contrario ex corde ad Deum repedantibus, Deo nolente animam hominis interire, sed retractante ne penitus pereat qui abiectus est, vindictam non potuissent inducere, quia nec Ionas, et quidem cum multum concupiverit, Ninivitis propheta.

2. Sed omissis interim nostris audiamus potius quid prophetica tuba persultet: *Quod si dixeris,* inquiens, *in corde tuo: quare venerunt mala haec? propter multitudinem iniquitatis tuae. Si mutare potest Aethiops pellem suam aut pardus varietates suas, et vos poteritis bene facere, cum didiceritis malum*; subauditur, quia non vultis. **3.** Et infra: *Haec dicit dominus populo huic, qui dilexit movere pedes suos et non quievit et Domino non placuit: nunc recordabitur iniquitatum eorum et visitabit peccata eorum. Et dixit Dominus ad me: Noli orare pro populo isto in bonum. Cum ieiunaverint, non exaudiam preces eorum, et si obtulerint holocausta et victimas non suscipiam ea.* Et iterum: *et dixit*

rhodio yn unol ag ef, a chanlyn cyndynrwydd eu calon, am hynny dyma a ddywed Arglwydd y Lluoedd, Duw Israel: Wele, porthaf y bobl hyn â wermod a rhoi dŵr llawn bustl yn ddiod iddynt. **4.** Ac ychydig yn nes ymlaen, gan siarad ym mherson Duw (dull a ychwanegodd y proffwyd yn fynych at ei ysgrifeniadau): *Paid di â gweddïo dros y bobl hyn, na dyrchafu mawl na gweddi drostynt, canys ni wrandawaf arnynt yn amser eu gwaedd ataf a'u cystudd.*

50 **1.** Beth, gan hynny, a wna'r arweinwyr anffortunus? Mae'r ychydig rai hynny sy'n darganfod y ffordd gul ar ôl gadael y ffordd lydan wedi eu gwahardd gan Dduw rhag tywallt gweddïau drosoch chwi sy'n dyfalbarhau mewn drygioni ac yn ei gynhyrfu ef gymaint; i'r gwrthwyneb, pe baech yn dychwelyd o wirfodd calon at Dduw, nad yw'n dymuno i enaid dyn fynd i golledigaeth ond sy'n ei alw yn ôl rhag i'r neb a fwriwyd ymaith lwyr drengi, ni allent hwy ddwyn dialedd arnoch mwy, yn wir, nag y gallasai'r proffwyd Jona, er cymaint y dymunai hynny, ar drigolion Ninefe.

2. Ond gan roi heibio ein geiriau ein hunain, yn y cyfamser, gadewch inni wrando ar yr hyn a floeddia utgorn y proffwyd: *Ond os dywedi*, meddai, *yn dy galon: Pam y daeth y drygau hyn?, yr ateb yw: Oherwydd amlder dy anwiredd. Os gall yr Ethiopiad newid ei groen neu'r llewpart ei frychni, gallwch chwithau hefyd wneud daioni, er ichwi ddysgu gwneud drygioni*; yma yr awgrym yw na ddymunwch wneud hynny. **3**. Ac isod: *Fel hyn y dywed yr Arglwydd wrth y bobl hyn a hoffasant symud eu traed ac na orffwysasant na rhyngu bodd i'r Arglwydd: Yr awr hon y cofia eu hanwiredd a chosbi eu pechodau. A dywedodd yr Arglwydd wrthyf: Paid â gweddïo dros y bobl hyn er eu lles. Pan ymprydiant, ni wrandawaf ar eu hymbiliau, ac os offrymant boethoffrymau ac aberthau, ni dderbyniaf hwy.* A thrachefn: *A*

Dominus ad me: si steterit Moyses et Samuel coram me, non est anima mea ad populum istum: eice illos a facie mea et egrediantur.

4. Et post pauca: *Quis miserebitur tui, Ierusalem, aut quis contristabitur pro te aut quis ibit ad rogandum pro pace tua? Tu reliquisti me, dicit Dominus, et retrorsum abisti, et extendam manum meam super te et interficiam te.* **5.** Et post aliquanta: *Haec dicit Dominus: ecce ego fingo contra vos cogitationem: revertatur unusquisque a via sua mala et dirigite vias vestras et studia vestra. Qui dixerunt: desperamus, post cogitationes nostras ibimus et unusquisque pravitatem cordis sui mali faciemus. Ideo haec dicit Dominus: Interrogate gentes: quis audivit talia horribilia quae fecit nimis virgo Israhel? Num quid deficiet de petra agri nix Libani aut velli possunt aquae erumpentes frigidae defluentes? quia oblitus est me populus meus.* **6.** Et post aliquanta optione proposita loquitur dicens: *Haec dicit Dominus: Facite iudicium et iustitiam, et liberate vi oppressum de manu calumniatoris, et advenam et pupillum et viduam nolite contristare, neque opprimatis inique et sanguinem innocentem ne effundatis. Si enim facientes feceritis verbum istud, ingredientur per portas domus huius reges sedentes de genere David super thronum eius. Quod si non audieritis verba haec, in memetipso iuravi, dicit Dominus, quia in solitudinem erit domus haec*. Et iterum, de rege enim scelesto loquebatur: *vivo ego, dicit Dominus, quia si fuerit Iechonias anulus in manu dextra mea, inde evellam eum et dabo in manu quaerentium animam eius.*

dywedodd yr Arglwydd wrthyf: Pe safai Moses a Samuel ger fy mron, nid yw fy serch ar y bobl hyn. Bwrw hwy allan o'm golwg a bydded iddynt fynd ymaith.

4. Ac ymhen ychydig: *Pwy a dosturia wrthyt, O Jerwsalem, neu pwy a ofidia drosot, neu pwy a â i ddeisyf am heddwch iti? Gadewaist fi, medd yr Arglwydd, a chilio yn ôl, ac estynnaf fy llaw drosot a'th ddifetha.* **5.** A rhywfaint ymhellach: *Fel hyn y dywed yr Arglwydd: Wele, yr wyf yn llunio bwriad yn eich erbyn. Dychweled pob un o'i ffordd ddrwg ac unionwch eich ffyrdd a'ch amcanion. A dywedasant: Darfu ein gobaith, dilynwn ein bwriadau ein hunain a gwneud, bob un, ddrygioni ei galon lwgr ei hun. Gan hynny, fel hyn y dywed yr Arglwydd: Holwch y cenhedloedd pwy a glywodd bethau mor erchyll â'r hyn a wnaeth y forwyn Israel y tu hwnt i fesur? A balla eira Lebanon oddi ar graig y maes, neu a ellir sychu'r dyfroedd sy'n torri allan gan lifo'n oer? Canys anghofiodd fy mhobl fi.*

6. A rhywfaint ymhellach, ar ôl gosod dewis ger eu bron, llefara gan ddweud: *Fel hyn y dywed yr Arglwydd: Gwnewch farn a chyfiawnder, a rhyddhewch yr hwn a orthrymir gan drais o law y gormeswr, ac na thristewch y dieithryn a'r amddifad a'r weddw, na gorthrymu'n anghyfiawn na thywallt gwaed dieuog. Canys os gweithredwch y gair hwn yn llawn, fe ddaw i mewn trwy byrth y tŷ hwn frenhinoedd o had Dafydd, gan eistedd ar ei orsedd. Ond os na wrandewch ar y geiriau hyn, yr wyf wedi tyngu ynof fy hun, medd yr Arglwydd, y bydd y tŷ hwn yn anghyfannedd.* **7.** A thrachefn (canys am frenin drwg yr oedd yn sôn): *Megis mai byw fi, medd yr Arglwydd, pe bai Jechoniah yn fodrwy ar fy neheulaw, fe'i tynnaf oddi yno a'i roi yn nwylo'r rhai sy'n ceisio ei einioes.*

Verba Abacuc

51 Sanctus quoque Abacuc proclamat dicens: *Vae qui aedificant civitatem in sanguine et praeparant civitatem in iniquitatibus, dicentes: nonne haec sunt a Domino omnipotente? Et defecerunt populi multi in igne, et gentes multae minoratae sunt.* Et ita prophetiam querulus incipit: *Usque quo clamabo et non exaudies? Vociferabor ad te, ut quid mihi dedisti labores et dolores inspicere, miseriam et impietatem? Contra et factum est iudicium et iudex accepit. Propter hoc dissipata est lex et non perducitur ad finem iudicium, quia impius per potentiam deprimit iustum. Propter hoc exiit iudicium perversum.*

Verba Osee

52 Sed et beatus Osee propheta attendite quid loquatur de principibus dicens: *pro eo quod transgressi sunt pactum meum et adversus legem meam tulerunt et exclamabant: cognovimus te quia adversum sis Israhel, bonum ut iniquum persecuti sunt, sibi regnaverunt, et non per me: tenuerunt principatum, nec me agnoverunt.*

Verba Amos

53 **1.** Sed et sanctum Amos prophetam hoc modo minantem audite: *In tribus impietatibus filiorum Iuda et in quattuor non avertam eos propter quod repulerunt legem*

Geiriau Habacuc

51 Cyhoedda Habacuc sanctaidd yntau yn groch: *Gwae'r rhai a adeiladant ddinas trwy waed a pharatoi dinas trwy gamweddau gan ddweud: Onid oddi wrth Dduw hollalluog y daw y pethau hyn? A diffygiodd llawer o bobloedd trwy dân, a lleihawyd llawer o genhedloedd.* A rhydd gychwyn i'w broffwydoliaeth gan gwyno fel hyn: *Am ba hyd y gwaeddaf ac na wrandewi di? Llefaf arnat gan ofyn pam y rhoddaist imi flinderau a phoenau imi weld trueni ac annuwioldeb? Gwnaed barn i'r gwrthwyneb a derbyniodd y barnwr gil-dwrn yn ogystal. Oherwydd hyn drylliwyd y gyfraith ac ni ddygir barn i'w therfyn, am fod yr annuwiol yn mathru'r cyfiawn trwy rym. Oherwydd hyn gwyrgam fu'r farn.*

Geiriau Hosea

52 Ond gwrandewch hefyd ar yr hyn a ddywed y proffwyd bendigaid Hosea am dywysogion, gan ddweud: *Gan y torasant fy nghyfamod a gwrthryfela yn erbyn fy nghyfraith, ac y gwaeddent: Gwyddom dy fod yn erbyn Israel, erlidiasant y cyfiawn fel pe bai'n ddrygionus a theyrnasu iddynt eu hunain, ac nid trwof i; diogelasant eu huchafiaeth ac ni chydnabuont fi.*

Geiriau Amos

53 **1.** Ond clywch y proffwyd sanctaidd Amos hefyd yn bygwth fel hyn: *Am dri o droseddau meibion Jwda, ac am bedwar, ni throaf hwy ymaith, canys gwrthodasant gyfraith yr*

Domini et praecepta non custodierunt, sed seduxerunt eos vana eorum. Et emittam ignem super Iudam et comedet fundamenta Ierusalem. Haec dicit Dominus: in tribus impietatibus Israhel et in quattuor non avertam eos, propter quod tradiderunt pecunia iustum et pauperem pro calciamentis, quae calcant super pulverem terrae, et colaphis caedebant capita pauperum, et viam humilium declinaverunt. **2.** Et post pauca: *quaerite Dominum et vivetis, ut non reluceat sicut ignis domus Ioseph et comedat eam, nec erit qui extinguat. Domus Israel odio habuerunt in portis redarguentem et verbum iustum abominati sunt.*

3. Qui Amos prohibitus ne prophetaret in Israel absque adulationis tepore respondens: *Non eram*, inquit, *ego propheta nec filius prophetae, sed eram pastor caprarius vellicans sycomoros, et suscepit me Dominus ab ovibus et dixit Dominus ad me: vade et prophetiza in plebem meam Israhel. Et nunc audi verbum Domini*; regem namque alloquebatur. *Tu dicis: noli prophetare in Israel et non congreges turbas in domum Iacob. Propter quod haec dicit Dominus: uxor tua in civitate meretricabitur et filii tui et filiae tuae gladio cadent et terra tua funiculo metietur et tu in terra inmunda morieris; Israhel autem captivus ducetur a terra sua.* **4.** Et infra: *audite itaque haec, qui contribulatis inmane pauperem et dominationem exercetis in inopes super terram, qui dicitis: quando transibit mensis ut adquiramus, et sabbata ut aperiamus thesauros?* Et post pauca: *iurat Dominus contra superbiam Iacob, si obliviscetur in contemptione opera vestra et in his non conturbabitur terra et lugebit omnis qui*

Arglwydd ac ni chadwasant ei ddeddfau, ond denodd eu hoferedd hwy ar gyfeiliorn. Ac anfonaf dân ar Jwda ac fe ysa seiliau Jerwsalem. Fel hyn y dywed yr Arglwydd: Am dri o droseddau Israel, ac am bedwar, ni throaf hwy ymaith, canys bradychasant y cyfiawn am arian a'r anghenog am bâr o esgidiau, sy'n sangu ar lwch y ddaear, a churent bennau'r tlodion â dyrnodau, a gwyrasant ffordd y gostyngedig. **2.** Ac ymhen ychydig: *Ceisiwch yr Arglwydd, a byddwch fyw, fel na ddisgleirio tŷ Joseff megis tân a'i traflynca heb neb i'w ddiffodd. Cas fu gan dŷ Israel y sawl a geryddo yn y pyrth a ffiaidd ganddynt y gair cyfiawn.*

3. Ac yntau wedi ei wahardd rhag proffwydo yn Israel, etyb yr Amos hwn, heb fwynder gweniaith: *Nid oeddwn*, meddai, *yn broffwyd nac yn fab proffwyd, ond yn fugail geifr yn plicio ffrwyth y sycamorwydden; a chipiodd yr Arglwydd fi oddi wrth y defaid, a dywedodd yr Arglwydd wrthyf: Dos a phroffwyda i'm pobl Israel, ac yn awr gwrando ar air yr Arglwydd.* Canys yr oedd yn cyfarch y brenin. *Yr wyt yn dweud: Paid â phroffwydo yn erbyn Israel na chasglu torfeydd yn erbyn tŷ Jacob. Am hynny, fel hyn y dywed yr Arglwydd: Puteinia dy wraig yn y ddinas a syrth dy feibion a'th ferched trwy'r cleddyf; a rhennir dy dir â llinyn a byddi dithau'n marw mewn gwlad halogedig; fodd bynnag, caethgludir Israel o'i dir ei hun.* **4.** Ac isod: *Gwrandewch hyn, felly, chwi sy'n mathru'r tlawd yn ffyrnig ac yn tra-arglwyddiaethu ar yr anghenog yn y tir, ac sy'n dweud: Pa bryd yr â'r mis heibio er mwyn inni gael ein trysor a'r saboth er mwyn inni ei agor?* Ac ymhen ychydig: *Tynga'r Arglwydd yn erbyn balchder Jacob: A anghofia ef gyda dirmyg eich gweithredoedd, ac yn y pethau hyn oni chryna'r ddaear? A galara pawb sy'n trigo arni, a chwyd ei*

commorabitur in ea et ascendet sicut flumen consummatio. **5.** *Et convertam dies festos vestros in luctum et iniciam in omnem lumbum cilicium et in omne caput decalvationem et ponam eum sicut luctum dilecti et eos qui cum eo sunt sicut diem maeroris.* Et iterum: *gladio morientur omnes peccatores populi mei, qui dicunt: non appropinquabunt neque venient super nos mala.*

Verba prophetarum aliorum

54 Sed et sanctus Micheas vates attendite quid sit effatus: *Audi*, inquiens, *tribus: et quid exornabit civitatem? numquid ignis? et domus iniquorum thesaurizans in thesauros iniquos et cum iniuria iniustitiam? Si iustificabitur in statera iniquus et in saccello pondera dolosa, ex quibus divitias suas in impietate repleverunt?*

55 Sed et Sophonias propheta clarus quas minas exaggerat audite: *Prope est*, inquit, *dies Domini magnus, prope et velox valde. Vox diei Domini amara constituta est et potens. Dies irae dies ille, dies tribulationis et necessitatis, dies nubis et nebulae, dies tubae et clamoris, dies miseriae et exterminationis, dies tenebrarum et caliginis super civitates firmas et super angulos excelsos. Et contribulabo homines, et ibunt sicut caeci, quia Domino peccaverunt, et effundam sanguinem sicut pulverem et carnes eorum sicut fimum boum, et argentum eorum et aurum non poterit eximere eos in die irae Domini. Et in igne zeli eius consumetur omnis terra, quando consummationem et solitudinem*

diwedd fel llif. **5.** *A throf eich gwyliau yn alar a dygaf sachliain ar bob lwyn a moelni ar bob pen, ac fe'i gwnaf fel galar am un annwyl, a'r rhai sydd gydag ef fel dydd chwerwder.* A thrachefn: *Bydd farw trwy'r cleddyf holl bechaduriaid fy mhobl sy'n dweud: Ni ddaw drygau yn agos atom nac ar ein gwarthaf.*

Geiriau proffwydi eraill

54 Ond daliwch ar yr hyn a lefarodd y proffwyd sanctaidd Micha hefyd, gan ddweud: *Gwrando di, lwyth, a beth a addurna ddinas? Ai tân? Ai tŷ'r anwir yn trysori trysorau anwir, ac, ynghyd â niwed, anghyfiawnder? A gyfiawnheir yr anwir yn y glorian, a'r gyfres o bwysau twyllodrus yn y cwd y pentyrasant eu cyfoeth ohonynt yn annuwiol?*

55 Ond clywch y bygythion y mae'r proffwyd enwog Seffaneia hefyd yn eu pentyrru, gan ddweud: *Y mae dydd mawr yr Arglwydd yn agos, yn agos ac yn dod yn gyflym iawn. Gwnaed llais dydd yr Arglwydd yn chwerw a nerthol. Dydd digofaint yw'r dydd hwnnw, dydd trallod a chyfyngder, dydd cwmwl a niwl, dydd utgorn a gwaedd, dydd trueni a dinistr, dydd cysgodion a chaddug dros ddinasoedd cedyrn a thros dyrau onglog uchel. Ac mi gystuddiaf ddynion, a rhodiant megis deillion am iddynt bechu yn erbyn yr Arglwydd, a thywalltaf eu gwaed megis llwch a'u cnawd megis biswail ychen, ac ni ddichon eu harian na'u haur eu hachub ar ddydd digofaint yr Arglwydd. Ac ysir yr holl ddaear yn nhân ei eiddigedd pan wna'r Arglwydd*

faciet Dominus super omnes commorantes in terram. Convenite et coniungimini, gens indisciplinata, priusquam efficiamini sicut flos praeteriens, priusquam veniat super vos ira Domini.

56 Et quid Aggaeus sanctus propheta dicat, attendite: *haec dicit Dominus: semel ego movebo caelum et terram et mare et aridum et avertam regnum et exterminabo virtutem regum gentium et avertam quadrigas et ascensores.*

57 **1.** Nunc quoque quid Zacharias filius Addo propheta electus dixerit intuemini, hoc modo prophetiam suam exordiens: *revertimini ad me et revertar ad vos, dicit Dominus, et nolite tales esse sicut patres vestri, quibus imputaverunt prophetae priores dicentes: haec dicit Dominus omnipotens: avertite vos a viis vestris: et non intenderunt, ut obaudirent me.* **2.** Et infra: *Et dixit ad me angelus: quid tu vides? Et dixi: falcem ego video volantem longitudinis cubitorum viginti. Maledictio, quae procedit super faciem totius terrae, quoniam omnis fur ex ea usque ad mortem punietur, et proiciam eam, dicit Dominus omnipotens, et intrabit in domum furis et in domum iurantis in nomine meo mendacium.*

58 Sanctus quoque Malachias propheta dicit: *ecce dies Domini veniet succensa quasi caminus, et erunt omnes superbi et omnes facientes iniquitatem ut stipula et inflammabit eos dies adveniens, dicit Dominus exercituum, quae non relinquet ex eis radicem et germen.*

ddiwedd ac anghyfanedd-dra ar holl drigolion y ddaear. Dewch ynghyd ac ymgasglwch, genedl heb ddisgyblaeth, cyn eich gwneud megis blodeuyn a wywa, cyn dyfod arnoch ddigofaint yr Arglwydd.

56 A gwrandewch yr hyn a ddywed y proffwyd sanctaidd Haggai: *Fel hyn y dywed yr Arglwydd: Unwaith y symudaf nef a daear, môr a sychdir, ac y dymchwelaf y deyrnas ac y dileaf nerth brenhinoedd y cenhedloedd ac y dymchwelaf y cerbydau rhyfel a'u gyrwyr.*

57 **1.** Yn awr hefyd sylwch eto ar yr hyn a ddywedodd Sechareia fab Ido, y proffwyd etholedig, gan agor ei broffwydoliaeth fel hyn: *Dychwelwch ataf i a dychwelaf finnau atoch chwi, medd yr Arglwydd, a pheidiwch â bod fel eich tadau y darfu i'r proffwydi o'r blaen eu cyhuddo gan ddweud: Fel hyn y dywed yr Arglwydd hollalluog: Dychwelwch chwi o'ch ffyrdd; ac nid ystyriasant fel yr ufuddhaent imi.* **2.** Ac isod: *A dywedodd yr angel wrthyf: Beth a weli? A dywedais innau: Gwelaf gryman hedegog ugain cufydd o hyd. Y felltith ydyw sy'n mynd rhagddi dros wyneb yr holl ddaear, oherwydd cosbir trwyddi bob lleidr hyd at angau, a bwriaf ef ymaith, medd yr Arglwydd hollalluog, ac fe â i mewn i dŷ'r lleidr a thŷ'r sawl a dynga gelwydd yn fy enw i.*

58 Y mae'r proffwyd sanctaidd Malachi yntau'n dweud: *Wele, daw dydd yr Arglwydd, yn llosgi fel ffwrnais, a bydd pob balch a phob gwneuthurwr drygioni fel sofl, a bydd y dydd sy'n dod yn eu llosgi, medd Arglwydd y lluoedd, heb adael iddynt na gwreiddyn na blaguryn.*

Verba Iob

59 **1.** Sed et sanctus Iob attendite quid de principio impiorum et fine disceptaverit dicens: *Propter quid impii vivunt? Et senuerunt inhoneste et semen eorum secundum desiderium eorum et filii eorum ante conspectum eorum et domus eorum fructuosae sunt et timor numquam nec plaga Domini est super eos. Vacca eorum non abortivit et praegnans eorum pertulit partum et non erravit, sed permanent sicut oves aeternae, et pueri eorum gaudent et psalterium sumentes et citharam. Finierunt in bonis vitam suam, in requiem inferorum dormierunt.* **2.** Num quid Deus facta impiorum non respicit? *Non ergo, sed lucerna impiorum extinguetur et superveniet eis eversio et dolores tamquam parturientis eos ab ira tenebunt. Et erunt sicut paleae a vento et sicut pulvis quem abstulit turbo. Deficiant filiis eius bona. Videant oculi eius occisionem suam, nec a Domino resalvetur.*

3. Et post aliquanta de iisdem: *qui gregem*, inquit, *cum pastore rapuerunt et iumentum orfanorum abduxerunt et bovem viduae pignaverunt et declinaverunt impotentes a via necessitatis, agrum ante tempus non suum demessi sunt, pauperes potentium vineas sine mercede et sine cibo operati sunt, nudos multos dormire fecerunt sine vestimentis, tegmen animae eorum abstulerunt.*

4. Et post pauca, cum ergo sciret eorum opera, tradidit eos in tenebras: *maledicatur ergo pars eius a terra, pareant plantationes eius aridae. Retribuatur ergo illi sicut egit, contribuletur omnis*

Geiriau Job

59 **1.** Ond gwrandewch ar yr hyn a draethodd Job sanctaidd yntau ynghylch dechrau a diwedd yr annuwiolion, gan ddweud: *Pam y mae'r rhai annuwiol yn byw? A heneiddiasant mewn anonestrwydd, ac y mae eu had yn ôl eu dymuniad, a'u meibion yn eu golwg; ac y mae eu tai yn ffrwythlon ac nid yw ofn na ffrewyll yr Arglwydd arnynt byth. Nid erthylodd eu buchod, ac esgorodd eu hanifeiliaid beichiog ar eu hepil ac nid aethant ar gyfeiliorn; ond aros y maent fel diadell dragwyddol, a llawenycha eu bechgyn gan gymryd y saltring a'r delyn. Gorffenasant eu bywyd mewn esmwythyd, hunasant yn llonyddwch y bedd.* **2.** A baid Duw ag ystyried gweithredoedd yr annuwiolion? *Na phaid, ond diffoddir lamp yr annuwiolion a daw distryw ar eu gwarthaf, a meddianna poenau hwy megis eiddo gwraig yn esgor oherwydd llid Duw. A byddant fel manus o flaen y gwynt ac megis llwch a gipiodd y corwynt ymaith. Palled ei eiddo i'w blant. Edryched ei lygaid ar ei ddinistr ei hun ac na wareder ef gan yr Arglwydd.*

3. Ac ymhen ysbaid dywed ynghylch yr un bobl: *Y rhai*, meddai, *a gipiodd y praidd ynghyd â'r bugail, ac a ddygodd ymaith anifail baich yr amddifaid, ac a gymerodd ych y weddw yng ngwystl, ac a droes y gwan oddi ar ffordd angen – medodd y rhain faes nad yw'n eiddo iddynt cyn ei amser; gweithiodd y tlodion winllannau'r cryfion heb dâl a heb fwyd; gwnaethant i laweroedd gysgu'n noeth heb ddillad; dygasant ymaith amddiffynfa eu bywyd.*

4. Ac wedi ychydig eiriau, pan wyddai, felly, eu gweithredoedd, traddododd hwy i'r cysgodion: *Melltigedig, gan hynny, fyddo ei gyfran yn y tir, a ffrwythed ei blanhigion yn grin. Ad-daler iddo, felly, yn ôl fel y gwnaeth; dryllier pob annuwiolyn megis pren*

iniquus sicut lignum sine sanitate. In iracundia enim surgens impotentem evertit. Propterea enim non credet de vita sua; cum infirmari coeperit, non speret sanitatem, sed cadet in languorem. Multos enim laesit superbia eius et marcidus factus est sicut malva in aestu, velut spica cum de stipula sua decidit. **5.** Et infra: *quod si multi fuerint filii eius, in occisionem erunt; quod et si collexerit ut terram argentum et similiter ut lutum paraverit aurum, haec omnia iusti consequuntur.*

Verba Esdra

60 **1.** Quid praeterea beatus Esdras propheta ille bibliotheca legis minatus sit attendite, hoc modo disceptans: *Haec dicit Dominus meus: Non parcet dextera mea super peccantes nec cessabit romphaea super effundentes sanguinem innocuum super terram. Exibit ignis ab ira mea et devorabit fundamenta terrae et peccatores quasi stramen incensum. Vae eis qui peccant et non observant mandata mea, dicit Dominus, non parcam illis. Discedite, filii apostatae, et nolite contaminare sanctificationem meam. Novit Deus qui peccant in eum, propterea tradet eos in mortem et in occisionem. Iam enim venerunt super orbem terrarum mala multa.* **2.** *Inmissus est gladius vobis ignis, et quis est qui recutiet ea? Num quid recutiet aliquis leonem esurientem in silva? aut num quid extinguet ignem, cum stramen incensum fuerit? Dominus Deus mittet mala et quis est qui recutiet ea? et exiet ignis ex iracundia eius et quis est qui extinguet eum? Coruscabit, et quis non timebit? tonabit, et quis non horrebit? Deus comminabitur, et*

heb iddo irder. Canys gan godi yn ei ddig dymchwelodd y gwan. Gan hynny, ni hydera am ei einioes; pan ddechreua wanychu, na obeithied am iechyd, ond syrth i nychtod. Canys drygodd laweroedd â'i falchder, a gwywodd fel hocys yn y gwres, megis tywysen pan ddisgynna oddi ar y gorsen. **5.** Ac isod: *Ond os bydd ei feibion yn niferus, eu dinistrio a gânt; ond os casgla arian fel pridd, ac, yn gyffelyb, baratoi aur fel llaid, y rhai cyfiawn a gaiff yr holl bethau hyn.*

Geiriau Esdras

60 **1.** Clywch ymhellach yr hyn a fygythiodd y proffwyd gwynfydig hwnnw Esdras, llyfrgell o'r gyfraith, gan draethu fel hyn: *Fel hyn y dywed fy Arglwydd: Nid arbeda fy neheulaw bechaduriaid ac ni phaid fy nghledd â'r rhai sy'n tywallt gwaed dieuog ar y ddaear. Fe â tân allan o'm dicter ac ysa sylfeini'r ddaear a phechaduriaid fel gwellt a gynheuwyd. Gwae'r rhai a becha ac na chadwant fy ngorchmynion, medd yr Arglwydd, nid arbedaf hwy. Ewch ymaith, chwi feibion a wrthgiliodd ac na halogwch fy sancteiddrwydd. Edwyn Duw y rhai sy'n pechu yn ei erbyn, ac am hynny fe'u traddoda i farwolaeth a dinistr. Canys eisoes daeth drygau lawer ar y ddaear.* **2.** *Anfonwyd cleddyf tân yn eich erbyn, a phwy sydd a dry'r drygau hynny yn eu hôl? A dry neb y llew newynog yn y coed yn ei ôl? Neu beth a ddiffodda'r tân pan fo'r gwellt wedi ei gynnau? Anfona'r Arglwydd Dduw ddrygau, a phwy a'u try yn eu hôl? Ac fe â tân allan o'i lid ef, a phwy sydd a'i diffodda? Fe felltenna, a phwy nid ofna? Fe darana, a phwy nid arswyda? Fe fygythia Duw, a phwy nis dychrynir gerbron ei*

quis non terrebitur a facie eius? Tremet terra et fundamenta maris fluctuantur de profundo.

Verba Ezechielis

61 **1.** Ezechiel quoque propheta egregius quattuorque euangelicorum animalium mirandus inspector quid de sceleratis edixerit attendite, cui primum Dominus miserabiliter plagam Israel deflenti ait: *iniquitas domus Israel et Iuda invaluit nimis, quia impleta est terra populis multis et civitas impleta est iniquitate et inmunditia. Ecce ego sum. Non parcet oculus meus neque miserebor*. Et infra: *Quoniam terra plena populis et civitas plena iniquitate est, et avertam impetum virtutis eorum et polluentur sancta eorum. Exoratio veniet et quaeret pacem et non erit*. **2.** Et post aliquanta: *Factus est*, inquit, *sermo Domini ad me dicens: fili hominis, terra quae peccaverit mihi ut delinquat delictum, extendam manum meam in eam et conteram eius firmamentum panis et emittam in eam famem et tollam de ea hominem et pecora. Etsi sint tres viri isti in medio eius Noe Daniel et Iob, non liberabunt eam, sed ipsi in sua iustitia salvi erunt, dicit Dominus. Quod si etiam bestias malas inducam super terram et puniam illam et erit in exterminium et non erit qui iter faciat a facie bestiarum et tres viri isti in medio eius sint, vivo ego, dicit Dominus, si filii et filiae eius liberabuntur, sed ipsi soli salvi erunt, terra autem erit in interitum.*

3. Et iterum: *Filius non accipiet iniustitiam patris neque pater*

wyneb? Fe grŷn y ddaear a chynhyrfir sylfeini'r môr o'r dyfnder.

Geiriau Eseciel

61 **1.** Clywch hefyd yr hyn a ddatganodd Eseciel, y proffwyd enwog a gweledydd rhyfeddol pedwar creadur yr efengylau, am y drygionus. Wrtho ef, ac yntau'n wylo'n hidl ar gyfrif ffrewyll Israel, y dywedodd yr Arglwydd yn gyntaf: *Tyfodd anwiredd tŷ Israel a Jwda yn aruthr, canys cyforiog yw'r tir o bobloedd lawer a chyforiog yw'r ddinas o anwiredd ac aflendid. Wele, myfi ydyw. Nid arbeda fy llygad, ac ni thosturiaf ychwaith.* Ac isod: *Gan fod y tir yn llawn pobloedd a'r ddinas yn llawn anwiredd, dymchwelaf hefyd ruthr eu nerth, a halogir eu cysegrleoedd. Daw taer ymbil a cheisiant heddwch heb ei gael.* **2.** A rhyw gymaint ymhellach: *Daeth gair yr Arglwydd*, meddai, *ataf gan ddweud: Fab dyn, y wlad a fydd yn pechu yn fy erbyn trwy wneud camwedd, estynnaf fy llaw yn ei herbyn a thorri ei chynhaliaeth o fara, ac anfonaf newyn arni a thynnu ymaith ohoni ddyn ac anifail. Pe pai'r tri gŵr hynny, Noa, Daniel a Job, yn ei chanol, ni waredant hi, ond byddant yn gadwedig eu hunain trwy eu cyfiawnder, medd yr Arglwydd. Ond os dygaf hefyd fwystfilod niweidiol i'r wlad, ac y cosbaf hi, ac yr â'n anghyfannedd, ac na fydd neb i deithio ynddi oherwydd edrychiad y bwystfilod, ac os bydd y tri gŵr hynny yn ei chanol, yna fel mai byw fi, medd yr Arglwydd, ni waredir ei meibion a'i merched, ond hwy yn unig a fydd yn gadwedig, ac fe â'r wlad i ddistryw.*

3. A thrachefn: *Ni ddwg y mab anghyfiawnder y tad, na'r tad*

accipiet iniustitiam filii. Iustitia iusti super ipsum erit. Et iniquus si avertat se ab omnibus iniquitatibus quas fecit et custodiat omnia mandata mea et faciat iustitiam et misericordiam multam, vita vivet et non morietur: omnia delicta eius quaecumque fecit, non erunt: in sua iustitia quam fecit vita vivet. Num quid voluntate volo mortem iniusti, dicit Dominus, quam ut avertat se a via sua mala et vivat? Cum se autem converterit iustus a iustitia sua et fecerit iniquitatem secundum omnes iniquitates quas fecit iniquus, omnes iustitiae quas fecit non erunt in memoria: in delicto suo quo excidit et in peccatis suis quibus peccavit morietur. **4.** Et post aliquanta: *Et scient omnes gentes quia propter peccata sua captivi ducti sunt domus Israel, eo quod reliquerunt me. Et averti faciem meam ab eis et tradidi eos in manus inimicorum eius et omnes gladio ceciderunt. Secundum immunditias suas et secundum iniquitates suas feci illis, et averti faciem meam ab eis.*

Salomonis Sapientia

62 **1.** Haec de sanctorum prophetarum minis dixisse sufficiat: pauca tantum de sapientia Salomonis quae adhortationem vel denuntiationem exprimant regibus non minus quam minas huic opusculo inserere necessarium duxi, ne dicant me gravia et importabilia in humeros hominum verborum onera velle imponere, digito autem meo ea, id est consolatorio affatu, nolle movere. Audiamus itaque quid propheta dixit.

anghyfiawnder y mab. Bydd cyfiawnder y cyfiawn arno'i hun. A bydd yr annuwiol, os try oddi wrth yr holl ddrygau a wnaeth a chadw fy holl orchmynion a gwneud cyfiawnder a thrugaredd lawer, yn byw ei fywyd ac ni fydd farw. Dileir ei holl gamweddau, pa rai bynnag a wnaeth: bydd yn byw ei fywyd yn y cyfiawnder a wnaeth. A wyf yn gwir ddymuno marw'r anghyfiawn, medd yr Arglwydd, yn hytrach na throi ohono oddi wrth ei ffordd ddrygionus a byw? Fodd bynnag, pan dry'r cyfiawn oddi wrth ei gyfiawnder a gwneud drygioni fel yr holl ddrygau a wnaeth yr anghyfiawn, ni chofir yr holl gyfiawnderau a wnaeth. Bydd farw yn y trosedd y cwympodd iddo ac yn y pechodau a gyflawnodd. **4.** Ac ymhellach ymlaen: *Caiff yr holl genhedloedd wybod mai am eu pechodau y caethgludwyd tŷ Israel, oherwydd iddynt fy ngadael. A throais fy wyneb oddi wrthynt a'u traddodi i ddwylo eu gelynion, a chwympodd pawb ohonynt trwy'r cleddyf. Yn ôl eu haflendid ac yn ôl eu troseddau y gwneuthum â hwy, a throais fy wyneb oddi wrthynt.*

Doethineb Solomon

62 **1.** Boed hynyna o ddweud am fygythion y proffwydi sanctaidd yn ddigon. Yr wyf wedi ei hystyried yn angenrheidiol dwyn i mewn i'r gwaith bach hwn ychydig yn unig o ymadroddion o Ddoethineb Solomon er mwyn iddynt ddatgan anogaethau neu rybuddion i frenhinoedd yn ogystal â bygythion, rhag iddynt ddweud fy mod yn dymuno bwrw beichiau trwm ac anodd eu dwyn o eiriau ar ysgwyddau dynion ond heb ddymuno eu symud â'm bys, hynny yw â geiriau cysurlon. Gwrandawn, felly, yr hyn a ddywedodd y proffwyd.

2. *Carwch gyfiawnder*, meddai, *chwi sy'n barnu'r ddaear.*

2. *Diligite* inquit *iustitiam, qui iudicatis terram*. Hoc unum testimonium si toto corde servaretur, abunde ad corrigendum patriae duces sufficeret. Nam si dilexissent iustitiam, diligerent utique fontem quodammodo et originem totius iustitiae Deum.
3. *Servite Domino in bonitate et in simplicitate cordis quaerite eum*. Heu *quis victurus est*, ut quidam ante nos ait, *quando ista a civibus perficiantur,* si tamen usquam perfici possunt?
4. *Quoniam invenitur ab his qui non temptant illum, apparet autem eis qui fidem habent in eum*. Nam isti sine respectu temptant Deum, cuius praecepta contumaci despectione contemnunt, nec fidem servant illi cuius oraculis blandis vel aliquantulum severis dorsum versant et non faciem.
5. *Perversae enim cogitationes separant a Deo*. Et hoc in tyrannis nostri temporis perspicue deprehenditur.
6. Sed quid nostra mediocritas huic tam aperto sensui miscetur? Loquatur namque pro nobis, ut diximus, qui solus verax est, Spiritus scilicet Sanctus, de quo nunc dicitur: *Spiritus autem Sanctus disciplinae effugiet fictum*, et iterum: *quoniam Spiritus Dei replevit orbem terrarum.* **7.** Et infra finem malorum bonorumque oculato iudicio praetendens ait: *Quoniam spes impii tamquam lanugo est quae a vento tollitur, et tamquam fumus qui a vento diffusus est, et tamquam spuma gracilis quae a procella dispergitur, et tamquam memoria hospitis unius diei praetereuntis, iusti autem in perpetuum vivent et apud Deum est merces illorum et cogitatio eorum apud Altissimum. Ideo accipient regnum decoris et diadema speciei de manu Domini, quoniam dextera sua proteget eos et brachio sancto*

Byddai'r dystiolaeth hon yn unig, pe'i cedwid o lwyrfryd calon, yn hen ddigon i unioni penaethiaid ein mamwlad. Oherwydd pe baent wedi caru cyfiawnder, byddent, yn sicr, yn caru ffynhonnell a tharddell, megis, pob cyfiawnder, sef Duw.

3. *Gwasanaethwch yr Arglwydd mewn daioni, a cheisiwch ef mewn symlrwydd calon.* Ysywaeth, *pwy a fydd fyw*, chwedl un o'n rhagflaenwyr, *pan gyflawnir y pethau gan ein dinasyddion*, os gellir eu cyflawni yn unman?

4. *Canys fe'i ceir gan y rhai na heriant ef, ac ymddengys i'r rhai a chanddynt ffydd ynddo.* Oherwydd mae'r dynion hynny'n herio Duw yn ddi-barch, gan ddiystyru ei ddeddfau â dirmyg trahaus; ac nid ydynt yn cadw ffydd ynddo, gan droi eu cefnau ac nid eu hwynebau tuag at ei oraclau, boed y rheini'n esmwyth neu'n bur llym.

5. *Canys y mae meddyliau trofaus yn ein gwahanu oddi wrth Dduw.* A chanfyddir hyn yn eglur yng ngormeswyr ein hoes ni.

6. Ond pam y cymysgir fy ninodedd i â'r synnwyr a hwnnw mor amlwg? Oherwydd llefared ar fy rhan, fel y dywedais, hwnnw yn unig sydd yn wir, sef yr Ysbryd Glân, y dywedir amdano yn awr: *Fodd bynnag, bydd Ysbryd Sanctaidd disgyblaeth yn ffoi rhag twyll.* A thrachefn: *Canys llanwodd Ysbryd Duw y byd.* **7.** Ac isod, gan ddangos â barn glir ddiwedd y drwg a'r da, medd: *Canys y mae gobaith yr annuwiol megis manflew planhigion a yrrir gan y gwynt; ac megis y mwg a wasgerir gan y gwynt, ac megis yr ewyn tenau a chwelir gan y dymestl, ac megis yr atgof am ymwelydd undydd. Ond bydd y cyfiawn yn byw am byth, ac y mae eu gwobr yng nghwmni'r Arglwydd, a gofal amdanynt gan y Goruchaf. Am hynny, derbyniant deyrnas ysblander a choron harddwch o law yr Arglwydd, canys bydd yn eu gwarchod â'i law dde a'u hamddiffyn â'i fraich sanctaidd.* **8.** Oherwydd annhebyg iawn o ran eu cymeriad

suo defendet illos. **8.** Dissimiles etenim qualitate sunt valde iusti et impii, nimirum, ut dixit Dominus: *eos qui honorant*, inquiens, *me, honorabo: et qui me spernunt,erunt ignobiles*.

63 Sed transeamus ad cetera: *audite*, inquit, *omnes reges et intellegite, discite, iudices finium terrae: praebete aures vos, qui continetis multitudines et placetis vobis in turbis nationum. Quoniam data est a Deo potestas vobis et virtus ab altissimo, qui interrogabit opera vestra et cogitationes scrutabitur: quoniam cum essetis ministri regni illius, non recte iudicastis neque custodistis legem iustitiae neque secundum voluntatem eius ambulastis: horrende et celerite apparebit vobis, quoniam iudicium durissimum his qui praesunt fiet. Exiguis enim conceditur misericordia, potentes autem potenter tormenta patientur. Non enim personas subtrahet, qui est omnium dominator: nec reverebitur magnitudinem cuiusquam, quoniam pusillum et magnum ipse fecit et aequaliter cura est illi pro omnibus. Fortioribus autem fortior instat cruciatio. Ad vos ergo, reges, hi sunt sermones mei, ut discatis sapientiam et non decidatis. Qui enim custodierint iusta iustificabuntur, et qui didicerint sancta sanctificabuntur.*

De nequitia clericorum Britanniae

64 **1.** Hactenus cum regibus patriae non minus prophetarum oraculis quam nostris sermonibus disceptavimus, volentes eos scire, quae propheta dixerat: *quasi* inquiens *a facie colubri fuge peccata: si accesseris ad illa, suscipient te; dentes leonis dentes*

yw'r cyfiawn a'r annuwiol, a hynny'n bendifaddau; yn wir, fel y dywedodd yr Arglwydd: *Anrhydeddaf*, meddai, *y rhai sy'n fy anrhydeddu i, a bydd y rhai sy'n fy niystyru yn ddirmygedig.*

63 Ond gadewch inni droi at y gweddill: *Gwrandewch*, meddai, *chwi frenhinoedd oll, a deallwch; dysgwch, chwi farnwyr eithafoedd y ddaear. Gostyngwch eich clustiau, chwi sy'n arglwyddiaethu ar luosydd ac sy'n ymfalchïo yn nhyrfaoedd eich cenhedloedd. Canys rhoddwyd grym ichwi gan Dduw a nerth gan y Goruchaf, yr hwn a ymhola am eich gweithredoedd ac a chwilia eich amcanion. Canys er ichwi fod yn weinidogion y frenhiniaeth honno, ni farnasoch yn union na chadw cyfraith cyfiawnder, na rhodio yn ôl ei ewyllys; yn ofnadwy ac yn ebrwydd yr ymddengys ichwi, canys barn dostlem a wneir â llywodraethwyr. Canys dangosir tosturi i'r lleiaf, ond dioddefa'r cedyrn boenau cadarn. Canys ni wna'r hwn sy'n arglwydd pawb dderbyn wyneb, ac nid ymgreinia i fawredd neb, canys ef a wnaeth y bychan a'r mawr, a'r un yw ei ofal dros bawb. Artaith gadarnach, fodd bynnag, sy'n bygwth y cedyrn. Dyma, felly, fy ngeiriau wrthych chwi frenhinoedd, fel y dysgoch ddoethineb a pheidio â chwympo. Canys cyfiawnheir y rhai a gadwodd ffyrdd cyfiawnder a sancteiddir y rhai a ddysgodd ffyrdd sancteiddrwydd.*

Drygioni clerigwyr Prydain

64 **1.** Hyd yn hyn yr wyf wedi dadlau â brenhinoedd ein mamwlad nid llai trwy oraclau'r proffwydi na thrwy fy ngeiriau fy hun, gan ddymuno iddynt wybod beth a ddywedasai'r proffwyd: *Ffowch rhag pechodau*, meddai, *megis rhag wyneb sarff: os ei'n agos atynt, fe'th ddeil; dannedd llew yw eu dannedd hwy, dannedd sy'n lladd eneidiau dynion*. A thrachefn: *Mor fawr*

eorum, interficientes animas hominum, et iterum: *quam magna misericordia Domini et propitiatio eius convertentibus ad se.* **2.** Et si non habemus in nobis illud apostolicum, ut dicamus, *optabam enim anathema esse a Christo pro fratribus meis*, tamen illud propheticum toto corde possimus dicere: *heu quia anima perit!* et iterum: *scrutemur vias nostras et quaeramus et revertamur ad Dominum: levemus corda nostra cum manibus ad Deum in caelo*, sed et illud apostolicum: *cupimus unumquemque vestrum in visceribus Christi esse.*

65 **1.** Quam enim libenter hoc in loco ac si marinis fluctibus iactatus et in optato evectus portu remis, si non tantos talesque malitiae episcoporum vel ceterorum sacerdotum aut clericorum in nostro quoque ordine erigi adversus Deum vidissem montes, quos me secundum legem, ceu testes, primum duris verborum cautibus, dein populum, si tamen sanctionibus inhaeret, non ut corporaliter interficiantur, sed mortui vitiis vivant Deo, ne personarum arguar exceptionis, totis necesse est viribus lapidare, verecundia interveniente quiescerem. **2.** Sed mihi quaeso, ut iam in superioribus dixi, ab his veniam impertiri quorum vitam non solum laudo verum etiam cunctis mundi opibus praefero, cuiusque me, si fieri possit, ante mortis diem esse aliquamdiu participem opto et sitio. Nostris iam nunc obvallatis sanctorum duobus clipeis lateribus invictis, dorso ad veritatis moenia stabilito, capite pro galea adiutorio Domini fidissime contecto, crebro veracium volatu volitent conviciorum cautes.

yw tosturi'r Arglwydd a'i faddeuant i'r rhai a dry ato! **2.** Ac os nad oes gennyf ynof y peth apostolaidd hwnnw a'm galluogai i ddweud: *Canys yr oeddwn yn dymuno bod yn anathema oddi wrth Grist er mwyn fy mrodyr*, serch hynny gallem ddweud â'n holl galon y gair hwnnw o eiddo'r proffwyd: *Gwae fi, canys darfu am enaid!* Drachefn: *Bydded inni chwilio a phrofi ein ffyrdd, a dychwelyd at yr Arglwydd; boed inni ddyrchafu ein calonnau a'n dwylo at Dduw yn y nefoedd*, ond hefyd y geiriau hynny o eiddo'r Apostol: *Dymunwn i bob un ohonoch fod yn ymysgaroedd Crist.*

65 **1.** Oherwydd mor ewyllysgar, fel un megis wedi ei luchio gan donnau'r môr a'i gludo i hafan ddymunol gan y rhwyfau, y gallwn, a gwyleidd-dra yn cymell, orffwys yn y lle hwn, pe na welswn y fath fynyddoedd anferth o gamweddau esgobion neu'r offeiriaid eraill, neu glerigwyr o'm hurdd i hefyd, yn ymddyrchafu yn erbyn Duw. Rhag fy nghyhuddo o dderbyn wyneb dynion, rhaid i mi yn gyntaf, yn unol â'r gyfraith, megis yn achos tystion, ac i'r bobl wedyn – os glynant, yn wir, wrth y deddfau – labyddio'r rhain â'm holl nerth, â geiriau fel cerrig caled, nid er mwyn eu lladd yn gorfforol, ond er mwyn iddynt, trwy fod yn farw i'w pechodau, fyw i Dduw. **2.** Ond fel yr wyf eisoes wedi dweud uchod, ymbiliaf am faddeuant gan y rheini yr wyf nid yn unig yn canmol eu buchedd ond hefyd yn ei phrisio uwchlaw holl gyfoeth y byd, ac y dymunaf, megis un yn sychedu, fod yn gyfrannog ohoni, petai'n bosibl, am ryw hyd cyn dydd fy marw. A'm dwy ystlys bellach wedi eu hamddiffyn gan darianau anorchfygol y saint, a'm cefn wedi ei osod yn gadarn wrth furiau'r gwirionedd, a'm pen wedi ei orchuddio'n fwyaf diogel gan gymorth yr Arglwydd yn hytrach na chan helm, boed i gerrig fy ngheryddon hedfan ag ehediad cyson o eiriau gwir.

Questus in sacerdotes

66 **1.** Sacerdotes habet Britannia, sed insipientes; quam plurimos ministros, sed impudentes; clericos, sed raptores subdolos; pastores, ut dicuntur, sed occisioni animarum lupos paratos, quippe non commoda plebi providentes, sed proprii plenitudinem ventris quaerentes; ecclesiae domus habentes, sed turpis lucri gratia eas adeuntes; populos docentes, sed praebendo pessima exempla, vitia malosque mores; raro sacrificantes et numquam puro corde inter altaria stantes; **2.** plebem ob peccata non corripientes, nimirum eadem agentes; praecepta Christi spernentes et suas libidines votis omnibus implere curantes; sedem Petri apostoli inmundis pedibus usurpantes, sed merito cupiditatis in Iudae traditoris pestilentem cathedram decidentes; veritatem pro inimico odientes et mendaciis ac si carissimis fratribus faventes; iustos inopes immanes quasi angues torvis vultibus conspicantes et sceleratos divites absque ullo verecundiae respectu sicut caelestes angelos venerantes; **3.** egenis eleemosynam esse dandam summis e labiis praedicantes, sed ipsi vel obolum non dantes; nefanda populi scelera tacentes et suas iniurias quasi Christo irrogatas amplificantes; religiosam forte matrem seu sorores domo pellentes et externas veluti secretiori ministerio familiares indecenter levigantes vel potius, ut vera dicam licet inepta non tam mihi quam talia agentibus, humiliantes; **4.** ecclesiasticos post haec gradus propensius quam regna caelorum ambientes et tyrannico ritu

Cyhuddo offeiriaid

66 **1.** Mae gan Brydain offeiriaid, ond ffyliaid ydynt; amryw byd o weinidogion, ond digywilydd ydynt; clerigwyr, ond anrheithwyr llechwraidd ydynt; bugeiliaid, fel y'u gelwir, ond bleiddiaid parod i ladd eneidiau ydynt, heb ddarparu i'r bobl, yn sicr, bethau er eu lles a chan geisio, yn hytrach, lenwi eu boliau eu hunain. Mae ganddynt adeiladau eglwys ond tywyllant hwy er mwyn budr-elwa. Dysgant bobloedd, ond, trwy ddangos iddynt yr esiamplau gwaethaf, gwydiau a drygfoesau yw'r hyn a ddysgant. Anfynych yr aberthant, ac ni safant byth ymysg yr allorau yn lân eu calonnau. **2.** Ni fyddant yn cystwyo'r bobl am eu pechodau – yn wir, cyflawnant yr un rhai eu hunain. Bychanant orchmynion Crist, a gofalant gyda'u holl weddïau foddio eu trachwantau. Trawsfeddiannant sedd yr apostol Pedr â'u traed yn fudr, ond trwy haeddedigaeth eu chwant syrthiant i gadair angheuol y bradwr Jwdas. Casânt y gwirionedd fel gelyn a chofleidiant gelwyddau fel pe baent yn frodyr anwylaf iddynt. Edrychant ar y tlodion cyfiawn yn wgus eu trem fel pe baent yn seirff dychrynllyd, a heb awgrym o gywilydd anrhydeddant gyfoethogion cnafaidd fel pe baent yn angylion o'r nef. **3.** Pregethant ar uchaf eu lleisiau y dylid rhoi elusen i'r anghenus ond ni roddant ddimai eu hunain. Tawant ynghylch pechodau anhraethadwy y bobl a gwnânt fôr a mynydd o bob camwri a wneir â hwy eu hunain fel pe baent wedi eu gwneud yn erbyn Crist. Alltudiant fam grefyddol, efallai, neu chwiorydd o'r tŷ, ac mewn modd anweddus triniant ferched dieithr yn ysgafn, fel pe baent yn addas i fath mwy cyfrin o wasanaeth, neu'n hytrach – a dweud y gwir, er mor waradwyddus ydyw nid yn gymaint i mi ag i'r dynion sy'n gwneud y fath bethau – iselhânt hwy. **4.** Yn dilyn hyn, ceisiant swyddi eglwysig yn fwy eiddgar na theyrnas

acceptos defendentes nec tamen legitimis moribus illustrantes; ad praecepta sanctorum, si aliquando dumtaxat audierint, quae ab illis saepissime audienda erant, oscitantes ac stupidos, et ad ludicra et ineptas saecularium hominum fabulas, ac si iter vitae, quae mortis pandunt, strenuos et intentos; **5.** pinguedinis gratia taurorum more raucos et ad illicita infeliciter promptos; vultus arroganter in altum habentes et sensus conscientia remordente ad ima vel tartarum demersos; uno sane perdito denario maestos et ad unum inquisitum laetos; in apostolicis sanctionibus ob inscientiam vel peccatorum pondus, ora etiam scientium obturantes, hebetes ac mutos et in flexibus mundialium negotiorum mendacibus doctissimos; **6.** quorum de scelerata conversatione multos sacerdotio irruentes potius vel illud paene omni pecunia redimentes quam tractos et in eodem veteri infaustoque intolerabilium piaculorum caeno post sacerdotalem episcopatus vel presbyterii sedem, qui nec ibidem umquam sederunt, utpote indigne porcorum more volutantes, rapto tantum sacerdotali nomine nec tamen tenore, vel apostolica dignitate accepta, se qui nondum ad integram fidem sunt vel malorum paenitentiam idonei, **7.** quomodo ad quemlibet ecclesiasticum, ut non dicam summum, convenientes et adepti gradum, quem non nisi sancti atque perfecti et apostolorum imitatores et, ut magistri gentium verbis loquar, irreprehensibiles legitime et absque magno sacrilegii crimine suscipiunt?

nef; ac wedi eu cael trwy ddefod ormesol, amddiffynnant hwy heb hyd yn oed ychwanegu atynt urddas arferion cyfreithlon. Ynglŷn â gorchmynion y saint yr oedd angen iddynt eu clywed yn fynych iawn – os darfu iddynt, yn wir, eu clywed erioed – swrth a hurt ydynt; ac ynglŷn â chwaraeon a chwedlau gwaradwyddus dynion y byd maent yn fywiog ac astud, fel pe bai'r pethau'n sy'n agor iddynt ffordd marwolaeth yn agor ffordd bywyd. **5.** Oherwydd eu tewdra maent yn gryg fel teirw ac yn anhapus barod i bethau anghyfreithlon. Penuchel a thrahaus ydynt a'u teimladau, dan bwysau eu cydwybod, wedi suddo i'r gwaelodion, ie, hyd uffern. Trist fyddant o golli ceiniog a llawen o ennill un. Yn ordinhadau'r apostolion, oherwydd anwybodaeth neu faich eu pechodau, a chan gau genau hyd yn oed y rhai gwybodus, maent yn llesg a mud, ond yn nhroeon twyllodrus materion bydol yn dra chyfarwydd. **6.** O fod wedi bod yn ymhel yn ddrygionus â'r pethau hyn mae llawer yn rhuthro i mewn i'r offeiriadaeth neu'n ei phrynu am unrhyw bris bron, yn hytrach na chael eu denu iddi; ac wedi cael sedd offeiriadaol esgob neu henadur (a hwythau heb eistedd ynddi erioed), ymdrybaeddant yn annheilwng fel moch yn yr un hen domen anhapus o bechodau annioddefol. Maent wedi cipio'r enw 'offeiriad' yn unig heb ddeall ei wir ystyr na'i deilyngdod apostolaidd. Ond nid ydynt eto'n gymwys o ran cyflawnder ffydd ac edifeirwch pechodau. **7.** Sut y maent yn addas ar gyfer unrhyw swydd eglwysig, heb sôn am y math uchaf, ac yn ei chael – swydd nad oes neb ond y rhai sanctaidd a pherffaith ac efelychwyr yr apostolion, ac (os caf lefaru yng geiriau athro'r cenhedloedd) y rhai difeius, yn ymgymryd â hi yn gyfreithlon a heb fod yn euog o bechod mawr cysegr-ladrad?

67 **1.** Quid enim tam impium tamque scelestum est quam ad similitudinem Simonis Magi, non intervenientibus licet interea promiscuis criminibus, episcopatus officium vel presbyterii terreno pretio, quod sanctitate rectisque moribus decentius adquiritur, quempiam velle mercari? **2.** Sed in eo isti propensius vel desperatius errant, quo non ab apostolis vel apostolorum successoribus, sed a tyrannis et a patre eorum diabolo fucata et numquam profutura emunt sacerdotia: quin potius velut culmen tectumque malorum omnium quoddam, quo non facile eis improperentur a quoquam admissa prisca vel nova et cupiditatis gulaeque desideria utpote praepositi multorum facilius rapiant, scelestae vitae structurae superponunt. **3.** Nam si talis profecto coemptionis condicio ab impudentibus istis non dicam apostolo Petro, sed cuilibet sancto sacerdoti pioque regi ingesta fuisset, eadem responsa accepissent quae ab apostolo auctor eorundem magus Simon dicente Petro: *pecunia tua tecum sit in perditionem.* **4.** Sed forte (heu!) qui ambitores istos ordinant, immo potius humiliant atque pro benedictione maledicunt, dum ex peccatoribus non paenitentes, quod rectius fuerat, sed sacrilegos et desperatos faciunt et Iudam quodammodo in Petri cathedra Domini traditorem ac Nicolaum in loco Stephani martyris statuunt inmundae haereseos adinventorem, eodem modo sacerdotio adsciti sunt: et ideo non magnopere detestantur in filiis, quin immo venerantur, quod similiter ut patribus sibi evenisse certissimum est.

5. Etenim eos, si in parochiam resistentibus sibi et tam pretiosum quaestum denegantibus severe commessoribus huiuscemodi

67 **1.** Oherwydd beth sydd mor annuwiol ac mor anfad ag i unrhyw un, yn gyffelyb i fel y gwnaeth Simon y Swynwr, hyd yn oed os na chododd amryfal gyhuddiadau yn y cyfamser, ddymuno prynu unrhyw swydd esgob neu henadur am bris daearol, swydd a enillir yn weddusach trwy sancteiddrwydd a moesau da? **2.** Eithr cyfeiliorna'r dynion hynny yn waeth a chyda llai fyth o obaith yn gymaint â'u bod yn prynu offeiriadaethau ffug, bythol ddi-fudd, nid gan yr apostolion neu olynwyr yr apostolion ond gan ormeswyr a'u tad y diafol. Ymhellach, yn wir, gosodant ar adeilad eu buchedd ddrygionus fath o do a gorchudd dros eu holl bechodau, fel nad edliwir iddynt yn hawdd gan neb y dymuniadau, hen neu newydd, o chwant a glythineb a gyflawnasant, a hynny er mwyn iddynt, a hwythau ag awdurdod ar laweroedd, ysbeilio'n haws. **3.** Oherwydd, yn wir, pe bai'r fath amod pryniant wedi ei chyflwyno gan y dynion digywilydd hynny, ni ddywedaf i'r apostol Pedr, ond i unrhyw offeiriad sanctaidd a brenin duwiolfrydig, byddent wedi derbyn yr un ateb ag a gafodd tad yr arfer, y dewin Simon, gan yr apostol pan ddywedodd Pedr: *Aed dy arian gyda thi i ddistryw.*

4. Ond efallai (ysywaeth!) mai offeiriaid yw'r sawl sy'n urddo'r ymgeiswyr hynny – neu'n hytrach sy'n eu hiselhau, a'u melltithio yn lle eu bendithio, gan y troant bechaduriaid nid yn edifeirwyr, fel y buasai'n well, ond yn gysegr-ladron a throseddwyr anesgor, a phenodi, mewn rhyw fodd, Jwdas, bradychwr yr Arglwydd, i gadair Pedr, a Nicolas, awdur gau-athrawiaeth aflan, yn lle Steffan y Merthyr – wedi eu derbyn i'r offeiriadaeth yn yr un modd eu hunain. Ac am y rheswm hwn, ni ddirmygant yn fawr yn eu meibion (fe'i parchant, yn hytrach) yr hyn y mae'n gwbl sicr iddo ddigwydd yn eu hachos eu hunain ac eiddo'u tadau hefyd.

5. Os na fedrant ddarganfod perl o'r math hwn yn eu hesgobaeth am fod eu cyd-fedelwyr yn eu gwrthwynebu ac yn gomedd iddynt

margaritam invenire non possint, praemissis ante sollicite nuntiis transnavigare maria terrasque spatiosas transmeare non tam piget quam delectat, ut omnino talis species inaequiparabilisque pulchritudo et, ut verius dicam, zabolica illusio vel venditis omnibus copiis comparetur. **6.** Dein cum magno apparatu magnaque fantasia vel potius insania repedantes ad patriam ex erecto erectiorem incessum fingunt et dudum summitates montium conspicantes nunc recte ad aethera vel ad summa nubium vellera luminum semidormitantes acies librant ac sese nova quaedam plasmata, immo diabolica organa, ut quondam Novatus Romae, Dominicae mulcator margaritae, porcus niger, patriae ingerunt, violenter manus non tam venerabilibus aris quam flammis inferni ultricibus dignas in tali schema positi sacrosanctis Christi sacrificiis extensuri.

68 **1.** Quid tu, infelix popule, a talibus, ut dixit apostolus, *bestiis ventris* praestolaris? Hisne corrigeris, qui se ipsos non modo ad bona non invitant, sed secundum prophetae exprobrationem *laborant ut inique agant*? Talibusne oculis illustraberis, qui haec tantum avide speculantur quae proclive vitiis, id est Tartari portis, ducant? **2.** Vel certe secundum salvatoris dictum, si non istos rapacissimos ut *Arabiae lupos*, ac si Loth ad montem igneum Sodomorum imbrem praepropere fugeritis, *caeci educti a caecis* pariter in inferni *foveam cadetis*.

yn hallt gaffaeliad mor werthfawr, ar ôl anfon negesau taer o'u blaenau nid yw'n flinder yn gymaint ag yn hyfrydwch ganddynt hwylio dros foroedd a thramwyo tiroedd eang er mwyn llwyr ennill y fath anrhydedd ac urddas digymar, neu – a dweud yn fwy cywir – y fath rith dieflig, hyd yn oed ar draul gwerthu eu holl feddiannau. **6.** Yna, gyda rhwysg a rhodres mawr, neu'n hytrach wallgofrwydd, gan ddychwelyd i'w mamwlad gwnânt eu cerddediad o fod yn unionsyth yn fwy unionsyth fyth, ac o fod gynnau yn syllu ar drumiau'r mynyddoedd, bellach cyfeiriant eu llygaid hanner-effro yn syth i'r wybren, neu i haenau cnuog uchaf y cymylau, a rhuthrant ar eu mamwlad fel creaduriaid o fath newydd, neu'n hytrach fel arfau'r diafol, megis Novatus gynt yn Rhufain, ysbeiliwr perl yr Arglwydd, y baedd du. A hwythau wedi eu gosod yn y cyfryw safle, mae eu bryd ar estyn eu dwylo'n rhyfygus at sagrafennau sanctaidd Crist, dwylo sy'n deilwng nid o allorau parchedig eithr o fflamau dialgar uffern.

68 **1.** Beth, bobl anhapus, a ddisgwyli di gan y fath *fwystfilod bolrwth*, chwedl yr apostol? A unionir dy ffyrdd gan y dynion hyn, nid yn unig na fynnant ymroi i ddaioni, ond sydd, yng ngeiriau edliwgar y proffwyd, *yn ymlafurio i wneud drygioni?* A oleuir di gan y fath lygaid sy'n gwylio'n awchus y pethau hynny yn unig sy'n arwain bendramwnwgl i wydiau, hynny yw i byrth uffern? **2.** Neu yn bendifaddau, yng ngeiriau'n Hiachawdwr, os na ffowch chwi'n sydyn rhag y *bleiddiaid Arabaidd* rheibus hynny, megis y ffodd Lot i'r mynydd rhag cawod danllyd Sodom, yna, fel *deillion wedi eu tywys gan ddeillion, fe syrthiwch* yr un modd *i bwll uffern.*

Exemplum sacerdotibus ad meliorem vitam imitandam

69 **1.** Sed forsitan aliquis dicat: non ita omnes episcopi vel presbyteri, ut superius comprehensi, quia non scismatis, non superbiae, non inmunditiae infamia maculantur, mali sunt. Quod nec vehementer et nos diffitemur. Sed licet sciamus eos castos esse et bonos, breviter tamen respondebimus.

Quid profuit Heli sacerdoti quod solus non violaverit praecepta Domini, rapiendo in fuscinulis antequam adeps Domino offerretur ex ollis carnes, dum eadem mortis ira qua filii sunt multatur?
2. Quis rogo eorum ob invidiam melioris hostiae caelestique igni in caelis evectae, ut Abel, occisus? qui etiam mediocris verbi aspernantur convicium.

Quis *perosus est consilium malignantium et cum impiis non sedit*, ut de eo veridice quasi de Enoch diceretur: *ambulavit Enoch cum Deo et non inveniebatur*, in mundi scilicet vanitate omnis post idola proclive id temporis claudicare relicto Deo insipientis?
3. Quis eorum salutari in arca, hoc est nunc ecclesia, nullum Deo adversantem, ut Noe diluvii tempore, non admisit, ut perspicue monstraretur non nisi innoxios vel paenitentes egregios in Dominica domu esse debere?

Quis victoribus solum et in tricentenario numero, hoc est trinitatis sacramento, liberato iusto regum quinque victriciumque turmarum exercitus ferales vincentibus et nequaquam aliena cupientibus sacrificium offerens, ut Melchisedech, benedixit?

Patrwm i offeiriaid ei efelychu er gwella'u buchedd

69 **1.** Ond dichon y dywed rhywun: Nid yw pob esgob neu henuriad mor ddrwg ag y disgrifiwyd hwy uchod, oherwydd nis halogir gan warth sgism na balchder nac aflendid. Nid wyf innau chwaith yn taer wadu hynny. Ond er y gwyddom eu bod yn ddiwair a da, serch hynny atebaf yn fyr.

Pa fantais a fu i'r offeiriad Eli mai ef yn unig a beidiodd â thorri gorchmynion yr Arglwydd trwy fachu cnawd o'r crochanau ar gigweiniau cyn cynnig y braster i'r Arglwydd, tra chosbwyd ef gan yr un digofaint angheuol â'i feibion?

2. Pa un, gofynnaf, o'r dynion hyn a laddwyd, megis Abel, oherwydd cenfigen at aberth amgenach, un a gludwyd gan dân nefol i'r nef? Dynion ydynt sy'n diystyru gair o gerydd cymedrol hyd yn oed.

Pa un a *gasaodd gyngor y rhai maleisus ac nad eisteddodd gyda'r annuwiolion*, fel y gellid dweud yn wir amdano megis am Enoc: *Rhodiodd Enoc gyda'r Arglwydd ac nis ceid*, hynny yw yn hercian yn eiddgar ar ôl eilunod y pryd hwnnw yng nghanol gwagedd yr holl fyd ynfyd ac yntau wedi cefnu ar Dduw.

3. Pa un ohonynt a wrthododd dderbyn i arch iachawdwriaeth (sef yr Eglwys yn awr) unrhyw elyn i Dduw, megis y gwnaeth Noa adeg y dilyw, fel y dangosid yn eglur na ddylai neb ond y dieuog neu'r hynod eu hedifeirwch fod yn nhŷ yr Arglwydd?

Pa un, megis Melchisedec, a offrymodd aberth ac a roddodd ei fendith i orchfygwyr yn unig pan fu iddynt, a hwythau'n dri chant o ran rhifedi (sy'n awgrymu dirgelwch y Drindod), ar ôl rhyddhau dyn cyfiawn, goncro byddinoedd peryglus y pum brenin a'u minteioedd buddugoliaethus a pheidio â dangos dim awydd o gwbl am eiddo eraill?

4. Quis sponte proprium in altari capite caedendum, ut Habraham, Deo iubente optulit filium, ut simile quoddam huic impleret Christi mandatum dicentis oculum dextrum scandalizantem evelli debere et prophetae praecaveret se maledictum esse gladium et sanguinem prohibentem?

Quis memoriam malefacti de corde radicitus, ut Ioseph, evulsit? **5.** Quis in monte cum Domino locutus et nequaquam concrepantibus tubis exinde perterritus duas tabulas cornutamque faciem aspectu incredulis inhabilem et horrendam tropico sensu, ut Moyses, advexit?

Quis eorum pro peccatis populi exorans imo de pectore clamavit, ut ipse, *Domine*, inquiens, *peccavit populus iste peccatum grande: quod si dimittis eis, dimitte: alioquin dele me de libro tuo*?

70 **1.** Quis zelo Dei accensus mirabili ad ultionem fornicationis sine dilatione, sanando paenitentiae medicamine stupri affectum, ne ira populo inardesceret, sicut Finees sacerdos, ut per hoc *in aevo reputaretur illi iustitia*, strenue consurrexit?

Quis vero eorum vel in extirpationem usque ad internicionem de terra repromissionis septem gentium morali intellegentia vel ad constabilitionem spiritalis Israel pro eis Iesum Nave imitatus est? **2.** Quis eorum populo Dei finales terminos trans Iordanem, ut sciretur quid cui tribui conveniat, sicut supradicti, Finees scilicet et Iesus, sagaciter divisere, ostendit?

Quis ut adversariorum plebi Dei innumera prosterneret gentium milia, unicam filiam, quae propria voluptas intellegitur, imitans et

4. Pa un, megis Abraham, ar orchymyn Duw, a gyflwynodd o'i wirfodd ei fab ei hun i'w aberthu ar yr allor, fel y cyflawnai orchymyn cyffelyb i hwnnw a roddwyd gan Grist pan ddywed fod yn rhaid tynnu allan y llygad de os yw'n achos cwymp, ac y gochelai rhag rhybudd y proffwyd mai melltigedig yw hwnnw sy'n atal cleddyf a gwaed?

Pa un, megis Joseff, a ddadwreiddiodd o'i galon y cof am gam a wnaed ag ef?

5. Pa un, megis Moses, ar ôl ymddiddan â'r Arglwydd ar y mynydd, a heb ei ddychryn o gwbl wedyn gan sŵn yr utgyrn, a ddaeth â dwy lech ac wyneb corniog anaddas ac arswydus ei olwg (a siarad yn ffigurol) i bobl anghrediniol?

Pa un ohonynt, gan weddïo dros bechodau'r bobl, a lefodd o waelod ei galon megis ef pan ddywedodd: *O Arglwydd, pechodd y bobl hyn bechod mawr: ond os maddeui iddynt, maddeua; fel arall, dilea fi o'th lyfr*?

70 **1.** Pa un, ar dân gan sêl ryfeddol at Dduw, a gododd yn egnïol i gosbi puteindra yn ddi-oed trwy iacháu nwyd aflendid â meddyginiaeth penyd, rhag i ddicter ennyn yn erbyn y bobl, megis y gwnaeth Phinees yr offeiriad fel trwy hyn *y'i cyfrifid yn gyfiawnder iddo am byth*?

Pa un ohonynt, yn wir, a efelychodd Josua, mab Nun, mewn deall moesol, un ai i ddadwreiddio o Wlad yr Addewid hyd eu llwyr ddinistr y saith cenedl, neu ynteu i sefydlu yn eu lle Israel ysbrydol?

2. Pa un ohonynt a ddangosodd i bobl Dduw eu ffiniau eithaf y tu hwnt i afon Iorddonen, fel y gwyddid beth a fai'n addas i bob llwyth, yr un modd ag y rhannodd Phinees a Josua uchod y wlad yn ddoeth?

Pa un, er mwyn dymchwel torfeydd dirifedi y Cenhedloedd, gelynion pobl Dduw, a offrymodd, megis Jephtha, ei unig ferch –

in hoc apostolum dicentem: *non quaerens quod mihi utile est, sed quod multis, ut salvi fiant*, obviantem victoribus cum tympanis et choris, id est carnalibus desideriis, in sacrificium votivae placationis, ut Iepte, mactavit?

3. Quis eorum ad conturbanda fuganda sternendaque superbarum gentium castra, mysterii trinitatis, ut supra diximus, cum lagoenas viris tenentibus egregias in manibus sonantesque tubas, id est propheticos et apostolicos sensus, ut dixit Dominus prophetae: *exalta quasi tuba vocem tuam*: et psalmista de apostolis: *in omnem terram exivit sonus eorum*, et lagoenas splendidissimo ignis lumine noctu coruscantes, quae accipiuntur in sanctorum corporibus bonis operibus annexis et Sancti Spiritus igni ardentibus, ut apostolus, *habentes*, inquit, *thesaurum istum in vasis fictilibus*, post idolatriae luci, quod moraliter interpretatum condensae et fuscae cupiditatis, succisionem silvae et evidentia signa Iudaici velleris imbris caelestis expertis et gentilis rore Sancti Spiritus madefacti fide non dubia, ut Gedeon, processit?

71 **1.** Quis eorum mori exoptans mundo et vivere Christo luxuriosos gentium convivas laudantes deos suos, id est, sensus extollentes divitias, ut apostolus *et avaritia*, inquit, *quae est simulacrorum servitus*, concussis duabus virtute brachiorum columnis, quae intelleguntur in voluptatibus nequam animae carnisque, quibus domus humanae omnis nequitiae quodammodo pangitur ac fulcimentatur, tam innumerabiles, ut Sampson, prostravit?

2. Quis orationibus holocaustoque lactantis agni Philistinorum

a ddeellir i olygu ei bleser ei hun, gan efelychu yn hyn o beth yr apostol pan ddywed: *Gan geisio nid fy mantais fy hun ond mantais llaweroedd, fel y bônt gadwedig* – yn aberth er cyflawni adduned gymodol am iddi ddod i gyfarfod â'r concwerwyr â thympanau a dawnsiau, hynny yw chwantau cnawdol?

3. Pa un ohonynt a aeth allan yn ddi-sigl ei ffydd fel Gideon er mwyn cythryblu, gyrru ar ffo, a gwasgaru gwersyll y Cenhedloedd balch gyda dynion – arwydd o ddirgelwch y Drindod (fel y dywedwyd uchod) – a ddaliai yn eu dwylo ystenau hynod ac utgyrn croch (a ddeellir i ddynodi meddyliau proffwydi ac apostolion, megis y dywedodd yr Arglwydd wrth y proffwyd: *Cod dy lais fel utgorn*; ac megis y salmydd am yr apostolion: *Aeth eu sain allan drwy'r holl ddaear*), ystenau hefyd a fflachiai yn y nos gan oleuni disgleiriaf o dân (a ddeellir i olygu cyrff y saint wedi eu cyplysu â gweithredoedd da ac yn llosgi gan dân yr Ysbryd Glân; fel y dywed yr apostol: *A chennym*, meddai, *y trysor hwn mewn llestri pridd*), ar ôl cymynu'r coed yng nghelli eilunaddoliaeth (a ddehonglir yn foesol yn flys dwys a du) ac ar ôl gweld arwyddion eglur y cnu Iddewig nas cyffyrddwyd gan law nef a'r cnu cenhedlig a wlychwyd gan wlith yr Ysbryd Glân?

71 **1.** Pa un ohonynt, gan ddymuno marw i'r byd a byw i Grist, a loriodd loddestwyr glwth mor aneirif o blith y Cenhedloedd (hynny yw y synhwyrau), a hwythau'n canmol eu duwiau ac yn mawrygu golud (ys dywed yr apostol: *A thrachwant, sydd yn eilunaddoliaeth*), fel y gwnaeth Samson pan ysgydwodd trwy nerth ei freichiau y ddwy golofn (a ddeellir i ddynodi ofer bleserau yr enaid a'r cnawd), colofnau y mae tŷ pob drygioni dynol megis wedi ei sefydlu a'i gynnal arnynt?

2. Pa un, fel Samuel, gan yrru ymaith ofn y Philistiaid trwy weddïo

metum depellens insperatas tonitruorum voces nubiumque imbres concitans absque adulatione regem constituens, eundem Deo non placentem abiciens, uncto pro illo meliore in regno, ut Samuel, valedicturus populo astabit hoc modo dicens: *Ecce praesto sum, loquimini coram Domino et christo eius, utrum bovem cuiusquam tulerim an asinum, si quempiam calumniatus sum, si oppressi aliquem, si de manu cuiusquam munus accepi*? Cui a populo responsum est dicente: *non es calumniatus nos neque oppressisti neque tulisti de manu alicuius quippiam.*

3. Quis eorum, igne caelesti centum superbos exurens, quinquaginta humiles servans et absque adulationis fuco, non Deum per prophetas, sed idolum Accaron consulenti, mortem imminentem iniquo regi annuntians, omnes prophetas simulacri Baal, qui interpretati accipiuntur sensus humani invidiae avaritiae, ut iam diximus, semper intenti, mucrone corusco, hoc est verbo Dei, ut Helias egregius vates, prostravit, et, zelo Dei commotus, iniquorum terrae imbres adimens aetherales, ac si fortissimo penurii clustello tribus annis sexque mensibus obseratos, fame siti moribundus in deserto conquestus est: *Domine*, inquiens, *prophetas tuos occiderunt et altaria tua suffoderunt et ego relictus sum solus et quaerunt animam meam*?

72 **1.** Quis eorum carissimum discipulum terrenis extra solitum ponderibus oneratum, quae antea a se magnopere licet rogato ut acciperet despecta fuissent, etsi non perpetua lepra, ut Helisaeus, saltim expulsione multavit?

a llosgaberthu oen llywaeth, gan achosi synau annisgwyl taranau a chawodydd o'r cymylau, gan benodi brenin yn ddiweniaith a'i ddiorseddu pan nad oedd wrth fodd Duw ar ôl eneinio un gwell yn ei le ar gyfer yr orsedd – pa un ohonynt, meddaf, fel ef, ac yntau ar fin canu'n iach i'r bobl, a fydd yn sefyll ger eu bron a dweud fel hyn: *Dyma fi, llefarwch gerbron yr Arglwydd a'i eneiniog: a gymerais ych neu asyn neb, a gamgyhuddais neb, a orthrymais neb, a dderbyniais gil-dwrn o law neb?* Atebodd y bobl ef gan ddweud: *Ni chamgyhuddaist ni, na'n gorthrymu, na derbyn dim o law neb.*

3. Pa un ohonynt, gan ysu cant o ddynion balch â thân o'r nef ac arbed hanner cant o rai gostyngedig, gan gyhoeddi i'r brenin annuwiol, heb dwyll gweniaith, ei angau a oedd ar ddod pan oedd yn ymgynghori nid â Duw, trwy ei broffwydi, ond â'r ddelw Accaron – pa un ohonynt, meddaf, a ddymchwelodd, megis y gwnaeth y gweledydd hynod Elias, holl broffwydi yr eilun Baal (a ddehonglir i olygu'r nwydau dynol sydd bob amser, megis y dywedasom eisoes, yn gogwyddo at genfigen a thrachwant) â chledd llachar (sef gair Duw); ac wedi ei gynhyrfu gan sêl dros Dduw, gan amddifadu gwlad yr annuwiolion o gawodydd o'r nef, fel pe baent wedi eu bolltio mewn carchardy cadarn o eisiau, am dair blynedd a chwe mis, ac ar fin marw o newyn a syched yn yr anialwch, a alarodd gan ddweud: *Arglwydd, lladdasant dy broffwydi a distrywio dy allorau, ac fe'm gadawyd ar fy mhen fy hun ac maent yn ceisio fy einioes?*

72 **1.** Pa un ohonynt, megis Eliseus, a gosbodd ddisgybl annwyl a oedd yn llwythog y tu hwnt i fesur gan feichiau daearol – beichiau yr oedd ef ei hun [sef Eliseus] wedi eu dirmygu gynt er gofyn iddo yn daer eu derbyn – nid â gwahanglwyf bythol, bid sicr, eithr o leiaf trwy ei yrru ymaith?

2. Et quis ex illis puero in vitae desperatione aestuanti atque inproviso super bellico hostium apparatu civitatem in qua erant obsidentium tremefacto inter nos, ut ille, animae visus, ferventi exoratione ad Deum facta, ita ut intueri potuerit auxiliarium caelestis exercitus, armatorum curruum seu equitum ignito vultu fulgentium montem plenum, patefecit, et credere quin fortior esset ad salvandum quam inimici ad pugnandum?

Et quis eorum corporis tactu mortui scilicet mundo, viventis autem Deo, alii diverso funere occubanti procul dubio mortuo Deo, vitiis vero viventi quasi supra dictus proficiet, ita ut statim prosiliens Christo grates pro sanitate agat cunctorum paene mortalium ore desperata?

3. Cuius eorum, carbone ignito de altari forcipe Cherubin advecto, ut peccata sua delerentur humilitate confessionis, labia, ut Esaiae, mundata sunt, et, efficaci oratione sibi adiuncta pii regis Ezechiae, supplantatione centum octoginta quinque milia exercitus Assyriorum nullo apparente vulneris vestigio angeli manu, ut supra dicti, prostrata sunt?

4. Quis eorum ob praecepta Dei et minas caelitus datas veritatemque vel non audientibus proferendam squalores pedoresque carcerum, ut momentaneas mortes, ut beatus Ieremias excepit?

Et ne multa: quis eorum, ut magister gentium dixit, *errare in montibus et in speluncis et in cavernis terrae, lapidari, secari*, totius mortis genere pro nomine Domini *attemptari*, sicut sancti prophetae, perpessus est.

2. A phwy ohonynt yn ein mysg, megis yntau, a agorodd lygaid yr enaid er mwyn gwas a oedd mewn anobaith cythryblus am ei einioes ac wedi ei ddychryn gan baratoadau rhyfelgar annisgwyl y gelyn yn gwarchae ar y ddinas yr oeddynt ynddi, fel y gallodd, ar ôl gweddïo'n daer ar Dduw, weld mynydd llawn cynghreiriaid y fyddin nefol, a cherbydau rhyfel arfog neu farchogion â'u hwynebau'n disgleirio fel tân, a chredu bod Duw yn gadarnach i waredu nag ydoedd y gelyn i ymladd?

A pha un ohonynt, trwy gyffyrddiad ei gorff marw i'r byd ond byw i Dduw, a fydd yn gymorth, megis Eliseus uchod, i rywun arall sy'n wynebu marwolaeth amgen ac sydd yn ddiau yn farw i Dduw ond yn fyw i bechodau, fel ei fod yn llamu ymlaen ar ei union ac yn rhoi diolch i Grist am iachâd yr anobeithiwyd amdano ar wefusau bron bawb?

3. Gwefusau pa un ohonynt, megis eiddo Eseia, a lanhawyd trwy gyffes ostyngedig, â golosg tanllyd wedi ei gludo oddi ar yr allor yng ngefel y ceriwbiaid er mwyn dileu ei bechodau? A phwy gyda chymorth gweddi effeithiol y brenin duwiol Heseceia, a faglodd ac a ddymchwelodd i'r llawr 185,000 o wŷr byddin Asyria, megis y dywedwyd uchod, trwy law angel heb ddim arwydd o glwyf i'w weld?

4. Pa un ohonynt, oherwydd cyhoeddi gorchmynion Duw, bygythion o'r nefoedd a'r gwirionedd hyd yn oed i rai na fynnent eu clywed, a ddioddefodd fudreddi a drewdod carchardai, mân farwolaethau, megis, fel y gwnaeth Jeremeia wynfydedig?

Ac ar fyr eiriau: pa un ohonynt, fel y proffwydi sanctaidd, a ddioddefodd, ys dywedodd athro'r cenhedloedd, *grwydro ar y mynyddoedd ac mewn ofogeydd a thyllau yn y ddaear, y llabyddio, y trychu, eu profi* gan bob math o farwolaeth er mwyn enw'r Arglwydd?

Exempla ecclesiae patrum

73 **1.** Sed quid immoramur in exemplis veteribus, ac si non essent in novo ulla? Audiant itaque nos qui absque ullo labore angustum hoc iter Christianae religionis praetento tantum sacerdotali nomine intrare se putant, carpentes paucos flores veluti summos de extento sanctorum Novi Testamenti tironum amoenoque prato.

2. Quis vestrum, qui torpetis potius quam sedetis legitime in sacerdotali sede, eiectus de consilio impiorum, post diversarum plagas virgarum, ut sancti apostoli, quod dignus habitus est pro Christo vero Deo contumeliam pati toto corde trinitati gratias egit?

Quis ob testimonium verum Deo ferendum fullonis vecte cerebro percussus, ut Iacobus primus in Novo dumtaxat episcopus Testamento, corporaliter interiit?

3. Quis gladio vestrum ab iniquo principe, ut Iacobus Iohannis frater, capite caesus est?

Quis, ut protominister martyrque euangelicus, hoc solum criminis habens, quod viderit Deum, quem perfidi videre nequiverant, nefandis manibus lapidatus est?

Quis inversis pedibus crucis affixus pro reverentia Christi patibulo, quem non minus morte quam vita honoraturus, ut clavicularius ille caelorum regni idoneus, extremum halitum fudit?

4. Quis ex vobis gladii ictu veridicantis pro confessione Christi post vincula *carceris, naufragia marum, virgarum caedem*, post

Esiamplau tadau'r Eglwys

73 **1.** Ond i beth yr ydym yn ymdroi ag enghreifftiau o'r Hen, fel pe na bai dim i'w cael yn y Newydd? Boed, felly, i'r rheini sy'n meddwl y gallant fynd i mewn i ffordd gyfyng y grefydd Gristnogol yn ddilafur, heb ond cyhwfan teitl offeiriad, wrando arnom ni i wrth inni gasglu ychydig flodau – y pennaf, megis – o faes eang a dymunol milwyr sanctaidd y Testament Newydd.
2. Pa un ohonoch chwi, sy'n gorweddian yn swrth yn hytrach nag yn eistedd yn gyfreithlon yng nghadair yr offeiriadaeth, a fwriwyd allan o gyngor yr annuwiolion ac a roddodd ddiolch o lwyrfryd calon i'r Drindod, megis y gwnaeth yr apostolion sanctaidd, ar ôl ergydion amryw wialennau, am ei gael yn deilwng i ddioddef gwaradwydd er mwyn Crist, y gwir Dduw?

Pa un a fu farw'n gorfforol, ar ôl dryllio ei benglog â gordd pannwr, megis Iago, er yn esgob cyntaf yn y Testament Newydd, am ddwyn tystiolaeth ddilys i Dduw?
3. Pa un ohonoch y torrwyd ei ben â chledd gan dywysog annuwiol, megis Iago, brawd Ioan?

Pa un, megis diacon a merthyr cyntaf yr efengyl, a labyddiwyd gan ddwylo anfad ac yntau heb droseddu ond trwy weld Duw pan na allasai'r anghredinwyr ei weld?

Pwy, wedi ei rwymo i bren y groes â'i draed i fyny o barch at Grist, y bwriadai ei anrhydeddu â'i farwolaeth yn ogystal ag â'i fywyd, a dynnodd ei anadl olaf megis y perchen addas hwnnw ar agoriadau teyrnas nef?
4. Pa un ohonoch y torrwyd ei ben â thrawiad cleddyf am gyffesu'r Crist a lefarai'r gwirionedd – ar ôl cadwyni *carchar, llongddrylliadau ar y moroedd, ergyd gwialenni*, ar ôl *peryglon* di-

fluminum latronum gentium Iudaeorum pseudoapostolorum continua *pericula*, post *famis ieiunii vigiliarum labores*, post perpetem *sollicitudinem omnium ecclesiarum*, post *aestum* pro *scandalizantibus*, post *infirmitatem* pro *infirmis*, post admirabilem praedicando *Christi evangelium* orbis paene *circuitum*, ut *vas electionis* magisterque *gentium* electus capite plexus est?

74 **1.** Quis vestrum, ut sanctus martyr Ignatius Antiochiae Urbis episcopus, post admirabiles in Christo actus ob testimonium eius leonum molis Romae confractus est? cuius verba cum ad passionem duceretur audientes, si aliquando vultus vestri rubore confusi sunt, non solum in comparatione eius vos non putabitis sacerdotes sed ne mediocres quidem Christianos esse. **2.** Ait enim in epistola quam ad romanam ecclesiam misit: *A Syria usque Romam cum bestiis terra marique depugno, die ac nocte conexus et colligatus decem leopardis, militibus dico ad custodiam datis, qui ex beneficiis nostris saeviores fiunt. Sed ego eorum nequitiis magis erudior, nec tamen in hoc iustificatus sum. O salutares bestias, quae praeparantur mihi, quando venient? quando emittentur? quando eis frui licebit carnibus meis? quas ego exopto acriores parari et invitabo ad devorationem mei, et deprecabor ne forte, ut in nonnullis fecerunt, timeant attingere corpus meum: quin immo, et si cunctabuntur, ego vim faciam, ego me ingeram.* **3.** *Date, quaeso, veniam, ego novi quid expediat mihi: nunc incipio esse Christi discipulus. Facessat invidia vel humani affectus vel nequitiae spiritalis, ut Iesum Christum adipisci merear. Ignes, cruces, bestiae, dispersiones ossium discerptionesque*

baid *afonydd, lladron, y cenhedloedd, yr Iddewon, gau-apostolion*, ar ôl dioddef gan *newyn, ymprydiau* a *gwyliadwriaethau*, ar ôl *pryder* diddiwedd *dros yr holl eglwysi*, ar ôl *dicter llosg* ynghylch *rhai a oedd yn achos cwymp*, ar ôl *gwendid* dros *y gweinion*, ar ôl *cwmpasu'n* rhyfeddol y byd, bron, i bregethu *efengyl Crist* – megis *llestr dewis* ac athro etholedig *y cenhedloedd*?

74 **1**. Pa un ohonoch, megis y merthyr sanctaidd Ignatius, esgob dinas Antioch, ar ôl cyflawni gweithredoedd ardderchog yng Nghrist, a rwygwyd yn ddarnau yn Rhufain gan ddannedd llewod oherwydd ei dystiolaeth? Pan glywch ei eiriau wrth ei arwain i'w ferthyru, os ymdaenodd gwrid erioed dros eich wynebau, nid yn unig ni byddwch yn eich ystyried eich hunain yn offeiriaid o'ch cymharu ag ef, ond o'r braidd y byddwch yn eich ystyried eich hunain hyd yn oed yn Gristnogion gweddol. **2.** Oherwydd yn y llythyr a anfonodd ef at yr eglwys Rufeinig dywed: *O Syria hyd Rufain rwy'n ymladd â bwystfilod ar dir a môr ddydd a nos, wedi fy rhwymo a'm clymu wrth ddeg llewpart, sef y milwyr a benodwyd yn warchodwyr, sy'n mynd yn fileiniach fyth trwy ein gweithredoedd ni o garedigrwydd. Ond trwy eu dihirwch hwy rwy'n dysgu mwy, ac eto ni'm cyfiawnhawyd gan hyn. O! fwystfilod iachawdwriaeth a baratoir ar fy nghyfer, pa bryd y deuant? Pa bryd y gollyngir hwy allan? Pa bryd y caniateir iddynt fwynhau fy nghnawd? Mawr ddymunaf arnynt eu paratoi i fod yn ffyrnicach, ac fe'u gwahoddaf i'm hysu ac ymbiliaf na bônt, yn wahanol i fel y gwnaethant yn achos rhai, yn ofni cyffwrdd â'm corff. Ie, hyd yn oed os oedant, gorfodaf hwy, rhuthraf arnynt.* **3.** *Maddeuwch imi, erfyniaf arnoch; gwn beth sy'n fuddiol imi. Yn awr yr wyf yn dechrau bod yn ddisgybl i Grist. Darfydded eiddigedd, boed o nwyd ddynol neu o ddrygioni ysbrydol, fel y bwyf deilwng i ennill Iesu Grist. Boed i danau, croesau, bwystfilod, dryllio fy esgyrn a*

membrorum ac totius corporis poenae et omnia in me unum supplicia diaboli arte quaesita compleantur, dummodo Iesum Christum merear adipisci.

4. Quid ad haec dormitantibus animae oculis aspicitis? quid talia surdis sensuum auribus auscultatis? Discutite, quaeso, tenebrosam atramque cordis vestri caliginem teporis, ut veritatis et humilitatis praefulgidum lumen videre possitis. Christianus non mediocris sed perfectus, sacerdos non vilis sed summus, martyr non segnis sed praecipuus dicit: *nunc incipio esse Christi discipulus.*

5. Et vos, ac si Lucifer ille de caelo proiectus, verbis non potestate erigimini, et quodammodo sub dente ruminatis et gestibus praetenditis quae antea auctor vester depinxerat *in caelum* inquiens *conscendam et ero similis Altissimo*: et iterum: *ego fodi et bibi aquam et exsiccavi vestigio pedum meorum omnes rivos aggerum.*

6. Multo rectius oportebat vos imitari illum et audire qui totius bonitatis et humilitatis vere invictum exemplar est, dicentem per prophetam: *ego autem sum vermis et non homo, opprobrium hominum et abiectio plebis.* O mirabile quoddam dixisse eum opprobrium hominum, cum omnis mundi opprobria deleverit: et iterum in euangelio *non possum ego a me ipso facere quicquam*, cum ipse coaevus Patri ac Spiritui Sancto, communis eiusdemque substantiae, caelum et terram cum omni eorum inaestimabili ornamento fecerit, non alterius sed propria potestate; et vos arroganter verba exaltasse, propheta dicente: *quid superbit terra et cinis?*

rhwygo fy nghymalau, poenau yn fy holl gorff, a'r holl arteithiau a ddyfeisiwyd trwy ddichell y diafol gael eu cyflawni ynof i yn unig cyhyd ag y bwyf deilwng i ennill Iesu Grist.

4. Pam yr edrychwch ar y pethau hyn â llygaid cysglyd eich enaid? Pam y gwrandewch ar y cyfryw â chlustiau byddar eich synhwyrau? Ysgydwch ymaith, erfyniaf arnoch, gaddug tywyll, du, musgrellni llugoerni eich calon er mwyn ichi allu gweld goleuni llachar y gwirionedd a gostyngeiddrwydd. Cristion perffaith ac nid cyffredin, offeiriad rhagorol ac nid gwael, merthyr godidog ac nid dioglyd sydd yn dweud hyn: *Yn awr yr wyf yn dechrau bod yn ddisgybl i Grist.*

5. A chwithau, yr ydych, megis y Lucifer hwnnw a fwriwyd allan o'r nef, yn ymchwyddo â geiriau, nid gallu, ac mewn rhyw fodd yn cil-gnoi dan eich dannedd a chydag ystumiau yn honni'r pethau a ddarluniasai eich tad gynt: *Esgynnaf i'r nefoedd*, meddai, *a byddaf fel y Goruchaf.* A thrachefn: *Cloddiais ac yfais ddŵr, ac ag ôl fy nhraed sychais holl afonydd y torlannau.* **6.** Iawnach o lawer y dylech efelychu a gwrando arno ef sy'n wir esiampl anorchfygol pob daioni a gostyngeiddrwydd pan ddywed trwy'r proffwyd: *Ond pryfyn ydwyf ac nid dyn, cywilydd i ddynion a gwrthodedig gan y bobl.* O! dyna ryfeddol o beth iddo ddweud ei fod yn gywilydd i ddynion pan ddileodd gywilydd yr holl fyd. A thrachefn, yn yr efengyl: *Ni fedraf wneud dim ohonof fy hun*, pan fu iddo ef ei hun, ac yntau'n gyfoed â'r Tad a'r Ysbryd Glân ac yn un sylwedd â hwy, wneud nef a daear ynghyd gyda'u holl addurnwaith amhrisiadwy nid trwy nerth rhywun arall ond yr eiddo ei hun. A rhyfeddol o beth i chwi ddyrchafu geiriau yn drahaus a'r proffwyd yn dweud: *Pam yr ymfalchïa pridd a lludw?*

75 **1.** Sed ad propositum revertar: quis, inquam, ex vobis, ut Smyrnensis ecclesiae pastor egregius Polycarpus Christi testis, mensam humane hospitibus ad ignem eum avide trahentibus apposuit et obiectus flammis pro Christi caritate dixit: *qui dedit mihi ignis ferre supplicium, dabit ut sine clavorum confixione flammas immobiliter perferam.*

2. Unum adhuc praeter magnam verbis volans sanctorum silvam exempli gratia ponam, Basilium scilicet Caesariensem episcopum, qui, cum ab iniquo principe minae huiuscemodi intentarentur, quod nisi in crastinum Arriano caeno, ut ceteri, macularetur esset omnino moriturus, dixisse fertur: *ego sane ero cras, qui hodie sum: tu te utinam non mutares*. Et iterum: *utinam haberem aliquid digni muneris quod offerrem huic qui maturius Basilium de nodo follis huius absolveret.*

3. Quis ex vobis apostolici sermonis regulam, quae ab omnibus semper sanctis sacerdotibus quibusque temporibus extantibus humanam suggestionem, praecipitanter ad nequitiam festinantem, recutientibus servata est, in concussione tyrannorum indirupte custodivit, hoc modo dicens: *oboedire oportet magis Deo quam hominibus*.

In sacerdotes corruptos

76 **1.** Igitur confugientes solito more ad Domini misericordiam sanctorumque prophetarum eius voces, ut illi pro nobis oraculorum suorum iacula inperfectis pastoribus, ut antea tyrannis, quis compuncti sanentur, librent, videamus quid

75 **1**. Ond caniataer imi ddychwelyd at fy mhwnc. Pa un ohonoch, meddaf, megis Polycarp hynod, bugail eglwys Smyrna a thyst i Grist, a arlwyodd fwrdd yn garedig i westeion a oedd yn ei lusgo'n awchus i'r tân, ac wedi ei daflu i'r fflamau a ddywedodd o gariad at Grist: *Bydd yr hwn a roddodd imi ddioddef artaith tân yn rhoi imi ddioddef y fflamau'n ddiysgog heb fy mhwyo â hoelion*?

2. Wrth hedfan ar fy ngeiriau heibio i goedwig fawr y saint, tynnaf sylw at ŵr arall fel esiampl, sef Basil, esgob Cesarea. Pan chwythid bygythion ato gan deyrn ysgeler i'r perwyl, pe na faeddid ef megis y lleill â baw Ariaeth erbyn trannoeth, y byddai'n marw'n ddi-oed, dywedir iddo ateb: *Byddaf yfory y dyn yr wyf heddiw. Amdanat ti, O na bait yn peidio â newid.* A thrachefn: *O na bai gennyf ryw wobr deilwng i'w chynnig i'r dyn a fyddai'n rhyddhau Basil yn gynt o gwlwm y fegin hon.*

3. Pa un ohonoch, yng nghanol trais gormeswyr, a gadwodd yn ddiwyro reol gair yr apostol – y rheol a gadwyd yn wastad gan bob offeiriad sanctaidd trwy'r holl oesoedd a fu'n gwrthod cynigion dynion i'w prysuro'n bendramwnwgl tuag at ddrygioni – sef: *Rhaid ufuddhau i Dduw yn hytrach nag i ddynion*?

Ymosod ar offeiriaid llwgr

76 **1.** Gan hynny, ffown yn ôl ein harfer at dosturi'r Arglwydd a geiriau ei broffwydi sanctaidd, fel yr anelo'r rheini er ein lles bicellau eu horaclau yn erbyn bugeiliaid amherffaith er mwyn eu hiacháu trwy edifeirwch, megis y gwnaethant o'r blaen

Dominus per prophetas ad desides et inhonestos sacerdotes et non bene populum tam exempla quam verba docentes minarum loquatur.

2. Nam et Heli ille sacerdos in Silo pro eo quod non digno Deo zelo severe in filios contemnentes Deum ultus fuerat, sed molliter et clementer, utpote paterno affectu, admonuerat, tali animadversione damnatur, dicente ad eum propheta: *haec dicit Dominus: manifeste ostendi me ad domum patris tui, cum essent in Aegypto servientes in domo Pharaonis,* **3.** *et elegi domum patris tui ex omnibus tribubus Israel mihi in sacerdotio.* Et post pauca: *Quare respexisti in incensum meum et in sacrificium meum improbo oculo et honorificasti filios tuos plus quam me, ut benediceres eos a priomordio in omnibus sacrificiis coram me? Et nunc sic dicit Dominus: quoniam qui honorificant me, honorabo eos: et qui pro nihilo habent me, ad nihilum redigentur. Ecce dies venient et disperdam nomen tuum et semen domus patris tui.* **4**. *Et hoc tibi signum sit, quod veniet super duos filios tuos Ofni et Finees; in uno die morientur ambo in gladio virorum.* Si haec itaque patiuntur qui verbis tantum subiectos et non condigna ultione emendant, quid ipsis fiet qui ad mala hortantur peccando et trahunt?

77 **1.** Quid illi quoque perspicuum est vero vati post expletionem signi ab eodem praedicti et restitutionem aridae manus impio regi misso a Iudaea prophetare in Bethel prohibitoque ne quid ibidem cibi gustaret ac decepto ab alio, ut dicebatur, propheta, ut parum quid panis et aquae sumeret, obtigit, dicente ad eum suo hospite: **2.** *Haec dicit Dominus Deus: quia*

yn erbyn gormeswyr. Edrychwn pa fygythion a lefara'r Arglwydd trwy'r proffwydi yn erbyn offeiriaid diog ac annheilwng na ddysgant y bobl trwy esiampl yn ogystal â thrwy air.

2. Oherwydd, am na chosbasai ef ei feibion yn llym gyda sêl deilwng o Dduw pan ddirmygasant Dduw, eithr eu rhybuddio'n dyner a thirion (gydag anwyldeb tad, bid sicr), collfernir Eli, yr offeiriad hwnnw yn Seilo, â'r cerydd canlynol pan ddywed y proffwyd wrtho: *Fel hyn y dywed yr Arglwydd: Dangosais fy hun yn eglur i dŷ dy dad pan oeddynt yn yr Aifft yn gwasanaethu yn nhŷ Pharo,* **3**. *a dewisais dŷ dy dad allan o holl lwythau Israel i mi yn fy offeiriadaeth.* Ac ymhen ychydig: *Pam yr edrychaist ar fy arogldarth ac ar fy aberth â llygad drygionus ac yr anrhydeddaist dy feibion yn fwy na mi, er mwyn iti eu bendithio hwy o'r dechrau yn yr holl ebyrth ger fy mron? Ac yn awr fel hyn y dywed yr Arglwydd: Canys anrhydeddaf y rheini a'm hanrhydedda i, a darostyngir yn ddim y rhai a'm hystyria i yn ddim. Wele daw'r dyddiau pan ddistrywiaf dy enw a had tŷ dy dad.* 4. *A boed hyn iti yn arwydd, a ddaw ar warthaf dy ddau fab Hoffni a Phinees: mewn un diwrnod byddant farw ill dau trwy gleddyf dynion.* Ac felly, os yw'r rhai sy'n cywiro'r rheini dan eu hawdurdod â geiriau yn unig, ac nid â chosbedigaeth haeddiannol, yn dioddef y pethau hyn, beth fydd rhan y rhai sydd trwy bechu yn cymell ac yn tynnu dynion i gyflawni gweithredoedd drwg?

77 **1.** Mae'r hyn a ddigwyddodd i'r gwir broffwyd hwnnw hefyd, ar ôl cyflawni'r arwydd a ragfynegwyd ganddo ei hun ac adfer llaw wyw i frenin annuwiol, pan anfonwyd ef o Jwdea i broffwydo ym Methel, a'i wahardd rhag blasu dim bwyd yno, a'i dwyllo gan broffwyd arall (fel y'i gelwid) i gymryd ychydig fara a dŵr, yn eglur, a'i westeiwr yn dweud wrtho: **2.** *Fel hyn y dywed*

inoboediens fuisti ori Domini et non custodisti mandatum quod praecepit Dominus Deus tuus et reversus es et comedisti panem et bibisti aquam in hoc loco in quo mandaveram tibi ne manducares panem nec biberes aquam, non ponetur corpus tuum in sepulcro patrum tuorum. Et factum est, inquit, *postquam manducavit panem et bibit aquam, stravit sibi asinam suam et abiit; et invenit eum leo in via et occidit eum.*

Verba Esaiae iterum

78 **1.** Esaiam quoque sanctum prophetam de sacerdotibus hoc modo loquentem audite: *Vae impio in malum, retributio enim manuum eius fiet ei. Populum meum exactores sui spoliaverunt et mulieres dominatae sunt eius. Popule meus, qui beatum te dicunt ipsi te decipiunt et viam gressuum tuorum dissipant. Stat ad iudicandum Dominus et stat ad iudicandos populos. Dominus ad iudicium veniet cum senibus populi sui et principibus eius. Vos depasti estis vineam meam, rapina pauperis in domo vestra. Quare atteritis populum meum et facies pauperum commolitis? dicit Dominus exercituum.* **2.** Et item: *Vae qui condunt leges iniquas et scribentes iniustitiam scripserunt, ut opprimerent in iudicio pauperes et vim facerent causae humilium populi mei, ut essent viduae praeda eorum et pupillos diriperent. Quid facietis in die visitationis et calamitatis de longe venientis?* Et infra: *Verum hi quoque prae vino nescierunt et prae ebrietate erraverunt, sacerdotes nescierunt prae ebrietate, absorpti sunt a*

yr Arglwydd Dduw: Am iti anufuddhau i enau'r Arglwydd ac na chedwaist y gorchymyn a orchmynnodd yr Arglwydd dy Dduw, ac y dychwelaist ac y bwteaist fara ac yfed dŵr yn y fan hon lle y gorchmynaswn iti beidio â bwyta bara nac yfed dŵr, ni ddodir dy gorff ym meddrod dy dadau. A darfu, medd rhywun, *wedi iddo fwyta bara ac yfed dŵr, iddo gyfrwyo'i asyn iddo'i hun a mynd ymaith. A chyfarfu llew ag ef ar y ffordd a'i ladd.*

Geiriau Eseia eto

78 **1.** Gwrandewch hefyd ar y proffwyd sanctaidd Eseia pan ddywed fel hyn am offeiriaid: *Gwae'r anwir am ei ddrygioni! Canys daw gwobr ei ddwylo iddo. Anrheithiodd ei gribddeilwyr fy mhobl ac arglwyddiaethodd menywod arnynt. O fy mhobl, y mae'r rhai sydd eu hunain yn dy alw'n wynfydedig yn dy dwyllo ac yn difetha ffordd dy lwybrau. Saif yr Arglwydd i farnu a saif i farnu'r bobloedd. Fe ddaw'r Arglwydd i farn gyda henuriaid a thywysogion ei bobl. Ysasoch fy ngwinllan, y mae anrhaith y tlawd yn eich tŷ. Pam yr ydych yn ysigo fy mhobl ac yn mathru wyneb y tlodion? medd Arglwydd y lluoedd.* **2.** A'r un modd: *Gwae'r rhai sy'n gwneud deddfau anwir ac wrth ysgrifennu a ysgrifennodd anghyfiawnder i orthrymu'r anghenus mewn barn ac i ddwyn trais ar achos rhai isel fy mhobl, fel y byddai gweddwon yn ysglyfaeth iddynt ac yr ysbeilient yr amddifaid. Beth a wnewch yn nydd yr ymweliad a'r dinistr sy'n dod o bell?* Ac isod: *Ond bu'r rhain hefyd yn anwybodus trwy win a chyfeiliornasant trwy fedd-dod, bu'r offeiriaid yn anwybodus trwy fedd-dod, boddwyd hwy*

vino, erraverunt in ebrietate, nescierunt videntem, ignoraverunt iudicium. Omnes enim mensae repletae sunt vomitu sordium, ita ut non esset ultra locus.

79 **1.** *Propterea audite verbum Domini, viri illusores, qui dominamini super populum meum qui est in Hierusalem. Dixistis enim: Percussimus foedus cum morte et cum inferno fecimus pactum. Flagellum inundans cum transierit non veniet super nos, quia posuimus mendacium spem nostrum et mendacio protecti sumus.* Et post aliquanta: *et subvertet grando spem mendacii et protectionem aquae inundabunt, et delebitur foedus vestrum cum morte et pactum vestrum cum inferno non stabit: flagellum inundans cum transierit, eritis et in conculcationem: quandocumque pertransierit, tollet vos.* **2.** Et iterum: *Et dixit Dominus: eo quod appropinquat populus iste ore suo et labiis glorificant me, cor autem eorum longe est a me: ideo ecce ego addam ut admirationem faciam populo huic miraculo grandi et stupendo. Peribit enim sapientia a sapientibus eius et intellectus prudentium eius abscondetur. Vae qui profundi estis corde, ut a domino abscondatis consilium, quorum sunt in tenebris opera et dicunt: Quis videt nos? et quis novit nos? Perversa enim haec vestra cogitatio.* **3.** Et post aliquanta: *Haec dicit Dominus: Caelum sedes mea et terra scabellum pedum meorum est. Quae ista est domus quam aedificabitis mihi? et quis erit locus quietis meae? Omnia haec manus mea fecit et facta sunt universa ista, dicit Dominus. Ad quem autem aspiciam nisi ad pauperculum et contritum spiritu et trementem sermones meos? Qui immolat*

gan win, cyfeiliornasant mewn medd-dod, nid adnabuont yr hwn sy'n gweld, buont yn anwybodus ynghylch barn. Canys llanwyd yr holl fyrddau â chwŷd eu budreddi, fel na cheid rhagor o le.

79 **1.** *Am hynny, clywch air yr Arglwydd, chwi ddynion gwatwarus sy'n arglwyddiaethu ar fy mhobl sydd yn Jerwsalem. Canys dywedasoch: Gwnaethom gyfamod ag angau a chynghrair ag uffern. Pan ddaw'r fflangell lifeiriol, ni ddaw ar ein gwarthaf, canys gwnaethom gelwydd yn obaith inni a llocheswyd ni gan dwyll.* Ac ymhen ychydig: *Ac fe ddymchwel cenllysg obaith celwydd, ac fe fodda'r dyfroedd eich lloches, a dileir eich cyfamod ag angau, ac ni saif eich cynghrair ag uffern. Pan ddaw'r ffrewyll lifeiriol, fe'ch methrir dani. Pa bryd bynnag y dêl heibio, fe'ch dinistria.* **2.** A thrachefn: *A dywedodd yr Arglwydd: Am fod y bobl hyn yn agosáu ataf â'u genau ac yn fy ngogoneddu â'u gwefusau, ond â'u calonnau yn bell oddi wrthyf, am hynny wele, af rhagof i wneud rhyfeddod i'r bobl hyn trwy wyrth fawr a syfrdanol. Canys derfydd doethineb o blith eu doethion a chelir deall eu rhai call. Gwae chwi sy'n mynd yn ddwfn i'ch calonnau i guddio eich cynlluniau rhag yr Arglwydd, sydd â'ch gweithredoedd yn y tywyllwch ac yn dweud: Pwy a'n gwêl? Pwy sy'n ein hadnabod? Canys trofaus yw'r meddwl hwn o'ch eiddo.* **3.** Ac ar ôl ychydig: *Fel hyn y dywed yr Arglwydd: Y nef yw fy ngorsedd a'r ddaear yw troedfainc fy nhraed. Pa dŷ yw hwn a adeiladwch imi? A pha le a fydd yn fan gorffwysfa imi? Fy llaw i a wnaeth yr holl bethau hyn, a'r holl bethau hynny a wnaed, medd yr Arglwydd. Ar bwy, fodd bynnag, yr edrychaf ond ar un sy'n dlawd a drylliedig ei ysbryd ac sy'n crynu wrth fy ngeiriau? Y mae'r sawl sy'n aberthu ych fel un*

bovem quasi qui interficiat virum: qui mactat pecus quasi qui excerebret canem: qui offert oblationem quasi qui sanguinem suillum offerat: qui recordatur thuris quasi qui benedicat idolo. Haec omnia elegerunt in viis suis et in abominationibus suis anima eorum delectata est.

Verba Hieremiae iterum

80 **1.** Hieremias quoque virgo prophetaque quid insipientibus loquatur pastoribus, attendite: *Haec dicit Dominus: quid invenerunt patres vestri in me iniquitatis, quia elongaverunt a me et ambulaverunt post vanitatem et vani facti sunt?* Et paulo post: *Et ingressi contaminastis terram meam et hereditatem meam posuistis in abominationem. Sacerdotes non dixerunt: ubi est Dominus? et tenentes legem nescierunt me et pastores praevaricati sunt in me. Propterea adhuc iudicio contendam vobiscum, ait Dominus, et cum filiis vestris disceptabo.* **2.** Item post aliquanta: *Stupor et mirabilia facta sunt in terra: prophetae praedicabant mendacium et sacerdotes applaudebant manibus suis et populus meus dilexit talia. Quid igitur fiet in novissimis eius? Cui loquar et contestabor, ut audiat? Ecce incircumcisae aures eorum et audire non possunt. Ecce verbum Domini factum est illis in opprobrium et non suscipiunt illud*: *quia extendam manum meam super habitantes terram, dicit Dominus. A minore quippe usque ad maiorem omnes avaritiae student et a propheta usque ad sacerdotem cuncti faciunt dolum. Er curabant contritionem filiae populi mei cum*

yn lladd dyn; sy'n lladd dafad fel un yn torfynyglu ci; sy'n cyflwyno offrwm fel un yn offrymu gwaed hwch; sy'n cofio arogldarth fel un yn bendithio eilun. Dewisasant yr holl bethau hyn yn eu ffyrdd eu hunain, ac ymhyfrydodd eu henaid yn eu gweithredoedd ffiaidd.

Geiriau Jeremeia eto

80 **1.** Clywch hefyd yr hyn a ddywed Jeremeia, dyn dibriod a phroffwyd, wrth fugeiliaid ffôl: *Fel hyn y dywed yr Arglwydd: Pa anwiredd a gafodd eich tadau ynof i, iddynt ymbellhau oddi wrthyf a rhodio ar ôl oferedd a mynd yn ofer?* Ac ychydig yn nes ymlaen: *Ac wedi ichwi ddod i mewn i'm tir, halogasoch ef a gwneud fy etifeddiaeth yn ffieidd-dra. Ni ddywedodd yr offeiriaid: Ble y mae'r Arglwydd? Ac ni fu i'r rhai oedd yn trin y gyfraith fy adnabod, a throseddodd y bugeiliaid yn fy erbyn. Am hyn, parhaf i ymryson â chwi mewn barn, medd yr Arglwydd, a dadleuaf â'ch plant.* **2.** Yr un modd ymhen ennyd: *Gwnaed peth aruthr a rhyfeddodau yn y tir: pregethai'r proffwydi gelwyddau, a chanmolai'r offeiriaid â'u dwylo, a hoffodd fy mhobl y fath bethau. Beth, felly, a ddigwydd yn niwedd hyn oll? Wrth bwy y llefaraf ac y tystiaf er mwyn iddo wrando? Wele, y mae eu clustiau yn ddienwaededig ac ni fedrant glywed. Wele, gwnaed gair yr Arglwydd yn ddirmyg iddynt ac nis derbyniant. Canys estynnaf fy llaw dros drigolion y ddaear, medd yr Arglwydd. O'r lleiaf ohonynt, yn wir, hyd y mwyaf maent i gyd yn ymroi i gybydd-dod, ac o'r proffwyd hyd yr offeiriad maent oll yn gwneud twyll. Ac iachaent friw merch fy mhobl yn gywilyddus gan ddweud:*

ignominia dicentes: pax, pax, et non erit pax. Confusi sunt qui abominationem fecerunt: quin potius confusione non sunt confusi et erubescere nescierunt. Quam ob rem cadent inter ruentes, in tempore visitationis eorum corruent, dicit Dominus. **3.** Et iterum: *Omnes isti principes declinantium ambulantes fraudulenter aes et ferrum universi corrupti sunt. Defecit sufflatorium in igne, frustra conflavit conflator, malitiae autem eorum non sunt consumptae. Argentum reprobum vocate eos, quia Dominus proiecit illos.* **4.** Et post pauca: *Ego sum, ego sum, ego vidi, dicit Dominus. Ite ad locum meum in Silo, ubi habitavit nomen meum a principio, et videte quae fecerim ei propter malitiam populi mei Israel. Et nunc quia fecistis omnia opera haec, dicit Dominus: et locutus sum ad vos mane consurgens et loquens et non audistis, et vocavi vos et non respondistis, faciam domui huic, in qua invocatum est nomen meum et in qua vos habetis fiduciam, et loco, quem dedi vobis et patribus vestris, sicut feci Silo et proiciam vos a facie mea.*

81 **1.** Et iterum: *Filii mei exierunt a me et non subsistunt, et non est qui extendat ultra tentorium meum et erigat pelles meas, quia stulte egerunt pastores et Dominum non quaesierunt.* Propterea non intellexerunt et grex eorum dispersus est'. **2.** Et post aliquanta: *Quid est quod dilectus meus in domo mea facit scelera multa? Numquid carnes sanctae auferent a te malitias tuas, in quibus gloriata es? Olivam uberem pulchram fructiferam speciosam vocavit Dominus nomen tuum. Ad vocem loquelae grandis exarsit ignis in ea et combusta sunt fruteta eius.* **3.** Et iterum: *Venite, congregamini, omnes bestiae terrae, properate ad devorandum.*

Heddwch, heddwch, ac ni fydd heddwch. Gwaradwyddwyd y rhai a wnaeth ffieidd-dra; yn hytrach, ni waradwyddwyd hwy ddim ac ni allasant wrido. Am hynny, fe gwympant ymysg y syrthiedigion, adeg fy ymweliad â hwy fe ddisgynnant i'r llawr, medd yr Arglwydd. **3.** A thrachefn: *Y mae'r rhain i gyd yn dywysogion pobl sy'n gwyro; maent yn rhodio'n dwyllodrus, efydd a haearn ydynt, llygredig ydynt oll. Methodd y fegin yn y tân, yn ofer y toddodd y toddydd, ond ni ddilewyd eu drygau. Galwch hwy yn arian gwrthodedig, canys bwriodd yr Arglwydd hwy ymaith.* **4.** Ac ymhen ychydig: *Yr wyf, yr wyf, gwelais, medd yr Arglwydd. Ewch i'm lle i yn Seilo, lle y trigodd fy enw o'r cychwyn, a gwelwch yr hyn a wneuthum iddo ar gyfrif drygioni fy mhobl Israel. Ac yn awr, gan y gwnaethoch yr holl weithredoedd hyn, medd yr Arglwydd, ac y lleferais wrthych, gan godi'n fore a llefaru, ond na chlywsoch, ac y gelwais chwi ond nad atebasoch, fe wnaf â'r tŷ hwn y galwyd ynddo ar fy enw ac yr ydych yn ymddiried ynddo, ac â'r lle a roddais ichwi ac i'ch tadau, yr un modd ag y gwneuthum â Seilo a'ch taflu o'm gŵydd.*

81

1. A thrachefn: *Aeth fy meibion ymaith oddi wrthyf, ac nid ydynt yma; nid oes neb i ledu fy mhabell mwyach nac i godi fy llenni, canys gweithredodd y bugeiliaid yn ffôl ac ni cheisiasant yr Arglwydd.* **2.** A rhyw gymaint yn nes ymlaen: *Beth sydd, fod fy anwylyd yn cyflawni troseddau lawer yn fy nhŷ? A fydd cig sanctaidd yn dwyn oddi arnat dy ddrygau y llawenychaist ynddynt? Olewydden gyfoethog, deg, gnydfawr, brydferth y galwodd yr Arglwydd dy enw. Wrth sŵn lleferydd cyneuodd tân mawr ynddi a llosgwyd ei llwyni.* **3.** A thrachefn: *Dewch, ymgynullwch chwi holl fwystfilod y maes, prysurwch i larpio. Dinistriodd bugeiliaid*

Pastores multi demoliti sunt vineam meam, conculcaverunt partem meam, dederunt portionem meam desiderabilem in desertum solitudinis. Itemque loquitur: *Haec dicit Dominus populo huic, qui dilexit movere pedes suos et non quievit et Domino non placuit. Nunc recordabitur iniquitatum eorum et visitabit peccata illorum.* **4**. *Prophetae dicunt eis: non videbitis gladium et fames non erit in vobis, sed pacem veram dabit Dominus vobis in loco isto. Et dixit Dominus ad me: Falso prophetae vaticinantur in nomine meo, non misi eos et non praecepi eis, visionem mendacem et divinationem et fraudulentiam et seductionem cordis sui prophetant vobis. Ideo haec dicit Dominus: in gladio et fame consumentur prophetae illi, et populi quibus prophetaverunt proiecti erunt in viis Hierusalem prae fame et gladio, et non erit qui sepeliat.*

82 **1.** Et iterum: *Vae pastoribus qui disperdunt et dilacerant gregem pascuae meae, dicit Dominus. Ideo haec dicit Dominus Deus Israel ad pastores qui pascunt populum meum: Vos dispersistis gregem meum et eiecistis eos et non visitastis illos.* **2.** *Ecce, ego visitabo super vos malitiam studiorum vestrorum, dicit Dominus. Propheta namque et sacerdos polluti sunt et in domu mea inveni malum eorum, dicit Dominus: et idcirco via eorum erit quasi lubricum in tenebris, impellentur enim et corruent in ea, afferam enim super eos mala, annum visitationis eorum, dicit Dominus. Et in prophetis Samariae vidi fatuitatem, et prophetabant in Baal et decipiebant populum meum Israel.* **3.** *Et in prophetis Ierusalem vidi similitudinem adulterantium et iter mendacii: et confortaverunt manus pessimorum, ut non converterentur*

lawer fy ngwinllan, mathrasant fy rhan dan draed, gwnaethant fy nghyfran hyfryd yn anialwch diffaith. Yr un modd, llefara: *Fel hyn y dywed yr Arglwydd wrth y bobl hyn a hoffodd symud eu traed ac na orffwysasant ac na ryngasant fodd i'r Arglwydd: Yn awr y cofia ef eu troseddau ac ymweld â'u pechodau.* **4.** *Dywed y proffwydi wrthynt: Ni welwch gleddyf a newyn ni fydd yn eich plith, eithr fe rydd yr Arglwydd wir heddwch ichwi yn y lle hwn. A dywedodd yr Arglwydd wrthyf: Y mae'r proffwydi yn brudio gau yn fy enw; nid anfonais hwy ac ni orchmynnais iddynt; proffwydant weledigaeth gelwyddog ichwi a dewiniaeth a hoced a thwyll eu calonnau. Ac felly fel hyn y dywed yr Arglwydd: Trwy gleddyf a newyn y difethir y proffwydi hynny, a theflir allan i strydoedd Jerwsalem y bobloedd y proffwydasant iddynt oherwydd y newyn a'r cleddyf, ac ni fydd neb i'w claddu.*

82 **1.** A thrachefn: *Gwae i'r bugeiliaid sy'n dinistrio a rhwygo praidd fy mhorfa, medd yr Arglwydd. Am hynny, fel hyn y dywed Arglwydd Dduw Israel wrth y bugeiliaid sy'n porthi fy mhobl: Gwasgarasoch fy mhraidd a'u hymlid ymaith, ac nid ymwelsoch â hwy.* **2.** *Wele, paraf i ddrygioni eich chwantau ymweld â chwi, medd yr Arglwydd. Canys halogwyd proffwyd ac offeiriad, ac yn fy nhŷ y cefais eu drygioni, medd yr Arglwydd. Ac am hynny, bydd eu ffordd fel man llithrig yn y tywyllwch, canys gyrrir hwy ymlaen a chwympant ynddi, canys dygaf ddrygau ar eu pennau ym mlwyddyn fy ymweliad â hwy, medd yr Arglwydd. A gwelais ynfydrwydd ymhlith proffwydi Samaria, a phroffwydent yn enw Baal a hudo fy mhobl Israel.* **3.** *Ac ymhlith proffwydi Israel gwelais debygrwydd i odinebwyr a ffordd celwyddau, a chryfhasant law y rhai gwaethaf, fel na throai neb o'i ddrygioni.*

unusquisque a malitia sua: facti sunt mihi omnes Sodoma et habitatores eius quasi Gomorrha. Propterea haec dicit Dominus ad prophetas: ecce ego cibabo eos absinthio et potabo eos felle. A prophetis enim Ierusalem est egressa pollutio super omnem terram. Haec dicit Dominus exercituum: Nolite audire verba prophetarum, qui prophetant vobis et decipiunt vos: visionem enim cordis sui loquuntur, non de ore Domini. Dicunt enim his qui me blasphemant: **4.** *Locutus est Dominus: pax erit vobis: et omni, qui ambulant in pravitate cordis sui, dixerunt: Non veniet super eos malum. Quis enim affuit in consilio Domini et vidit et audivit sermonem eius? quis consideravit verbum illius et audivit?* **5.** *Ecce, turbo Dominicae indignationis egreditur et tempestas erumpens super caput impiorum veniet: non revertetur furor Domini usque dum faciat et usque dum compleat cogitationem cordis sui. In novissimis diebus intellegetis consilium eius.*

83 **1.** Parum namque cogitatis vel facitis quod sanctus quoque Ioel monens inertes sacerdotes ac deflens detrimentum populi pro iniquitatibus eorum edixit: *Expergiscimini qui estis ebrii a vino vestro, et plorate et lamentamini omnes qui bibitis vinum in ebrietatem, quia ablata est ab ore vestro iucunditas et gaudium. Lugete, sacerdotes, qui deservitis altario, quia miseri facti sunt campi. Lugeat terra, quia miserum factum est frumentum et siccatum est vinum, diminutum est oleum, aruerunt agricolae. Lugete, possessiones, pro tritico et hordeo, quia periit vindemia ex agro, vitis arefacta est, ficus diminutae sunt: granata et palma*

Aethant imi oll fel Sodom a'i thrigolion fel Gomorra. Am hynny, fel hyn y dywed yr Arglwydd wrth y proffwydi: Wele, bwydaf hwy â wermod a diodaf hwy â dŵr bustl. Canys oddi wrth broffwydi Israel yr aeth bryntni allan dros yr holl dir. Fel hyn y dywed Arglwydd y lluoedd: Peidiwch â gwrando ar eiriau'r proffwydi sy'n proffwydi ichwi gan eich twyllo. Canys llefarant weledigaeth o'u calonnau eu hunain, nid o enau'r Arglwydd. Canys dywedant wrth y rhai sy'n fy nghablu: **4.** *Llefarodd yr Arglwydd: Bydd heddwch ichwi; ac wrth bawb sy'n rhodio yn ôl llygredd ei galon dywedasant: Ni ddaw niwed ar eich gwarthaf. Canys pwy a safodd yng nghyngor yr Arglwydd ac a welodd ac a glywodd ei air? Pwy a ddaliodd ar ei air a'i wrando?* **5.** *Wele, y mae corwynt digofaint yr Arglwydd yn myned allan, ac fe ruthra tymestl allan a dod ar ben y rhai annuwiol. Ni ddychwel llid yr Arglwydd nes iddo wneuthur ac nes iddo gwblhau bwriad ei galon. Yn y dyddiau diwethaf fe ddeallwch ei gyngor.*

83 **1.** Oherwydd nid ydych fawr feddwl na gwneud yr hyn a ddatganodd Joel sanctaidd hefyd wrth rybuddio offeiriaid pwdr a galarnadu am golled y bobl oherwydd eu pechodau: *Deffrowch, chwychwi sy'n feddw gan eich gwin, ac wylwch ac udwch chwi oll sy'n yfed gwin hyd fedd-dod, canys dygwyd hyfrydwch a llawenydd o'ch min. Galarwch, chwi offeiriaid sy'n gwasanaethu wrth yr allor, canys aeth y meysydd yn druenus. Galared y ddaear, canys aeth yr ŷd yn druenus a sychodd y gwin, prinhaodd yr olew a dihoenodd yr hwsmyn. Galarwch, chwi ystadau, am y gwenith a'r haidd, canys darfu'r cynhaeaf gwin o'r maes, gwywodd yr winwydden, prinhaodd y ffigys; crinodd y prennau pomgranad, y balmwydden, a'r afallen, a holl brennau'r*

et malum et omnia ligna agri arefacta sunt, quoniam confuderunt gaudium filii hominum.

2. Quae omnia spiritaliter intellegenda erunt vobis, ne tam pestilenti fame verbi Dei animae vestrae arescerent.

3. Et iterum: *flete, sacerdotes, qui deservitis Domino, dicentes: parce, Domine, populo tuo et ne des hereditatem tuam in opprobrium et ne dominentur eorum gentes, uti ne dicant gentes: ubi est Deus eorum?* Sed haec vos nequaquam auditis, sed omnia quibus propensius divini furoris indignatio inardescat admittitis.

Verba prophetarum plura

84 Quid etiam sanctus Osee propheta sacerdotibus vestri moduli dixerit signanter attendite: *audite haec, sacerdotes, et intendat domus Israel, et domus regis, infigite auribus vestris, quoniam ad vos est iudicium, quia laqueus facti estis speculationi et velut retiaculum extensum super Thabor, quod indicatores venationis confinxerunt.*

85 **1.** Vobis etiam a Domino alienatio huiuscemodi intendatur per prophetam Amos dicentem: *Odio habui et repuli dies festos vestros et non accipiam odorem in sollemnibus conventionibus vestris, quia etsi obtuleritis holocaustomata et hostias vestras, non accipiam ea. Et salutare declarationis vestrae non aspiciam. Transfer a me sonum cantionum tuarum, et psalmum organorum tuorum non audiam.*

2. Famis etenim evangelici cibi, culina ipsa vestrae animae

maes am i feibion dynion ddifa eu llawenydd.

2. Bydd raid ichwi ddeall hyn oll mewn ystyr ysbrydol, rhag i'ch eneidiau wywo gan newyn mor heintus am air Duw.

3. A thrachefn: *Wylwch, chwi offeiriaid sy'n gwasanaethu'r Arglwydd, gan ddweud: Arbed dy bobl, Arglwydd, ac na wna dy etifeddiaeth yn warth, ac nac arglwyddiaethed y Cenhedloedd arnynt rhag i'r rheini ddweud: Ble mae eu Duw?* Ond nid ydych yn gwrando'r geiriau hyn o gwbl, eithr yn caniatáu popeth a fyddai'n ennyn dicter y ffyrnigrwydd dwyfol yn gynt.

Rhagor o eiriau'r proffwydi

84 Gwrandewch hefyd yn astud yr hyn a ddywedodd y proffwyd sanctaidd Hosea wrth offeiriaid o'ch math chwi: *Clywch hyn, chwi offeiriaid, a gwrandawed tŷ Israel a thŷ'r brenin, clustfeiniwch, canys y mae'r farn arnoch am ichwi fynd yn fagl i ysbïo ac megis rhwyd wedi ei thaenu dros Tabor a wnaed gan gyfarwyddwyr yr helfa.*

85 **1.** Boed yr ymddieithriad hwn oddi wrth Dduw wedi ei anelu atoch chwi hefyd trwy'r proffwyd Amos pan ddywed: *Caseais a ffieiddiais eich gwyliau, ac ni dderbyniaf berarogl yn eich uchel gymanfaoedd, canys er eich bod yn offrymu eich poethoffrymau ac ebyrth, ni dderbyniaf hwy. Ac nid edrychaf ar yr iachawdwriaeth a gyhoeddwch. Dos â thrwst dy ganeuon oddi wrthyf, ac ni wrandawaf ar gainc dy organau.*

2. Oherwydd, yn wir, mae newyn am faeth yr efengyl, yr union

viscera excomedens grassatur in vobis, sicut supra dictus propheta praedixit: *Ecce*, inquiens, *dies veniunt, dicit Dominus, et inmittam famem in terram, non famem panis neque sitim aquae, sed famem in audiendo verbum Dei. Et movebuntur aquae a mari usque ad mare, et ab aquilone usque ad orientem percurrent quaerentes verbum Domini, et non invenient.*

86 **1.** Auribus quoque percipite sanctum Micheam ac si caelestem quandam tubam adversus subdolos populi principes concisius personantem: *Audite nunc,* inquiens, *principes domus Iacob: nonne vobis est ut cognoscatis iudicium odientibus bona et quaerentibus maligna, rapientibus pelles eorum ab eis et carnes eorum ab ossibus eorum? quemadmodum comederunt carnes plebis meae et pelles eorum ab eis excoriaverunt, ossa eorum confregerunt et laniaverunt quasi carnes in olla.* **2.** *Succlamabunt ad Deum et non exaudiet eos et avertet faciem suam ab eis in illo tempore, propter quod malitiose gesserunt in adinventionibus suis super ipsos. Haec dicit Dominus super prophetas qui seducunt populum meum, qui mordent dentibus suis et praedicant in eum pacem, et non est data in os eorum: excitavi in eum bellum. Propterea nox erit vobis ex visione et tenebrae vobis erunt ex divinatione, et occidet sol super prophetas et contenebrescet super eos dies, et confundentur videntes somnia et deridebuntur divini et obtrectabunt adversus omnes ipsi, quoniam non erit qui exaudiat eos: si non ego implevero fortitudinem in Spiritu Domini et iudicio et potestate, ut annuntiem domui Iacob impietates suas et Israel peccata sua.* **3.** *Audite haec itaque, duces domus Iacob, et residui*

ymborth sy'n ysu ymysgaroedd eich eneidiau, yn prowlan yn eich mysg, megis y rhagfynegodd y proffwyd uchod gan ddweud: *Wele, y mae'r dyddiau'n dod, medd yr Arglwydd, pan anfonaf newyn i'r tir, nid newyn am fara na syched am ddŵr, ond newyn am glywed gair Duw, a symudir y dyfroedd o fôr i fôr, ac o'r gogledd hyd y dwyrain gwibiant yn ôl ac ymlaen gan geisio gair yr Arglwydd ac nis cânt.*

86 **1.** Deallwch hefyd â'ch clustiau Micha sanctaidd wrth iddo seinio'n gryno iawn, fel rhyw utgorn nefol, yn erbyn tywysogion cyfrwysddrwg y bobl, gan ddweud: *Clywch yn awr, chwi dywysogion tŷ Jacob. Oni pherthyn ichwi wybod barn, a chwithau'n casáu'r da ac yn ceisio'r drwg, yn rhwygo eu crwyn oddi arnynt a'u cnawd oddi ar eu hesgyrn? Sut y bwytasant gnawd fy mhobl ac y blingasant eu crwyn oddi amdanynt, y drylliasant eu hesgyrn a'u torri'n ddarnau megis cig mewn crochan?* **2.** *Fe lefant ar Dduw ac nis clyw, ac fe dry ei wyneb oddi wrthynt yr amser hwnnw am iddynt weithredu'n ddrygionus yn eu dyfeisiadau parthed eu hunain. Fel hyn y dywed yr Arglwydd am y proffwydi sy'n arwain fy mhobl ar gyfeiliorn, sy'n brathu â'u dannedd ac yn cyhoeddi iddynt, Heddwch, a hwnnw heb ei roi yn eu genau: Codais ryfel yn eu herbyn* [deall. y bobl]. *Am hynny, daw nos arnoch yn sgil eich gweledigaeth, a daw tywyllwch arnoch yn sgil eich dewiniaeth, ac fe fachlud yr haul ar y proffwydi, ac fe dywylla'r dydd arnynt; a chywilyddir y rhai sy'n gweld breuddwydion, a gwaradwyddir y dewiniaid a dywedant eu hunain yn ddrwg yn erbyn pawb gan na fydd neb a wrendy arnynt. Llenwaf fy nerth yn sicr ag ysbryd yr Arglwydd, ac â barn a gallu, er mwyn imi gyhoeddi i dŷ Jacob ei droseddau ac i Israel ei bechodau.* **3.** *Gwrandewch hyn, felly,*

domus Israel, qui abominamini iudicium et omnia recta pervertitis, qui aedificatis Sion in sanguine et Hierusalem in iniquitatibus: duces eius cum muneribus iudicabant et sacerdotes eius cum mercede respondebant et prophetae eius cum pecunia divinabant et in Domino requiescebant dicentes: nonne Dominus in nobis est? non venient super nos mala. Ideo propter vos Sion sicut ager arabitur et Hierusalem sicut specula pomarii erit et mons domus sicut locus silvae.

4. Et post aliquanta: *Heu me, quia factus sum sicut qui colligit stipulam in messe et sicut racemus in vindemia, cum non sit botrus ad manducandum primitiva: heu me, anima quia periit terrenis operibus, semper peccatorum reverentia exoritur reverens a terra, et qui corrigat inter homines non est. Omnes in sanguinem iudicio contendunt, et unusquisque proximum suum tribulatione tribulavit, in malum manus suas praeparat.*

87 **1.** Quid Sophonias etiam propheta egregius de vestris olim comessoribus disceptaverit attendite; de Hierusalem namque loquebatur, quae spiritaliter ecclesia vel anima intellegitur: *o*, inquiens, *quae erat splendida et liberata civitas, confidens columba, non obaudivit vocem nec percepit disciplinam, in Domino non confisa est et ad Deum suum non accessit.* **2.** Et id quare ostendit: *Principes eius sicut leones rugientes, iudices sicut lupi Arabiae non relinquebant in mane, prophetae eius spiritum portantes viri contemptoris, sacerdotes eius profanabant sancta et impie agebant in lege. Dominus autem iustus in medio eius et non faciet iniustum: mane mane dabit iudicium suum.*

chwi arweinwyr tŷ Jacob a gweddill tŷ Israel sy'n ffieiddio barn ac yn gwyrdroi pob uniondeb, sy'n adeiladau Seion trwy waed a Jerusalem trwy gamwri. Barnai ei arweinwyr er cil-dwrn, ac atebai ei offeiriaid er elw, a rhagfynegai ei broffwydi er arian, a gorffwysent yn yr Arglwydd gan ddweud: Onid yw'r Arglwydd yn ein plith? Ni ddaw niwed inni. Am hynny, o'ch achos chwi, erddir Seion fel maes, ac fe fydd Jerwsalem fel tŵr gwyliadwriaeth mewn perllan, a mynydd y tŷ fel mangre mewn coedwig.

4. Ac ymhen ysbaid: *Gwae fi, canys fe'm gwnaed fel casglwr sofl yn y cynhaeaf ac fel sypyn o rawnwin yn y cynhaeaf gwin pan nad oes rawnwin at fwyta'r blaenffrwyth. Gwae fy enaid, canys trengodd trwy weithredoedd daearol, cyfyd parch mawr o'r ddaear at bechaduriaid bob amser, ac nid oes ymysg dynion neb i gywiro. Ymrysonant oll mewn barn am waed, a chystuddiodd pob un ei gymydog yn ddwys, paratoa ei ddwylo er drwg.*

87 **1.** Clywch yr hyn a draethodd y proffwyd rhagorol Seffaneia hefyd gynt am eich cymdeithion, oherwydd am Jerwsalem, a ddeellir yn ysbrydol i ddynodi'r eglwys neu'r enaid, y llefarai: *O! y ddinas*, meddai, *a oedd yn ysblennydd ac wedi ei rhyddhau, y golomen ymddiriedus, ni chlywodd y llais na derbyn disgyblaeth, nid ymddiriedodd yn yr Arglwydd ac ni nesaodd at ei Duw*. **2.** A dengys paham: *Y mae ei thywysogion fel llewod yn rhuo, nid ymadawai ei barnwyr, fel bleiddiaid Arabia, tan y bore, gwisgai ei phroffwydi ysbryd dyn dirmygus, halogai ei hoffeiriaid bethau sanctaidd a gweithredent yn annuwiol yn y gyfraith. Ond mae'r Arglwydd cyfiawn yn ei chanol ac ni wna gam; fore ar ôl bore bydd yn traddodi ei farn.*

88 **1.** Sed et beatum Zachariam prophetam monentem vos in verbo Dei audite: *haec enim dicit omnipotens Dominus: iudicium iustum iudicate, et misericordiam et miserationem facite unusquisque ad fratrem suum, et viduam et orfanum et advenam et pauperem per potentiam nolite nocere, et malitiam unusquisque fratris sui non reminiscatur in corde suo: et contumaces fuerunt, ne observarent, et dederunt dorsum stultitiae et aures suas degravaverunt, ut non audirent, et cor suum statuerunt insuadibile, ne audirent legem meam et verba quae misit Dominus omnipotens in Spiritu suo in manibus prophetarum priorum; et facta est ira magna a Domino omnipotente.* **2.** Et iterum: *Quoniam qui loquebantur locuti sunt molestias, et divini visa falsa et somnia falsa loquebantur et vana consolabantur, propter hoc aridi facti sunt sicut oves, et afflicti sunt quoniam non erat sanitas. Super pastores exacervata est iracundia mea et super agnos visitabo.* **3.** Et post pauca: *Vox lamentantium pastorum, quia misera facta est magnitudo eorum. Vox rugientium leonum, quoniam miser factus est decursus Iordanis. Haec dicit Dominus omnipotens: qui possidebant interficiebant, et non paenituit eos. Et qui vendebant eas dicebant: benedictus Dominus, et ditati sumus et pastores earum nihil passi sunt in eis: propter quod non parcam iam super inhabitantes terram, dicit Dominus.*

89 **1.** Quid praeterea sanctus Malachias propheta vobis denuntiaverit audite, *Vos*, inquiens, *sacerdotes qui spernitis nomen meum, et dixistis: in quo spernimus nomen tuum? Offerendo ad altare meum panes pollutos. Et dixistis: in*

88 **1.** Ond gwrandewch hefyd ar y proffwyd bendigaid Sechareia yn eich rhybuddio trwy air Duw: *Canys fel hyn y dywed yr Arglwydd hollalluog: Barnwch â barn gyfiawn a dangoswch dosturi a thrugaredd bob un tuag at ei frawd, ac na niweidiwch trwy eich gallu y weddw a'r amddifad, y dieithr a'r anghenus, ac na chofied neb yn ei galon falais ei frawd. A buont yn gyndyn i wrando, a rhoddasant eu cefnau i ffolineb, a thrymhasant eu clustiau rhag clywed, a gwnaethant eu calon yn amhosibl ei darbwyllo, rhag iddynt glywed fy nghyfraith a'r geiriau a anfonodd yr Arglwydd hollalluog yn ei Ysbryd yn nwylo proffwydi blaenorol, a daeth digofaint mawr oddi wrth yr Arglwydd hollalluog.* **2.** A thrachefn: *Am i'r rhai a lefarai lefaru blinderau ac y llefarai'r dewiniaid weledigaethau gau a breuddwydion gau ac y cynigient gysur gwag, am hyn aethant yn sych fel defaid, ac fe'u blinwyd am nad oedd iechyd. Pentyrrwyd fy llid ar eu bugeiliaid ac ymwelaf â'r ŵyn.* **3.** Ac ymhen ychydig: *Llais bugeiliaid yn galaru am i'w mawredd fynd yn ddifwyn. Llais llewod yn rhuo am i lif Iorddonen fynd yn ddifwyn. Fel hyn y dywed yr Arglwydd hollalluog: Y rhai a feddiannai, lladdent, ac ni fu'n edifar ganddynt. A'r rhai a'u gwerthent, dywedent: Bendigedig fo'r Arglwydd, fe'n cyfoethogwyd, ac ni thosturiodd eu bugeiliaid wrthynt. Gan hynny, nid arbedaf mwyach drigolion y tir, meddai'r Arglwydd.*

89 **1.** Clywch, ymhellach, yr hyn a gyhoeddodd y proffwyd sanctaidd Malachi yn eich erbyn: *Chwi offeiriaid,* meddai, *sy'n dirmygu fy enw ac a ddywedodd: Sut yr ydym yn dirmygu dy enw? Trwy offrymu torthau halogedig ar fy allor. A*

quo polluimus eos? In eo quod dixistis: mensa Domini pro nihilo est, et quae superposita sunt, sprevistis: quoniam, si adducatis caecum ad victimam, nonne malum? si ammoveatis claudum aut languidum, nonne malum? Offer itaque illud praeposito tuo, si suscipiet illud, si accipiet personam tuam, dicit Dominus omnipotens. Et nunc exorate faciem Dei vestri et deprecamini eum. In manibus vestris facta sunt haec. Si accipiam ex vobis personas vestras? **2.** Et iterum: *Et intulistis de rapina claudum et languidum et intulistis munus. Numquid suscipiam illud de manu vestra? dicit Dominus. Maledictus dolosus, qui habet in grege suo masculum et votum faciens immolat debile Domino, quia rex magnus ego sum, dicit Dominus exercituum, et nomen meum horribile in gentibus. Et nunc ad vos mandatum hoc, o sacerdotes; si nolueritis audire et ponere super cor, ut detis gloriam nomini meo, ait Dominus exercituum, mittam in vos egestatem et maledicam benedictionibus vestris, quoniam non posuistis super cor. Ecce ego proiciam vobis brachium et dispergam super vultum vestrum stercus sollemnitatum vestrarum.*

3. Sed interea ut avidius organa nequitiae praeparetis ad bona, quid de sancto sacerdote dicat, si quantulumcunque adhuc interni auditus in vobis remanet, auscultate: *Pactum meum*, inquiens, *fuit cum eo*, de Levi namque vel Moyse secundum historiam loquebatur, *vitae et pacis, dedi ei timorem, et timuit me, a facie nominis mei pavebat. Lex veritatis fuit in ore eius et iniquitas non est inventa in labiis eius, in pace et in aequitate ambulavit mecum et multos avertit*

dywedasoch: Sut yr halogasom hwy? Am ichwi ddweud: Y mae bwrdd yr Arglwydd megis dim, a dirmygasoch y pethau a osodwyd arno. Canys os deuwch ag anifail dall i'w aberthu, onid drwg yw hynny? Os cyflwynwch un cloff neu wan, onid drwg yw hynny? Offryma ef, felly, i'th bennaeth i weld a fydd ef yn ei dderbyn, a fydd ef yn dangos ffafr atat, medd yr Arglwydd hollalluog. Ac yn awr ymbiliwch ag wyneb eich Duw ac erfyniwch arno. Gwnaed y pethau hyn trwy eich dwylo: a ddangosaf ffafr atoch? **2.** A thrachefn: *A daethoch ag anifail cloff a gwan o'ch ysbail, a daethoch ag anrheg. A dderbyniaf hwnnw o'ch dwylo? meddai'r Arglwydd. Melltigedig fo'r twyllwr a chanddo wryw yn ei braidd ac sydd, wrth addunedu, yn aberthu anifail eiddil i'r Arglwydd. Canys brenin mawr ydwyf, medd Arglwydd y lluoedd, a dychrynllyd yw fy enw ymysg y cenhedloedd. Ac yn awr, chwi offeiriad, ar eich cyfer chwi y mae'r gorchymyn hwn. Os gwrthodwch ei wrando a'i osod yn eich calon, i roi gogoniant i'm henw, medd Arglwydd y lluoedd, anfonaf dlodi arnoch a melltithio eich bendithion am na osodasoch ef yn eich calon. Wele, estynnaf fy mraich yn eich erbyn a thaenaf dom eich uchel wyliau dros eich wyneb.*

3. Ond yn y cyfamser, er mwyn ichwi baratoi eich offer drygioni yn fwy eiddgar i ddibenion da, gwrandewch yn astud, os oes yn aros ynoch eto ryw radd, boed cyn lleied ag y bo, o wrando mewnol, yr hyn a ddywed am yr offeiriad sanctaidd: *Bu fy nghyfamod gydag ef* (oherwydd llefarai yn hanesyddol am Lefi neu Moses) *yn un o fywyd a heddwch; perais ofn iddo, ac ofnodd fi, a chiliai rhag wyneb fy enw. Bu cyfraith gwirionedd yn ei enau ac ni chafwyd anwiredd ar ei wefusau. Rhodiodd gyda mi mewn hedd ac uniondeb a throes laweroedd oddi wrth ddrygioni. Canys diogela gwefusau'r*

ab iniquitate. Labia enim sacerdotis custodient scientiam et legem requirent ex ore eius, quia angelus Domini exercituum est. **4.** Nunc item mutavit sensum et malos increpare non desinit, *Vos* inquiens *recessistis de via et descandalizastis plurimos in lege et irritum fecistis pactum cum Levi, dicit Dominus exercituum. Propter quod et ego dedi vos contemptibiles et humiles in omnibus populis, sicut non servastis vias meas et accepistis faciem in lege. Numquid non pater unus omnium nostrum? numquid non Deus unus creavit nos? Quare ergo despicit unusquisque fratrem suum?* **5.** Et iterum: *Ecce veniet Dominus exercituum: et quis poterit cogitare diem adventus eius? et quis stabit ad videndum eum? Ipse enim egredietur quasi ignis ardens et quasi poa lavantium, et sedebit conflans et emundans argentum, et purgabit filios Levi, et colabit eos quasi aurum et quasi argentum.* **6.** Et post pauca: *invaluerunt super me verba vestra, dicit Dominus, et dixistis: Vanus est qui servit Deo, et quod emolumentum quia custodivimus praecepta eius et quia ambulavimus coram Domino exercituum tristes? Ergo nunc beatos dicemus arrogantes, si quidem aedificati sunt facientes iniquitatem; temptaverunt Deum et salvi facti sunt.*

90 **1.** Quid vero Ezechiel propheta dixerit attendite: *Vae* inquiens *super vae veniet et nuntius super nuntium erit et quaeretur visio a propheta et lex peribit a sacerdote et consilium de senioribus.* Et iterum: *Haec dicit Dominus: eo quod sermones vestri sunt mendaces et divinationes vestrae vanae, propter hoc ecce ego ad vos, dicit Dominus, extendam manum meam super prophetas qui vident mendacia et eos qui loquuntur*

offeiriad wybodaeth, a cheisiant y gyfraith o'i enau ef oherwydd cennad Arglwydd y lluoedd ydyw.

4. Bellach, yr un modd, newidiodd synnwyr ei neges, ac ni phaid â cheryddu y rhai drwg, gan ddweud: *Ciliasoch chwi oddi ar y ffordd, a pharasoch i laweroedd faglu yn y gyfraith, a gwnaethoch yn ddi-rym y cyfamod gyda Lefi, medd Arglwydd y lluoedd. Gan hynny, fe'ch gwneuthum yn ddirmygedig ac iselwael i'r holl bobloedd, yn gymaint ag na chadwasoch fy ffyrdd ac y dangosasoch ffafr yn y gyfraith. Onid un tad sydd inni oll? Onid un Duw a'n creodd? Pam, felly, y dirmyga pobun ei frawd?* **5.** A thrachefn: *Wele, fe ddaw Arglwydd y lluoedd, a phwy a ddichon feddwl am ddydd ei ddyfodiad? A phwy a saif i'w weld? Canys daw ef ei hun allan megis tân fflamllyd ac megis sebon y golchyddion, ac fe eistedd gan doddi a choethi arian, ac fe lanha feibion Lefi, ac fe'u pura fel aur ac fel arian.* **6.** Ac ymhen ychydig: *Caled fu eich geiriau yn fy erbyn, medd yr Arglwydd, a dywedasoch: Ofer yw hwnnw sy'n gwasanaethu Duw, a pha ennill a fu inni o gadw ei orchmynion a rhodio gerbron Arglwydd y lluoedd yn bendrist? Bellach, gan hynny, fe alwn y beilchion yn wynfydedig, canys adeiledir gwneuthurwyr drygioni; profasant Dduw ac fe'u gwaredwyd.*

90 **1.** Gwrandewch hefyd yr hyn a ddywedodd y proffwyd Eseciel: *Daw gwae ar ben gwae*, meddai, *a neges ar ben neges, a cheisir gweledigaeth gan y proffwyd, a derfydd y gyfraith gan yr offeiriad a chyngor gan yr henuriaid.* A thrachefn: *Fel hyn y dywed yr Arglwydd: Am fod eich geiriau yn gelwyddog a'ch dewiniaeth yn ofer, am hyn, medd yr Arglwydd, wele, estynnaf fy llaw yn eich erbyn ac yn erbyn y proffwydi sy'n gweld celwyddau a'r rhai sy'n llefaru gwagedd. Ni chynhwysir hwy yn addysg fy*

vana: in disciplina populi mei non erunt et in scriptura domus Israel non scribentur et in terram Israel non intrabunt et scietis quia ego Dominus. Propterea populum meum seduxerunt dicentes: pax Domini, et non est pax Domini. Hic struit parietem et ipsi ungunt eum et cadet. **2.** Et post aliquanta: *vae his qui concinnant cervicalia subtus omnem cubitum manus et faciunt velamina super omne caput universae aetatis ad subvertendas animas. Animaeque subversae sunt populi mei et animas possidebant et contaminabant me ad populum meum propter manum plenam hordei et propter fragmentum panis ad occidendas animas quas non oportebat mori, et ad liberandas animas quas non oportebat vivere, dum loquimini populo exaudienti vana eloquia.* **3.** Et infra: *Fili hominis dic, tu es terra quae non compluitur neque pluvia facta est super te in die irae, in qua principes in medio eius sicut leones rugientes rapientes rapinas, animas devorantes in potentia et pretia accipientes, et viduae tuae multiplicatae sunt in medio tui, et sacerdotes eius despexerunt legem meam et polluebant sancta mea. Inter sanctum et pollutum non distinguebant et inter medium inmundi et mundi non dividebant, et a sabbatis meis obvelabant oculos suos et polluebant in medio eorum.*

91 **1.** Et iterum: *Et quaerebam ex eis virum recte conversantem et stantem ante faciem meam omnino in tempora terrae, ne in fine delerem eam, et non inveni. Et effudi in eam animum meum in igne irae meae ad consumendum eos: vias eorum in caput eorum dedi, dicit Dominus.* **2.** Et post aliquanta: *Et factus est sermo Domini ad me dicens: fili hominis, loquere*

mhobl ac nid ysgrifennir hwy yn ysgriflyfr tŷ Israel, ac nid ânt i mewn i dir Israel, a byddwch yn gwybod mai myfi yw'r Arglwydd. Canys arweiniasant fy mhobl ar gyfeiliorn gan ddweud: Heddwch yr Arglwydd, a heddwch yr Arglwydd nid oes. Cwyd un dyn fur, a dwbiant hwy eu hunain ef, ac fe syrth. **2.** Ac ymhen ychydig: *Gwae'r rhain sy'n gwnïo clustogau o dan bob penelin ac sy'n gwneud gorchuddion dros bob pen o bob oedran er llygru eneidiau. A llygrwyd eneidiau fy mhobl, a meddiannent eu heneidiau, a halogent fi yng ngolwg fy mhobl am ddyrnaid o haidd a thamaid o fara er mwyn lladd yr eneidiau na ddylent farw a rhyddhau'r eneidiau na ddylent fyw, tra llefarwch wrth bobl sy'n gwrando ymadroddion ofer.* **3.** Ac isod: *Fab dyn, dywed: gwlad ydwyt heb gael cawodydd, ac ni ddisgynnodd glaw arnat yn nydd dicter, gwlad lle mae'r tywysogion yn ei chanol fel llewod rhuadwy yn llarpio'u hysglyfaeth, yn ysu eneidiau yn eu nerth ac yn derbyn cil-dyrnau, ac amlhawyd dy weddwon o'th fewn, a diystyriodd ei hoffeiriaid fy nghyfraith a difwynent fy mhethau sanctaidd i. Ni wahaniaethent rhwng y cysegredig a'r halogedig ac ni thynnent linell rhwng yr aflan a'r glân, a chuddient eu llygaid rhag fy sabathau, a halogent yn eu mysg.*

91 **1.** A thrachefn: *A chwiliais yn eu plith am ddyn a rodiai'n union ac a safai o flaen fy wyneb yn hollol yn erbyn amseroedd y wlad, rhag imi yn y diwedd ei dinistrio, ac nis cefais. A thywalltais fy enaid arni yn nhân fy nicter er mwyn eu difa hwy; deuthum â'u ffyrdd ar eu pennau, medd yr Arglwydd.* **2.** Ac ymhen ychydig: *A daeth gair yr Arglwydd ataf gan ddweud: Fab dyn,*

filiis populi mei et dices ad eos: terra in quam ego gladium superinducam, et acceperit populus terrae hominem unum ex ipsis et dederit eum sibi in speculatorem et viderit gladium venientem super terram et tuba canuerit et significaverit populo et audierit qui audit vocem tubae et non observaverit, et venerit gladius et comprehenderit eum, sanguis eius super caput eius erit: quia, cum vocem tubae audisset, non observavit, sanguis eius in ipso erit: et hic, quia custodivit, animam suam liberavit. **3.** *Et speculator si viderit gladium venientem et non significaverit tuba et populus non observaverit, et veniens gladius acceperit ex eis animam, et ipsa propter iniquitatem suam capta est et sanguinem de manu speculatoris requiram. Et tu, fili hominis, speculatorem te dedi domui Israel et audies ex ore meo verbum, cum dicam peccatori: morte morieris, et non loqueris, ut avertat se a via sua impius, et ipse iniquus in iniquitate sua morietur, sanguinem autem eius de manu tua requiram. Tu vero si praedixeris impio viam eius, ut avertat se ab ea, et non se averterit a via sua, hic sua impietate morietur et tu animam tuam eripuisti.*

Verba Euangelici

92 **1.** Sed sufficiant haec pauca de pluribus prophetarum testimonia, quis retunditur superbia vel ignavia sacerdotum contumacium, ne putent nos propria potius adinventione quam legis sanctorumve auctoritate eis talia denuntiare.

2. Videamus igitur quid euangelica tuba mundo personans

llefara wrth feibion fy mhobl a dywed wrthynt: Bwriwch fy mod yn tynnu cleddyf yn erbyn gwlad, a phobl y wlad yn derbyn un dyn o'u plith eu hunain a'i osod yn wyliedydd iddynt, a hwnnw'n gweld y cleddyf yn dod dros y wlad ac yn canu utgorn yn arwydd i'r bobl, ac un sy'n clywed yn clywed sain yr utgorn ond heb gymryd sylw a'r cleddyf yn dod a'i ddal, ar ei ben ef y bydd ei waed; oherwydd na chymerodd sylw ar ôl clywed sain yr utgorn, arno ef ei hun y bydd ei waed. Ac am y llall, oherwydd iddo wylio arbedodd ei enaid.
3. *Ac os gwêl y gwyliedydd y cleddyf yn dod, ac na rydd arwydd â'r utgorn, ac na thâl y bobl sylw, ac y cymer y cleddyf sy'n dod enaid o'u plith, ac y cipir hwnnw ymaith oherwydd ei ddrygioni, mynnaf waed hefyd oddi ar law y gwyliedydd. A thithau, fab dyn, yn wyliedydd y'th osodais i dŷ Israel, ac fe glywi y gair o'm genau pan ddywedaf wrth y pechadur: Byddi'n marw'n sicr, ac ni leferi fel y tro'r annuwiol o'i ffordd, a bydd yr anwir ei hun yn marw yn ei anwiredd, ond mynnaf ei waed oddi ar dy law. Fodd bynnag, os rhybuddi di'r annuwiol ynghylch ei ffordd fel y tro oddi wrthi, ac na thry ef oddi wrth ei ffordd, bydd farw hwn yn ei anwiredd, a thithau gwaredaist dy enaid.*

Geiriau'r Efengyl

92 **1.** Ond bydded yr ychydig dystiolaethau hyn o blith rhai lluosog y proffwydi yn ddigon. Trwyddynt ffrwynir balchder neu ddiogi offeiriaid gwargaled, rhag iddynt feddwl mai o'm darfelydd fy hun yn hytrach nag ar awdurdod y gyfraith neu'r saint yr wyf yn cyhoeddi'r cyfryw bethau yn eu herbyn.
2. Gadewch inni weld, felly, beth a ddywed utgorn yr efengyl,

inordinatis sacerdotibus eloquatur: non enim de illis, ut iam diximus, qui apostolicam sedem legitime obtinent quique bene norunt largiri spiritalia conservis suis in tempore cibaria, si qui tamen multi in praesentiarum sunt, sed de pastoribus imperitis, qui derelinquunt oves et pascunt vana et non habent verba pastoris periti, nobis sermo est. **3.** Evidens ergo indicium est non esse eum legitimum pastorem, sed ne mediocrem quidem Christianum, qui haec non tam nostra, qui valde exigui sumus, quam Veteris Novique Testamenti decreta recusarit vel infitiatus fuerit, sicut bene quidam nostrorum ait: *optabiliter cupimus ut hostes ecclesiae sint nostri quoque absque ullo foedere hostes, et amici ac defensores nostri non solum foederati sed etiam patres ac domini habeantur.*

4. Conveniant namque singuli vero examine conscientiam suam, et ita deprehendent an secundum rectam rationem sacerdotali cathedrae insideant. Videamus, inquam, quid salvator mundi factorque dicat.

5. *Vos estis*, inquit, *sal terrae: quod si sal evanuerit, in quo salietur? Ad nihilum valet ultra, nisi ut proiciatur foras et conculcetur ab hominibus.*

93 **1.** Hoc unum testimonium ad confutandos impudentes quosque abunde sufficere posset. Sed ut evidentioribus adhuc astipulationibus quantis semetipsos intolerabilibus scelerum fascibus falsi hi sacerdotes opprimant verbis Christi comprobetur, aliqua annectenda sunt. **2.** Sequitur enim: *Vos estis lux mundi. Non potest civitas abscondi supra montem posita, neque accendunt lucernam et ponunt eam sub modio, sed supra candelabrum, ut*

sy'n datsain ledled y byd, wrth offeiriaid afreolaidd. Oherwydd, fel y dywedais eisoes, nid â'r rheini sy'n dal y sedd apostolaidd yn gyfreithlon ac sy'n gwybod sut i rannu ymborth ysbrydol i'w cydweision yn ei bryd (os oes llawer, yn wir, yn gwneud hynny y dyddiau hyn) y mae a fynno fy ngeiriau, eithr â'r bugeiliaid dibrofiad sy'n gadael eu defaid a'u bwydo ar oferbethau ac sydd heb eiriau'r bugail profiadol. **3.** Eglur, felly, yw'r dystiolaeth nad ydyw hwnnw yn fugail cyfreithlon, na hyd yn oed yn Gristion gweddol, sy'n gwrthod neu'n gwadu'r geiriau hyn, nad ydynt yn eiddo i mi (sy'n ddibwys iawn) yn gymaint ag yn ddatganiadau'r Hen Destament a'r Testament Newydd. Da y dywed un o'n plith ni: *Dymunwn yn daer ar i elynion yr eglwys fod yn elynion i ninnau hefyd heb ddim cynghrair â ni, ac ar i'w chyfeillion a'i hamddiffynwyr hi gael eu hystyried nid yn unig yn gynghreiriaid ond hefyd yn dadau ac arglwyddi inni.*

4. Ymweled pob un, gan hynny, â'i gydwybod gan ei harchwilio'n onest, ac fel hyn cânt wybod a ydynt yn eistedd yn y gadair offeiriadol yn ôl iawn reswm. Gadewch inni weld, meddaf, beth a ddywed iachawdwr a chreawdwr y byd:

5. *Chwi*, meddai, *yw halen y ddaear. Ond os diflanna'r halen, â pha beth y'i helltir? Nid yw'n dda i ddim bellach ond i'w luchio allan a'i fathru dan draed gan ddynion.*

93 **1.** Gallai'r dystiolaeth hon yn unig fod yn hen ddigon i wrthbrofi'r rheini i gyd sydd heb gywilydd. Ond er mwyn profi trwy dystiolaethau eglurach fyth, hynny yw trwy eiriau Crist, â'r fath feichiau annioddefol o gamweddau y mae'r offeiriaid gau hyn yn eu llethu eu hunain, rhaid ychwanegu rhai geiriau. **2.** Oherwydd fe ddilyn: *Chwi yw goleuni'r byd. Ni ellir cuddio dinas a osodwyd ar fryn, ac nid yw pobl yn cynnau cannwyll a'i dodi dan lestr, ond ar ganhwyllbren fel y rhoddo olau i bawb sydd yn y tŷ.*

luceat omnibus qui in domo sunt. Quis ergo sacerdotum huius temporis ita ignorantiae caecitate possessus ut lux clarissimae lucernae in aliqua domu cunctis noctu residentibus scientiae simul et bonorum operum lampade luceat? quis ita universis ecclesiae filiis tutum publicum conspicuumque refugium, ut est civibus firmissima forte in editi montis civitas vertice constituta, habetur?

3. Sed et quod sequitur: *sic luceat lux vestra coram hominibus ut videant opera vestra bona et magnificent patrem vestrum qui in caelis est*; quis eorum uno saltim die potest implere? Quin potius densissima quaedam eorum nebula atraque peccaminum omni insulae ita incumbit nox ut omnes paene a via recta avertat ac per invios impeditosque scelerum calles errare faciat, quorum non modo Pater caelestis non laudatur per opera sed etiam intolerabiliter blasphematur.

4. Velim quidem haec scripturae sacrae testimonia huic epistolae inserta vel inserenda, sicut nostra mediocritas posset, omnia utcumque historico vel morali sensu interpretari.

94 **1.** Sed, ne in inmensum modum opusculum hoc his qui non tam nostra quam Dei despiciunt fastidiunt avertunt proteletur, simpliciter et absque ulla verborum circuitione congesta vel congerenda sunt.

2. Et post pauca: *qui enim solverit unum de mandatis istis minimis et docuerit sic homines, minimus vocabitur in regno caelorum.* Et iterum: *nolite iudicare, ut non iudicemini: in quo enim iudicio iudicaveritis, iudicabitur de vobis.*

Pwy, gan hynny, o blith offeiriaid yr oes hon, wedi ei feddiannu fel hyn gan ddallineb anwybodaeth, a fyddai, fel goleuni'r llusern loywaf, yn disgleirio i bawb a oedd yn aros mewn rhyw dŷ liw nos â ffagl dysg yn ogystal â gweithredoedd da? Pwy a ystyrir y fath noddfa ddiogel, gyhoeddus ac amlwg i holl feibion yr eglwys ag yw dinas gadarn a ddigwyddo fod wedi ei gosod ar gopa mynydd uchel i'w dinasyddion?

3. Ond ynglŷn â'r hyn a ganlyn: *Llewyrched eich goleuni gerbron dynion nes y gwelant eich gweithredoedd da ac y gogoneddant eich Tad sydd yn y nefoedd*, pa un ohonynt a all ei gyflawni hyd yn oed am un diwrnod? Yn hytrach, y mae rhyw niwl tew o'u heiddo a nos ddu eu pechodau yn pwyso gymaint ar yr holl ynys fel ei fod yn troi bron bawb oddi ar y ffordd iawn ac yn peri iddynt gyfeiliorni hyd lwybrau diarffordd a rhwystrus o droseddau; a thrwy eu gweithredoedd nid yn unig ni chanmolir y Tad nefol, ond fe'i ceblir yn annioddefol hefyd.

4. Mynnwn, yn wir, i'r tystiolaethau hyn o'r Ysgrythur Gysegrlan a gynhwyswyd, neu sydd i'w cynnwys, yn y llythyr hwn, gael eu dehongli, hyd y caniatâi fy nhipyn gallu, mewn ystyr hanesyddol neu foesol.

94 **1.** Ond rhag helaethu'r gwaith bychan hwn yn anferth o beth i'r rheini sy'n dirmygu, yn ffieiddio, ac yn bwrw ymaith nid yn gymaint fy ngeiriau i â rhai Duw, casglwyd, neu fe gesglir, ynghyd y tystiolaethau hyn mewn dull syml heb ddim ymadroddi cwmpasog.

2. Ac ymhen ychydig: *Canys pwy bynnag a dorro un o'r gorchmynion lleiaf hyn a'i ddysgu felly i ddynion, gelwir ef y lleiaf yn nheyrnas nefoedd*. A thrachefn: *Na fernwch, fel na'ch barner; canys â'r farn y barnoch, â honno y'ch bernir*.

3. Quis, rogo, vestrum respiciet id quod sequitur? *Quid autem vides*, inquit, *festucam in oculo fratris tui et trabem in oculo tuo non consideras? aut quomodo dicis fratri tuo: sine eiciam festucam de oculo tuo et ecce, trabes in oculo tuo est?* Vel quod sequitur: *Nolite dare sanctum canibus neque miseritis margaritas vestra ante porcos, ne forte conculcent eas pedibus suis et conversi disrumpant vos*, quod saepissime vobis evenit.

4. Et populum monens ne a dolosis doctoribus, ut estis vos, seduceretur, dixit: *Attendite vobis a falsis prophetis, qui veniunt ad vos in vestimentis ovium, intrinsecus autem sunt lupi rapaces. A fructibus eorum cognoscetis eos. Numquid colligunt de spinis uvas aut de tribulis ficus? Sic omnis arbor bona bonos fructus facit et mala malos*. Et infra: *non omnis qui dicit mihi: Domine, Domine, intrabit in regnum caelorum, sed qui facit voluntatem Patris mei, qui in caelis est, ipse intrabit in regnum caelorum.*

95 **1.** Quid sane vobis fiet, qui, ut propheta dixit, *labiis tantum et non corde Deum adhaeretis*? Qualiter autem impletis quod sequitur: *ecce*, inquiens, *ego mitto vos sicut oves in medio luporum*, qui versa vice ut lupi in gregem ovium proceditis? Vel quod ait: *estote prudentes sicut serpentes et simplices sicut columbae*? **2.** Prudentes quidem estis, ut aliquem ore exitiabili mordeatis, non ut caput vestrum, quod est Christus, obiectu quodammodo corporis defendatis, quem totis operum malorum conatibus conculcatis. Nec enim simplicitatem columbarum habetis, quin potius corvino assimilati nigrori ac semel de arca, id est ecclesia, evolitantes inventis carnalium voluptatum fetoribus

3. Pa un ohonoch, gofynnaf, a barcha'r hyn a ganlyn? *Pam yr edrychi*, meddai, *ar y brycheuyn yn llygad dy frawd ac nad ystyri'r trawst yn dy lygad dy hun? Neu sut y dywedi wrth dy frawd: Gad imi dynnu allan y brycheuyn o'th lygad, ac wele drawst yn dy lygad dy hun?* Neu'r hyn a ganlyn: *Na roddwch yr hyn sydd sanctaidd i'r cŵn, ac na theflwch eich perlau o flaen y moch, rhag iddynt eu sathru dan eu traed a throi a'ch rhwygo* (yr hyn sy'n digwydd yn fynych iawn ichwi)?

4. A chan rybuddio'r bobl rhag eu harwain ar gyfeiliorn gan ddysgawdwyr twyllodrus fel chwi, dywedodd: *Gochelwch rhag gau-broffwydi sy'n dod atoch yng ngwisg defaid ond sydd o'u mewn yn fleiddiaid rheibus. Wrth eu ffrwythau yr adnabyddwch hwy. A gasgl dynion rawnwin oddi ar ddrain, neu ffigys oddi ar ysgall? Felly y dwg pob pren da ffrwyth da, a phren drwg ffrwyth drwg*. Ac isod: *Nid pawb a ddywed wrthyf: Arglwydd, Arglwydd, a â i deyrnas nefoedd, ond hwnnw a wna ewyllys fy nhad, yr hwn sydd yn y nefoedd.*

95 **1.** Beth, yn wir, a ddigwydd i chwi sydd, fel y dywedodd y proffwyd, *yn glynu wrth Dduw â'ch gwefusau yn unig ac nid â'ch calon*? Ond sut yr ydych yn cyflawni'r hyn a ganlyn: *Wele*, meddai, *rwy'n eich anfon chwi allan fel defaid i blith bleiddiaid*, chwi sydd, i'r gwrthwyneb, yn mynd fel bleiddiaid i braidd o ddefaid? Neu'r hyn a ddywed: *Byddwch yn gall fel seirff ac yn ddiniwed fel colomennod*? **2.** Call ydych, wrth gwrs, i frathu rhywun â genau gwenwynig, nid, trwy ddodi eich corff yn y ffordd, i amddiffyn eich pen, sef Crist, yr hwn yr ydych, trwy holl ymdrechion eich gweithredoedd drwg, yn ei fathru dan draed. Canys nid oes gennych ychwaith ddiniweidrwydd colomennod; yn hytrach, wedi mynd yn ddu fel y frân, unwaith ichwi hedfan allan o'r arch, sef yr Eglwys, a darganfod drewdod pleserau cnawdol,

nusquam ad eam puro corde revolatis.

3. Sed videamus et cetera: *nolite*, ait, *timere eos qui occidunt corpus, animam autem non possunt occidere, sed timete eum qui potest et animam et corpus perdere in gehennam*. Quidnam horum feceritis recogitate.

4. Quem vero vestrum sequens testimonium non in profunda cordis arcana vulneret, quod de pravis antistitibus salvator ad apostolos loquitur? *Sinite illos, caeci sunt duces caecorum: caecus autem si caeco ducatum praestet, ambo in foveam cadent.*

Verba Domini

96 **1.** Egent sane populi, quibus praeestis vel potius quos decepistis, audire. Attendite verba Domini ad apostolos et turbas loquentis, quae et vos, ut audio, in medium crebro proferre non pudet. *Super cathedram Moysi sederunt scribae et Pharisaei. Omnia ergo quaecumque dixerint vobis, servate et facite: secundum vero opera eorum nolite facere. Dicunt enim et ipsi non faciunt.* **2.** Periculosa certe ac supervacua sacerdotibus doctrina est quae pravis operibus obfuscatur. *Vae vobis, hypocritae, qui clauditis regnum caelorum ante homines, vos autem non intratis nec introientes sinitis intrare.* Non solum enim prae tantis malorum criminibus quae geritis in futuro sed etiam pro his qui vestro cotidie exemplo pereunt poenali poena plectemini: quorum sanguis in die iudicii de vestris manibus requiretur.

nid ydych yn unman yn hedfan yn ôl iddi yn bur eich calonnau. **3.** Ond gadewch inni edrych ar y gweddill: *Nac ofnwch*, meddai, *y rhai sy'n lladd y corff ond na allant ladd yr enaid, ond ofnwch yr hwn a all ddinistrio'r enaid a'r corff yn uffern.* Ystyriwch pa un o'r rhain a wnaethoch. **4.** Pa un ohonoch, yn wir, na fyddai'r dystiolaeth ganlynol, a lefara'n Hiachawdwr wrth yr apostolion am esgobion drwg, yn ei glwyfo yn nirgel fannau dyfnaf ei galon? *Gadewch iddynt, arweinwyr dall i ddeillion ydynt. Os rhydd dall arweiniad i ddall, fe syrth y ddau i bydew.*

Geiriau'r Arglwydd

96 **1.** Mae angen, bid sicr, i'r bobloedd yr ydych yn eu harwain – neu'n hytrach yr ydych wedi eu twyllo – glywed. Gwrandewch eiriau'r Arglwydd yn llefaru wrth yr apostolion a'r torfeydd, geiriau nad oes gywilydd hyd yn oed arnoch chwi, fel y clywaf, eu harfer ar goedd yn fynych. *Eisteddodd yr ysgrifenyddion a'r Phariseaid yng nghadair Moses. Cadwch a gwnewch, felly, bopeth a ddywedant wrthych, ond na wnewch yn ôl eu gweithredoedd. Canys siaradant ond ni weithredant eu hunain.* **2.** Peryglus a di-werth, yn sicr, i offeiriaid yw athrawiaeth a gymylir gan weithredoedd llwgr. *Gwae chwi, ragrithwyr, sy'n cau teyrnas nefoedd yn wyneb dynion ond nad ydych yn mynd i mewn eich hunain, nac yn gadael i'r rhai sy'n mynd i mewn wneud hynny.* Oherwydd fe'ch cystwyir â chosb lem nid yn unig ar gyfrif troseddau mor fawr o ddrygioni yr ydych yn eu dwyn i'r dyfodol, ond hefyd am y rheini sy'n mynd i ddistryw yn feunyddiol oherwydd eich esiampl chwi: yn nydd barn mynnir gwaed y rhain oddi ar eich dwylo.

3. Sed quid mali quod servi parabola praetenderit inspicite, dicentis in corde suo: *moram facit dominus meus venire*. Qui pro hoc forsitan *inceperat percutere conservos suos manducans et bibens cum ebriis. Veniet ergo*, inquit, *dominus servi illius in die qua non sperat, et hora qua ignorat, et dividet eum*, a sanctis scilicet sacerdotibus, *partemque eius ponet cum hypocritis*, cum eis certe qui sub sacerdotali tegmine multum obumbrant nequitiae, *illic*, inquiens, *erit fletus et stridor dentium*, quibus in hac vita non crebro evenit ob cotidianas ecclesiae matris ruinas filiorum vel desideria regni caelorum.

Verba Pauli

97 **1.** Sed videamus, quid Christi verus discipulus magister gentium Paulus, qui omni ecclesiastico doctori imitandus est, sicut ipse hortatur: *imitatores mei estote*, inquiens, *sicut et ego Christi*, in tali negotio praeloquatur in prima epistola dicens: *quia cum cognoverunt Deum, non sicut Deum magnificaverunt aut gratias egerunt, sed evanuerunt in cogitationibus suis et obcaecatum est insipiens cor eorum dicentes se esse sapientes, stulti facti sunt*. Licet hoc gentibus dici videatur, intueminin tamen quia competenter istius aevi sacerdotibus cum populis coaptabitur. **2.** Et post pauca, *qui commutaverunt*, inquit, *veritatem Dei in mendacium et coluerunt et servierunt creaturae potius quam creatori, qui est benedictus in saecula, propterea tradidit illos Deus in passiones ignominiae*. **3.** Et iterum: *et sicut non probaverunt*

3. Ond ystyriwch pa ddrwg a ddisgrifir yn nameg y gwas a ddywedodd yn ei galon: *Y mae fy meistr yn oedi dod.* Am hyn dichon *y dechreuasai guro ei gydweision, gan fwyta ac yfed gyda meddwon. Daw Arglwydd, felly*, meddai, *y gwas hwnnw ar ddiwrnod annisgwyl ac ar awr anhysbys iddo a'i wahanu* – hynny yw, oddi wrth yr offeiriaid sanctaidd – *a gosod ei ran gyda'r rhagrithwyr* (gyda'r rheini, yn ddiau, sy'n celu llawer o anwiredd dan len yr offeiriadaeth), a *Bydd yno*, meddai, *wylo a rhincian dannedd* i'r rheini na ddigwydd hynny yn fynych iddynt yn y bywyd hwn, oherwydd cwympau beunyddiol meibion y fameglwys neu golledion teyrnas nef

Geiriau Paul

97 **1.** Ond gadewch inni weld beth y mae gwir ddisgybl i Grist, sef Paul, athro'r cenhedloedd (y dylid ei efelychu gan bob dysgawdwr eglwysig, fel y dywed ef ei hun wrth annog: *Byddwch yn efelychwyr ohonof i, fel yr wyf finnau o Grist*), yn ei ddweud yn agoriadol ynghylch mater o'r fath yn ei epistol cyntaf â'r geiriau: *Canys pan wybuant am Dduw, ni ogoneddasant ef fel Duw na rhoi diolch iddo, ond aethant yn gwbl ofer eu meddyliau, a dallwyd eu calon ddiddeall, a chan honni eu bod yn ddoeth aethant yn ffyliaid.* Er ymddangos mai wrth y cenhedloedd y dywedir hyn, eto daliwch sylw arno oherwydd fe'i cymhwysir yn briodol i offeiriaid a phobloedd yr oes hon. **2.** Ac ymhen ychydig: *y rhai a ffeiriodd*, meddai, *wirionedd Duw am gelwydd, ac a addolodd ac a wasanaethodd y creadur yn hytrach na'r Creawdwr, yr hwn sydd fendigedig yn dragwyddol. Am hynny traddododd Duw hwy i nwydau gwaradwyddus*. **3.** A thrachefn: *Ac megis na*

Deum habere in notitiam, tradidit illos Deus in reprobum sensum, ut faciant quae non conveniunt, repletos omni iniquitate malitia impudicitia fornicatione avaritia nequitia, plenos invidia homicidio, scilicet animarum populi, *contentione dolo malignitate, susurrones, detractores, Deo odibiles, contumeliosos, superbos, elatos, inventores malorum, parentibus inoboedientes, insensatos, incompositos, sine misericordia, sine affectione, qui cum iustitiam Dei cognovissent, non intellexerunt quoniam qui talia agunt digni sunt morte.*

98 **1.** Quisnam supra dictorum his omnibus in veritate caruit? Si enim esset, forte caperetur subiecto sensu, in quo ait: *non solum qui faciunt ea sed etiam qui consentiunt facientibus*, nullo scilicet hoc malo eorum exstante immuni. Et infra: *tu autem secundum duritiam tuam et cor impaenitens thesaurizas tibi iram in die irae et revelationis iusti iudicii Dei, qui reddet unicuique secundum opera sua.* Et iterum: **2.** *Non est enim acceptio personarum apud Deum. Quicumque enim sine lege peccaverunt, sine lege et peribunt: quicumque in lege peccaverunt, per legem iudicabuntur. Non enim auditores legis iusti sunt apud Deum, sed factores legis iustificabuntur.* **3.** Quid ergo severitatis ingruit his, qui non solum implenda non faciunt et prohibita non declinant, sed etiam ipsam verborum Dei lectionem vel tenuiter auribus ingestam pro saevissimo angue refugiunt?

chymeradwyasant gael Duw yn eu hadnabyddiaeth, traddododd Duw hwy i feddwl llygredig, i wneud pethau nad ydynt yn weddus; a hwythau'n gyforiog o bob anghyfiawnder, drygioni, anniweirdeb, puteindra, trachwant, anfadwaith; yn llawn cenfigen, llofruddiaeth (hynny yw, llofruddio eneidiau'r bobl), *cynnen, twyll, malais; yn glepgwn, yn ddifenwyr, yn gas gan Dduw, yn drahaus, yn falch, yn chwyddedig, yn ddyfeiswyr drygioni, yn anufudd i rieni, yn ddiddeall, yn annheyrngar, heb drugaredd, heb serchowgrwydd; y rhai, er iddynt wybod am gyfiawnder Duw, na ddeallasant fod y sawl sy'n cyflawni'r cyfryw bethau yn haeddu marwolaeth.*

98 **1.** Pwy o'r dynion uchod a fu mewn gwirionedd heb yr holl feiau hyn? Oherwydd pe bai'r cyfryw un i'w gael, fe'i cynhwysid efallai dan y frawddeg ychwanegol lle dywed Paul: *nid yn unig y rheini sy'n gwneud y pethau hyn, ond hefyd y rheini sy'n cymeradwyo'r sawl sy'n eu gwneud*, gan nad oes neb, bid sicr, yn rhydd oddi wrth y drwg hwn o'u heiddo. Ac isod: *Yr wyt ti, fodd bynnag, yn unol â'th galedrwydd a'th galon ddiedifar, yn trysori i ti dy hun ddigofaint yn nydd digofaint a datguddiad barn gyfiawn Duw, a dâl i bob un yn ôl ei weithredoedd.* **2.** A thrachefn: *Canys nid oes dderbyn wyneb gerbron Duw. Canys pawb a bechodd heb y gyfraith, trengant hefyd heb y gyfraith; pawb a bechodd o fewn y gyfraith, fe'u bernir trwy'r gyfraith. Canys nid gwrandawyr y gyfraith sy'n gyfiawn gerbron Duw, ond gwneuthurwyr y gyfraith a gyfiawnheir.* **3.** Pa gosbedigaeth lem, felly, sy'n rhuthro ar y bobl hyn sydd nid yn unig yn peidio â gwneud y pethau y dylid eu cyflawni ac nad ydynt yn gochel pethau gwaharddedig, ond sydd hefyd yn ffoi rhag darlleniad, ie, o eiriau Duw, hyd yn oed wrth glywed ychydig, fel pe bai'n sarff o'r mileiniaf?

99 **1.** Sed transeamus ad sequentia. *Quid ergo*, inquit, *dicemus? permanebimus in peccato, ut gratia abundet? Absit. Qui enim mortui sumus peccato, quomodo iterum vivemus in illo?* Et post aliquanta: *Quis nos*, ait, *separabit a caritate Christi? Tribulatio? an angustia? an persecutio? an fames? an nuditas? an periculum? an gladius?* Quem vestrum, quaeso, talis intimo corde occupabit affectus, qui non modo pro pietate non laboratis, sed etiam ut inique agatis et Christum offendatis multa patimini? **2.** Vel quod sequitur: *Nox praecessit, dies autem appropinquavit. Abiciamus ergo opera tenebrarum et induamus arma lucis. Sicut in die honeste ambulemus, non in comessationibus et ebrietatibus, non in cubilibus et impudicitiis, non in contentione et aemulatione, sed induite Dominum Iesum Christum et carnis curam ne feceritis in concupiscentiis*.

100 **1.** Et iterum ad Corinthios in prima epistola. *Ut sapiens*, inquit, *architectus fundamentum posui, alter superaedificat. Unusquisque autem videat quomodo superaedificet. Fundamentum enim aliud nemo potest ponere praeter id quod est Iesus Christus. Si quis autem superaedificet super hoc aurum et argentum, lapides pretiosos, ligna, faenum, stipulam, unumquodque opus manifestum erit; dies enim Domini declarabit illud, quia in igne revelabitur et uniuscuiusque opus quale sit, ignis probabit. Si cuius opus manserit quod superaedificaverit, mercedem accipiet. Si cuius opus arserit, detrimentum patietur. Nescitis quia templum Dei estis et Spiritus Dei habitat in vobis? Si quis autem templum Dei violaverit, disperdet illum Deus*. **2.** Et iterum: *Si quis videtur apud*

99 **1.** Ond gadewch inni symud ymlaen i'r canlynol: *Beth, gan hynny, a ddywedwn? A ydym i barhau mewn pechod er mwyn i ras amlhau? Nac ydym o gwbl! Canys nyni a fu farw i bechod, sut y byddwn fyw ynddo mwyach?* A rhywfaint yn nes ymlaen: *Pwy*, meddai, *a'n gwahana ni oddi wrth gariad Crist? Ai gorthrymder, neu ing, neu erlid, neu newyn, neu noethni, neu berygl, neu gleddyf?* Pa un ohonoch, gofynnaf, y bydd teimlad o'r fath yn ei gyffwrdd yn nyfnder ei galon, chwychwi sydd nid yn unig yn peidio â llafurio dros dduwioldeb ond sydd hefyd yn dioddef llawer er mwyn gweithredu'n anghyfiawn a thramgwyddo Crist? **2.** Neu'r hyn a ganlyn: *Cerddodd y nos ymhell, ond nesaodd y dydd. Gadewch inni, felly, fwrw ymaith weithredoedd y tywyllwch a gwisgo arfau'r goleuni. Gadewch inni rodio'n weddus megis yn y dydd, nid mewn cyfeddach a medd-dod, nid mewn cydorwedd ac anlladrwydd, nid mewn cynnen a chenfigen, ond gwisgwch yr Arglwydd Iesu Grist amdanoch ac na ofalwch am y cnawd a'i chwantau.*

100 **1.** A thrachefn, yn yr epistol cyntaf at y Corinthiaid: *Fel prifadeiladydd doeth*, meddai, *gosodais sylfaen, ac adeilada rhywun arall arni. Ond gwylied pob un pa fodd yr adeilada arni. Canys ni all neb osod sylfaen heblaw honno sy'n Iesu Grist. Eithr os adeilada neb ar hon aur ac arian, meini gwerthfawr, coed, gwair, gwellt, bydd pob gwaith yn amlwg; canys bydd dydd yr Arglwydd yn datgan hynny, canys fe'i datguddir â thân, a phrawf tân ansawdd gwaith pob un. Os erys gwaith dyn a adeiladodd ar y sylfaen, fe dderbynia wobr. Os llosgir gwaith dyn, caiff golled. Oni wyddoch mai teml Duw ydych a bod Ysbryd Duw yn trigo ynoch? Ond os haloga rhywun deml Duw, fe ddinistria Duw hwnnw.* **2.** A thrachefn: *Os ymddengys rhywun yn eich plith*

vos sapiens esse in hoc saeculo, stultus fiat, ut sit sapiens. Sapientia enim huius mundi stultitia est apud Deum. Et post aliquanta: *Non bona gloriatio vestra. Nescitis quia modicum fermentum totam massam corrumpit? Expurgate igitur vetus fermentum, ut sitis nova conspersio.* Quomodo expurgabitur vetus fermentum, id est peccatum, quod a diebus in dies cunctis conatibus cumulatur? **3.** Et iterum: *Scripsi vobis in epistola ne commisceamini fornicariis, non utique fornicariis huius mundi aut avaris aut rapacibus aut idolis servientibus: alioquin debueratis de hoc mundo exire. Nunc autem scripsi vobis non commisceri si quis nominatur frater et est fornicator aut avarus aut idolis serviens aut maledicus aut ebriosus aut rapax, cum huiusmodi nec cibum quidem sumere.* Sed latro nequaquam pro furto vel latrocinio furem alium damnat, quem potius optat tuetur amat utpote sui sceleris consortem.

101 **1.** Item in epistola ad Corinthios secunda: *ideo,* inquit, *habentes hanc administrationem, iuxta quod misericordiam consecuti sumus, non deficiamus: sed abiciamus occulta dedecoris, non ambulantes in astutia neque adulterantes verbum Dei,* per malum exemplum scilicet et per adulationem. **2.** In subsequentibus autem ita de malis doctoribus dicit: *Nam eiusmodi pseudoapostoli, sunt operarii subdoli transfigurantes se in apostolos Christi. Et non mirum: ipse enim Satanas transfigurat se in angelum lucis. Non est magnum igitur si minstri eius transfigurentur ut angeli iustitiae; quorum finis erit secundum opera eorum.*

yn ddoeth yn y byd hwn, bydded yn ffôl er mwyn bod yn ddoeth. Canys y mae doethineb y byd hwn yn ffolineb i Dduw. Ac ymhen rhyw gymaint: *Nid da mo'ch ymffrost. Oni wyddoch fod ychydig lefain yn difwyno'r talp cyfan? Carthwch allan, felly, yr hen lefain, ichwi fod yn does newydd.* Pa fodd y certhir allan yr hen lefain, sef pechod, sy'n pentyrru o ddydd i ddydd trwy bob ymdrech o'ch eiddo? **3.** A thrachefn: *Ysgrifennais atoch mewn llythyr gan ddweud wrthych am beidio â chymysgu â phuteinwyr – nid yn hollol â phuteinwyr y byd hwn, neu â'r trachwantus, neu'r cribddeilwyr, neu'r eilunaddolwyr; onid e, rhaid fyddai ichwi fynd allan o'r byd hwn. Bellach, fodd bynnag, ysgrifennais atoch i ddweud wrthych am beidio â chymysgu â neb a elwir yn frawd ac sy'n buteiniwr, neu'n drachwantus, neu'n eilunaddolwr, neu'n ddifenwr, neu'n feddwyn, neu'n gribddeiliwr, ac am beidio hyd yn oed â chymryd bwyd gyda'r cyfryw*. Ond nid yw lleidr byth yn collfarnu lleidr arall am ladrad neu ysbeiliad; yn hytrach, y mae'n ei hoffi, ei amddiffyn, a'i garu fel cydymaith yn ei drosedd.

101 **1.** Yr un modd, yn ei ail lythyr at y Corinthiaid dywed: *Gan hynny, a ninnau a chennym y weinidogaeth hon, ac am inni dderbyn trugaredd, peidiwn â diffygio, ond bwriwn ymaith bethau dirgel cywilydd, heb rodio mewn cyfrwystra na llurgunio gair Duw* (hynny yw, trwy esiampl ddrwg a gweniaith). **2.** Fodd bynnag, yn ddiweddarach dywed hyn am ddysgawdwyr drwg: *Canys gau apostolion yw'r cyfryw ddynion, gweithwyr twyllodrus sy'n ymrithio fel apostolion i Grist. Ac nid rhyfedd, canys y mae Satan ei hun yn ymrithio fel angel goleuni. Nid yw'n beth mawr, felly, os yw ei weision yn ymrithio fel angylion cyfiawnder. Bydd eu diwedd yn unol â'u gweithredoedd.*

102 **1.** Attendite quoque quid ad Ephesios dicat. An nescitis vos pro hoc in aliquo reos teneri? *Hoc*, inquiens, *dico et testificor in Domino, ut iam non ambuletis sicut gentes ambulant in vanitate sensus sui, tenebris obscuratum habentes intellectum, alienati a via Dei per ignorantiam, quae est in illis propter caecitatem cordis eorum, qui desperantes semet ipsos tradiderunt impudicitiae in operationem omnis immunditiae et avaritiae.* **2.** Et quis vestrum sponte explevit id quod sequitur: *propterea nolite fieri imprudentes, sed intellegentes quae sit voluntas Dei, et nolite inebriari vino, in quo est luxuria, sed replemini Spiritu Sancto*?

103 **1.** Sed et quod ad Thessalonicenses dicit: *Neque enim fuimus apud vos aliquando in sermone adulationis, sicut scitis, neque in occasione avaritiae, nec quaerentes ab hominibus gloriari neque a vobis neque ab aliis, cum possumus oneri esse ut ceteri apostoli Christi. Sed facti sumus sicut parvuli in medio vestrum vel tamquam si nutrix foveat parvulos suos; ita desiderantes vos cupide volebamus vobis tradere non solum euangelium sed etiam animas nostras*. Si hunc vos apostoli retinetis in omnibus affectum, eius quoque cathedrae legitime insidere noscatis.

2. Vel etiam quod sequitur: *Scitis*, inquit, *quae praecepta dederim vobis. Haec est voluntas Dei, sanctificatio vestra, ut abstineatis vos a fornicatione et sciat unusquisque vestrum vas suum possidere in honore et sanctificatione, non in passione desiderii, sicut et gentes quae ignorant Deum. Et ne quis supergrediatur neque circumveniat in negotio fratrem suum,*

102 **1.** Clywch hefyd yr hyn a ddywed wrth yr Effesiaid. A ydych heb wybod y cyfrifir chwithau yn hyn o beth yn euog o rywbeth? *Hyn*, meddai, *a ddywedaf ac a dystiolaethaf yn yr Arglwydd, na rodioch mwyach megis y rhodia'r cenhedloedd yn oferedd eu meddwl, a'u deall wedi ei dywyllu gan gysgodion, wedi ymddieithrio oddi wrth ffordd Duw trwy'r anwybodaeth sydd ynddynt oherwydd dallineb eu calon, a ymroes yn eu hanobaith i drythyllwch gan gyflawni pob aflendid a thrachwant.* **2.** A pha un ohonoch sydd wedi cyflawni o'i wirfodd yr hyn a ganlyn: *Am hynny, peidiwch â bod yn ffôl, eithr yn deall beth yw ewyllys Duw, a pheidiwch â meddwi ar win, lle y mae anlladrwydd, ond byddwch lawn o'r Ysbryd Glân*?

103 **1.** Ond gwrandewch hefyd yr hyn a ddywed wrth y Thesaloniaid: *Canys, fel y gwyddoch, ni fuom yn eich plith un amser gyda geiriau gweniaith nac esgus dros drachwant, na chan geisio clod gan ddynion, gennych chwi nac eraill, pan allwn ni, fel apostolion eraill Crist, fod yn faich. Ond buom fel rhai bychain yn eich mysg, neu megis pe meithrinai mamaeth ei rhai bychain; gan eich mawr ddymuno fel yna, yr oedd arnom awydd rhoi ichwi nid yr unig yr efengyl ond hefyd ein heneidiau.* Os cedwch yr hoffter hwn o eiddo'r apostol ym mhob dim, efallai y gwyddoch hefyd sut i eistedd yn gyfreithlon yn ei gadair.

2. Neu hyd yn oed yr hyn a ganlyn: *Gwyddoch*, meddai, *pa gyfarwyddiadau a roddais ichwi. Dyma ewyllys Duw, eich sancteiddiad, ar ichwi ymgadw rhag puteindra, ac ar i bob un ohonoch wybod sut i gadw ei lestr ei hun mewn parch a sancteiddrwydd, nid yn nwyd trachwant megis y cenhedloedd nad adwaenant Dduw. Ac na thwylled ac na chamarweinied neb ei frawd yn y mater, canys dialydd yw Duw yn yr holl bethau hyn.*

quoniam vindex est Dominus de his omnibus. Non enim vocavit nos Deus in inmunditiam sed in sanctificationem. Itaque qui haec spernit, non hominem spernit sed Deum.

3. Quis etiam vestrum circumspecte cauteque custodivit id quod sequitur: *mortificate ergo membra vestra, quae sunt super terram, fornicationem immunditiam libidinem et concupiscentiam malam; propter quae venit ira Dei in filios diffidentiae*? Videtis enim pro quibus peccatis ira Dei potissimum consurgat.

104 **1.** Audite itaque quid de vobis prophetico spiritu sanctus idem apostolus vestrisque consimilibus praedixerit, ad Timotheum aperte scribens: *Hoc enim scitote, quod in novissimis diebus instabunt tempora periculosa. Erunt enim homines semet ipsos amantes, cupidi, elati, superbi, blasphemi, parentibus inoboedientes, ingrati, scelesti, sine affectione, incontinentes, inmites, sine benignitate, proditores, protervi, tumidi, voluptatum amatores magis quam Dei, habentes quidem speciem pietatis, virtutem autem eius abnegantes. Et hos devita*, sicut et propheta dicit: *odivi congregationem malignorum et cum impiis non sedebo.*

2. Et post aliquanta, quod nostro tempore videmus pullulare, ait: *Semper discentes, et numquam ad scientiam veritatis pervenientes: quemadmodum enim Iamnes et Mambres restiterunt Moysi, ita et isti resistunt veritati: homines corrupti mente, reprobi circa fidem, sed ultra non proficient. Insipientia enim eorum manifesta erit omnibus, sicut et illorum fuit.*

Canys ni alwodd Duw ni i amhurdeb ond i sancteiddiad. Gan hynny, y mae'r sawl a ddirmyga'r pethau hyn yn dirmygu nid dyn ond Duw.

3. Pa un ohonoch hefyd a gadwodd yn ofalus ac yn ochelgar yr hyn a ganlyn? *Marwhewch, felly, eich aelodau sydd ar y ddaear: puteindra, amhurdeb, blys, a drygchwant. O achos y pethau hyn y daw digofaint Duw ar feibion anufudd-dod.* Canys gwelwch ar gyfrif pa bechodau y cyfyd digofaint Duw fwyaf.

104 **1.** Clywch, gan hynny, yr hyn a ragfynegodd yr un apostol sanctaidd trwy ysbryd proffwydoliaeth amdanoch chwi a'ch tebyg wrth ysgrifennu'n agored at Timotheus: *Gwybyddwch hyn, felly, y daw amserau peryglus yn y dyddiau diwethaf. Canys bydd dynion yn hunangar, yn chwenychgar, yn ymffrostgar, yn falch, yn gableddus, yn anufudd i'w rhieni, yn anniolchgar, yn ysgeler, yn ddi-serch, yn ddiymatal, yn filain, yn ddi-dda, yn fradwyr, yn rhyfygus, yn chwyddedig, yn caru pleserau mwy na Duw, yn dangos rhith duwioldeb ond gan wadu ei grym. Osgowch y rhain hefyd*, megis y dywed y proffwyd: *Caseais gwmni'r rhai drwg, ac nid eisteddaf gyda'r rhai annuwiol.*

2. Ac ymhen rhyw gymaint – yr hyn a welwn ar gynnydd yn ein hoes ni – fe ddywed: *Yn dysgu bob amser heb gyrraedd byth at wybodaeth o'r gwirionedd. Canys fel y gwrthsafodd Jamnes a Mambres yn erbyn Moses, felly y gwrthsaif y rhai hyn hefyd y gwirionedd: dynion llygredig eu meddwl, annerbyniol o ran eu ffydd. Ond nid ânt rhagddynt ymhellach. Canys bydd eu hynfydrwydd yn eglur i bawb, megis y bu yr eiddo hwythau.*

105 **1.** Etenim evidenter ostendit qualiter se exhibeant suo officio sacerdotes, ita ad Titum scribens: *te ipsum praebe exemplum bonorum operum, in doctrina, in integritate, in gravitate, verbum sanum habens, irreprehensibile, ut is qui ex adverso est vereatur, nullum malum habens dicere de nobis*. **2.** Et iterum ad Timotheum: *Labora*, inquit, *sicut bonus miles Christi Iesu. Nemo militans Deo implicat se negotiis saecularibus, ut placeat ei cui se probavit. Nam et qui contendit in agone, non coronatur, nisi legitime certaverit*.

3. Haec quidem bonorum adhortatio. Quod vero item comprehendit, malorum hominum, ut vos quibusque intellegentibus apparetis, denuntiatio est: *si quis*, inquiens, *aliter docet et non adquiescit sermonibus sanis Domini nostri Iesu Christi et ei quae secundum pietatem est doctrinae, superbus est, nihil sciens, sed languescens erga quaestiones et pugnas verborum, ex quibus oriuntur invidiae, contentiones, blasphemiae, suspiciones malae, conflictationes hominum mente corruptorum, qui veritate privati sunt, existimantium quaestum esse pietatem*.

106 **1.** Sed quid sparsim positis amplius utentes testimoniis sensuum ac (si) diversorum undis in despecta ingenii nostri cymbula fluctuabimur? Recurrere tandem aliquando usque ad lectiones illas quae ad hoc non solum ut recitentur sed etiam adstipulentur benedictioni qua initiantur sacerdotum vel ministrorum manus, eosque perpetuo doceant uti ne a mandatis quae fideliter continentur in eis sacerdotali dignitate degenerantes

105 **1.** Yn wir, dengys yn eglur sut y dylai offeiriaid ymarweddu yn eu swydd pan ysgrifenna fel hyn at Titus: *Dangos dy hun yn esiampl o weithredoedd da, mewn athrawiaeth, unionder, difrifwch, yn cadw ymadrodd iachusol na ellir cael bai arno, er mwyn i'r hwn a fo yn ein herbyn ofni a bod heb ddrwg i'w ddweud amdanom*. **2.** A thrachefn yn ei lythyr at Timotheus: *Llafuria*, meddai, *megis milwr da i Iesu Grist. Nid yw un sy'n milwrio dros Dduw yn ymdrafferthu â materion bydol, er mwyn plesio'r hwn y profodd ei hun iddo. Canys ni choronir hwnnw ychwaith sy'n cystadlu mewn camp os na chystadlodd yn gyfreithlon.*

3. Ei anogaeth i ddynion da, yn wir, yw'r geiriau hyn. Ond, yr un modd, mae ef yn cynnwys condemniad o ddynion drwg, fel yr ydych chwi yn ymddangos i bob dyn deallgar: *Os dysga rhywun*, meddai, *yn amgen ac na chydsynia â geiriau iachusol ein Harglwydd Iesu Grist a'r athrawiaeth honno sy'n unol â duwioldeb, balch ydyw, heb wybod dim, ond a chanddo diddordeb afiach mewn holi cwestiynau a dadlau ynghylch geiriau. O'r rhain y daw cenfigen, ymrafael, cabledd, drwgdybiaeth, dadleuon rhwng dynion llygredig eu meddwl, sydd wedi eu hamddifadu o'r gwirionedd gan ystyried duwioldeb yn fodd i wneud elw.*

106 **1.** Ond pam, wrth ddefnyddio tystiolaethau gwasgaredig, yr anwadalaf mwyach dan effaith tonnau gwahanol farnau, megis, yng nghwch dirmygedig fy neall? Bernais fod raid dychwelyd, i ddiweddu, at y llithiau hynny a dynnwyd yn briodol o bob testun bron o'r Ysgrythurau Cysegrlan, nid yn unig er mwyn eu hadrodd i'r diben dan sylw, ond hefyd er mwyn ategu'r fendith y derbynnir dwylo offeiriaid neu weinidogion i urddau trwyddi, a'u dysgu'n wastadol i beidio ag ymadael â'r gorchmynion a gynhwysir yn ffyddlon ynddynt a

recedant, ex omni paene sanctarum scripturarum textu merito excerptae sunt necessarium duximus; ut apertius cunctis pateat aeterna supplicia mansura eos et non esse sacerdotes vel Dei ministros qui earum doctrinas atque mandata opere secundum vires suas non adimpleverint.

Verba Petri

2. Audiamus ergo quid princeps apostolorum Petrus de tali negotio signaverit: *benedictus*, inquiens, *Deus et pater Domini nostri Iesu Christi, qui per magnam misericordiam suam regeneravit nos in spem vitae aeternae per resurrectionem a mortuis Domini nostri Iesu Christi in hereditatem incorruptibilem inmarcescibilem incontaminatam conservatam in caelis in vos qui in virtute Dei custodimini*. Quare enim insipienter a vobis violatur talis hereditas, quae non sicut terrena decidua, sed inmarcescibilis atque aeterna est?

3. Et post aliquanta: *propter quod succincti estote lumbos mentis vestrae, sobrii, perfecte sperantes in eam quae offertur vobis gratiam in revelatione Iesu Cristi*. Rimamini namque pectoris vestri profunda, an sobrii sitis et perfecte sacerdotalem gratiam examinandam in Domini revelatione conservetis. Et iterum dicit: *Quasi filii benedictionis non configurantes vos illis prioribus ignorantiae vestrae desideriis, sed secundum eum qui vos vocavit sanctos, et vos sancti in omni conversatione estote. Propter quod scriptum est: sancti estote, quia ego sum sanctus*. Quis rogo vestrum ita sanctitatem toto animi ardore sectatus est ut hoc, quantum in se

syrthio'n fyr o urddas yr offeiriad. Fel hyn daw'n eglurach i bawb y bydd cosbedigaeth dragwyddol yn eu haros ac nad offeiriaid neu weinidogion i Dduw mo'r rheini na chyflawnant, yn unol â'u gallu, athrawiaethau a gorchmynion y llithiau hynny.

Geiriau Pedr

2. Gadewch inni wrando, felly, yr hyn a eglurodd Pedr, tywysog yr apostolion, ynghylch y cyfryw fater: *Bendigedig*, meddai, *fyddo Duw a Thad ein Harglwydd Iesu Grist, yr hwn, o'i fawr drugaredd, a'n cenhedlodd o'r newydd i obaith bywyd tragwyddol trwy atgyfodiad ein Harglwydd Iesu Grist o'r meirw i etifeddiaeth anllygradwy, anniflannol, ddihalog, ynghadw yn y nefoedd i chwi, a warchodir gan nerth Duw*. Oherwydd pam yr halogir y gyfryw etifeddiaeth yn ynfyd gennych, yr hon nad yw'n ddarfodedig fel un ddaearol ond yn anniflannol a thragwyddol?

3. Ac ymhen ychydig: *Am hynny, gwregyswch lwynau eich meddwl gan fod yn sobr a gobeithio'n berffaith am y gras hwnnw a ddygir atoch yn natguddiad Iesu Grist*. Chwiliwch, felly, ddyfnderoedd eich calon, a ydych yn sobr, a chadwch yn berffaith y gras offeiriadol a gloriennir yn natguddiad yr Arglwydd. A thrachefn dywed: *Megis meibion y fendith, heb gydffurfio eich hunain â thrachwantau gynt eich anwybodaeth; ond yn unol ag ef a'ch galwodd i fod yn sanctaidd, byddwch chwithau yn sanctaidd yn eich holl ymarweddiad. Canys y mae'n ysgrifenedig: Byddwch sanctaidd, canys yr wyf i yn sanctaidd*. Pa un ohonoch, gofynnaf, a ymgyrhaeddodd at sancteiddrwydd â holl angerdd ei enaid i'r fath raddau nes prysuro'n awchus i gyflawni'r gorchymyn hwn

est, avide festinaret implere?

4. Sed videamus quid in eiusdem secunda lectione contineatur: *carissimi*, inquit, *animas vestras castificate ad oboediendum fidei per Spiritum in caritate, in fraternitate, ex corde vero invicem diligentes perseveranter, quasi renati non ex semine corruptibili sed incorruptibili, verbo Dei vivi et permanentis in aeternum.*

107 **1.** Haec quidem ab apostolo mandata et in die vestrae ordinationis lecta, ut ea indirupte custodiretis, sed nequaquam a vobis in iudicio impleta, sed nec multum cogitata vel intellecta sunt. Et infra: *deponentes igitur omnem malitiam et omnem dolum et simulationem et invidiam et detractiones sic ut modo geniti infantes rationabile et sine dolo lac concupiscite, ut eo crescatis in salutem, quoniam dulcis est Dominus*. Recogitate an haec quoque surdis auribus a vobis audita crebrius conculcentur. **2.** Et iterum: *vos autem genus electum: regale sacerdotium, gens sancta, populus in adoptionem, ut virtutes annuntietis eius qui de tenebris vos vocavit in illud tam admirabile lumen suum*. Non solum enim per vos virtutes Dei non annuntiantur, sed etiam pravissimis vestris apud incredulos quosque despiciuntur exemplis. **3.** Audisti forte in eodem die quod in lectione Actus Apostolorum lectum est, Petro *in medio discipulorum surgente* qui dixit: *viri fratres, oportet scripturam impleri quam praedixit Spiritus Sanctus per os David de Iuda*. Et paulo post: *hic itaque adquisivit agrum de mercede iniquitatis*. **4.** Hoc securo vel potius hebeti corde, quasi non de vobis lectum fuisset, audistis. Quis, quaeso, vestrum non quaerit agrum de mercede iniquitatis? Iudas namque loculos compilabat,

hyd eithaf ei allu?

4. Ond gadewch inni weld beth a gynhwysir yn ail lith yr un apostol: *Gyfeillion annwyl*, meddai, *purwch eich calonnau i ufudd-dod ffydd, trwy'r Ysbryd, mewn cariad, mewn brawdgarwch, gan garu eich gilydd yn ddiysgog â chalon bur, megis wedi eich aileni nid o had llygradwy ond anllygradwy, trwy air Duw, sydd yn fyw ac yn aros dros byth.*

107 **1.** Gorchmynnwyd y pethau hyn, yn ddiau, gan yr apostol a'u darllen ar ddiwrnod eich urddiad er mwyn ichwi eu cadw heb eu torri, eithr ni chyflawnasoch hwy o gwbl gyda barn, ac ni fyfyriwyd arnynt na'u deall fawr ddim. Ac isod: *Gan roi heibio, felly, bob drygioni a phob twyll a rhagrith a chenfigen a difrïaeth, chwenychwch, fel babanod newydd-anedig, laeth diddichell rheswm er mwyn ichwi drwyddo gynyddu i iachawdwriaeth, canys tirion yw'r Arglwydd.* Ystyriwch a fethrir dan draed y geiriau hyn hefyd a glywyd gennych yn rhy aml â chlustiau byddar. **2.** A thrachefn: *Yr ydych chwi, fodd bynnag, yn hil etholedig, yn offeiriadaeth frenhinol, yn genedl sanctaidd, yn bobl wedi ei mabwysiadau i hysbysu rhinweddau yr Un a'ch galwodd o'r cysgodion i'r goleuni tra rhyfeddol hwnnw o'i eiddo.* Oherwydd nid yn unig ni chyhoeddir rhinweddau Duw trwoch chwi, ond fe'u dirmygir hefyd ymysg pob anghrediniwr ar gyfrif eich esiamplau anfad.

3. Nid annichon ichwi glywed ar yr un diwrnod yr hyn a ddarllenwyd yn y llith o Actau'r Apostolion pan gododd Pedr *yng nghanol y disgyblion* a dweud: *Wŷr frodyr, rhaid yw cyflawni'r Ysgrythur a ragddywedodd yr Ysbryd Glân trwy enau Dafydd am Jwda.* Ac yn fuan wedyn: *Prynodd hwn faes â'r tâl am ddrygwaith.* **4.** Clywsoch hyn â chalon ddiofal, neu'n hytrach bŵl, fel pe bai heb ei ddarllen amdanoch chwi. Pwy sydd ohonoch, gofynnaf, nad yw'n ceisio maes â'r tâl am ddrygwaith? Roedd Jwdas yn ysbeilio coffrau, tra

vos ecclesiae donaria filiorumque animas eius vastatis. Ille adiit Iudaeos, ut Deum venderet, vos tyrannos et patrem vestrum diabolum, ut Christum despiciatis. Ille triginta argenteis venalem habuit omnium salvatorem, vos vel uno obolo.

Conclusio

108 **1.** Quid plura? fertur vobis in medium Matthiae in confusionem vestram exemplum, [sanctorum quoque apostolorum] electione vel iudicio Christi non propria voluntate sortiti, ad quod caeci effecti non videtis quam longe a meritis eius distetis, dum in amorem et affectum Iudae traditoris sponte corruistis.

2. Apparet ergo eum qui vos sacerdotes sciens ex corde dicit non esse eximium Christianum. Sane quod sentio proferam. Posset quidem lenior fieri increpatio, sed quid prodest vulnus manu tantum palpare unguentove ungere quod tumore iam vel fetore sibi horrescens cauterio et publico ignis medicamine eget? si tamen ullo modo sanari possit aegro nequaquam medelam quaerente et ab hoc medico longius recedente.

3. O inimici Dei et non sacerdotes, veterani malorum et non pontifices, traditores et non sanctorum apostolorum successores et non Christi ministri, auscultastis quidem secundae lectionis apostoli Pauli verborum sonum, sed in nullo modo monita virtutemque servastis, et simulacrorum modo, quae non vident neque audiunt, eodem die altari astitistis, tunc et cotidie vobis

yr ydych chwithau'n anrheithio rhoddion i'r eglwys ac eneidiau ei meibion. Aeth ef at yr Iddewon i werthu Duw, chwithau at ormeswyr a'ch tad y diafol i ddirmygu Crist. Barnwyd iachawdwr pawb ganddo yn deilwng o'i werthu am ddeg darn arian ar hugain, a chennych chwi am gyn lleied â grôt.

Diweddglo

108 **1.** Beth rhagor a ddywedaf? Dygir i'ch canol esiampl Mathias [a'r apostolion sanctaidd hefyd] i'ch drysu, gŵr y disgynnodd y coelbren arno trwy ddewisiad neu farn Crist, nid trwy ei ewyllys ei hun, ffaith yr ydych yn ddall iddi a heb weld pa mor bell yr ydych oddi wrth ei haeddiannau a chwithau wedi syrthio o'ch gwirfodd i drachwant a natur y bradwr Jwdas.

2. Mae'n amlwg, felly, nad yw pwy bynnag, gan wybod yn ei galon, a'ch geilw chwi yn offeiriaid yn Gristion o'r math gorau. Bid sicr, datganaf fy nheimladau. Gallai fy ngherydd, yn wir, fod yn dynerach, ond pa les peidio â gwneud mwy na mwytho'r clwyf â'r llaw neu ei iro ag ennaint, clwyf sydd erbyn hyn yn crawni gyda chwydd a drewdod ac eisiau haearn serio a meddyginiaeth gyhoeddus tân? – pe gellid, yn wir, ei iacháu mewn unrhyw fodd, a'r claf heb fod yn mynnu gwellhad o gwbl ac yn pellhau fwyfwy oddi wrth y meddyg.

3. O chwi elynion Duw, nid offeiriaid; hen lawiau mewn drygioni, nid esgobion; bradwyr ac nid olynwyr yr apostolion sanctaidd, nid gweinidogion Crist: clywsoch, yn wir, sŵn geiriau ail lith yr apostol Paul ond ni lynasoch mewn un modd wrth eu rhybuddion a'u grym; ac megis eilunod, nad ydynt yn gweld nac yn clywed, safasoch yr un diwrnod ger yr allor ac yntau y pryd hwnnw a phob

intonantis: *fratres*, inquit, *fidelis sermo est et omni acceptione dignus*. Ille dixit fidelem et dignum, vos ut infidelem et indignum sprevistis. *Si quis episcopatum cupit, bonum opus desiderat*. Vos episcopatum magnopere avaritiae gratia, non spiritalis profectus obtentu cupitis et bonum opus illi condignum nequaquam habetis. *Oportet ergo huiusmodi irreprehensibilem esse*. **4.** In hoc namque sermone lacrimis magis quam verbis opus est, ac si dixisset apostolus eum esse omnibus irreprehensibiliorem debere. *Unius uxoris virum*. Quod ita apud nos quoque contemnitur quasi non audiretur vel idem diceret et *virum uxorum*. *Sobrium, prudentem*. Quis etiam ex vobis hoc aliquando inesse sibi saltem optavit? **5.** *Hospitalem*: id si forte casu evenerit, popularis aurae potius quam praecepti gratia factum, non prodest, Domino salvatore ita dicente: *amen dico vobis, receperunt mercedem suam*. *Ornatum, non vinolentum, non percussorem, sed modestum, non litigiosum, non cupidum*. O feralis inmutatio! o horrenda praeceptorum caelestium conculcatio! Nonne infatigabiliter ad haec expugnanda vel potius obruenda actuum verborumque arma corripitis, pro quis conservandis atque firmandis, si necesse fuisset, et poena ultro subeunda et vita ponenda erat?

109 **1.** Sed videamus et sequentia: *domum*, inquit, *suam bene regentem, filios habentem subditos cum omni castitate*. Ergo imperfecta est patrum castitas si eidem non et filiorum adcumuletur. Sed quid erit ubi nec pater nec filius mali genitoris exemplo pravatus conspicitur castus? *Si quis autem domui suae praeesse nescit, quomodo ecclesiae Dei diligentiam*

dydd yn taranu wrthych: *Frodyr*, meddai, *y mae'r gair i'w gredu ac yn teilyngu derbyniad llwyr*. Dywedodd ei fod i'w gredu ac yn deilwng, ond dirmygasoch chwi ef fel peth nad oedd i'w gredu ac a oedd yn annheilwng. *Os yw dyn yn dymuno swydd esgob, y mae'n chwenychu gwaith da*. Yr ydych chwi yn mawr ddymuno swydd esgob o ariangarwch, nid dan gochl budd ysbrydol, ac nid ydych yn ystyried gwaith da yn briodol iddi o gwbl. *Rhaid, gan hynny, i'r cyfryw ddyn fod yn ddi-fai*. **4.** Oherwydd, yn wir, o ran y dywediad hwn, mae angen mwy o ddagrau nag o eiriau, fel pe bai'r apostol wedi dweud y dylai fod yn fwy di-fai na phawb. *Yn ŵr i un wraig*. Dirmygir y dywediad hwn hefyd yn ein mysg, fel pe nas clywid neu fel pe golygai'r un peth ag 'yn ŵr i wragedd'. *Sobr, call*. Pa un ohonoch a ddymunodd, o leiaf, i hyn fod yn rhan o'i gymeriad rywbryd? **5.** *Yn lletygar*. Os digwyddodd hyn erioed trwy ryw ddamwain, a hynny er mwyn chwa o boblogrwydd yn hytrach nag oherwydd ei orchymyn, ni thycia gan fod yr Arglwydd ein Hiachawdwr yn dweud fel hyn: *Yn wir, dywedaf wrthych, derbyniasant eu gwobr. Yn ddyn dethol, nid gwingar, nid yn ymladdgar ond yn dirion, nid yn ymrafaelgar, nid yn farus*. Y fath newid marwol! Y fath fathru dychrynllyd ar orchmynion nef! Onid ydych yn ymaflyd yn ddiflino yn arfau eich gweithredoedd a'ch geiriau i ymosod ar y gorchmynion hyn, neu'n hytrach i'w dymchwel, gorchmynion y dylai dyn, pe bai raid, ddioddef o'i wirfodd a cholli ei fywyd er mwyn eu cadw a'u cadarnhau?

109 **1.** Ond gadewch inni edrych ar y canlynol hefyd: *Yn rheoli*, meddai, *ei dŷ yn dda, yn cadw ei blant yn ufudd â phob gwedduster*. Gan hynny, amherffaith yw diweirdeb y tadau onid ychwanegir eiddo'r plant ato. Ond beth a fydd lle na welir y tad na'r mab (a lygrwyd gan esiampl rhiant drwg) yn ddiwair? *Ond os na ŵyr dyn sut i reoli ei dŷ ei hun, sut y gofala am eglwys*

adhibebit? Haec sunt verba quae indubitatis effectibus approbantur.
2. *Diaconos similiter pudicos, non bilingues, non vino multum deditos, non turpe lucrum sectantes, habentes mysterium fidei in conscientia pura. Hi autem probentur primum et sic ministrent nullum crimen habentes.* His nimirum horrescens diu immorari unum veridice possum dicere, quin haec omnia in contrarios actus mutentur, ita ut clerici, quod non absque dolore cordis fateor, impudici, bilingues, ebrii, turpis lucri cupidi, habentes fidem et, ut verius dicam, infidelitatem in conscientia impura, non probati in bono sed in malo opere praesciti ministrantes et innumera crimini habentes sacro ministerio adsciscantur.

3. Audistis etiam illo die, quo multo dignius multoque rectius erat ut ad carcerem vel catastam poenalem quam ad sacerdotium traheremini, Domino sciscitanti quem se esse putarent discipuli, Petrum respondisse: *tu es Christus filius Dei vivi*, eique Dominum pro tali confessione dixisse: *beatus es, Simon Bar Iona, quia caro et sanguis non revelavit tibi, sed Pater meus qui in caelis est*. Ergo Petrus a Deo Patre doctus recte Christum confitetur: vos autem moniti a patre vestro diabolo inique salvatorem malis actibus denegatis. **4.** Vero sacerdoti dicitur: *tu es Petrus et super hanc petram aedificabo ecclesiam meam*: vos quidem assimilamini *viro stulto qui aedificavit domum suam super arenam*. Notandum vero est quod insipientibus in aedificanda domo arenarum pendulae mobilitati Dominus non cooperetur, secundum illud: *fecerunt sibi reges et non per me*. Itidemque quod sequitur eadem sonat dicendo:

Dduw? Geiriau yw'r rhain a brofir gan ganlyniadau diymwad.
2. *Yr un modd, rhaid i ddiaconiaid fod yn ddiwair, nid yn ddaudafodog, nid yn ymroi i win lawer, nid yn canlyn budr elw, yn cynnal dirgelwch y ffydd yn lân eu cydwybod. Fodd bynnag, profer y rhain yn gyntaf a gwasanaethent, felly, os ydynt yn ddiargyhoedd.* Gan arswydo, yn wir, ymdroi am yn hir â'r pethau hyn, gallaf ddweud un peth gyda sicrwydd, sef y newidir y rhain oll yn weithredoedd croes iddynt, fel bod y glerigaeth (yr hyn a addefaf nid heb ofid calon), a hwythau'n anniwair, yn ddaudafodog, yn feddw, yn chwannog i fudr-elw, yn meddu ffydd, neu'n hytrach ddiffyg ffydd, yn ddrwg eu cydwybod, yn gwasanaethu nid fel rhai â'u daioni wedi ei brofi eithr fel rhai â'u drygwaith eisoes yn hysbys – fel eu bod, meddaf, er yn euog o gamweddau dirifedi, yn cael eu neilltuo i'r weinidogaeth sanctaidd.
3. Clywsoch hefyd y dydd hwnnw, pan fuasai'n llawer mwy priodol ac yn llawer cywirach eich llusgo i'r carchar neu i'r crocbren cosbol nag i'r offeiriadaeth, a'r Arglwydd yn gofyn i'r disgyblion pwy a dybient ydoedd, i Bedr ateb: *Tydi yw Crist, mab y Duw byw*, ac i'r Arglwydd ddweud wrtho oherwydd ei gyffes: *Gwyn dy fyd, Simon fab Jona, canys nid cig a gwaed a ddatguddiodd hyn iti, ond fy nhad sydd yn y nefoedd.* Gan hynny, y mae Pedr, wedi ei ddysgu gan Dduw'r Tad, yn cyffesu Crist yn iawn; ond yr ydych chwi, wedi eich cyfarwyddo gan eich tad y diafol, yn anfad wadu ein Hiachawdwr trwy eich gweithredoedd drwg. **4.** Dywedir wrth y gwir offeiriad: *Tydi yw Pedr, ac ar y graig hon yr adeiladaf fy eglwys*: cyffelyb ydych chwi, fodd bynnag, i *ddyn ffôl a adeiladodd ei dŷ ar y tywod.* Dylid nodi, yn wir, nad yw'r Arglwydd yn cydweithio â rhai ffôl yn y gorchwyl o adeiladu tŷ ar ansefydlogrwydd petrus y tywod, yn unol â'r dywediad hwnnw: *Gwnaethant frenhinoedd iddynt eu hunain, ac nid trwof i.* Yr un

et portae inferni non praevalebunt [eiusque peccata intelleguntur]. De vestra quid exitiabili structura pronuntiatur? *Venerunt flumina et flaverunt venti et impegerunt in domum illam et cecidit et fuit ruina eius magna.*

5. Petro eiusque successoribus dicit Dominus: *et tibi dabo claves regni caelorum*: vobis vero: *non novi vos, discedite a me, operarii iniquitatis, ut separati sinistrae partis cum haedis eatis in ignem aeternum.* Itemque omni sancto sacerdoti promittitur: *et quaecumque solveris super terram, erunt soluta et in caelis: et quaecumque ligaveris super terram, erunt ligata et in caelis.* Sed quomodo vos aliquid solvetis, ut sit solutum et in caelis, a caelo ob scelera adempti et immanium peccatorum funibus compediti, ut Salomon quoque ait: *criniculis peccatorum suorum unusquisque constringitur*? **6.** Quaque ratione aliquid in terra ligabitis quod supra mundum etiam ligetur, praeter vosmetipsos, qui ita ligati iniquitatibus in hoc mundo tenemini ut in caelis nequaquam ascendatis, sed infaustis tartari ergastulis, non conversi in hac vita ad Dominum, decidatis?

110 **1.** Nec sibi quisquam sacerdotum de corporis mundi solum conscientia supplaudat, cum eorum quis praeest si qui propter eius imperitiam vel desidiam seu adulationem perierint, in die iudicii de eiusdem manibus, veluti interfectoris, animae exquirantur: quia nec dulcior mors quae infertur a bono quoque homine quam malo; alioquin non dixisset apostolus velut paternum legatum suis successoribus derelinquens: *Mundus*

modd, yr un tinc sydd i'r hyn a ganlyn wrth ddweud: *A phyrth uffern nis gorchfygant* [ac wrth hyn deellir ei bechodau]. Beth a gyhoeddir am eich adeiladwaith trychinebus chwi? *Daeth llifogydd a chwythodd gwyntoedd a thrawasant yn erbyn y tŷ hwnnw, ac fe ddisgynnodd, a mawr oedd ei gwymp.*

5. Dywed yr Arglwydd wrth Bedr a'i olynwyr: *A rhoddaf iti allweddau teyrnas nefoedd*, ond wrthych chwi: *Nid wyf yn eich adnabod, ewch ymaith oddi wrthyf, weithredwyr drygioni, fel, wedi eich didoli ar y llaw chwith gyda'r geifr, yr eloch i'r tân tragwyddol.* Yr un modd, fe addewir i bob offeiriad sanctaidd: *A pha bethau bynnag a ryddhei ar y ddaear, fe'u rhyddheir yn y nefoedd hefyd; a pha bethau bynnag a rwymi ar y ddaear, fe'u rhwymir yn y nefoedd hefyd.* Ond pa fodd y rhyddhewch chwi unrhyw beth ar y ddaear a ryddheir uwchlaw'r byd hefyd, a chwithau wedi eich amddifadu o'r nefoedd ar gyfrif eich troseddau ac wedi eich llyffetheirio â rhaffau pechodau dychrynllyd; fel y dywed Solomon hefyd: *Delir pob un yng nghadwynau ei bechodau ei hun*? 6. A sut y rhwymwch ddim ar y ddaear a rwymir uwchlaw'r byd hefyd heblaw chwi eich hunain, a ddelir yn y byd hwn wedi eich rhwymo ag anwireddau i'r fath raddau fel nad ydych mewn un modd yn esgyn i'r nefoedd eithr, oni throwch at yr Arglwydd yn y bywyd hwn, yn disgyn i garcharau melltigedig uffern?

110 **1.** Ac na foed i neb o'r offeiriaid ei longyfarch ei hun ar gyfrif ei ymdeimlad o burdeb corff yn unig, oherwydd os collir unrhyw rai o'r sawl dan ei awdurdod trwy ei anwybodaeth neu ei ddiogi neu ei weniaith ef, ar ddydd barn gofynnir am eu heneidiau oddi ar ei ddwylo megis oddi ar ddwylo eu llofrudd. Oherwydd nid melysach yw marwolaeth a achosir gan ddyn da ychwaith na honno a achosir gan ddyn drwg. Pe amgen, ni ddywedasai'r apostol, gan adael math o gymynrodd tad i'w

ego sum ab omnium sanguine. Non enim subterfugi quo minus annuntiarem vobis omne mysterium Dei.

2. Multumque nam usu ac frequentia peccatorum inebriati et incessanter irruentibus vobis scelerum cumulatorum ac si undis quassati unam veluti post naufragium in qua ad vivorum terram evadatis paenitentiae tabulam toto animi nisu exquirite, ut avertatur furor Domini a vobis misericorditer dicentis: *nolo mortem peccatoris, sed ut convertatur et vivat.*

3. Ipse omnipotens *Deus totius consolationis et misericordiae* paucissimos bonos pastores conservet ab omni malo et municipes faciat subacto communi hoste civitatis Hierusalem caelestis, hoc est, sanctorum omnium congregationis, Pater et Filius et Spiritus Sanctus, cui sit honor et gloria in saecula saeculorum. Amen.

olynwyr: *Glân ydwyf oddi wrth waed pawb. Canys nid ymateliais rhag cyhoeddi ichwi holl ddirgelwch Duw.*

2. Oherwydd a chwithau wedi mawr feddwi gan arferiad ac amlder eich pechodau ac wedi eich ysgwyd gan donnau, fel petai, eich pentyrrau pechodau sy'n rhuthro arnoch yn ddi-baid, ceisiwch â holl ymdrech enaid, megis ar ôl llongddrylliad, ystyllen sengl penyd er mwyn dianc arni i dir y rhai byw, fel y troer oddi wrthych ddigofaint yr Arglwydd, sy'n dweud yn drugarog: *Ni fynnaf farwolaeth y drygionus, eithr ei fod yn troi o'i ffordd ac yn byw.*

3. Boed i'r hollalluog *Dduw pob diddanwch a thosturi* ei hun gadw ei ddyrnaid o fugeiliaid da rhag pob drwg a'u gwneud, wedi darostwng y gelyn cyffredin, yn ddinasyddion dinas y Jerwsalem nefol, sef cynulleidfa yr holl saint: y Tad a'r Mab a'r Ysbryd Glân, y bo iddynt anrhydedd a gogoniant yn oes oesoedd. Amen.

Nodiadau ar y Testun

Llythyr Gildas

1.1 **vili stilo / arddull ... wael.** Dyma'r cyntaf o gyfeiriadau Gildas at ei 'annheilyngdod' ef ei hun neu ei ddoniau llenyddol; cf. cc. 1.2 *vilibus ... meritis*; 36.4 *licet vilissimae qualitatis simus*; 62.6; 93.4 *nostra mediocritas*.

patriae / fy mamwlad. Term cyffredinol sydd yma'n cyfateb i *Britannia* Gildas, gw. 1.14n (*Britannia*). Felly hefyd cc. 27; 30.1; 62.2; 64.1; 67.6 (x2).

1.2 **fortissimorum militum enuntiare trucis belli pericula / adrodd, nid am beryglon a wynebwyd gan wŷr glew mewn rhyfeloedd.** Cf. c. 66.4 lle edliwia Gildas i'r glerigaeth am ymhel, ymysg pethau eraill, ag *ineptas saecularium hominum fabulas* (chwedlau gwaradwyddus dynion y byd), cyfeiriad at lên Glasurol baganaidd, a gondemnid yn aml gan Eglwys yr oes er gwaethaf ei mawr ddibyniaeth arni, gw. HW 166-7 n2; Michael Lapidge, 'Gildas's education and the Latin culture of sub-Roman Britain', yn GNA 29-32. Tebyg mai at yr un llên y cyfeirir yma hefyd, er nad yn ddilornus megis yn c. 66.4. Yr awdur Clasurol a awgrymir yn bennaf gan y geiriau *fortissimorum ... pericula* yw Fergil a'i arwrgerdd Yr Aenëis, yn enwedig lyfrau VI-XII gyda'u holl ryfeloedd. Awgryma geiriau Gildas hefyd fod ei gynulleidfa, sef y pum tywysog a grybwyllir yn nes ymlaen, yn gyfarwydd â storïau o'r fath fel rhan o'u difyrrwch diwylliannol megis yr oedd y glerigaeth. Nid yw ei eiriau yn ddirmygus eu naws yma fel yn achos y glerigaeth, ond efallai mai'r rheswm am hyn yw iddo benderfynu anwybyddu annheilyngdod llenyddiaeth Glasurol yng ngolwg yr Eglwys am y tro er mwyn cael ynddi rinwedd, sef glewder (*fortissimorum*), i wrthgyferbynnu ag ef segurdod (*desidiosorum*) ei gynulleidfa. Rhaid cofio hefyd nad drwg digymysg o reidrwydd fuasai llên Glasurol i Gildas, nac i eraill, a bod ynddi rai pethau y gallai, fe ddichon, eu hedmygu.

Ai cyfeiriad sydd yma, yn hytrach, at lên frodorol, boed ar ffurf barddoniaeth neu ryddiaith? Amheus gennyf. Ysgrifennodd Gildas ei lith yn Lladin ar gyfer cynulleidfa a fedrai'r iaith honno ac a oedd, yn ddiau, yn gyfarwydd i raddau â llên Glasurol. Ni raid i hynny olygu bod storïau a phethau eraill yn yr iaith frodorol yn ddieithr iddi, ond tebycach gennyf nad am honno yr oedd Gildas yn meddwl.

1.3 Moses yw'r 'deddfroddwr hyglod', Numeri 20: 12. Cyfeiria 'meibion yr offeiriad ... wedi trengi'n sydyn' at Lefiticus 10: 1-2. Daw 'pobl a dorrodd eiriau Duw ... heb iddynt ond codi dwylo' o Numeri 26: 51, 65 ac o Exodus 14; 22, 16: 15, 17 a 6: 11.

1.4 Cwymp Jericho sydd yma, Joshua 3; 16 a 6: 1, 20. Ceir helynt y 'fantell fechan ac ychydig aur' yn Joshua 7: 23-4 a Joshua 9. A cheir 'torri'r cyfamod â'r Gibeoniaid' yn II Samuel 21: 1.

Hieremiae ... quadruplici ... alphabeto / Jeremeia ... mewn pedair cân wyddorol eu trefn. Adleisir rhagdraeth (*praefatio*) St. Sierôm i lyfr Jeremeia yn y Fwlgat lle dywed am y proffwyd: *et civitatis suae ruinas quadruplici planxit alphabeto* (a galarodd am ddinistr ei ddinas mewn pedair cân yn nhrefn yr wyddor). Gw. hefyd HW 4 n1.

1.13 **indelebile insipientiae pondus et levitatis ineluctabile / baich annileadwy ac annihangol o ynfydrwydd ac anwadalwch.** Dyma'r cyfeiriad cynharaf, hyd y gwn, at yr hyn y mae rhai sylwebyddion ar hyd yr oesoedd, o Gerallt Gymro hyd at Emrys ap Iwan a Saunders Lewis, wedi ei weld fel anwadalwch neu ansadrwydd yng nghymeriad y Brython neu'r Cymro.

1.14 **conspicuo ac summo doctori / i ddysgawdwr amlwg ac aruchel.** Gallai gyfeirio at ryw unigolyn neilltuol nas enwir, ond mwy tebygol, efallai, mai teip neu ddosbarth o'r cyfryw a olygir.

serves depositum tibi creditum et taceas? / gadw i ti dy hun yr hyn a ymddiriedwyd iti ac aros yn fud? A oes yma ensyniad nad yw'r *conspicuo ac summo doctori*, 'dysgawdwr amlwg ac ardderchocaf', a'i debyg, hynny yw aelodau uwch yr hierarchaeth eglwysig, a grybwyllir yn gynharach yn y frawddeg, yn codi eu lleisiau yn erbyn drygau'r wlad fel y dylent? Y mae ymosodiadau Gildas ar y glerigaeth yn nes ymlaen yn rhoi pob lle i gredu nad oeddynt.

Ymddengys i Michael Winterbottom (MW 15, 88-9) gael anhawster i ddeall ergyd y frawddeg, ac fe'i tyr yn ddwy trwy ddodi gofynnod ar ôl *protractum* a thrin *serves ... taceas* fel ail frawddeg. Ni chredaf fod angen gwneud hyn. Ymhellach, golyga ddilyn y ferf *obstes* gan ddwy gystrawen wahanol yn ddifantais, sef yr enw yn y cyflwr derbyniol *ictibus* a'r arddodiad gyda'r cyflwr gwrthrychol *contra hunc ... funem* lle disgwylid, yn hytrach, barhau'r gystrawen gyntaf a chael *huic ... funi*.

Britannia / Prydain. Nid yr ynys ddaearyddol (Prydain Fawr) ond rhan ohoni, sef yn fras de'r Alban, Cymru a Chernyw, a oedd yn dal i lynu'n llawn wrth Rufeindod – *Romanitas*, sef crefydd, diwylliant ac awdurdod Rhufain – yn y 6g. Fodd bynnag, yng ngoleuni'r ffaith nad yw Gildas yn cyfarch unrhyw frenhinoedd o dde'r Alban, fe all mai am yr ardal o'r *Britannia* hon a gynhwysai Gymru, Cernyw a De-orllewin Lloegr yn unig, ac a adwaenid hefyd fel *Britannia Prima*, y mae Gildas yn meddwl. Yr ystyr hon hefyd a geir yn yr enghreifftiau eraill yn y Llythyr (cc. 27.1; 33.2; 36.1; 39.1; 66.1).

1.15 **intellegibilis asinae / yr asen ddeallus.** Dyma asen Baalam, Numeri 22: 21-33.

rectores / reolwyr. Y term Rhufeinig technegol hwyr, 'governors', MW 148.

Dinistr Prydain

2. **patriae / y famwlad.** Term cyffredinol a hyblyg sy'n cyfateb i ba diriogaeth bynnag ym Mhrydain a fo gan yr awdur dan sylw. Felly hefyd cc. 4.2, 4; 6.2; 7; 12.3; 15.2; 17.1; 18.1; 21.5; 23.1, 3, 4; 25.1; 26.2.

3. Egyr awdur y Dinistr ei waith â phortread o Brydain sy'n ddaearyddol ond hefyd yn delynegol a hardd mewn mannau. Ymddengys mai paratoi'r llwyfan y mae ar gyfer gwrthgyferbynnu cyfoeth a harddwch yr ynys â'r trafferthion sy'n bygwth ac yr ymesyd arnynt o'r bennod nesaf ymlaen: y mae Gardd Eden megis â sarff ynddi. Dichon fod yma hefyd ddylanwad hen *communis locus* sy'n sôn am y greadigaeth fel peth prydferth lle nad oes dim ond dyn yn atgas.

Sylwer fel yr adeiladwyd y frawddeg ar gyfres o wyth cymal isradd, pob un yn dibynnu ar rangymeriad (goddefol gorffennol gan amlaf) ac eithrio'r olaf sy'n ansoddair (*librata*, *tensa*, *tenens*, *vallata*, *meliorata*, *decorata*, *ornata, irrigua*), cyn cyrraedd y brif ferf yn y bennod nesaf.

Dywedir yn MW 148 am fanylion daearyddol y disgrifiad: 'Gildas [ond nid awdur Llythyr Gildas] apparently quotes from a late Roman geographer, comparable with Marcianus of Heraclea, who totted up the headlands, estuaries, cities, etc., which Ptolemy named. Nennius and perhaps Orosius used the same source. Ptolemy named 58 "cities" in Britain, 38 of them south of Hadrian's Wall. The xxviii reproduced by Gildas and Nennius is perhaps a scribal error for xxxviii.' Gw, hefyd HW 14-15 nn1-2. Ar y llaw arall, yn ôl Neil Wright, 'Gildas's Prose Style and its Origins', yn GNA 111, gan ddal sylw ar *Brittania ... vallata*: 'Far from being a cousin, this passage is a direct elaboration of Orosius's [sef ei *Historia aduersum Paganos*, I.2, 76], employing much of his vocabulary, and is typical of Gildas's treatment of his sources.'

3-4.1 **Brittania – insula … irrigua – haec … consurgit / ynys yw Prydain ... wedi ei dyfrhau ... hon ... gwrthryfela.** Sylwer ar y gystrawen: y goddrych *Brittannia*, sangiad hirfaith yn ymestyn o *insula* hyd *irrigua*, y rhagenw dangosol *haec* yn bachu wrth *Brittannia* i'n hatgoffa ar ôl sangiad mor hir mai hi yw goddrych y frawddeg, ac yn olaf berf y frawddeg, *consurgit*, y mae *Brittannia* yn oddrych iddi. Sylwer hefyd ar amser presennol y ferf: y mae arferion y gorffennol y cyfeirir atynt yn parhau hyd adeg ysgrifennu'r Dinistr. (Wrth gyfieithu'r frawddeg, er hwylustod i'r darllenydd ni chadwyd yn gaeth at drefn y Lladin.)

3.1 **Brittannia / Prydain.** Yr ynys ddaearyddol (Prydain Fawr). Felly hefyd yn yr enghreifftiau eraill yn y Dinistr: cc. 4.3; 7; 10.1; 14; 21.4 (a gw. ymhellach y nodyn yno).

insula / ynys. Gair ac iddo wahanol ystyron yn y Dinistr. Yma ac yn cc. 3.1; 5.2; 8; 13.1; 15.3 golyga Brydain gyfan ac mae'r cyd-destun fel arfer yn ddaearyddol.

insula in extremo ferme orbis limite / ynys ... bron yn nherfyn eithaf y byd. Fel y dywed Neil Wright, *art.cit.* 109, dichon fod yma adlais o *Vita Sancti Antonii* Evagrius Ponticus, '*hominem in extremo mundi limite conditum' (dyn wedi ei osod yn nherfyn eithaf y byd).*

meridianae freto plagae / culfor y glannau deheuol. Sef Culfor Dofr.

3.1-3 **vehebantur ... pangebantur ... imprimebant / mewnforid ... diogelid ... rhoddai ... wedd darlun.** Annisgwyl yw'r newid i'r amser amherffaith, ac ymddengys fod yr awdur yn cyferbynnu'r gorffennol â'r presennol (nid cystal yn ei olwg ef?) yn yr achosion hyn. Fel arall, y mae'r sangiad sy'n llenwi c. 3 yn ddiamser oherwydd y defnydd o'r rhangymeriadau (a'r ansoddair *irrigua* sy'n ei gloi) a allai fod yn y presennol neu'r gorffennol.

3.2 **civitatibus / dinasoedd.** Dyma un o dermau'r Dinistr am ganolfannau poblog; felly hefyd cc. 19.3; 24.1; 26.2. Y lleill yw cc. 3.2 *castellis*; 24.3 *coloniae* (ynghyd â *coloni*, eu preswylwyr). Dylid crybwyll hefyd y geiriau *de urbium subversione* yn c. 2 (y rhestr gynnwys) sy'n bennawd ar gyfer c. 24 a lle mae *urbium* yn ymddangos am *civitates* (c. 24.1).

3.4 **pernitidisque rivis leni murmure serpentibus / nentydd disglair yn ymdroelli gan dawel furmur.** Fel y dywed Neil Wright, *art.cit.* 109, ceir ymadrodd tebyg iawn yn *Vita Sancti Pauli* St. Sierôm: *'cum leni iuxta murmure aquarum serperet riuus'* (tra'r ymdroellai nant gerllaw â murmur tawel ei dyfroedd).

4.1 **consurgit / y mae hon ... yn gwrthryfela.** Sylwer ar yr amser presennol. Nid yr amser presennol hanesiol (*historic present*) sydd yma.

civibus ... consurgit / yn gwrthryfela ... yn erbyn dinasyddion. Dywedir yn HW 16 n1 am *cives*: 'The term *cives*, citizens of the Roman Empire, is throughout employed by Gildas to designate his countrymen. By this character they are, in his eyes, to be distinguished from the "barbarians" [gw. cc. 10.2; 18.3; 23.3, 5, a cf. c. 20.1].' Digwydd *civis* hefyd yn cc. 4 (x2); 10.2 (x2); 15.2, 3; 19.2, 3 (x2), 4; 20.3; 25.2; 26.1, 4. Cyfeirir ar yr un pryd at ryfeloedd cartref, cf. cc. 19.4 *domesticis motibus*; 21.1 *civilia bella*. Dengys y ferf bresennol *consurgit* hefyd fod yr awdur yn meddwl am gydwladwyr ei oes ei hun, cf. cc. 12.3n; 21.1 *genti sicut et nunc est* (y genedl hon, megis heddiw hefyd); 21.6n *sicut et nunc est* (fel sydd yn wir heddiw).

Quid enim deformius / Oherwydd pa beth mwy gwrthun. Cf. Llythyr Gildas, c. 67.1 *Quid enim tam impium*. Dyma un o'r adleisiau geiriol yn y Dinistr o'r

Llythyr. Ceir eraill yn cc. 4.1 *erecta cervice*: cf. 35.2 *dura cervix*; 11.1 *agnum ex lupo*: cf. 34.2 *ex corvo columbam*; 12.3 *novi semper aliquid audire et nihil certe stabiliter optinenti*; 22.2 *lues feraliter insipienti populo incumbit*: cf. 1.13 *illud veluti ingenitum quid et indelebile insipientiae pondus et levitate ineluctabile*; 13.2 *vita pelleret*: cf. 33.1 *depulsor ... vita*; 21.2 *desolato populo saeva cicatrix obducitur*: cf. 49.2 *Quare ergo non obducta est cicatrix filiae populi mei?*; 22.1 *arrectas omnium penetrat aures*: cf. 34.6 *Arrecto aurium ... captu*; 23.3 *catulorum ... leaenae*: cf. 28.1 *leaenae ... catulus*, 30.1 *catule leonine*, 33.4 *catulorum leonis*; 23.4, 109.3 *catastam*; 26.3 *paucis et valde paucis*: cf. 110.3 *paucissimos bonos pastores*; 26.4 *cumulo malorum compulsus ... non tam disceptavero quam deflevero*: cf. 1.1 *deflendo potius quam declamando ... malorumque cumulum.*

aliquem / rhywun. Anodd gwybod ai cyffredinol yw'r ystyr (rhywun, *one*) ynteu a gyfeirir at ryw unigolyn neilltuol. Os yr ail, ai Geraint, brenin Cernyw?

4.2-3 **... omittens ... tyrannorum / af heibio ... mewn gormeswyr.** Rhydd yr awdur bwyslais ar yr hyn a draetha trwy broffesu nad yw am ddweud ond ychydig amdano, dyfais rethregol a elwir *praeteritio* (Groeg *paraleipsis*), yn llythrennol 'mynediad heibio i'. Mae hon yn enghraifft hynod.

4.3 **vetustos immanium tyrannorum annos / y blynyddoedd, amser a fu ... gormeswyr dychrynllyd.** Gellid meddwl i ddechrau mai gormeswyr o'r cyfnod cyn-Rufeinig a olygir, hyd yn oed os na ellir ond dyfalu pwy oeddynt. Fodd bynnag, mae angen cymryd y geiriau gyda gweddill y frawddeg (gw. y ddau nodyn nesaf), ac fel y dywed Wade-Evans, EEW[2] 119 n3: '... the tyrants referred to were not any hypothetical pre-Roman tyrants of prehistoric Britain, but those of Jerome's own time, viz. Maximus (383-388), Marcus and Gratian (406), and Constantine III (406-411)'.

regionibus / parthau. Defnyddir *regio* chwech o weithiau yn y Dinistr (yma ac yn cc. 5.1; 19.4; 22.1; 25.1; 35.6), yn yr unigol a'r lluosog, mewn cyd-destun daearyddol (yn hytrach, fe ymddengys, na gweinyddol) yn yr ystyr 'gwlad, parth, rhandir'. Gan mai'r syniad sylfaenol y tu ôl i'r ystyr hon yw cyfran o diriogaeth amhendant ei maint, gall fod yn anodd mewn rhai enghreifftiau benderfynu pa fath yn union o endid a olygir.

Porphyrius rabidus orientalis adversus ecclesiam canis / Porphyrius, y ci dwyreiniol ffyrnig o elyniaethus tuag at yr Eglwys. Neo-Platonydd gwrth-Gristnogol, Groeg ei iaith (dyna arwyddocâd *orientalis*) o'r 3g. O.C. (c. 232-304) oedd Porphyrius. Y mae disgrifiad awdur y Dinistr ohono fel *rabidus ... adversus ecclesiam canis* yn addasiad ar gyfer un dyn o eiriau St. Sierôm yn y rhagdraeth i'w *De Viris Illustribus* lle cyfeiria at Celsus, Porphyrius, a Iulianus ill tri fel *rabidi adversus Christum canes* (cŵn cynddeiriog yn erbyn Crist), gw. HW 17-18 n4; MW 148.

Britannia ... fertilis provincia tyrannorum / Prydain ... yn dalaith gyfoethog mewn gormeswyr. Priodola awdur y Dinistr y geiriau hyn i Porphyrius, ond geiriau St. Sierôm ydynt mewn gwirionedd mewn llythyr ganddo at Ctesiphon a ddyddir O.C. 415, gw. ei *Epistola* 133. 9. Hawdd, serch hynny, oedd i awdur y Dinistr gamsynio fel hyn oherwydd mae Sierôm yn crybwyll Porphyrius yn gynharach yn yr un paragraff, gw. HW 18 n4; MW 148.

stilo / ei ddull. MW 17 'writings' ond yn c. 1.1 fe'i cyfieithir 'style'. HW 18 'fashion' ond 'style', *ib.* 3, c. 1.1.

4.4 **temporibus imperatorum Romanorum / yn oes yr ymerawdwyr Rhufeinig.** Yr ymerawdwr cyntaf oedd Augustus Caesar (23 C.C. – 14 O.C.); yna Tiberius (14-37 O.C.), Caligula (37-41 O.C.), Claudius (41-54 O.C.), ac felly ymlaen hyd Romulus Augustulus (475-6 O.C.), ymerawdwr olaf y Gorllewin.

5.1 **reges / brenhinoedd.** 'Often used of emperors in late Roman writers', MW 148.

primam Parthorum pacem / eu heddwch cyntaf gyda'r Parthiaid. Yn ôl HW 19 n1 [*recte* 2], cyfeirir at yr heddwch a wnaed gyda'r Parthiaid yn fuan wedi marwolaeth yr Ymerawdwr Traianus yn 117 O.C. gan ei olynydd Hadrianus. Gw. M. Cary, *A History of Rome down to the Reign of Constantine* (2il arg., Llundain, Melbourne, Toronto, 1967, 647). Yn ôl EEW^2 119 n7, ar y llaw arall, yr heddwch a wnaed yn 20 C.C. a olygir. Gw. H.H. Scullard, *From the Gracchi to Nero: A History of Rome from 133 B.C. to A.D. 68* (Llundain, 1964), 256-7. Ond gan fod yr awdur yn crybwyll yr heddwch cyntaf hwn *cyn* sôn am ddyfodiad Cristnogaeth i Brydain (c. 8 yml.), haws credu mai heddwch 20 C.C. a olygir.

5.2 **transfretans ... subiugavit / gan groesi ... darostyngodd.** Portreadir y digwyddiad hwn fel darostyngiad cyntaf Prydain gan Rufain, ond dadleuodd C.E. Stevens, 'Gildas Sapiens', *English Historical Review*, no. ccxxiii (July 1941), 355, a'i ddilyn gan Wade-Evans, EEW^2 120 n1, ei fod heb sail hanesyddol ac yn gorffwys ar gamddealltwriaeth yr awdur o arddangosiad grym yr Ymerawdwr Caligula yn 40 O.C. ar y glannau gyferbyn â Phrydain fel y'i disgrifir gan Orosius yn ei *Historia adversus Paganos*, vii.5: *hic siquidem magno et incredibili apparatu profectus quaerere hostem uiribus otiosis, Germaniam Galliamque percurrens, in ora Oceani circa prospectum Britanniae restitit* (Wedi i hwn, yn wir, gychwyn gyda chyfarpar anhygoel fawr i chwilio am elyn i'w wŷr segur a thramwyo drwy'r Almaen a Gâl, safodd ar lan yr eigion o fewn golwg Prydain).

presso in altum cordis dolore / gan wasgu eu dicllonedd yn ddwfn i'w calonnau. Cf. Fergil, Yr Aenëis i.209: *premit altum corde dolorem* (mae'n gwasgu ei glwyf yn ddwfn i'w galon).

6.1 **Quibus statim Romam ... repedantibus ... rectores ... leaena trucidavit dolosa / A hwythau'n dychwelyd i Rufain ... yn ddi-oed llofruddiodd y llewes dwyllodrus y rheolwyr.** Cymer MW 18 *statim* gyda *repedantibus* a chyfieithu'r cymal *Quibus ... repedantibus* yn 'The conquerors soon went back to Rome'. Yn HW 19, 21, ar y llaw arall, fe'i cymerir gyda *leaena trucidavit dolosa* a chyfieithu: 'Immediately on their return to Rome ... the treacherous lioness killed the rulers ...'. Odid nad HW sydd agosaf ati. Am enghreifftiau eraill o air unigol yn agos i ddechrau'r frawddeg, ac mewn safle anarferol, sydd i'w gydio wrth ferf a ddaw yn nes ymlaen, cf. cc. 7.1 *Itaque multis* ***Romani*** *perfidorum caesis ... Italiam* ***petunt*** ...; 13.2 *Qui callida* ***primum*** *arte ... regno* ***adnectens*** ... .

Deallwyd y geiriau *rectores leaena trucidavit dolosa* yn fynych, ac yn MW 148, fel cyfeiriad at y dywysoges Frythonig Boudicca (Buddug) a arweiniodd wrthryfel ffyrnig yn erbyn yr awdurdodau Rhufeinig pan oedd y cadfridog Suetonius Paulinus yn absennol yn Ynys Môn yn 62 O.C. ar ymgyrch filwrol (gw. Tacitus, *Annales*, xiv.31-7; *Agricola*, xvi.1-2). Fodd bynnag, cf. defnydd yr awdur o *leaena* yn c. 23.3 lle disgrifir y Sacsoniaid fel cenfaint o genawon *de cubili leaenae barbarae* (o wâl y llewes greulon), a defnydd tebyg Gildas o'r un gair yn ei Lythyr, c. 28.1, am y brenin Constantinus fel *inmundae leaenae Damnoniae tyrannicus catulus* (cenau gormesol llewes aflan Damnonia). Yn yr enghreifftiau hyn, defnyddir *leaena* yn ffigurol am wlad, gw. HW 20 n1; EEW^2 120 n3, 134 n1. Gwell ei ddeall fan yma fel cyfeiriad at y wlad Prydain yn hytrach nag at y person Buddug. Yn ôl C.E. Stevens, *art.cit., loc.cit.*, mae'r gyflafan honedig hon yn 'imaginative expansion of *Britannia excitata in tumultum*', sef Prydain yng ngafael gwrthryfel. Meddai Orosius yn ei *Historia adversus Paganos*, vii.6, pan yw'n sôn am baratoadau yr ymerawdwr Claudius i anfon byddin i Brydain: *Claudius quarto imperii sui anno, cupiens utilem rei publicae ostentare se principem, bellum ubique et uictoriam undecumque quaesiuit. Itaque expeditionem in Britanniam mouit, quae* ***excitata in tumultum*** *propter non redhibitos transfugas uidebatur: transuectus in insulam est, quam neque ante Iulium Caesarem neque post eum quisquam adire ausus fuerat.* (Ym mhedwaredd flwyddyn ei ymerodraeth, ac yn awyddus i'w ddangos ei hun fel arweinydd cymwys i'r wladwriaeth, chwiliodd Claudius am ryfel ym mhob man a buddugoliaeth o ba le bynnag. Felly trefnodd gyrch i Brydain, a honno i bob golwg *yng ngafael gwrthryfel* oherwydd peidio â derbyn ffoaduriaid yn ôl; croesodd i'r ynys, lle nad oedd neb wedi mentro rhoi troed cyn Iŵl Cesar, na neb ar ei ôl.)

inopiam ... cespitis / annigonolrwydd ... y pridd. Geiriau ansicr eu harwyddocâd. JOJ 110 'prinder cynnyrch y tir'; HW 19 'deficiency ... of necessaries'; EEW[2] 120 ' lack of war material'; MW 18 'want of land'. Yn ôl C.E. Stevens, *art.cit., loc.cit.*, '... the weird "quibus statim Romam ob inopiam, ut aiunt, caespitis repedantibus" seems simply to represent "deficiente belli materia Romam rediit" of Orosius, with an unlucky piece of glossarial erudition. *Caespes* is "materia belli", camps are constructed of it.' Dilynir ei ddehongliad ef yn EEW[2] 120 n2. Fodd bynnag, os 'deunydd rhyfel' yw arwyddocâd *cespes* yma, sut nad oedd digon ohono? Cynigiaf yn betrus mai'r hyn a olygir yw nad oedd y tir ym Mhrydain yn gyffredinol wedi ei drin ddigon (megis mewn gwlad Ganoldirol fel yr Eidal) i fodloni safonau'r Rhufeiniaid ac mai dehongliad JOJ sydd agosaf ati. A oes awgrym o sen yma? Byddai hynny'n gyson ag agwedd yr awdur at drigolion yr ynys: fel y dilornai hwy, felly y dilornai eu gwaith ar y tir hefyd; cf. c. 6.7 *vini oleique experte* a'r nodyn.

6.2 **Quibus ... festinaret / hyn ... yn prysuro.** Cyfetyb hyn i gyrch hanesyddol yr Ymerawdwr Claudius i Brydain yn 43 O.C., gw. EEW[2] 120; Scullard, *op.cit.* 309-12.

parata / yn barod. Dealler y ferf *erat* ar ei ôl.

gelido per ossa tremore currente / â chryndod oer yn cyniwair trwy'u hesgyrn. Cf. Fergil, Yr Aenëis ii.120-1: *gelidusque per ima cucurrit / ossa tremor* (a rhedodd arswyd oer hyd fêr eu hesgyrn).

Britanni nec in bello fortes ... nec in pace fideles / nad yw trigolion Prydain yn ddewr mewn rhyfel nac yn ffyddlon mewn heddwch. EEW[2] 120 n7, '...taken apparently from a poem by an author, whose identity has not been established, which contains the verse *Nec in bello fortes nec in pace fideles*'. Dywed Orosius, gan ddyfynnu Suetonius, i Claudius ddarostwng y rhan fwyaf o Brydain mewn ychydig amser a heb arllwys gwaed: *sine ullo proelio ac sanguine intra paucissimos dies plurimam insulae partem in deditionem recepit* (mewn ychydig iawn o ddyddiau, heb unrhyw frwydr na thywallt gwaed, fe barodd i ran helaethaf yr ynys ildio).

Fel y dywed Wade-Evans, EEW[2] 120 n7, ystyr *Britanni* yw trigolion Prydain mewn ystyr ddaearyddol, nid Brythoniaid, *Brittones* – term ethnograffig nas ceir yn y Dinistr. Digwydd *Britanni* unwaith eto yn c. 20.1 a hynny, megis yma, mewn dyfyniad.

7. **vini oleique experte / yn amddifad o win ac olewydd.** Y mae'n anodd gwybod ai arwyddocâd hyn yw fod y Rhufeiniaid wedi gwneud y fath lanastr ar y tir (*ne terra penitus in solitudinem redigeretur* – rhag i'r tir droi'n ddiffeithwch llwyr) fel nad oedd dim gwin nac olewydd i'w cael yno mwyach, neu ynteu nad oedd dim gwin nac olewydd i'w cael yno yn y lle cyntaf a bod hynny'n

rheswm (ychwanegol?) pam y dychwelasant adref. Os yr ail, cf. c. 6.1 *inopiam ... cespitis* (annigonolrwydd cynnyrch y pridd) a'r nodyn: a yw'r awdur yn dirmygu'r trigolion drachefn am nad oedd ganddynt win ac olewydd (megis mewn gwledydd Canoldirol 'gwâr')?

ensem … lateri eius accommodaturos / a'u taro â'r cleddyf ... yn eu hystlys. Cf. Fergil, Yr Aenëis ii.393: *laterique Argivum accommodat ensem* (a rhwym wrth ei ystlys gleddyf Argos).

et quicquid habere potuisset aeris argenti vel auri imagine Caesaris notaretur / a byddai pa faint bynnag o bres, arian neu aur y gellid ei gael ohoni yn dwyn stamp delw Cesar. Sylw Stevens, *art.cit.* 356, yw 'He [sef awdur y Dinistr] is perfectly right, but how on earth did he know?'

8. Y mae peth o'r Dinistr yn tynnu ar yr *Historia Ecclesiastica*, sef cyfieithiad Lladin Tyrannius Rufinus (c. 345-410) o waith Groeg Eusebius, ac a enwir yn c. 9.2. Ceir y testun Lladin gan Eduard Schwartz a Theodor Mommsen (gol.), *Eusebius Werke, Zweiter Band: Die Kirchengeschichte* (2 ran, Leipzig 1903 a 1908). Â'r bennod hon o'r Dinistr gellir cymharu *Historia Ecclesiastica* ii.2 (adran 2) – 3 (adran 1).

Tiberii Caesaris / Tiberius Cesar. Ymerawdwr Rhufain, 14-37 O.C. Dywed yr awdur mai yn ystod ei deyrnasiad ef y daeth Cristnogaeth i Brydain, ond fel y dywed Wade-Evans, EEW[2] 121 n5, 'The author here depends on Rufinus' Latin version of Eusebius (ii, 2) and Tertullian's *Apologeticus* (5). He displays no knowledge of when or how or where Christianity came to Britain.'

9. Ceir yn yr *Historia Ecclesiastica* (gw. uchod 8n) ddisgrifiad cyffredinol o'r erlid dan yr ymerawdwr Diocletian (a ddechreuodd yn 303 O.C.; teyrnasodd Diocletian o 284 hyd 305), ac y mae c. 9 yn grynodeb ohono, EEW[2] 122 n2. Cf. *Historia Ecclesiastica* viii.2 (adran 4 yml.).

9.1 **tepide / yn glaear.** Gw. HW 22-3 n2 lle dadleuir mai araf fu ymlediad Cristnogaeth ym Mhrydain. 'A solid historical truth lies in that curt *tepide* …'.

9.2 **Ecclesiastica Historia / yr Hanes Eglwysig.** Gw. c. 8n.

agmine denso / mewn rhengoedd agos. Cf. Fergil, Yr Aenëis ii.450 *agmine denso*.

10.2 **si non … civibus adimerentur / pe na baent yn cael eu dwyn ... oddi arnom ni ddinasyddion.** HW 27: 'had they not … been taken from us the citizens'; MW 19: 'were it not that our citizens … have been deprived of …'. Ond amser amherffaith, nid gorberffaith, y modd dibynnol sydd yma, felly ymddengys fod y 'dwyn' y sonia'r awdur amdano yn parhau yn ei ddydd ef. Sylwa Kerlouégan,

'*Le Latin ...*' 155, ar ddefnyddio amser gorberffaith modd dibynnol y ferf yn lle'r amser amherffaith ond nid *vice versa*. Cf. a ddywed Neil Wright, 'Gildas's geographical perspective: some problems', yn GNA 103 n76: 'It is impossible to overstress the importance of recognising that the imperfect subjunctive in this remote conditional clause has the force of a present. For Gildas, the *diuortium* with the English was a continuing process.'

divortio barbarorum / rhaniad ... y barbariaid. Yr oedd presenoldeb barbariaid o Saeson wedi peri na fedrai'r *civibus*, a oedd yn Gristnogion, ymweld â beddau etc. eu merthyron, ond anodd gwybod ym mha le yn union y credai'r awdur fod y presenoldeb hwn. Os ydoedd yn byw rywle yn *Britannia Prima*, yn y rhan ohoni sy'n cyfateb yn awr i Dde-orllewin Lloegr, efallai nad oedd ffin y rhanbarth mwy Rhufeinig hwnnw mor gadarn rhag Saeson erbyn chwarter cyntaf yr 8g. ag y buasai gynt. Y mae'n bosibl hefyd mai Jiwtiaid oedd y barbariaid a oedd gan yr awdur mewn golwg.

quam plurima / yn llu. Anodd gwybod a ddylid eu cymryd gyda *sepulturae et passionum loca* ynteu gyda *scelera nostra*. Yn JOJ 112 fe'u cymerir gyda *scelera nostra* – '... ein haml bechodau ...'. Yn HW 27 ymddengys eu cydio nid yn unig wrth *sepulturae et passionum loca* ond hefyd wrth *scelera nostra* – '... had they not, very many of them ... numerous crimes ...'. Yn MW 19 fe'u cymerir gyda *sepulturae et passionum loca* yn unig – '... many of them [sc. *sepulturae et passionum loca*] ...'. Gellid dadlau y byddai'r syniad o nifer helaeth a fynegir yn *quam plurima* yn fwy priodol ynglŷn â phechodau nag ynglŷn â beddau a mannau dioddefaint, ond credaf fod y Lladin yn darllen yn fwyaf naturiol o gymryd *quam plurima* yn draethiadol gyda *adimerentur* a'u bod, gan hynny, yn cyfeirio at *sepulturae et passionum loca.*

scelera nostra / ein pechodau. Dengys *nostra* fod yr awdur yn ymuniaethu â Brythoniaid ei hanes.

sanctum Albanum Verolamiensem / Alban Sant o Verulam. Anrhydeddir Alban fel merthyr cyntaf Prydain. Cysylltir ef â Verulamium, sef St. Albans yn swydd Hertford, ac yn ôl Beda HEGA i.7 (lle ceir fersiwn hwy o stori awdur y Dinistr), codwyd eglwys er coffâd amdano gerllaw. Fodd bynnag, fel y dywed Wade-Evans, EEW[2] 122 n8, yn y *Vita Sancti Germani* gan Constantius o Lyon, lle ceir y cyfeiriad cynharaf at Alban, pan ddymuna'r esgobion Germanus a Lupus ddiolch i Alban am ei eiriolaeth drostynt yn eu gwaith yn cywiro cyfeiliornadau ffydd y brodorion, nid oes sôn am Verulamium : ... *sacerdotes beatum Albanum martyrem acturi Deo per ipsum gratias petiuerunt* (... ymbiliodd yr esgobion ar y gwynfydedig ferthyr Alban er mwyn diolch i Dduw drwyddo). René Borius (gol.), *Constance de Lyon: Vie de Saint Germain* *d'Auxerre* (Paris, 2008), 152. Ymhellach ar Alban, gw. LBS I, 138-46; ODCC 29; Donald Attwater, *The Penguin Dictionary of Saints* (Harmondsworth, 1970), 37; Howard Huws, *Buchedd Garmon Sant* (Llanrwst, 2008), 24-6.

Aaron et Iulium Legionum Urbis / Aaron a Julius ... o Gaerlleon. Ni wyddys mwy am y ddau ferthyr hyn nag a ddywed awdur y Dinistr wrthym. Wrth *Legionum Urbis* golygir Caerllion ar Wysg. Ymhellach, gw. HW 26-7 n1; LBS I, 101-3; EEW2 122 n9.

11.1 **Tamesis nobilis fluvii / afon fawreddog Tafwys**. MW 148: 'Gildas clearly did not know the district.' EEW2 123 n2: 'Our author puts the site of St. Alban's death near the Thames. Bede (i.7), not naming the river, fixes it near Verulamium (St Albans) in Hertfordshire. Otherwise the town, river, and hill of the legend as given by Bede would well equate with Caerleon, the R. Usk, and Mount St Alban.'

suspensis utrimque modo praeruptorum fluvialibus montium gurgitibus / a dyfroedd chwyrn yr afon yn crogi o boptu megis mynyddoedd clogwynog.

Cf. Fergil, Yr Aenëis i.105: ... *insequitur cumulo praeruptus aquae mons* (fe ddisgyn yn swp fynydd clogwynog o ddŵr).

12.1-2 Cf. Rufinus, Historia Ecclesiastica ix.1 (adran 8): *[Q]uibus ita gestis velut post nimiam tempestatem si solis splendor caelo redditus fuisset ac terris, duces populi nostri per singulas quasque urbes frequentare conventus, concilia agere, sacerdotia reparare, singulas quasque ecclesias, si cui quid deesse videbatur, instruere. quae cum ita gererentur, stupor ingens habebat infideles gentilium de tanta tamque subita conversione rerum, ita ut admiratione ipsa fateri cogerentur magnum et solum verum deum esse, quem Christiani colunt.* (Wedi i bethau ddigwydd felly, fel petai llewyrch haul ar ôl tymestl eithriadol wedi dychwelyd i'r wybren ac i'r tiroedd, gorchmynnodd arweinwyr ein pobl ni fod mynychu cynadleddau ym mhob tref, cynnal trafodaethau, atgyweirio'r mannau cysegredig a'r eglwysi fesul un os byddai unrhyw beth yn ymddangos yn ddiffygiol; wrth i'r pethau hyn gael eu gwneud felly, fe drawyd y rhai di-gred o'r cenhedloedd â syndod fod cyfnewid mor fawr ac mor sydyn ar bethau, fel y bu raid iddynt, drwy edmygedd yn unig, gydnabod mai'r mawr a'r unig wir Dduw yw hwnnw y mae'r Cristnogion yn ei addoli.)

12.3 **Arriana perfidia / y brad Ariaidd.** Sef heresi Arius (ca. 250-336) a wadodd yr athrawiaeth uniongred bod Crist yn wir Dduw yn ogystal ag yn wir ddyn; gw. ODCC 80-1. Dyma oedd prif heresi'r 4g., MW 148.

patriae ... optinenti / famwlad ... na lynai. Gallai'r geiriau hyn gyfeirio at y gorffennol neu at oes yr awdur. Yn ôl EEW2 124 n2: 'This must be a reflection on the Britain of our author's own time', a thueddaf i gyd-fynd ag ef; cf. 4.1n. Hefyd Lythyr Gildas, 1.13, lle priodola i'w genhedlaeth 'rywbeth sydd megis yn gynhenid iddi, sef baich annileadwy ac annihangol o ynfydrwydd ac anwadalwch'.

13.1 **tyrannorum virgultis / llwyni o ormeswyr.** EEW^2 124 n3: 'In Britain alone within a little more than a century seven soldiers assumed the purple, viz. Carausius (287-293), Allectus (293-296), Constantine [sef Cystennin Fawr] (306-337), Maximus [sef Macsen Wledig] (383-388), Marcus (406), Gratian (406), Constantine III (406-411). Only one of them, Constantine the Great, successfully established himself on the throne.'

Gallias / y ddwy Âl. Rhennid y dalaith Rufeinig *Gallia* yn ddwy, sef *Gallia Cisalpina* a *Gallia Transalpina*, a chyfeirir yma at yr endid cyfan wrth ei rannau. Cf. y defnydd cyffelyb a wneir weithiau o *Britanniae* am bum rhaniad *Britannia* (Prydain).

magna comitante ... caterva / â thorf fawr o ddilynwyr. Cf. Fergil, Yr Aenëis II.40: *magna comitante caterva.*

Maximum. Sef yr enwog Magnus Maximus. Gwrthryfelodd ym Mhrydain, cydnabuwyd ef yn y gorllewin, 383-8, lladdodd Gratian yng Ngâl, a gyrrodd Valentinian II o'r Eidal, MW 148. Ef yw Macsen Wledig y traddodiad Cymreig, fe'i crybwyllir yn yr achau Cymreig cynnar, gw. NHB 103, 104, a chyda threigl y canrifoedd fe aeth yn ffigwr lled chwedlonol, megis yn y portread ohono yn stori 'Breuddwyd Macsen Wledig' o'r 13g.

13.2 **vita pelleret / yrru ... o'i fywyd.** Cf. yr hyn a ddywedir yn *Vita Sancti Martini* Sulpicius Severus, c. 20.2, am y ffordd y byddai'r sant yn ymddwyn tuag at yr Ymerawdwr Maximus: *[N]am et si pro aliquibus regi supplicandum fuit, imperavit potius quam rogavit, et a convivio eius frequenter rogatus abstinuit, dicens se mensae eius participem esse non posse, qui imperatores unum regno, alterum vita expulisset.* (Canys hyd yn oed os byddai raid gwneud cais i'r brenin ar ran rhywrai, gorchymyn yn hytrach na gofyn a wnâi, ac er cael ei wahodd i wledd droeon, cadw draw y byddai gan ddweud na allai fod yn gyfrannog o'i fwrdd ef, dyn oedd wedi gyrru arglwyddi, y naill o'i deyrnas a'r llall o'i fywyd.)

Aquileia. Hen ddinas Rufeinig bwysig a phoblog yng ngogledd-ddwyrain yr Eidal nid nepell o gilfach fwyaf gogleddol Môr Adria.

14. **omni armato milite ... spoliata / amddifadwyd ... o'i holl filwyr arfog.** Cf. Fergil, Yr Aenëis ii.20: ... *uterumque armato milite complent* (a llanwant ei du mewn â milwyr arfog).

duabus … calcabilis / i'w mathru gan ddwy genedl. Dyma'r cyntaf a nodir o bedwar difrodiad (Lladin *vastatio*) gan ddwy genedl ogleddol, sef y Sgotiaid – enw arall ar y Gwyddyl – a'r Pictiaid. Ceir yr ail a'r trydydd a'r pedwerydd difrodiad yn cc. 16, 19, 22.

EEW^2 125 n2: 'That the island was now exposed for the first time to attacks by Picts and Scots is not history, nor does the author seem to know that at this time the island was also exposed to renewed attack by Saxons, as testified by the poet Claudian.'

Scotorum / y Gwyddyl. Sylwer, yn c. 21.1, y'u gelwir yn *grassatores **Hiberni***.

transmarinis / dramor. Medd Lewis a Short: 'beyond sea, coming from beyond sea, transmarine'. Yr oedd y ddwy genedl, ym meddwl yr awdur, yn dod 'o dros y môr'. Y mae hyn yn briodol yn achos y Gwyddyl ond yn annisgwyl yn achos y Pictiaid gan y lleolir hwy fel arfer yn ucheldir yr Alban ac nid mewn rhyw diriogaeth dramor yn union i'r gogledd o Brydain. Gellir cynnig dau esboniad ar yr ail leoliad: un ai yr oedd yr awdur yn camsynio, neu ynteu yr oedd yn meddwl am y môr nid yn ei ystyr arferol – y môr mawr eang neu'r cefnfor – yn gymaint ag fel *rhan* ohono. Yn Y Gododdin sonnir am Bictiaid yn dod 'tra merin Iodeo' (o'r tu hwnt i fôr Iuddew) a throsto mewn llongau i ymosod ar y Gododdin ger Caeredin, ac ystyr 'merin Iodeo' yw Aber Gweryd ('Firth of Forth'); gw. CA llau. 575-607, 1209 a'r nodiadau; J.P. Brown, 'Insularis Draco', Llyfrgell Genedlaethol Cymru, ex 1959 (1980), 3-4. Fe all, gan hynny, mai 'morgainc, culfor', megis Aber Gweryd, yw arwyddocâd yr elfen *marinus* (o *mare* 'môr') yn *transmarinus* mewn perthynas â'r Pictiaid (o ystwytho ychydig ar ystyr *mare*). Cf., er enghraifft, y defnydd o 'môr' yn 'Môr Hafren'. Diau i'r Pictiaid wneud llawer o gyrchoedd dros Aber Gweryd i dde'r Alban, oherwydd haws fuasai iddynt fynd y ffordd honno nag ymgyrchu dros y tir, ac fel hyn naturiol synio amdanynt fel, ymysg pethau eraill, pobl a groesai'r môr ond nid y môr mawr o reidrwydd.

Yn WAB 210 dywedir fel esboniad: 'For Gildas [h.y. awdur y Dinistr, nid Llythyr Gildas] and, later, for Bede the Picts were not Britons; and yet, as Picts, they were a new arrival on the ethnic map of Britain. It may thus have been easy to think that they, like the Irish and the Saxons, were invaders from beyond the sea.'

15.2 **legio / lleng.** Yn ôl EEW^2 125 n5, odid nad yr hyn a olygir yw'r Chweched Lleng yn Efrog a oedd yn rhan o'r gwarchodlu Rhufeinig ac wedi ei gorsafu ym Mhrydain ers tro byd.

15.3 **murum / mur.** Ymddengys mai Mur Antwn a olygir. Codwyd hwn o dywarch a cherrig ar gyfer yr Ymerawdwr Antoninus Pius yn 142 O.C. ac ymestynnai am

37 milltir o Bridgeness ger afon Gweryd ('Forth') hyd Old Kilpatrick ar Lannau Clud, gw. OCD 956. Sylwer, fodd bynnag, fod yr awdur yn ei amseru *cyn* ac nid *wedi* codi Mur Hadrian (gw. 18.2n), 122-8 O.C. Yr oedd Stevens, *art.cit.* 358, o'r farn ei bod yn llawer mwy tebygol mai am y *vallum* (clawdd pridd) a orweddai yn union nesaf at Fur Hadrian yr oedd yr awdur yn meddwl yma.

Sylwer bod synnwyr yr awdur o adeg codi'r ddau fur ymhell ar gyfeiliorn gan ei fod wedi ei dodi yng nghanol cc. 13-18 lle ymdrinia â'r cyfnod diweddarach rhwng gwrthryfel Macsen Wledig yn 383-8 a thynnu'r gwarchodlu Rhufeinig yn derfynol o Brydain yn 407 (gw. 19.1n – *illis ad sua remeantibus*), cyfnod pan aeth Prydain yn ysglyfaeth i ymosodiadau o bob tu gan Bictiaid, Sgotiaid (h.y. Gwyddyl), a Sacsoniaid nes delio â hwy'n llwyddiannus gan Stilicho, gweinidog a chadfridog mawr yr Ymerawdwr Honorius, gw. EEW[2] 127 n7.

16. Yr ail ddifrodiad.

ac si Ambrones lupi profunda fame rabidi, siccis faucibus ovile transilientes non comparente pastore / megis bleiddiaid rheibus, cynddeiriog gan fawr newyn ... yn neidio'n safnrhwth i mewn i'r gorlan ddifugail. Cf. Fergil, Yr Aenëis ii.355-8: ... ***lupi*** *ceu / raptores atra in nebula, quos improba ventris / exegit caecos* ***rabies*** *catulique relicti /* ***faucibus*** *expectant siccis ...* (fel bleiddiaid rheibus mewn niwl tew, y mae cynddaredd difesur eu boliau wedi eu gyrru allan, a'u cenawon a adawyd ar ôl yn eu disgwyl â gyddfau sych).

Ambrones. Llwyth Galaidd a oedd yn byw trwy ysbeilio ar ôl colli eu tir o ganlyniad i'w foddi gan y môr; felly 'ysbeilwyr', ond fe'i defnyddir yma fel ansoddair. Gw. HW 34-5 n2; MW 149.

alis remorum remigumque brachiis / gan rwyfau adeiniog a breichiau'r rhwyfwyr. Sylwer ar y ciasmws (*chiasmus*).

quaeque obuia maturam ceu segetem metunt calcant transeunt / medi beth bynnag a safai yn eu ffordd fel pe bai'n ŷd wedi aeddfedu, mathru dan draed a cherdded drwy'r tir. Fel y dywed Neil Wright, *art.cit.* 'Gildas's prose style ...' 109, datblygiad yw hyn o eiriau St. Sierôm yn ei lythyr at y mynach Heliodorus, *Epistolae*, rhif 14.2, lle dywed, yng nghyd-destun cleddyf Duw: *obuia quaeque metit* (mae'n medi beth bynnag sydd yn ei fordd). Mae'r geiriau hyn, yn eu tro, yn tarddu o Fergil, Yr Aenëis x.513: *proxima quaeque metit gladio ...* (mae'n medi â'r cledd beth bynnag sydd nesaf), ond er ei bod yn debygol bod awdur y Dinistr yn gyfarwydd â'r llinell hon, mae ei eiriad yn nes at eiddo Sierôm.

17.1 **quod verbis tantum apud eos auribus resultabat / a adleisiai yn eu clustiau fel gair yn unig.** Gallai hyn adlewyrchu agwedd ynysig, anwybodus ymysg trigolion Prydain.

17.2 **equitum ... nautarum / eu marchogion ... a'u morwyr.** Sylwer nad lleng (*legio*, c. 15.2) a anfonir y tro hwn i gynorthwyo'r dinasyddion, megis yn achos y difrodiad cyntaf, eithr marchoglu a llynges.

ac si montanus torrens / fel llifeiriant ar fynydd. Cf. Fergil, Yr Aenëis ii.305: *rapidus montano flumine torrens* (llif cyflym mewn ffrwd fynyddig).

uno obiectas sibi evincit gurgite moles / ag un rhuthr yn dymchwel y rhwystrau ar ei ffordd. Cf. *ib.* ii.497: *oppositasque evicit gurgite moles* (a threchu â rhuthr y rhwystrau yn ei ffordd).

18.1 **imbelles erraticosque latrunculos / pobl anrhyfelgar a rhyw ladronach crwydrol.** HW 37: 'unwarlike, roving, thieving fellows'; MW 22: 'wandering thieves who had no taste for war'. Y mae'n fwy tebygol mai dwy garfan wahanol o bobl a olygir, nid un, sef y Brythoniaid (*imbelles*) a'r Sgotiaid ynghyd â'r Pictiaid (*erraticosque latrunculos*), oherwydd o'r braidd y gellid disgrifio'r Sgotiaid a'r Pictiaid fel *imbelles*. Os felly, trinnir yr ansoddair *imbelles* fel enw.

18.2 **murum / mur.** Sef Mur Hadrian a godwyd yn 122-8 O.C. yn nheyrnasiad yr ymerawdwr Hadrian. Ymestynnai am 80 milltir Rufeinig o Segedunum (Wallsend-on-Tyne) i Maia (Bowness-on-Solway); gw. OCD 956-7; EEW2 127 n1.

sumpto publico privatoque / ag arian cyhoeddus a phreifat. Stevens, *art.cit.* 359: '... we have inscriptions recording work on Hadrian's Wall undertaken both by British cities and by at least one private person.'

inter urbes / rhwng trefi. EEW2 127 n3: 'some 17 in number, secondary to the Wall, as an array of mile-castles and turrets were an integral part of it.' Ymhellach, gw. OCD 956. Cyfieitha Wade-Evans *urbes* yma yn 'fortresses' yn EEW2 127. Nid dyna ystyr arferol *urbs* ('tref, dinas') ond o gofio ei fod yn endid â mur o'i gwmpas ac yn boblog, nid ymddengys dewis y gair hwn ar gyfer 'ceyrydd' y Mur mor amhriodol â hynny.

18.3 **barbaricae ferae bestiae / bwystfilod gwyllt o farbariaid.** Sef Sacsoniaid o dramor.

turres ... collocant / gosodasant dyrau. EEW2 127 n6: 'the forts of the "Saxon shore" from Brancaster to Carisbrooke in Wight, nine of which are named in the *Notitia Dignitatum*. Ammianus Marcellinus refers to the *comes maritimi tractus* ...'.

19. Y trydydd difrodiad.

19.1 **illis ad sua remeantibus / pan oeddynt yn dychwelyd adref.** Sef yn 407, pryd y tynnodd Rhufain ei gwarchodlu yn derfynol o Brydain, yn ôl EEW2 127 n7, 129 n2.

currucis / coryglau. O *curucus* neu *curuca*, Lladineiddiad un ai o'r Wyddeleg *currach* neu ynteu o'r ffurf Gymraeg gytras *corwg* (neu *corwgl*, *cwrwgl*), gw. EEW2 128 n1; GPC 567.

Tithicam vallem / dyffryn y môr. Yn llythrennol 'dyffryn morol'. Cf. *muro utrimque circumdatus tethico,* 'wedi ei amgylchynu ar bob ochr gan fur morol', sef 'mur y môr', 'wall (consisting) of the sea' (yn hytrach na rhyw fath o forglawdd), gw. HW 44-5 n2. Meddylir am y môr, yn drosiadol, fel dyffryn, efallai am ei fod yn ddwfn a bod y tir megis ymylon neu derfynau iddo. Gellid ei gyfieithu'n syml yn 'môr' eithr gan golli ei flas barddonol. Cf. John Morris (gol. a chyf.), *Nennius: British History and the Welsh Annals* (Llundain a Chichester, 1980), 69, c. 37: *et legati transfretaverunt trans Tithicam vallem*. Daw'r ansoddair *Tithicam* yn wreiddiol o'r Groeg *Tethys*, sef 'in mythology, daughter of Earth and Heaven, sister of Ocean ...; becomes the consort of Ocean and bears the Rivers, also the three thousand Oceanids, whose work it is to aid the rivers and Apollo to bring young men to their prime, and Styx, chief of them', OCD 887. Oherwydd cysylltiadau'r dduwies â'r môr, defnyddid ei henw weithiau amdano; ymhellach, gw. HW 44-5 n2. Fe'i cyfieithir 'cefnfor dwfn' yn JOJ 116; 'sea-valleys' yn HW 45; 'sea' yn EEW2 128; 'cefnfor' yn CP 23. Yn HW 45 n2 dyfynnir barn William Reeves fod yr ymadrodd yn 'evidently a poetic expression denoting a marine valley, *i.e.* a strait or firth', ond ni chredaf fod yr ystyr mor benodol â hynny.

in alto Titane / pan fo'r haul yn uchel. Yn wreiddiol o'r Groeg *Titan*, 'one of the older gods who were before the Olympians ... Later poetry often uses Titan and Titanis for Hyperion and Phoebe, Sun and Moon', OCD 913.

de artissimis foraminum caverniculis / o gegau cyfyng eu hogofeydd bach. Adleisir y geiriau hyn yn nhestun Llyfr Coch Hergest o Frut y Tywysogion: '*megys morcrugyon o gyuyghaf tylleu y gogofeu*'.

magis ... tegentes / chwanocach i orchuddio. Gwêl Wade-Evans, EEW2 128 n4, gyfeiriad yma at y cilt Albanaidd, ond gan fod y dilledyn hwnnw yn ymestyn o ganol y corff hyd y pen-glin ac felly'n gorchuddio rhan isaf y corff, anodd gweld sut y cyrhaeddodd Wade-Evans y casgliad hwn. Ceir digon o dystiolaeth bod y Celtiaid gynt yn mynd i ryfel yn noeth, ac yn c. 19.2 cyfeirir at bicellau'r *nudorum* 'y noethion'. Diau bod Homer hefyd yn hepian weithiau!

Muro tenus / hyd at y mur. Hynny yw, 'i lawr hyd at y Mur' (sef Mur Hadrian). Goresgynnir de'r Alban.

19.2 **muris / y muriau.** Sef gwahanol rannau'r Mur.

immaturae mortis / marwolaeth annhymig. Cf. Fergil, Yr Aenëis xi.166-7: *immatura ... / mors ...* .

19.4 **mutuo / oddi ar ei gilydd.** Cydier wrth *latrocinando* yn nes ymlaen yn y frawddeg.

domesticis motibus / gan derfysgoedd cartref. Gw. 4.1n.

regio / rhandir. Ar ei ystyron, gw. 4.3n (*regionibus*). Ymddengys mai rhyw ran o Ynys Prydain (h.y. Prydain Fawr heddiw) a olygir ond nis diffinnir. Gan i'r awdur sôn gynnau am yr ardal o gwmpas Mur Hadrian, mae'n deg tybio bod y *regio* yn cynnwys honno o leiaf. HW 47 'country'; MW 23 'region'.

20.1 **epistolas / llythyr.** Sylwer ar y ffurf luosog: yn y cyfnod ôl-Glasurol defnyddid *epistolae* fel hyn am lythyr sengl (cf. y defnydd tebyg o *littera* yn y ffurf luosog *litterae* am yr un peth).

Agitium Romanae potestatis virum / gŵr o awdurdod dan y Rhufeiniaid. Roedd Flavius Aëtius yn brif weinidog yn y Gorllewin dan yr Ymerawdwr Valentinian III (*ob.* 456 O.C.) a'i fam Galla Placidia (a fu'n rhaglyw iddo nes iddo ddod i'w lawn oed). Fe'i gwnaed yn gonswl am y drydedd waith yn 446 ac am y bedwaredd waith yn 453. Bu farw yn 454. Gallai'r llythyr a grybwyllir yma fod wedi ei anfon ato unrhyw adeg rhwng y blynyddoedd 446 a 454. Ynglŷn â'r ffurf *Agitius* yn y testun, dywed Wade-Evans, EEW[2] 129 n3: 'Agitius is not a mis-copying of Aëtius, but an attempt to distinguish the two initial vowels, *a* and e, from the diphthong *æ*. As the *g* is a *y* in such a setting in Old English, i.e. Ayitius, it follows that the letter is of English provenance.' Gw. hefyd MW 149.

20.2 **famis / newyn.** Gw. c. 19.4 lle disgrifir y newyn. Ffurf arall yw *famis* ar *fames*.

vagis / y bobl grwydrol. O ganlyniad i ymadael o'r dinasoedd a'r Mur uchel, gw. c. 19.3.

20.3 **per multos annos / ers blynyddoedd lawer.** Sef, yn ôl EEW[2] 129 nn2, 8, y cyfnod o 407 (gw. c. 19.1n, *illis ad sua remeantibus*) hyd y Llythyr at Aëtius yn 446 (h.y. 446-54, gw. 20.1n, *Agitium* ...).

strages dabant / dechreuasant wneud lladdfeydd. Yn ôl EEW[2] 129 n7, cyfeirir at fuddugoliaethau Arthur, er nad enwir ef, dros y Pictiaid a'r Sgotiaid, a'u hamseru yn y cyfnod yn dilyn y llythyr at Aëtius: 'These [sef *strages*] are without doubt the victories of Arthur, although Arthur is not named. This was his true setting, an officer in the Roman service defending the province, not against transmarine Saxons (there were none), but against Pictish and Irish plunderers.'

Ond pa faint bynnag o sail sydd i'r gosodiad, rhaid cyfaddef nad yw'r hyn a oedd yn amlwg i Wade-Evans mor amlwg i eraill. Ar yr ymadrodd, cf. Fergil, Yr Aenëis xii.453-4 (*inter alia*): ... *dabit* ... *ruinas* / ... *stragemque* ... (pair ... gwymp a dinistr). Sylwer y cyfieithir *strages* yn 'massacre' yn HW 46 a MW 24 fel pe bai'n enw unigol.

Philonis. Sef Philo, meddyliwr ac esboniwr o Iddew a hanai o Alexandria, *c.* 20 C.C. i c. 50 O.C., gw. ODCC 1065-6.

21.1 **genti, sicut et nunc est ... civilia bella / y genedl hon, megis y mae heddiw hefyd ... rhyfeloedd cartref.** Gw. c. 4.1n.

insulae / yr ynys. Ar wahanol ystyron *insula* yn y Dinistr, gw. c. 3.1n (*insula*). Yma dichon ei bod yn cyfateb i *insula* Llythyr Gildas, Felly hefyd yn c. 21.2 (gw. nodyn).

grassatores Hiberni / y gwylliaid ... o Wyddyl. Sylwer fel yr uniaethir y Sgotiaid â'r Gwyddyl yma.

Picti in extrema parte insulae tunc primum et deinceps requieverunt / am y tro cyntaf ac o hynny ymlaen, ymsefydlodd y Pictiaid yng nghwr eithaf yr ynys. Yn ôl EEW[2] 130 n6, digwyddodd hyn ar ôl 446 O.C. (h.y. yn dilyn adeg anfon y llythyr at Aëtius, 446-54, gw. 20.1n. *Agitium* ...).

21.2 **In talibus itaque indutiis / Ac felly yn ystod cadoediadau o'r fath.** Hynny yw, pan fyddai'r dinasyddion â meddiant drachefn ar yr ynys gyfan ac eithrio gwlad y Pict, EEW[2] 130 n7.

tacite / yn ddistaw. HW 48 a MW 96 *tacitus*, ond ni all hyn fod yn gywir gan mai adferf a ofynnir gan y synnwyr. Pe bai *cicatrix* yn enw gwrywaidd, gallai *tacitus* sefyll mewn cyfosodiad ag ef, ond enw benywaidd ydyw a chan hynny disgwylid ffurf fenywaidd yr ansoddair, sef *tacita*. Cf. y darlleniad *tacite* a geir gan destunau P (editio princeps Pol. Virg. a. 1525) Q (editio altera Ioh. Ioss. a. 1568) yn Mommsen 36.

Quiescente autem vastitate / ond yr anrheithio'n tawelu. Cyfeirir at y cyfnod rhwng y trydydd difrodiad (gw. c. 19n) a'r pedwerydd difrodiad a oedd ar ddod (gw. c. 22.1n) ac a ragflaenodd ddyfodiad y Sacsoniaid (c. 23.1 yml.), EEW[2] 130 n8.

insula / [y]r ynys. Ar wahanol ystyron *insula* yn y Dinistr, gw. 3.1n (*insula*). Yma dichon fod yr *insula* lewyrchus a ddisgrifir yn cyfateb i *insula* drefnus Llythyr Gildas, cf. c. 21.1n (*insulae*). Sylwer bod yr awdur yn cyfeirio at yr *insula* hon yn c. 22.1 fel *regionem* (ar ystyr *regio* yn y Dinistr, gw. c. 4.3n, *regionibus*), ac y mae'n bosibl, ym marn J.P. Brown, ei bod felly yn endid llai fyth nag *insula*

Gildas ac yn debycach i'r *insula* yr ymosodwyd arni gan y Sacsoniaid (cc. 23.1, 4, 5 (x2); 24.1; 26.2). Yr oedd honno (ym marn Brown) yn bendant yn rhywbeth llai, fel yr awgrymir gan *regionem*, gan y geiriau *cunctam paene exurens insulae superficiem* (llosgi bron y cyfan o wyneb yr ynys) yn 24.1, a chan absenoldeb yr enw *Britannia* yn y disgrifiad o'r rhyfel. Nid wyf yn meddwl bod y pwyntiau hyn, ar eu pennau'u hunain, yn profi dadl Brown ynghylch maint yr *insula* neilltuol hon, ond y mae rhesymau eraill dros gredu mai rhan o'r Penrhyn Dyfneintaidd a olygir.

ut nulla habere tales retro aetas meminisset / na chofiai'r un oes am feddiannu dim tebyg cyn hynny. JOJ 118: 'nad oedd yr un oes yn cofio'i gyffelyb'; HW 49: 'that no age remembered the possession of such afterwards'; EEW[2] 130: 'that no age previously had remembered it to have the like'; CP 27: 'fel nad oedd yr un oes yn cofio'i gyffelyb' (cf. JOJ); MW 24: 'that no previous age had known the like of it'. Rhaid anghytuno â chyfieithiad HW gan mai 'gynt, o'r blaen', nid 'wedyn', yw ystyr *retro*. Y broblem yw wrth ba air i gydio *retro*. Mae EEW[2] yn ei gymryd gyda *meminisset* a MW gydag *aetas*, ac yn gystrawennol mae'r ddau gynnig yn gywir, ond mwy naturiol, i'm tyb i, yw ei gymryd gyda *habere*. Gallai *nulla ... aetas*, sy'n dynodi mwy nag un oes, olygu'r oesoedd cyn y gormodedd neu'r cyfnodau rhwng y gormodedd a chyfnod yr awdur.

21.3-6 Non solum ... hoc vitium ... non in via / Nid y drwg hwn yn unig ... nid ar y ffordd iawn. Credai J.P. Brown fod y darn hwn wedi ei seilio ar Lythyr Gildas gan awdur y Dinistr, a'i defnyddiodd fel un o'i ffynonellau gan ei grynhoi.

sed qui ceteris crudeliores extarent / ond er mwyn iddynt ragori ar eraill mewn creulonder. HW 51: 'but such as surpassed others in cruelty'; MW 24: 'but as being crueller than the rest'. Nid yw'n eglur wrth y cyfieithiadau hyn sut yn union y deallai'r cyfieithwyr y gystrawen. Gallai'r modd dibynnol amherffaith yn *extarent* fynegi amod, megis mewn Lladin Clasurol – 'who would be crueller than the rest'. Cyffredin hefyd yn Lladin yr un cyfnod yw'r rhagenw perthynol gyda'r modd dibynnol i fynegi pwrpas, a rhydd hynny synnwyr purion yma. Ni wn pa un a olygir ond dewisais yr ail. Anodd barnu ai'r ystyr hon y ceisir ei chyfleu yn EEW[2] 131 'but who should stand out more cruel than the rest'.

quasi Britanniae subversorem / fel pe bai'n ddinistriwr Prydain. Dynoda *Britannia* fel arfer Brydain Fawr yn y Dinistr (gw. c. 3.1n), ond yn yr achos hwn odid nad yw, fel y dywed J.P. Brown, ynghyd â *subversorem*, yn ffurfio ymadrodd ystrydebol â'i darddiad yn y cyfnod uchel Rufeinig (gelyn y drefn sefydledig – prif elyn, 'public enemy' – neu'r cyffelyb, efallai). Yn ôl EEW[2] 131 n5, cyfeirir, ond odid, at y *superbo tyranno* (gw. c. 23.1n) a ddarbwyllwyd gan ei gynghorwyr i dderbyn y Sacsoniaid i'r wlad.

21.6 **sicut et nunc est / fel sydd yn wir heddiw.** Cyfeiriad arall at wrthrych cyfoes ymosodiadau'r awdur.

22.1 Y pedwerydd difrodiad.

non ignoti rumoris penniger ceu volatus arrectas omnium penetrat aures / fe ddaeth i glustiau astud pawb ohonynt, megis ehediad adeiniog, si nid anghyfarwydd. Â'r *arrectas .. aures* yn enwedig cf. Fergil, Yr Aenëis ii.303: … *atque arrectis auribus adsto* (a safaf gan foeli fy nghlustiau).

iamiamque / eisoes. EEW[2] 132 n4: 'Evidently a Fourth Devastation of Picts and Scots had already begun.'

veterum / eu hen elynion. Sef y Pictiaid a'r Gwyddyl.

regionem / rhandir. Ar ei ystyron, gw. c. 4.3n (*regionibus*). Megis yn c. 19.4 nis diffinnir. Gw. hefyd c. 21.2n (*insula*). Fe'i cyfieithir yn 'country' yn HW 50 a MW 25.

22.2 **flagellatur stultus et non sentit / fflangellir yr ynfyd ac nis teimla.** Cf. Orosius, *Historia aduersum Paganos* vii.26 (adran 10): *impius enim flagellatur et non sentit* (canys fflangellir yr annuwiol ac nis teimla); gw. Neil Wright, *art.cit.* 'Gildas's prose style …' 111.

pestifera … lues / haint dinistriol. Sef y fad felen, ond ni ellir ei amseru'n fanwl yn yr achos hwn.

23.1 **cum superbo tyranno / ynghyd â'r teyrn balch.** Nis enwir ond geilw Beda ef, HEGA i.14, yn *suo rege Uurtigerno* 'eu [deall. y Brythoniaid] brenin Gwrtheyrn', ac odid nad oedd yn gywir yn hyn o beth. Ymhellach, yng ngoleuni hyn gellir gweld pam y dewisodd awdur y Dinistr beidio â'i enwi, sef er mwyn ei ddychanu trwy chwarae ar elfennau'r enw, a ddaw o'r Frythoneg *vortigernos* (neu *uortigernos*), sef *vor* 'uwchlaw' a *tigernos* 'teyrn' yn yr ystyr 'arglwydd', hynny yw 'penarglwydd, overlord'. Rhoddodd yr awdur wedd negyddol ar yr elfennau hyn trwy droi *wor* nid i'r Lladin *super* ond i *superbus* 'balch, trahaus', a *tigernos* nid i *dominus* 'arglwydd' ond i *tyrannus* 'gormesdeyrn'. Trwy chwarae â'r enw fel hyn roedd yn dilyn esiampl Gildas yn ei driniaeth o'r enwau *Dumnonia*, *Caninus* a *Cuneglasus* (cc. 28.1; 31.1; 32.1). Yn David Dumville, 'Gildas's geographical perspective: some problems', yn GNA 70-1, eir heibio i'r uniaethiad o'r *superbus tyrannus* â Gwrtheyrn.

Ategir mai Gwrtheyrn a olygir gan y sôn isod (c. 25.3) am Ambrosius, sef Emrys Wledig, oherwydd yr oeddynt yn gyfoeswyr a gwrthwynebwyr i'w gilydd. Ond y mae awdur y Dinistr ar gyfeiliorn yn uniaethu'r gŵr a dderbyniodd y Sacsoniaid i'r *insula* â Gwrtheyrn gan y gwyddys i hwnnw farw cyn i St. Garmon adael Prydain wedi ei ymweliad cyntaf yn 429. Yn yr un modd, camuniaethir Ambrosius â'r cadfridog Prydeinig a enillodd y fuddugoliaeth gyntaf ar y Sacsoniaid; gw. EEW[2] 42, 133, 136. Gw. hefyd HW 52.

Fel olnod, cwestiwn diddorol yw sut y cafodd y Sais Beda ar ddeall mai Gwrtheyrn a olygid wrth y 'teyrn balch'. Dichon ei fod yn ddigon gwybodus am y Frythoneg i fedru tynnu'r casgliad ei hun. Posibilrwydd arall yw iddo holi rhyw Gymro dysgedig. A ddichon, o ran hynny, mai awdur y Dinistr ei hun oedd ei ffynhonnell?

excidium patriae / dinistr ... i'w mamwlad. Cf. c. 26.2 *insulae excidii.*

illi ... Saxones / y Sacsoniaid ... hynny. Dyma'r unig enghraifft o *Saxones* yn y testun. Ar ei ystyron, dywed EEW[2] 133 n5: '(1) continental invaders grouped together under this appellation, who assailed Britain along the "Saxon Shore", *litus Saxonicum*, from the third century, and were finally repelled by the provincials in 408; (2) a literary term in Latin for the Angles and Frisians of Britain, whence derives the Welsh *Saeson*.' Gw. hefyd *ib*. 46, 53. Cf. hefyd MW 150: 'Used [h.y. *Saxones*] by Roman writers as a general term for barbarians beyond the Franks. In Britain they preferred the term *Engle*; though some districts and a few writers adopted Roman usage as a collective, no individual settled or born in Britain is known to have called himself a "Saxon".' Yn ôl J.P. Brown, gallai'r rhagenw *illi* ddynodi llwyth Germanaidd neilltuol, sef y Jiwtiaid (*Jutes*, a elwid hefyd yn Ffrisiaid, *Frisians*) rhagor yr Eingl, *Angles*.

in insulam / i mewn i'r ynys. Gw. c. 21.2n (*insula*). Felly hefyd cc. 23.4, 5 (x 2); 24.1; 26.2.

intromitterentur / derbyn i mewn. EEW[2] 133 n7: 'So far there is nothing in the narrative to fix the precise date of this alleged first admission of "Saxons" into the island, but it is implied that it occurred (whatever the historic event) no small interval after 446 A.D.' Byddai hyn yn ystod 446-54, gw. c. 20.1n (*Agitium ... virum*).

23.3 **grex catulorum de cubili leaenae / dyma genfaint o genawon ... o wâl y llewes.** Cf. Llythyr Gildas c. 28.1n.

cyulis. Ffurf luosog y Saesneg *keel* mewn gwisg Ladin.

tribus, ut lingua eius exprimitur, cyulis, nostra longis navibus / mewn tair *cyula*, ys dywedant yn eu hiaith hwy am longau rhyfel ein hiaith ni. Y mae'n anodd gwybod pa un ai iaith y testun, sef y Lladin, a olygir wrth *nostra* – gyda *nostra* yn cynnwys darllenwyr y Dinistr yn ogystal â'i awdur, er y gallai hefyd ddynodi'r awdur yn unig (megis yn y 'ni brenhinol'), cf. 26.4n (*nostra*) a Llythyr Gildas c. 35.3n (*nostrae*) – ynteu iaith yr awdur, hynny yw ei famiaith.

Os y cyntaf a olygir, yna dichon fod cyfochreb yng nghyfarchiad Gildas yn y Llythyr, c. 32.1, i Cunoglasus: *Ut quid ... Cuneglase, Romana lingua lanio fulve?* (Cuneglasus, yn iaith y Rhufeiniaid, rhwygwr o flaidd melynllwyd?), yn gymaint â bod Gildas yn dyfynnu gair o iaith arall, sef yr enw Brythoneg Cunoglasus, mewn testun Lladin ac yna'n ei gyfieithu gan ddynodi iaith y cyfieithiad fel *Romana lingua*. Tebyg hefyd yw'r geiriad *Romana lingua*, gan gynnwys y gystrawen abladol, i *nostra (lingua)* y Dinistr, ac er nad yw awdur y Dinistr yn dweud yn benodol pa iaith a olygai, nid oedd angen dweud gan ei bod yn amlwg mai'r Lladin ydoedd. Gallai Gildas fod wedi ysgrifennu *nostra lingua* yn lle *Romana lingua* am yr un rheswm, a gallai awdur y Dinistr fod wedi ysgrifennu *Romana* neu *Latina lingua* am *nostra (lingua)*; mae angen cofio'r elfen o chwaeth bersonol sydd mewn mynegiant.

Ar y llaw arall, deallwyd *nostra (lingua)* gan amlaf yn gyfeiriad at famiaith yr awdur, ac arweiniodd hynny yn ei dro at y cwestiwn beth, felly, oedd ei famiaith, gyda rhai yn meddwl mai'r Lladin, eraill y Gymraeg (neu ryw ffurf arni). Efallai mai'r hyn a arweiniodd at y dehongliad hwn yw'r cyfeiriad at iaith y Sacsoniaid (*lingua eius*): tebyg mai'r iaith a siaradent, hynny yw eu mamiaith, a olygir, felly tueddwyd i feddwl mai ei famiaith yntau a olygir gan yr awdur wrth *nostra (lingua)*, er nad yw'r ail yn dilyn o reidrwydd o'r cyntaf. Os felly, gan mai Lladin yw'r geiriau *longis navibus* sy'n cyfateb i'r Sacsoneg *cyulis*, gellir dadlau mai Lladin oedd mamiaith yr awdur. Fodd bynnag, ar wahân i'r Saesneg, ieithoedd Celtaidd, gan gynnwys y Gymraeg, oedd yr ieithoedd brodorol a siaredid ym Mhrydain yng nghyfnod yr awdur, hanner cyntaf yr 8g. Felly go brin y gallasai'r Lladin fod yn famiaith iddo. Os y Gymraeg, ar y llaw arall, a siaradai, pam mai yn Lladin ac nid yn Gymraeg y dyfynnodd *longis navibus*?

Gellid dadlau, ar bwys y tebygrwydd rhwng y Gymraeg *llong* a'r Lladin *navis longa*, y benthyciwyd *llong* ohoni, mai *llongau* a olygai'r awdur mewn gwirionedd wrth *longis navibus* (gw. EEW[2] 134 n2) serch iddo ddewis ei ledguddio a'i ensynio dan y Lladin yn hytrach na'i ddatgelu yn agored a hynny efallai oherwydd ei ddirmyg at y *cives* a gystwyir ganddo. Camarweiniol braidd o ran ystyr, er hynny, yw yr hyn a ddywed oherwydd golyga *llong* 'ship' yn gyffredinol a *navis longa* 'llong ryfel' yn benodol. Er cywirdeb ystyr, gallasai'r awdur ddewis *navibus* 'llongau' ond fel hyn collasid y tebygrwydd ffurfiol rhwng *llongau* a *longis navibus* yn ogystal â'r gyfatebiaeth ystyr rhwng *longis navibus* a'r *cyulis*, a fuasai, oherwydd y giwed ryfelgar a gwaedlyd a'u llenwai, yn 'llongau rhyfel' yn hytrach nag yn 'llongau' yn unig. Gellid dadlau y gallasai'r awdur ymestyn ystyr 'llong' ddigon yn ei feddwl ei hun iddi olygu 'llong ryfel' iddo, neu fod 'llong' yn gallu golygu 'llong ryfel' ar dro beth bynnag, ond rhy agos i fyd dyfalu yw hyn (ac ni restrir yr ystyr hon yn GPC 2204).

Ar sail yr ail ddehongliad hwn o eiriau'r testun, sef eu bod yn ymwneud â mamiaith yr awdur, ni ellir profi dim a rhaid troi at dystiolaeth amgen i geisio gwybod beth oedd ei famiaith. Fel y dywedwyd, odid mai Lladin ydoedd. Gall mai rhyw ffurf ar y Gymraeg, neu hyd yn oed y Frythoneg (cf. c. 23.1n), ydoedd – a rhoi bod yr iaith Geltaidd yn parhau i ryw raddau i ddal ei thir yn y rhandir Seisnig ei ddylanwadau lle trigai'r awdur.

Anodd yn wir yw cyrraedd casgliad pendant ynghylch arwyddocâd geiriau'r testun, ond y mae'r dehongliad cyntaf yn llai dyrys na'r ail, ac yn fy marn i yn debyg o fod yn nes at y gwir.

23.4 **in orientali parte insulae / yn rhan ddwyreiniol yr ynys.** Cf. hefyd c. 24.1 *orientali sacrilegorum manu* (gan y llu dihirod o'r dwyrain).

Cui ... spuriis / ati ... bastardaidd. EEW^2 134 n5: 'The arrival of the two gangs constitutes the only *adventus Saxonum* known to our author.'

catastam / nid ffit ond i'w gwerthu'n gaethweision. Gair anghyffredin a geir hefyd yn c. 109.3. Gw. hefyd y Rhagymadrodd.

23.5 **hospitibus ... annonas ... epimenia / er mwyn eu gwestywyr ... cyflenwadau ... dognau misol.** '... late Roman technical terms for the billeting of federate allies', MW 150.

Nec mora / ac ni fuont yn fyr. Cf. Fergil, Yr Aenëis v.368: *nec mora* (ni bu dim oedi); ceir *haud mora* (heb oedi) hefyd *passim*.

24.1 **orientali sacrilegorum manu / gan law'r dihirod o'r dwyrain.** Cychwynnodd y Sacsoniaid o 'ran ddwyreiniol yr ynys' (*orientali parte insulae*, c. 23.4).

finitimas quasque civitates agrosque populans / wrth iddo ddifa'r holl ddinasoedd a thiroedd cyfagos. EEW^2 135 n5: 'It is questionable whether any city in Roman Britain has ever revealed signs of having been sacked.' Cyfetyb *civitates* yma i *urbium* pennawd yr adran hon, gw. 3.2n.

24.3 **cunctae coloniae crebris arietibus omnesque coloni ... simul solo sternerentur / fel hyn medwyd i'r llawr yr un pryd yr holl drefedigaethau ... gan fynych ergydion hwrddbeiriannau.** Cf. Fergil, Yr Aenëis ii.492-3: ... *labat ariete crebro / ianua* ... (mae'r drws yn gwegian gan fynych ergydion yr hwrddbeiriant).

coloniae / trefedigaethau. EEW^2 135 n11: 'properly so called, were four at least in number, Camulodunum (Colchester), Lindum (Lincoln), Glevum (Gloucester), and Eburacum (York). There was also one *municipium*, Verulamium (St Albans).' Gw. hefyd *Map of Roman Britain* (3rd ed., Surrey, 1956).

murorumque celsorum / a muriau tal. Gan fod y rhain yn dibynnu'n ramadegol ar *ima ... saxa*, felly hefyd yn y cyfieithiad dibynna 'muriau tal' (h.y. yn ogystal â 'tyrau') ar 'meini isaf': gwelid meini isaf y tyrau *a'r* muriau tal. Er mwyn osgoi amwysedd, gellid bod wedi geirio: 'meini a fuasai'n seiliau i dyrau ucheldrawst dymchweledig ac i furiau tal', neu'r cyffelyb, ond credaf fod y cyd-destun yn gwneud y cyfieithiad a gynigir yn ddigon clir.

25.1 **alii ... perstabant / Glynai eraill.** Yn ôl EEW[2] 136 n3, y pedwerydd ac olaf dosbarth hwn o ffoaduriaid oedd yr un a oroesodd.

25.2 **tempore igitur interveniente aliquanto / ymhen rhyw gymaint o amser, gan hynny.** EEW[2] 136 n4: 'the length of the interval is not given, but it seems to have been considerable before the aggressors returned to their base.'

cum recessissent domum / wedi dychwelyd adref. EEW[2] 136 n5: 'i.e., when they had returned home. This passage, however, has often been interpreted as signifying "when they had returned to their home across the sea".'

onerantes aethera votis / gan lwytho'r awyr ag ymbiliau. Cf. Fergil, Yr Aenëis ix: 24: *oneravitque aethera votis* (a llwythodd yr awyr â'i addunedau).

25.3 **Ambrosio Aureliano.** Sef Emrys Wledig y traddodiad Cymreig. Fe'i camuniaethir yma â'r cadfridog Prydeinig a enillodd y fuddugoliaeth gyntaf ar y Sacsoniaid, oherwydd yr oedd Emrys yn gyfoeswr i Wrtheyrn (gw. c. 23.1n, *superbo tyranno*).

purpura ... indutis / pobl ... a wisgai'r porffor. Dynoda *purpura* y dillad porffor a wisgid gan frenhinoedd ac ynadon. Yn ôl MW 151: '*Purpuram sumere* is the late empire technical term for to "become emperor"; *induere* carries a slight suggestion of "assume without adequate qualification" .'

26.1 **Ex eo tempore ... et meae nativitatis est / O'r adeg honno ... ac sydd hefyd yn flwyddyn fy ngeni.** Bu'r frawddeg hon a'i dull cywasgedig a chymhleth yn gryn benbleth i lawer o ran ei chronoleg. Am drafodaeth, gw. DEGAD, pennod saith.

Ex eo tempore / O'r adeg honno. Hynny yw, adeg buddugoliaeth Ambrosius (c. 25.3).

nunc cives, nunc hostes, vincebant / weithiau y dinasyddion fyddai drechaf, weithiau'r gelyn. Sylwer nad oes unrhyw awgrym am ba hyd y parhaodd y brwydrau hyn.

annum obsessionis Badonici Montis / blwyddyn gwarchae Mynydd Baddon. Yn 665 O.C., nid 516.

quique quadragesimus quartus ... orditur annus mense iam uno emenso / blwyddyn sydd ... yn cychwyn fel y bedwaredd a deugain, ac un mis ohoni eisoes wedi mynd heibio. Hynny yw, y mae'r *annum obsessionis Badonici*

Montis (gw. y nodyn blaenorol) bellach ar ei phedwaredd flwyddyn a deugain oed.

Yr anhawster sylfaenol ynglŷn â'r rhan hon o'r frawddeg yw nad yw'n eglur a yw'r cyfnod o 43 mlwydd a mis yn *rhagflaenu* dyddiad brwydr Mynydd Baddon ynteu'n ei *ddilyn*. Os y cyntaf a olygir, yna ymladdwyd y frwydr 43 blwydd a mis wedi rhyw ddigwyddiad blaenorol (yn 622, o dderbyn 665 fel dyddiad brwydr Mynydd Baddon), ond y mae'n dilyn hefyd ddarfod ysgrifennu'r Dinistr o fewn mis wedi brwydr Mynydd Baddon ac ymddengys hynny'n annhebygol iawn. Ar y llaw arall, os yr ail a olygir, y mae 43 o flynyddoedd a mis wedi pasio oddi ar flwyddyn brwydr Mynydd Baddon; dyna hefyd oedd oed yr awdur, ac erbyn diwedd y cyfnod hwnnw roedd wedi ysgrifennu'r Dinistr. Mae fy nealltwriaeth fy hun o'r frawddeg a'm hymdeimlad â hi yn fy ngogwyddo at yr ail ddehongliad, a dyna fu barn y rhan fwyaf o ysgolheigion, megis Zimmer, Mommsen, Lloyd, Wade-Evans, Jackson.

26.2 **Sed … non civilibus / Ond ... nid felly rai cartref.** Deellir bod y dinasoedd yn gorwedd yn anghyfannedd oherwydd rhyfeloedd cartref; ond fel y dywedir yn EEW[2] 137 n4: 'But what civil wars? If the *Britanni* had all been expelled (as he says) into the western hills, any civil wars among them in those remote parts would hardly account for the desolation of the cities in the parts from which they had been driven. On the other hand, if the desolate state of the cities was due to continued internal strife, there must have been civil wars going on all the time, not among the expelled provincials, but among those who according to the author had replaced them.' Cymeraf mai'r hyn a olygir wrth y geiriau 'there must have been civil wars going on all the time' yw 'civil wars must have gone on all the time', hynny yw dros ryw gyfnod penodedig cyn oes yr awdur. Tybed, er hynny, ai rhywbeth arall oedd yn gyfrifol am anghyfanedd-dra'r dinasoedd hyn? Yn ôl F. M. Stenton, *Anglo-Saxon England* (3ydd arg., Rhydychen, 1986), 3: 'There is every reason to believe that the continuity of urban life in Britain had long been broken when Gildas wrote, and that monarchy was already an established institution.' Os felly, yn groes i gred awdur na wyddai ddigon efallai am y gorffennol pell, nid ymosodiadau'r Saeson a barodd ddinistr y dinasoedd gan eu bod eisoes yn wag, a gall mai o ganolfannau eraill mewn gwirionedd y ffodd eu trigolion. Afraid dweud mai dyfalu yw hyn, yn enwedig gan nad enwa'r awdur y dinasoedd.

desertae dirutaeque hactenus squalent / hyd heddiw gorweddant yn llanastr anghyfannedd, maluriedig. Cf. c. 4.2 *extra deserta moenia* (tu allan i furiau dinasoedd anghyfannedd).

insperatique … auxilii / y cymorth annisgwyl. Cyfeiriad, fe ymddengys, at y cymorth a ddaeth trwy law Ambrosius Aurelianus (c. 25.3) a'r llwyddiannau a ddilynodd hynny. Rhyfedd braidd yw cyfieithiad MW 28 o *auxilii* fel 'recovery'.

26.3 **exceptis paucis et valde paucis / eithriaf ychydig rai – ychydig iawn.** Ai aelodau o'r *supra dictis ... ordinibus* (y rhengoedd uchod) a grybwyllir yng nghymal blaenorol y frawddeg ac a nodir yn c. 26.2 fel *reges, publici, privati, sacerdotes, ecclesiastici* (brenhinoedd, pobl gyhoeddus a phreifat, offeiriaid ac eglwyswyr)? Gallai'r ychydig rai a grybwyllir gan yr awdur gynnwys aelodau o bob un o'r rhengoedd hyn – ac yn enwedig, efallai, o'r ddwy olaf. Y mae'r geiriau yn c. 26.4 *quibus nostra infirmitas in sacris orationibus ut non penitus conlabatur quasi columnis quibusdam ac fulcris saluberrimis sustentatur* (y mae eu gweddïau sanctaidd yn cynnal fy ngwendid, megis â cholofnau ac ategion cadarn, rhag iddo gwympo'n yfflon i'r llawr) yn awgrymu pobl ymroddedig i weddi. Nid oes sôn am fynaich fel y cyfryw, er y gellid eu cynnwys dan y term *ecclesiastici*. Y mae'n bosibl, ar y llaw arall, mai ystrydeb oesol yn hanes Cristnogaeth sydd yma – yr ychydig ymroddedig yn gweddïo'n ddi-baid dros eneidiau'r mwyafrif pechadurus.

26.4 **Quorum ... de his / y dynion hyn ... ynghylch y rheini.** Cyfeiria *quorum* at y rhengoedd a grybwyllir yn c. 26.2, 3 (*reges* ... etc.) a *his* at rywrai yn eu plith. Troedia'r awdur yn ofalus wrth wahaniaethu rhwng y gwych a'r gwachul o fewn yr un rhengoedd.

nostra infirmitas / fy ngwendid. Cyfeiria'r awdur ato'i hun; cf. Llythyr Gildas c. 35.3n (*nostrae*).

Quippe ... nationes? / Oherwydd paham ... y mae'r cenhedloedd? Ar y ddadl bod y frawddeg hon yn cychwyn c. 27 yn wreiddiol yn hytrach nag yn cloi c. 26, gw. uchod tt. 61-2.

Llythyr Gildas (parhad)

27.1 **iudices / [b]arnwyr.** Nis nodir fel dosbarth ar wahân i'r *reges* yn y Llythyr oherwydd ei drin fel gair cyfystyr â *reges*. Fel y dywed Paul Schaffner, 'Britain's *iudices*', yn GNA 154: 'It would appear that the general use of *iudex* for "ruler" lies well within the possible range of meaning attested in Late Latin texts, and need not imply that Gildas has specific officials or functions in mind. In fact Gildas's reference to *iudices* alongside *reges* is best to be explained by reference to biblical language ... where *iudices* are equated with *reges* ... .'

28.1 **leaenae ... catulus / cenau ... llewes.** Ar ddefnyddio *leaena* am wlad, gw. Dinistr Prydain c. 6.1n (*leaena ... dolosa*). Ar gyffelybu Constantinus i anifail, cf. cc. 30.1 *catule leonine* am Caninus; 31.1 *pardo* am Vortiporius; 32.1 *urse* am

Cuneglasus; a 33.1 *draco* am Maglocunus. Dywed Lloyd, HW 131 n29, am yr anifeiliaid hyn: 'The four beasts … appear to be taken from the Apocalypse (xiii. 2) where the dragon is supreme.' Datguddiad 13: 2 'Yr oedd y bwystfil a welais yn debyg i lewpart, ond ei draed fel traed arth a'i enau fel genau llew. A rhoddodd y ddraig [*ib.* pennod 12] iddo ei gallu a'i gorsedd ac awdurdod mawr.' Os felly, yn nelweddaeth Gildas cynrychiola'r ddraig Maglocunus gan mai ef yw'r mwyaf pwerus o'r pum teyrn; gw. hefyd Sims-Williams, 'Gildas and Vernacular Poetry', yn GNA 187. Ceir y syniad o genau llew yn c. 33.4, *catulorum leonis* am filwyr ond mewn ystyr ganmoliaethus.

Damnoniae. Chwarae y mae Gildas yn goeglyd ar y ffurf gywir *Dumnoniae* (o'r Frythoneg *Dumnonia*), sef Dyfnaint, Cernyw, a rhan o Wlad yr Haf (MW 152), trwy ddefnyddio'r *Lladin damnare,* 'collfarnu, cyfrgolli', er mwyn portreadu'r deyrnas fel lle '*damn*edig', drygionus; cf. WCO 259: 'The form of the name seems to be purposely chosen to suggest a land under condemnation because of the wickedness of its prince.' Dyma'r gyntaf o bum enghraifft yn y Llythyr o dechneg lle hoelir sylw am ennyd ar air Brythoneg, gwirioneddol neu ymhlyg ac sy'n enw priod gan amlaf, gan chwarae ar y ffurf neu'r synnwyr â'r Lladin er mwyn, fel rheol, wyrdroi'r ystyr yn ddychanus. Ceir y lleill yn cc. 30.1 *Canine*; 32.1 *receptaculi ursi*, *lanio fulve*; 33.1 *draco*. Yn ôl WAB 95: 'In 500, three languages were widely spoken in Wales: British, Latin, and Irish', ac awgryma'r enghreifftiau hyn fod Gildas yn medru'r Frythoneg a bod yr iaith honno nid ymhell y tu cefn i'w Ladin.

Constantinus. 'Not to be confused with numerous other rulers of the same name', MW 152, ond ni fanyla. Yn ôl Wade-Evans, EEW^2 24: '… [Constantine of Damnonia] … can hardly be other than the Custennin Gernyw of Welsh tradition, Constantine of Cornovia (the West Country), whose subsequent conversion was one of the great sensations of the time, for he abandoned his kingdom, entered a monastery in truth and sincerity, and is listed among the saints'. Yn ôl DEGAD 96, gall yn hawdd mai'r brenin hwn yw'r *Constantinus, Cornubiensium rex* a grybwyllir ym Muchedd Dewi, c. 32, gw. J. Wyn Evans a Jonathan Wooding (gol.), *St. David of Wales: Cult, Church and Nation* (Woodbridge, 2007), 128, 130. Yn DEGAD 97 dodir ei *floruit* tua 520-3. Gw. hefyd ib. 93 yml. ar yr anhawster ynglŷn â'i achlen.

deo … fretis / yn ymddiried ... yn Nuw. Yn ôl MW 152: 'This parenthesis is difficult to follow. It was surely the royal youths who trusted in God and the rest. The holy men should be the clergy present in the church at the time of the murder, the mother their own. This may be a relic of a first draft, inefficiently worked into a new context.' Ond nid oes dim yn chwithig yn y cymal os deellir, yn unol â'r gystrawen, y dinasyddion yn oddrych iddo, oherwydd yr oedd llw'r brenin yr un mor berthnasol iddynt hwy, fel rhai a fygythid gan ei ddrygioni cyn hynny, ag i'r ddau dywysog ifanc, a gellir cymryd *sanctorum* a *Genetrice* i ddynodi'r saint a Mair mam Duw a fyddai'n dystion anweledig yn nefod tyngu'r llw. Cymharer y llw a wnaeth Maelgwn Gwynedd ar goedd a gerbron Duw, dynion ac angylion i fynd yn fynach yn c. 34.1: 'Ac yna gyhoeddi'r mater i'r byd a'r betws ei wybod – oni wnaethost, meddaf, adduned i fod byth mwy yn fynach? Gwnaed hyn, heb unrhyw fwriad (fel y dywedaist) i wrthgilio, gerbron Duw hollalluog ac yng ngolwg dynion ac angylion.' Fe allai'r cymal, fodd bynnag, fod â Constantinus yn oddrych iddo, a hynny'n naturiol iawn, pe darllenid *fretus* am *fretis* er nad ategir hynny gan ddarlleniadau'r llawysgrifau.

duum / dwy. Ffurf arall ar *duorum*.

28.3 **victus / llethwyd ef.** Dealler *est* ar ei ôl.

29.1 **Age iam … propriae / Tyrd yn awr ... dy hun.** Atseinia'r geiriau iaith llys barn. Ar hyfforddiant Gildas yn y gyfraith, gw. y Rhagymadrodd.

30.1 ***catule leonine / y cenau llew.*** Gw. c. 28.1n (*leaenae ... catulus*).

Aureli Canine. Ffurfiau cyfarchol *Aurelius Caninus*. Yn *Canine* chwaraeir ar yr enw Brythoneg **Cunigne* < **Cunignos*, Cymraeg *Cynin*, gw. LHEB 463-4, a'r ansoddair Lladin *caninus*, Saesneg 'canine', o *canis* 'ci' er mwyn portreadu'r gwrthrych fel rhywun iselwael. (Oni bai am y chwarae ar eiriau, *Cunine* fuasai ffurf y Lladin.) Gw. hefyd c. 28.1n (*Damnoniae*). Credai Wade-Evans, EEW[2] 24, fod *Caninus* yn dod o *Cynin*, ond er mai'r un enw, fe ymddengys, yw *Cynin* a **Cunignos*, y mae'n fwy tebygol, yng ngoleuni'r wybodaeth a ddengys Gildas o enwau priod Brythoneg eraill, mai o'r ffurf Frythoneg yn hytrach nag o'r ffurf Gymraeg ddiweddarach y daeth *Caninus*.

Credai Wade-Evans fod Aurelius Caninus i'w uniaethu â'r Cynwawr fab Tudwal Befr hwnnw y ceir ei enw yn achresi brenhinol Dumnonia. Apeliodd ar yr un pryd at gyfatebiaethau a welai rhwng enw cyntaf Aurelius, sy'n dod o'r Lladin *aurum* 'aur', ac ail elfen enw Tudwal Befr, *pefr* 'gloyw, disglair', adlewyrchiad efallai o *Aurelius* fel enw teuluol; a chyfatebiaeth hefyd rhwng y gair *recordare* 'cofia' ynglŷn â Chynin (c. 30.2) a'r modd y cyfeirir ato mewn mannau fel *Cynin Cof* gyda'r glos Lladin *memoriae* ar *Cof*; gw. WCO 260-1; EEW[2] 24.

Daliai Wade-Evans hefyd fod Aurelius Caninus i'w leoli yng Nghernyw: gall mai dyna yw ergyd y geiriau *velut quibusdam marinis irruentibus tibi ... undis* (megis gan donnau'r môr yn rhuthro arnat yn ddifaol) (c. 30.1), 'possibly a covert reference to his narrow sea-bound realm of Cornwall', EEW[2] 24 a cf. WCO 260. Ond ei brif reswm dros gysylltu Aurelius Caninus â Chernyw oedd ei gred mai'r un gŵr ydoedd â'r brenin March yn rhamantau enwog Trystan ac Esyllt, a darddodd yn wreiddiol o Gernyw, gw. WCO 260-1; EEW^2 24-5. Yn ôl y chwedl, nai i'r brenin March, nid ei fab, oedd Drustanus ('Trystan' neu 'Drystan' yn Gymraeg), ond yn ôl WCO 260, '… Leland records a tradition that Conan, by whom he meant Cynin [sef Quonomorius, gan fod *Cynin* yn ffurf anwes ar *Cynfor* < *Quonomorius*] had a son called Tristram'. Cyrhaeddodd y casgliad hwn trwy ddal sylw ar ddisgrifiad ym Muchedd Pol de Léon (Paulus Aurelianus, neu Paulinus / Peulin), a ysgrifennwyd gan y Llydawr Wrmonoc yn 884, o ymwneud y sant â brenin o'r enw Marcus, a elwid hefyd yn Quonomorius, Cynfor yn Gymraeg, yr un enw ag yn achos mab Tudwal Befr, ac a drigai rywle yn ne-orllewin Prydain. Gw. Charles Cuissard, 'Vie de Saint Paul de Léon', *Revue Celtique* v (1881-3), 413-60, yma 431-2. Y mae lle, yn sicr, i ddadlau dros uniaethu Marcus / Quonomorius y Fuchedd â'r brenin March o Gernyw. Yn TYP^4 434 fe'i huniaethir â gŵr o'r un cyfnod, yntau o'r enw Quonomorius (ond nid Marcus yn ogystal), a grybwyllir gan Gregor o Tours fel rheolwr yn Dumnonia Llydaw, ac a ddaeth yn enwog yn nhraddodiadau'r wlad honno fel math o *Bluebeard* (gw. yn enwedig HW 355-61). Ond y mae lle i gwestiynu'r farn hon. Yn un peth, os gellir dibynnu ar Fuchedd Pol de Léon yn hyn o beth, crybwyllir cyfarfyddiad Pol â Marcus / Quonomorius tra oedd Pol yn ne Prydain a chyn iddo groesi i Lydaw, ond roedd y Quonomorius a grybwyllir gan Gregor yn byw yn Llydaw, nid ym Mhrydain. Hefyd, nid oes sôn ym Muchedd Pol am y pechod neilltuol ac anhygoel yr oedd Quonomorius Llydaw yn enwog amdano; portreadir Marcus / Quonomorius, yn hytrach, fel brenin pwerus a oedd wedi adeiladu teyrnas eang ac amlieithog ond a oedd hefyd yn ddigon call i werthfawrogi pwysigrwydd Cristnogaeth yn ei gynlluniau uchelgeisiol ac i geisio cymorth Pol i'w sefydlu hi yn ei deyrnas. Gellir cynnig mai'r ateb i'r broblem yw fod a wnelom â dau gymeriad gwahanol o'r un enw. Os felly, ac os cynhwysir Cynfor ap Tudwal Befr, yr oedd tri gŵr gwahanol o'r enw Quonomorius / Cynfor yn byw yn yr un cyfnod yn fras.

Medd Wade-Evans eto (WCO 261): 'He [sef March] has left his name at Tregoning formerly Cair Kenin, i.e., Caer Cynin "Cynnin's Fort" in St. Breage, Cornwall, and his other name Mark, at Marksbury near Bath in Somerset', WCO 261. Gellir ychwanegu Kilmarth ym mhlwyf Tywardreath, a llai na milltir oddi yno saif Castle Dore, cloddwaith pwysig ger aber afon Fowey a safle gwreiddiol maen arysgrifedig o'r 6g. sy'n dwyn y geiriau trawiadol 'Drustanus hic iacit Cunomori filius', gw. D. Simon Evans (gol.), G.H. Doble, *Lives of the Welsh Saints* (Caerdydd, 1971), 156-7; TYP^4 436. Hefyd, yn y fersiynau cynharaf o chwedl Trystan ac Esyllt cysylltir March â Lantyan, maenor ym mhlwyf St. Samson, Golant, drachefn ger aber afon Fowey, Evans, *op.cit.* 156. Fodd bynnag, os yw'n rhesymol uniaethu Marcus / Quonomorius y Fuchedd â'r brenin March o Gernyw, nid yw unrhywiaeth ei enw ag eiddo Cynwawr (< Quonomorius) fab Tudwal Befr yn golygu o reidrwydd mai â'r un gŵr y mae a wnelom yn y ddau achos, fel y credai Wade-Evans, oherwydd y mae Cynfor yn enw cyffredin yn y cyfnod. Ond y rhwystr mwyaf i'w huniaethu, fel y dadleua O'Sullivan, DEGAD 100-01, yw fod March (Marc) yn y traddodiad Cymreig yn fab i Feirchion, nid i Dudwal Befr. Os nad oes digon o garn, felly, i uniaethu Marcus / Quonomorius o Gernyw â Chynwawr fab Tudwal Befr, ni ellir derbyn yn ddigwestiwn brif ddadl Wade-Evans mai Cernyw oedd tiriogaeth Aurelius Caninus. Serch hynny y mae'r geiriau *marinis irruentibus ... undis* y dyfalodd Wade-Evans yn graff ynghylch eu harwyddocâd yn awgrymus yn fy marn i er na ellir eu cyfrif yn brawf, ac ni raid gwrthod y posibilrwydd mai yn rhywle yn y Penrhyn Dyfneintaidd, megis Cernyw, yr oedd Aurelius Caninus yn teyrnasu.

Dyry O'Sullivan *floruit* Aurelius Caninus tua 485-9, DEGAD 102. Ar yr un pryd, mynega betruster ynghylch cywirdeb hyn. Yn achau brenhinol Dumnonia, y mae Constantinus yn dilyn Aurelius, a chan mai 520-3 yw'r *floruit* a rydd O'Sullivan i Constantinus, gellid ystyried Aurelius yn dad iddo. Eithr gwrthyd O'Sullivan y posibilrwydd hwnnw oherwydd cymryd disgrifiad Gildas o Aurelius fel *Relictus ... iam solus ac si arbor in medio campo arescens* (wedi dy adael fel coeden unig yn crino yng nghanol maestir) (c. 30.2) i olygu ei fod yn ddi-blant, *ibid.* 97. Os felly, ni all ef a Constantinus fod yn dad a mab, a go brin bod pob un o'r ddau *floruit* yn gywir. Ond y mae ffordd arall hefyd o ddeall geiriau Gildas, oherwydd sôn y mae am unigrwydd Aurelius *mewn perthynas â'i dadau a'i frodyr*, sydd i gyd wedi marw'n gynamserol ac ym mlodau eu dyddiau (c. 30.2), ac nid ag unrhyw epil, a byddai'n syndod pe bai'n ddi-blant. Os cywir y dehongliad hwn, gallai Aurelius a Constantinus fod yn dad a mab a *floruit* y cyntaf aros yn 485-9.

Yn MW 152 lleolir Aurelius Caninus yn wahanol: 'Since the other kings are listed in geographical order, south to north, he may have ruled in the Gloucester region', ond nid yw'r ddadl hon yn argyhoeddi. Ystyria Dumville fel posibilrwydd frenin o Bowys, sef Cinnin map Millo map Camuir gan ddodi ei *floruit* yng nghanol y 6g., GNA 56-7.

velut quibusdam marinis irruentibus tibi ... undis / megis gan donnau'r môr yn rhuthro arnat. Gw. uchod, a cf. hefyd c. 110.2 *et incessanter irruentibus vobis scelerum cumulatorum ac si undis* (gan donnau, fel petai, eich pentyrrau pechodau sy'n rhuthro arnoch yn ddi-baid). Dyma'r gyntaf o bum enghraifft o ymadroddion sydd fel pe baent yn gyfeiriadau anuniongyrchol at leoedd neilltuol yn bennaf. Ceir y lleill yn cc. 30.2 *recordare*; 32.1 *Receptaculi Ursi*; 33.2 *celsorum ceu montium ... moles?*; 65.1 *tantos talesque ... montes*.

31.1 pardo / i lewpart. Gw. 28.1n (*leaenae ... catulus*).

boni regis / i frenin da. Sef Aergul / Aircol (ap) Lawhir ap Tryffin, gw. EWGT 10.

Vortipori. Cyflwr cyfarchol y ffurf Ladiniedig *Vortiporius*, mab Aergul y nodyn blaenorol (a gw. yno hefyd ar ei ach). Cyferchir ef fel *Demetarum tyranne* (c. 31.1) 'teyrn pobl Dyfed', sef de-orllewin Cymru, yr hyn a gyfetyb yn fras i Sir Benfro, lle roedd teyrnas Wyddelig ei tharddiad. Ceir arysgrif Gristnogol gynnar mewn sgriptiau Rhufeinig ac Ogam o Gastell Dwyran (bellach yn amgueddfa Caerfyrddin) sy'n coffáu pennaeth o'r enw Voteporix ac yn darllen: *Memoria Voteporigis protictoris*, ynghyd â'r Wyddeleg *Votecorigas* yn cyfateb i'r Frythoneg Voteporigis, gw. ECMW 107, 108, a phlât III; Nancy Edwards *et al.* (gol.), *A Corpus of Early Inscribed Stones and Stone Sculpture in Wales, Volume II: South-West Wales* (Cardiff, 2007), 202-6. Disgrifir ef gan Kenneth Jackson fel 'sixth-century petty Irish king', a'r gair *protictoris* ar ei gofeb yn deitl ymerodrol uchel yn awgrymu awydd am statws Rhufeinig, LHEB 175. Uniaethwyd ef â *Vortiporius* y testun, gw. yn enwedig BWP 8 lle diwygir *Vortipori* Gildas yn *Votepori*. Bellach, fodd bynnag, ar sail yr *r* gyntaf a geir yn *Vortiporius* ac sy'n absennol o *Voteporigis*, bernir bod a wnelom â dau ŵr gwahanol o'r un frenhinlin; ac ymhellach, trwy ddadlau y byddai'r elfen **wor-* 'dros, uwchlaw' yn *Vortiporius* (cf. *Vortigernos* > Gwrtheyrn 'uwcharglwydd' neu'r cyffelyb) yn dynodi safle uwch na'r **wo-* yn *Vo-tepo-rix* 'brenin [sy'n cynnig] lloches', fod Voteporix yn teyrnasu'n gynharach na Vortiporius a'i *floruit* yn y 5g. neu'n gynnar yn y 6ed, gw. Edwards, *op.cit.* 206; WAB 175. Am ryw reswm, ni cheir yr enw Voteporix, a fyddai wedi rhoi **G(w)odebri* yn y Gymraeg, yn yr achau (gw. y mynegai enwau personol yn EWGT, 192). Perthynas honedig Vortiporius â brenhinlin Voteporix yn Nyfed a'r hyn a ddywed Gildas wrthym yw swm yr hyn a wyddom amdano.

Y ffurf Gymraeg a gyfetyb agosaf i'r Lladin *Vortiporius* yw'r Hen Gymraeg *Guortepir*, megis yn EWGT 10. Ceid hefyd y ffurf *Gwerthefyr*, ac mewn ffynonellau Hen Gymraeg fe'i cedwid ar wahân i *Guortepir*, ond mewn Cymraeg Canol tuedda'r ddwy i syrthio ynghyd fel *Gwerthefyr,* gyda *Guortepir*, a fyddai wedi rhoi *Gw(e)rthebyr*, yn cymryd ffurf *Gwerthefyr* (yn anghywir, a siarad yn fanwl). Daw *Gwerthebyr* o **Wertamo-rīx* 'summit-king' yn ôl John T. Koch, CCHE iii, 864. Gw. hefyd I. Ll. Foster, 'The Emergence of Wales', yn I.Ll. Foster & Glyn Daniel (gol.), *Prehistoric and Early Wales* (Llundain, 1965), 219-20; WCD 321. Oherwydd na welir enghreifftiau o *Gw(e)rthebyr* wedi cyfnod Hen Gymraeg a bod *Gwrthefyr* yn fwy cyfarwydd, penderfynwyd defnyddio'r ffurf olaf ar gyfer *Vortipori* y testun, er y gellid hefyd, ar sail cywirdeb pedantig, ddadlau o blaid *Gwerthebyr*.

Barn O'Sullivan, DEGAD 106, 131, ar sail achau Vortiporius yn bennaf, yw mai tua 503 oedd adeg ei *floruit*.

32.1 **urse, multorum sessor auriga que currus Receptaculi Ursi / dydi arth, marchog llaweroedd a gyrrwr cerbyd rhyfel Cadarnle'r Arth.** Ar y dewis o *ursus* ar gyfer Cuneglasus, gw. hefyd c. 28.1n (*leaenae ... catulus*). Da y dywed Wade-Evans, EEW2 25, fod y disgrifiad hwn o Cuneglasus – Cynlas yn Gymraeg – wedi temtio llawer 'to look here for a reference to Arthur (connecting *ursus* with *arth* 'bear'), till Rhys happily solved *receptaculum ursi* as a place-name, Dunon Arti, i.e. Dineirth "bear's stronghold" near Llandudno in the old principality of Rhos, of which Cynlas was ruler ...'. Felly hefyd MW 152. Ceir esboniad Rhŷs yn John Rhys, *Celtic Britain* (3ydd arg., Llundain, 1904), 123. Gellir cyfrif *Receptaculi Ursi* yn enghraifft arall o chwarae ar enw priod Celtaidd ag elfennau Lladin cyfatebol, gydag *ursus* o bosibl yn dynodi rhywun anwar gan gyferbynnu yn hyn o beth â chynodiadau mwy urddasol y Frythoneg *artos* (gw. uchod c. 28.1n, *Damnoniae*).

Yr oedd Cynlas Goch ab Owain Danwyn yn orwyr i Gunedda Wledig trwy Einion Yrth, yn nai i Gadwallon Lawhir, ac yn gefnder i Faelgwn Gwynedd, gw. EWGT 9, 10. Yn ôl WCO 262: '... he was also the ancestor of a line of kings, which extended into the ninth century, of whom the last but one, Caradog, was the North Welsh protagonist against English invaders at the Battle of Rhuddlan in 796, as well as in 798, when he fell, and of whom another, Cadwal Crysban, greatgrandson of Cynlas, fought against Aethelfrith in the Battle of Chester, 617, when he, too, fell'. Gw. hefyd HW 133; DEGAD 106-8; WCD 181; MW 153; hefyd ymdriniaeth ddadadeiladol David Dumville, 'Gildas and Maelgwn: problems of dating', yn GNA 57-9. Cynigia O'Sullivan tua 525 fel adeg marw Cynlas, DEGAD 108.

sortisque eius depressor / a sathrwr ei glerigwyr. Ynglŷn â *sortis*, 'oracl' a geir yn JOJ 128; HW 73 'decree'; MW 31 'lot'. Credaf mai 'clergy' Lloyd, HWales 133, sydd agosaf ati, a cf. yr ymadroddion *sors Dei* 'the religious life', a *sors Domini* 'clergy', gw. R.E. Latham, *Revised Medieval Latin Word-list from British and Irish Sources* (Llundain, 1965), 445. Cf. isod c. 32.2 *gemitus atque suspiria* ***sanctorum***. Chwedl Lloyd, *loc.cit.* 133: 'For Cynlas, Gildas has a special hatred and contempt, explained, it may be, by the fact that this king alone of the five is accused of active hostility to the Church, being not only a contemner of God, but also an oppressor of His clergy ... He has transgressed ... also by direct attacks upon the "saints" (i.e., monks), whose sighs and groans will one day recoil upon him to his undoing.'

Cuneglase, Romana lingua lanio fulve / Cuneglasus, yn yr iaith Rufeinig 'rhwygwr o flaidd melynllwyd'. Ystyr yr enw Brythoneg *Cuneglasus* (*Cynlas* yn Gymraeg) yw 'ci neu flaidd llwyd / melynllwyd,' a gallai Gildas fod wedi ei gyfieithu yn *lupe fulve* i olygu hynny yn union. Ond er mwyn rhoi gwedd negyddol ar y gair am flaidd (sydd hefyd yn gallu cynodi urddas), ac felly ar Cuneglasus, dewisodd *lanio* 'cigydd', gair y ceir rhai enghreifftiau ohono am flaidd ond gan ei bortreadu ar yr un pryd fel anifail sy'n rhwygo a darnio ei ysglyfaeth. Gw. Neil Wright, 'A Note on Gildas' *"lanio fulve"* ', B xxx, rhannau iii a iv (Tachwedd 1983), 306-9; c. 28.1n (*Damnoniae*). Ar yr wybodaeth o'r Frythoneg a awgrymir yma, gw. c. 30.1n (*Aureli Canine*).

32.2 **ut poeta ait / chwedl y bardd.** MW 153: 'Who the poet was is unknown, and what he meant is unclear.' Dyma'r unig enghraifft yn y Llythyr o'r gair. Ai gwall sydd yma am *propheta* (ond nis ceir yn y llawysgrifau eraill)? Ceir y geiriau *ut propheta ait* rai llinellau yn ddiweddarach yn c. 32.3.

gemitus atque suspiria sanctorum / griddfanau ac ocheneidiau i'r gwŷr duwiol. Gw. 32.1n (*sortisque eius depressor*).

33.1 **insularis draco / ddraig yr ynys.** Ymadrodd dadleuol. Yr esboniad arferol yw fod Maelgwn yn cael ei gyfarch yma fel un â chanolbwynt ei bŵer yn Ynys Môn, er mai â Deganwy yn y Creuddyn yn bennaf y cysylltir ef. HWales 129: '... Gwynedd ... is the centre and stronghold of his [deall. Maelgwn] power, and his designation of "island dragon" is naturally explained with reference to his secure possession of Anglesey. His especial home seems to have been in the Creuddyn peninsula, where on the rock of Deganwy, the ancient hold of the Decanti, was the "court of Rhos" in which, according to the popular saying, he slept to awake no more.' Ym Môn safai Aberffraw, man prif lys Tywysogion Gwynedd yn yr Oesoedd Canol, a dadleuwyd bod yno gaer, eglwys, maerdref a llys mewn undod destlus mor gynnar efallai â chyfnod Maelgwn, gw. John Davies, *Hanes Cymru* (Llundain, 1990), 88. Cf. TYP4 428-9, lle dywedir am *insularis draco*: 'the reference here is clearly to Anglesey, the traditional seat of power of the rulers of Gwynedd, who had perhaps already by the time of Maelgwn established their court at Aberffraw.' Diddorol nodi bod Gwalchmai ap Meilyr, a arddelai fod yn ddisgynnydd o Faelgwn Gwynedd, yn canmol Owain Gwynedd (*ob.* 1170) fel *draig Môn*, J.E. Caerwyn Williams *et al.* (gol.), *Gwaith Meilir Brydydd a'i Ddisgynyddion* (Caerdydd, 1994), cerdd 8.37.

Y mae posibiliadau eraill y dylid eu crybwyll. Ym marn Syr John Rhŷs, gŵr a oedd yn ymwybodol iawn o'r elfennau o barhad rhwng Prydain Rufeinig a Chymru Is-Rufeinig, Prydain Fawr a olygir wrth yr *insula*. Gwelai y tu ôl i'r ymadrodd *insularis draco* oroesiad swydd *Dux Britanniae,* 'Arweinydd Prydain' y cyfnod Rhufeinig, gan ddadlau bod cangen Gwynedd o dylwyth Cunedda Wledig, hendaid Maelgwn, wedi llwyddo i'w chadw yn eu meddiant eu hunain. Ynglŷn â'r dewis o'r gair *draco*: 'The explanation of the term', meddai, 'is presumably that the general or leader had as his ensign a dragon, which had descended to him from the *Dux Britanniae* in Roman times. In the seventh century this dragon figures, as heraldry teaches, as the Red Dragon of King Cadwaladr, who was the last of the line of Cunedda and Maelgwn to try to wield the power which Maelgwn enjoyed', John Rhys a David Brynmor-Jones, *The Welsh People* (4ydd arg., Llundain, 1923), 106-7. Os felly, enghraifft yw *draco* yma o drawsenwad ('metonomy'), sef, yn yr achos hwn, cyfeirio at Faelgwn wrth un o briodoleddau ei swydd.

Dadl ar hyd llinellau sylfaenol debyg a gafwyd yn ddiweddarach gan J.P. Brown, gyda'r gwahaniaeth ei fod ef yn diffinio *insula* fel 'penrhyndir' Prydain, sef Cymru, Cernyw a rhannau o dde-orllewin Lloegr, a de'r Alban, a'r *insularis draco* fel swyddog a atebai, tua'r flwyddyn 410, i'r *Vicarius Britanniarum* 'Dirprwy'r Prydeiniau', hwnnw i'r *Praefectus Galliarum,* 'Llywodraethwr y Galau' (sef y ddwy Âl, *Gallia Transalpina* a *Gallia Cisalpina*), hwnnw i Ymerawdwr Rhufain, a hwnnw i Ymerawdwr Caergystennin. Gw. J.P. Brown, 'By Law Established: The Beginnings of the English Nation and Church', *New Blackfriars*, vol. 53, no. 629 (October 1972), 461 a n4; *id.*, *art.cit.* 'Insularis Draco'; JPB 15; *id.* 'Ynys Prydein', *Y Faner*, 14 a 21 Hydref 1977, 6-7, 8-10.

Ar sail dadleuon Rhŷs a Brown, gellid cynnig mai arwyddocâd y geiriau *insularis draco* yma yw fod Gildas yn cyfarch Maelgwn fel pennaeth Penrhyndir (*insula*) Prydain a hynny – trwy drawsenwad – wrth un o briodoleddau ei swydd, sef draig (*draco*) baner *Dux Britanniae* y cyfnod Rhufeinig. Os oedd ei bŵer mor eang â hyn, dichon hefyd fod ateg i'r dehongliad yn c. 33.2: *Quid te non ei regum omnium regi,* ***qui te cunctis paene Brittaniae ducibus tam regno fecit*** *quam status liniamento editiorem, exhibes ceteris moribus meliorem, sed versa vice deteriorem?* (Pam na ddangosi dy hun i Frenin yr holl frenhinoedd, *a'th wnaeth yn uwch na'r cwbl bron o arweinwyr Prydain*, yn dy deyrnas yn ogystal ag yn dy gorffolaeth – pam, meddaf, na ddangosi dy hun iddo fel un gwell na'r lleill o ran cymeriad ac nid, i'r gwrthwyneb, fel un gwaeth?)

Os yw'r dehongliad hwn yn gywir, gellid dadlau bod Gildas unwaith eto, megis yn achos y teyrnedd blaenorol (ac eithrio Vortiporius), yn chwarae â'r Lladin er mwyn coegi Maelgwn, ond y tro hwn ar draul nid ei enw Brythoneg eithr priodoledd, rhywbeth a gysylltid ag ef yn y Lladin. Gwna Gildas hyn trwy ddefnyddio *draco* i ddynodi nid yn unig lun o ddraig ar faner ond hefyd, mewn ystyr arall i'r gair yn y traddodiad Lladin, ddyn drygionus neu fradwrus, ystyr a ategir yma hefyd gan gysylltiad ymddangosiadol y gair â draig y Datguddiad (c. 28.1n), gw. Sims-Williams, *art.cit.* 186-7, 189. 'The ambiguity would be a fitting introduction to Gildas' highly ambiguous portrait of Maglocunus', *ib.* 187.

Nid yw'n annichon, felly, fod y geiriau *insularis draco* yn dynodi yma swydd bwysig â'i tharddiad yn y drefn Rufeinig. Pe derbynnid hyn, efallai na fyddai'n rhaid cysylltu prif ganolfan pŵer Maelgwn ag unman arall heblaw Deganwy.

multorum tyrannorum depulsor tam regno quam etiam vita supra dictorum / sydd wedi hel llawer o'r gormeswyr uchod o'u teyrnasoedd yn ogystal ag o'u bywydau. At bwy y cyfeirir? Y mae Gildas eisoes wedi ymosod ar y teyrnedd Constantinus, 'Caninus', Vortiporius a Cuneglasus (cc. 28-32), ond pedwar yn unig mewn nifer ydynt hwy, nid *multi* ('llawer'), ac maent yn dal ar dir y byw. Yn ôl Molly Miller, B xxvi, rhan ii (Mai 1975), 169, mae yn y geiriau hyn ôl fersiwn cynharach o'r Llythyr nas diwygiwyd yn unol â'r fersiwn newydd. Os felly, rhaid tybio bod yn y fersiwn cyntaf enwau amryw o deyrnedd nas crybwyllir yn yr ail ac mai hwy a olygir yma. Yn sicr, byddai Gildas yn gwybod am lawer o deyrnedd eraill heblaw'r rhai a gyfarcha yma, ac fel y dywed Dumville, 'The chronology of *De Excidio Britanniae*, Book I', yn GNA 81, ymddengys y ceir awgrym o hynny yn c. 37.2 *his supradictis lascivientibus insanisque satellitum Faraonis, quibus eius periturus mari provocatur exercitus strenue rubro,* ***eorumque similibus*** *quinque equis* (yn erbyn y pum march nwydwyllt a gorffwyll uchod o osgordd Pharo sy'n gyrru ei fyddin yn daer i'w dinistr yn y Môr Coch ac *yn erbyn eu tebyg*), cf. hefyd cc. 49.2 *ut et nunc infelices tyranni agunt* (megis y mae teyrnedd truenus heddiw hefyd yn ymddwyn); 50.1 *Quid ergo nunc infausti duces facient?* (Beth, gan hynny, a wna'r arweinwyr anffortunus?); 62.5 *Et hoc in tyrannis nostri temporis perspicue deprehenditur* (A chanfyddir hyn yn eglur yng ngormeswyr ein hoes ni). Os yw Miller yn gywir, cyfyd y posibilrwydd hefyd fod mwy nag un fersiwn cynharach o'r Llythyr ac y gallai Gildas fod wedi addasu ei ffurf wreiddiol ar gyfer teyrnedd amryw o barthau eraill yn ogystal, er nad oes yr un o'r fersiynau hynny (os buont erioed) wedi goroesi.

Fodd bynnag, fel y dywed Dumville, *ib.* 52 n7, gellir hefyd ddeall y geiriau yn gyfeiriad at c. 27 *Reges habet Britannia, sed tyrannos*; cf. hefyd *ib.* 81. Y mae hyn yn rhesymol, ac yn osgoi mynd i ddamcaniaethu'n ddiangen ynghylch fersiwn neu fersiynau cynharach posibl o'r Llythyr.

novissime stilo, prime in malo, maior multis potentia simulque malitia, largior in dando, profusior in peccato, robuste armis, sed animae fortior excidiis / sy'n olaf yn fy llith ond yn gyntaf mewn drygioni, yn fwy na llawer mewn grym ac ar yr un pryd mewn malais, yn haelach yn rhoi, yn afratach mewn pechod, yn gadarn mewn arfau ond yn gryfach yn y pethau sy'n lladd yr enaid. Ceir yma bedwar cymal a nodweddir gan yr hyn a eilw iaith rhethreg yn *thesis* ('gosodiad') ac *antithesis* ('gwrthosodiad'), y naill yn canmol Maelgwn a'r llall yn ei ddychanu. Cwbl gydnaws yw'r dull hwn â ffordd Gildas o chwarae ar enwau'r pum teyrn wrth eu cyfarch (gw. uchod). Credai Saunders Lewis fod y gosodiadau yn adleisio barddoniaeth fawl frodorol y cyfnod ('The Tradition of Taliesin', yn Alun R. Jones a Gwyn Thomas, gol., *Presenting Saunders Lewis* (Caerdydd, 1983), 147) ond fel y ceisiwyd esbonio uchod, y mae rhesymau cryf dros wrthod y farn hon.

Maglocune. Daw o un o ffurfiau traws yr enw personol Brythoneg *Maglocu*, sef y cyflwr gwrthrychol *Maglocunen*, neu ynteu o'r genidol *Maglocunos*, ond fe'i triniwyd fel enw Lladin o'r Ail Rediad, er enghraifft *dominus*, gyda therfyniad y cyflwr cyfarchol yn *-e*. Gw. WAB 85-7. Go brin y byddai Gildas wedi ysgrifennu ffurf Frythoneg ei derfyniad mewn gwaith Lladin (oni bai ei bod yn digwydd bod yn unffurf â'r Lladin).

33.2 **celsorum ceu montium / megis mynyddoedd uchel.** Gwelai Wade-Evans yn y geiriau hyn gyfeiriad cudd at fynyddoedd Eryri (WCO 264).

33.3 **longe lateque / ymhell ... yn eang.** Cf. Fergil, Yr Aenëis vi.378: ... *longe lateque* ... a gw. ymhellach Neil Wright, *art.cit.* 'Gildas's prose style ...' 113 n53.

33.4 **avunclum regem / dy ewythr y brenin.** Sef Cynlas Goch ab Owain Danwyn, gw. c. 32.1n.

catulorum leonis / eiddo cenawon llew. Gw. c. 28.1n. Defnyddir y disgrifiad yn ganmoliaethus yma.

34.1 **dein popularis aurae cognitioni proferens / ac yna gyhoeddi'r mater i'r byd a'r betws ei wybod.** Â *popularis aurae* yn enwedig cf. c. 108.5 *popularis aurae potius quam praecepti gratia factum* (a hynny er mwyn chwa o boblogrwydd yn hytrach nag oherwydd ei orchymyn) a Fergil, Yr Aenëis vi.816: *nunc quoque iam nimium gaudens popularibus auris* (ac yn awr hefyd y mae'n rhy lawen am gymeradwyaeth pobl)..

34.2 **distentionibus / deniadau.** HW 79 'nets', MW 33 'chains', ond ni roddir yr ystyron hyn i *distentio* yn y geiriaduron. DMLBS iii, 698 s.v. *distentio*[3]: 'distraction, preoccupation', a chynhwysa'r enghraifft hon.

sinuosis flexibus / â'i symudiadau troellog. Cf. Fergil, *Georgica* i.244: *maximus hic flexu sinuoso elabitur Anguis* (yma gyda'i thorchau troellog, mae'r Sarff anferth yn llithro ymlaen).

34.5 **tua ... conversio / dy dröedigaeth.** Sef tröedigaeth Maelgwn at fynachaeth. Y mae hanes methiant y dröedigaeth hon, fel y dywedir yn MW 155, yn dwyn ar gof yr hyn a ddywed Columbanus mewn llythyr at y Pab Gregor tua diwedd y 6g. yn ei holi: 'Beth y dylid ei wneud yn achos y mynaich hynny sydd, a hwythau ar dân er mwyn Duw ac awydd am berffeithiach buchedd, gan dorri eu llwon yn gadael lleoedd eu tröedigaeth gyntaf, ac o anfodd yr abadau ac yn llawn sêl fynachaidd un ai'n llithro'n ôl neu ynteu'n ffoi i'r diffeithleoedd?', G.S.M. Walker (gol.), *Sancti Columbani Opera* (Dulyn, 1957), 8. Ychwanega Columbanus: 'Holodd yr awdur Vennianus Gildas am y pethau hyn, a rhoddodd hwnnw ateb tra choeth', a dichon y ceir ateb Gildas i Vennianus yn un o'r drylliau o'i lythyrau, MW 155 a gw. *ib.* 144, Llythyr 4, am y testun.

34.6 Y darn enwog hwn yw'r enghraifft gynharaf a feddwn o ddadl fawr a chymhleth a barhaodd yng Nghymru hyd ddiwedd yr Oesoedd Canol, sef cŵyn y glerigaeth bod y beirdd yn defnyddio eu hawen i foli nid pethau dwyfol, fel y dylent, ond pethau bydol. Gellir crynhoi safbwynt y glerigaeth yng ngeiriau awdur Dominicanaidd y traethawd cyfriniol *Ymborth yr Enaid* pan gofnoda'r geiriau canlynol y clywodd Grist yn eu llefaru wrtho mewn gweledigaeth, R. Iestyn Daniel (gol.), *Ymborth yr Enaid* (Caerdydd, 1995), 22: 'A manac y'r prydydyon y rodeis i vdunt gyfurann o yspryt vy nigrifuwch i y mae yawnach <oed> vdunt ymchwelut y'r [newidier yn yr] yspryt hwnnw y'm diwyll i noc y ganmol ynvytserch gorwagyon betheu tranghedigyon yn amsserawl.' Ymatebai'r beirdd trwy honni bod eu hawen yn ddwyfol ei tharddiad beth bynnag, ac nid pob clerigwr a wadai hynny ychwaith. Ymhellach, gw. *id.*, *Gwaith Dafydd Bach ap Madog Wladaidd 'Sypyn Cyfeiliog' a Llywelyn ab y Moel* (Aberystwyth, 1998), 174-6; Barry Lewis, 'Trafod Barddoniaeth yr Oesoedd Canol: Y Traddodiad Mawl a Chrefydd', *Dwned* 8 (2002), 9-34.

neuma(que) / na sain. Gair petrus ei darddiad a'i ystyr yn ôl Lapidge, *art.cit.* 39 n67. Yn DMLBS vii, 1910, s.v. neuma[1], ar y llaw arall, 'tone, (sounding) note, musical sound' a chynhwysa'r enghraifft hon. Fe'i dosberthir yno fel enw benywaidd neu ddiryw a'i darddu o'r Groeg *newma*, ond ni ddywedir rhagor am ei dras.

furciferorum ... praeconum ... concrepante / mawlfeirdd cnafaidd ... yn rhygnu. Nid enwir y garfan hon ond bernir yn gyffredin mai'r beirdd a olygir. Anodd, yn wir, fyddai cynnig neb arall. Odid hefyd nad hwy a ddynodir gan y gair *parasiti* yn cc. 35.3: *ut fallaces parasitorum linguae tuorum conclamant* (fel y bloeddia tafodau twyllodrus dy fawlfeirdd) a 43.1: *non ut parasitorum venerata vestrorum venena in aures sibilant* (yn wahanol i fel y mae cegau eich mawlfeirdd chwi yn sisial geiriau gwenieithus a gwenwynig yn eich clustiau). Am drafodaeth o ystyron *praeco* a *parasitus* yn y Llythyr, gw. Sims-Williams, *art.cit.* 174-9. Ynglŷn â *furciferorum*, gwell derbyn dehongliad Neil Wright a deall hwn fel ansoddair gyda *praeconum* (megis yn c. 32.2) yn hytrach nag fel enw yn dibynnu ar *ore*, fel y gwneir yn MW 103, gw. Sims-Williams, *art.cit.* 174-5. Rwyf hefyd wedi ychwanegu coma ar ôl *mendaciis* er mwyn gwneud y berthynas rhwng y ddau yn amlycach.

spumanti / ewynnog. Tybed hefyd a oes adlais yma o Lythyr Jwdas 13 yn fersiwn y Fwlgat lle disgrifir rhai annuwiolion fel, ymysg pethau eraill *Fluctus feri maris, **despumantes** suas confusiones* ... (llif y môr cynddeiriog, yn ewynnu ei anhrefn)?

praeconum ore ritu bacchantium / mawlfeirdd ... fel addolwyr Bacchus. Sylwer ar y ciasmws (*chiasmus*).

35.2 **propriae coniugis / a'th wraig dy hun.** Yn ôl y tract achyddol *De Situ Brecheniauc*, enw gwraig Maelgwn oedd Sanan ferch Cyngen, EWGT 15.

35.3 **parasitorum ... tuorum / dy fawlfeirdd.** Gw. c. 34.5n (*furciferorum ... praeconum ... concrepante*).

nostrae / fy nhafod i. Rhaid deall *linguae* gydag ef, cf. *parasitorum linguae* yn gynharach yn y frawddeg. Cyferbynnu y mae Gildas yr hyn a ddywed ei dafod ef am briodas Maelgwn â'r hyn a ddywed tafodau'r beirdd. Chwithig braidd yw'r cystrawennu yma. Bydd Gildas yn cyfeirio ato'i hun weithiau yn y lluosog, megis yma. Cf. cc. 36.4 *nosque*; 37.1 *os nostrum, nos, caveamus*; 37.2 *opusculi nostri*; 37.3 *pro nobis, nos*; 62.6 *nostra mediocritas, pro nobis, diximus*; 64.1 *nostris sermonibus disceptavimus, volentes*; 64.2 *in nobis, dicamus*; 65.1 *nostro ... ordine*; 65.2 *Nostris ... duobus ... lateribus*; 69.1 *nos diffitemur, respondebimus*; 73.1 *immoramur ... nos ... carpentes*; 92.1 *nos*; 92.2 *diximus, nobis sermo*; 92.3 *nostra, sumus*; 93.4 *nostra mediocritas*; 94.1 *nostra*; 106.1 *ingenii nostri, duximus*.

36.1 **paene totius Britanniae magistrum elegantem / athro coeth Prydain gyfan bron.** HW 83 n1: 'This teacher is generally regarded to be Illtud, who is not named owing to his pre-eminence, and from a feeling of reverence on the part of the writer ...'; MW 153: 'Perhaps intending Illtud of Llanilltud Fawr ... in Glamorgan, where Gildas, Samson and Paul Aurelian are said to have been schooled.' Cf. hefyd ddisgrifiad awdur Buchedd Samson o Illtud fel *egregii magistri Brittannorum*, Pierre Flobert (gol.), *La vie ancienne de Saint Samson de Dol* (Paris, 2002), 156. Ar y llaw arall, o ystyried barn ddiweddarach Wade-Evans mai disgybl i Gadog, yn hytrach, yn Llancarfan oedd Gildas, a'i fod ef a Maelgwn â chefndir mynachaidd yn gyffredin iddynt ac, fel sy'n amlwg, yn adnabod ei gilydd yn dda, dichon mai yn Llancarfan y daethant i gysylltiad â'i gilydd gyntaf ac mai Cadog, felly, nid Illtud, oedd *magistrum elegantem* Maelgwn.

38-63 Dyma'r gyntaf o ddwy gyfres o ddyfyniadau ysgrythurol. Ceir yr ail yn cc. 76-105.

38.2 **quia, ut bene quidam nostrum ait, *non agitur de qualitate peccati, sed de transgressione mandati* / oherwydd fel y dywed un ohonom yn dda: *Nid â natur y pechod y mae a wnelom eithr â thorri gorchymnyn.*** MW 153: 'Gildas quotes from *de Virginitate* 6 ... The author was a Pelagian, contemporary and sympathiser of the early fifth century Sicilian Briton [Pelagius] ... and may well have been British himself, the obvious interpretation of "one of us". The work evidently still circulated in Britain a hundred years after publication. Like other British and Irish writers from the 5th to the 8th centuries, Gildas was not a "Pelagian heretic"; his writing shows no sign that he was aware of the views of Augustine, of his controversy with Pelagius, or even of his existence.' Am gyfeiriadau pellach, gw. *loc.cit.* a John Morris, 'Pelagian Literature', *Journal of Theological Studies*, new series, vol. xvi, part 1 (1965), 26 yml. Ar y llaw arall, nid yw Ian Wood yn cytuno, 'The end of Roman Britain: Continental evidence and parallels', yn GNA 8. Dyma'r cyntaf yn y Llythyr o dri chyfeirad at awduron Prydeinig nas enwir; ceir y lleill yn cc. 62.3 *quis victurus est, ut quidam ante nos ait, quando ista a civibus perficiantur ... ?* (pwy a fydd byw, chwedl un o'n rhagflaenwyr, pan gyflawnir y pethau gan ein dinasyddion ... ?) a 92.3 *sicut bene quidam nostrorum ait: 'optabiliter ... habeantur'* (Da y dywed un o'n plith ni: 'Dymunwn yn daer ... ac arglwyddi inni')

49.2 **ut et nunc infelices tyranni agunt / megis y mae teyrnedd truenus heddiw hefyd yn ymddwyn.** Sef Maelgwn Gwynedd a'i debyg, a gw. c. 33.1n (*multorum ... supra dictorum*).

62.3 **ut quidam ante nos ait / chwedl un o'n rhagflaenwyr.** Ni wyddys pwy ydoedd hwn; cf. hefyd c. 38.2n.

64.2 **possimus / gallem.** HW 157: 'I could'; MW 51: 'I can'. Gan mai mynegi amod y mae'r modd dibynnol yma, ochraf gyda HW.

65.1 **in nostro quoque ordine / o'm hurdd i hefyd.** Sef y ddiaconiaeth.

65.2 **ab his ... quorum vitam non solum laudo / gan y rheini yr wyf nid yn unig yn canmol eu buchedd.** Sef mynaich.

66. Sylwer bod y bennod hon yn un frawddeg faith restrog a'r cymalau i gyd dan reolaeth y ferf *habet* yn c. 66.1.

66.1 **populos docentes / dysgant bobloedd.** HW a MW: 'the people', ond lluosog yw *populos*.

66.3 **religiosam forte matrem ... humiliantes / fam grefyddol, efallai ... iselhânt hwy.** Diddorol yw sylwi ar y gyfatebiaeth rhwng y geiriau hyn a llythyr o flynyddoedd cynnar y 6g. gan dri esgob o dueddau Lugdunensis (Lyons heddiw, yn Ffrainc), sef Licinius o Tours, Melanius o Rennes, ac Eustachius o Angers, i atal dau offeiriad Llydewig o'r enw Lovocatus a Catihernus rhag derbyn menywod i gydweini â hwy (y term Lladin a ddefnyddir amdanynt yw *conhospitae*) yn y litwrgi; oherwydd ar yr un pryd bygythir gwahardd o drothwy'r eglwys sanctaidd unrhyw offeiriad a ddymunai gael menyw dan do ei gell ac eithrio mam, modryb ar ochr y fam, chwaer, neu wyres – i fyw gydag ef. Mae'n amlwg bod y ffin rhwng *conhospitae* fel rhai a oedd yn helpu offeiriaid i weini a rhai a oedd yn ordderchiadon ('*concubines*') iddynt yn denau, ac atgoffeir dyn o'r *focariae* ('cyfeillesau aelwyd') oedd mor gyffredin ymysg offeiriaid yng Nghymru'r Oesoedd Canol hyd at y Diwygiad Protestannaidd, gw. Glanmor Williams, *Wales and the Reformation* (Caerdydd, 1997), 22, 164-5.

66.4 **ludicra / chwaraeon.** Gallai hefyd olygu 'sioeau'. Medd Lewis a Short am *ludicer / ludicrus*, ystyr 1: 'a show, public games; a scenic show, stage-play.'.

ineptas saecularium hominum fabulas / chwedlau gwaradwyddus dynion y byd. Gw. c. 1.2n.

67.1 **Simonis Magi / Simon y Swynwr.** Ceir ei hanes yn Actau 8: 9-24. Y mae'r hyn a ddilyn yn atgoffa dyn o'r hyn a ddywed Columbanus am Gildas mewn llythyr at y Pab Gregor I ychydig cyn y flwyddyn 600: *Simoniacos et Gildas auctor pestes scripsit eos* (ysgrifennodd Gildas yr awdur hefyd eu bod hwy yn Simonwyr ac yn bla), Walker, *op.cit.* 8. Gallai Gildas, er hynny, fod wedi ymdrin yn helaethach â Simonwyr mewn llythyr coll, MW 154. Simoniaeth oedd pechod mwyaf y glerigaeth ym marn Gildas.

67.6 **vellera / haenau cnuog.** Fe'i cysylltir yn drosiadol â chymylau gan Fergil yn Georgica i.397: *tenuia nec lanae per caelum vellera ferri* (na chymylau gwlanog tenau'n symud dros yr awyr).

69.2 **in mundi scilicet vanitate omnis post idola proclive id temporis claudicare relicto Deo insipientis? / ar ôl eilunod y pryd hwnnw yng nghanol gwagedd yr holl fyd ynfyd ac yntau wedi cefnu ar Dduw?** Wrth gynnig ei esboniad ar arwyddocâd *inveniebatur*, dilyn Gildas y math alegorïaidd o esboniadaeth Feiblaidd a ddechreuoedd gyda'r Iddew Philo (c. 20 C.C.-50 O.C.). Fe'i cyflwynwyd i lenyddiaeth Gristnogol gan Clement ac Origen o Alexandria tua 200 O.C, a thrwy ysgrifeniadau cewri fel Sierôm ac Awstin daethpwyd i dderbyn y dull yn gyffredinol. Yng ngeiriau Hugh Williams, HW 176 n1: 'By this process, meanings were extracted from a text of Scripture of which the writer had never dreamt, and to which the literal meaning is frequently opposed. The method of allegory reposes upon analogy pushed to extremes: something is discovered in a phrase, or even a word, which recalls an idea of the mind: the idea may be of a speculative character, moral or theological, but the text is transformed into an image of that idea, and understood as containing it. By such a method history is evaporated in typology. The literal sense does not seem to exist at all, as may be seen from the interpretation put by Gildas upon the words "was not found," applied to Enoch. To him they mean that Enoch was not found in the vanity of the world.' Ceir enghreifftiau yn cc. 69-72.

69.3 **hoc est trinitatis sacramento / sy'n awgrymu dirgelwch y Drindod.** Gwêl Gildas y *tricentario numero* fel arwydd o'r Drindod Fendigaid, gw. y nodyn blaenorol. Fel y dywedir yn HW 177: 'The leading meaning of the word sacramentum is mystery', a ***mysterii*** *trinitatis* a geir yn c. 70.3.

73.2 **fullonis vecte cerebro percussus, ut Iacobus / ar ôl dryllio ei benglog â gordd pannwr, megis Iago.** Cf. Rufinus, *Historia Ecclesiastica* ii.23 (adran 3): *praecipitatum et fullonis precussum vecte* (wedi ei fwrw i lawr a'i daro â gordd pannwr).

73.3 **inversis pedibus affixus pro reverentia Christi patibulo, quem non minus morte quam vita honoraturus, ut clavicularius ille caelorum / wedi ei rwymo i bren y groes â'i draed i fyny o barch at Grist, y bwriadai ei anrhydeddu â'i farwolaeth yn ogystal ag â'i fywyd ... megis y perchen addas hwnnw ar agoriadau teyrnas nef.** Cf. *Historia Ecclesiastica* iii.2 (adran 1): *Petrus ... ad ultimum in urbe Roma commoratus ubi et crucifixus est deorsum capite demerso, quod ipse ita fieri deprecatus est, ne exaequari domino videretur.* (Pedr ... wedi aros tua'r diwedd yn ninas Rhufain lle croeshoeliwyd ef â'i ben i lawr, peth yr ymbiliodd ef ei hun ar iddo ddigwydd, rhag iddo edrych fel pe bai'n ymgyfartalu â'i arglwydd.)

74.1 **Ignatius.** St. Ignatius (*c.* 35-c. 107), esgob Antioch, gw. ODCC 676-7.

in Christo ... ob testimonium eius leonum molis Romae confractus est / yng Nghrist ... a rwygwyd yn ddarnau yn Rhufain gan ddannedd llewod oherwydd ei dystiolaeth. Cf. *Historia Ecclesiastica* iii.36 (adran 2): ... *et pro martyrio Christi ad bestias datum* (ac a roddwyd i'r bwystfilod er tystiolaeth i Grist).

74.2-3 **A Syria ... adipisci / o Syria ... i ennill Iesu Grist.** Codwyd yr adrannau hyn (heb fawr o newid) o eiriau Ignatius fel y'u ceir yn *Historia Ecclesiastica* iii.36 (adrannau 7-9).

74.4 ***nunc incipio esse Christi discipulus / yn awr yr wyf yn dechrau bod yn ddisgybl i Grist.*** Ceir y geiriau hyn gyntaf yn c. 74.3 ac fe'u hailadroddir yma.

74.5 **auctor vester / eich tad.** Sef y Diafol, Satan. Cf. geiriau Iesu wrth yr Iddewon yn Ioan 8: 44: 'Plant ydych chwi i'ch tad, y diafol, ac yr ydych â'ch bryd ar gyflawni dymuniadau eich tad.'

75.1 **Polycarpus.** St. Polycarp (*c.* 69-c. 155), esgob Smyrna, gw. ODCC 1088-9.

qui ... perferam / ... yr hwn a roddodd ... ddioddef y fflamau'n ddiysgog. Codwyd (heb fawr o newid) o *Historia Ecclesiastica* iv.15 (adran 31).

75.2 **Basilium.** St. Basil 'Fawr' (*c.* 330-79), esgob Caesarea ac un o brif ddysgawdwyr Eglwys y Dwyrain, gw. OCDD 138-9.

ego … mutares / Byddaf yfory ... peidio â newid. Codwyd (heb fawr o newid) o Rufinus, Historia Ecclesiastica xi.9 (ni nodwyd rhif yr adran yn y golygiad).

utinam … absolveret / O na bai ... fyddai'n rhyddhau. Eto.

76.2 ***servientes in domo Pharaonis ... yn gwasanaethu yn nhŷ Pharo.*** Dyma ddarlleniad y Fwlgat a llsgr. Avranches, ond *servientes Pharaonis* a geir yn MW. Dadleuir yn HW 193 n4 o blaid cynnwys *in domo*, ond yn ôl Thomas O'Loughlin, *Gildas and the Scriptures: Observing the World through a Biblical Lens* (Brepols, 2012), 288: 'while the addition accommodates the text towards the Vg, it is unnecessary for meaning'. Fodd bynnag, er mwyn cael synnwyr o *servientes Pharaonis*, rhaid trin y rhangymeriad presennol *servientes* fel pe bai'n gyfystyr â'r enw *servi* gyda *Pharaonis* yn dibynnu arno. Ni fyddai hynny'n amhosibl yn ramadegol ond byddai'n annaturiol, ac anodd iawn fyddai gweld pam y'i dewiswyd yn hytrach na *servi*. Ar y llaw arall, os fel rhangymeriad y bwriadwyd iddo weithredu, ni ddisgwylid gweld ei ddilyn gan y cyflwr genidol *Pharaonis* eithr y cyflwr derbyniol *Pharaoni* megis yn c. 100.3 *idolis servientibus*.

83.2 **spiritalia intelligenda erunt vobis ... Bydd raid ichwi ddeall hyn oll mewn ystyr ysbrydol.** Gw. c. 69.2n. Hefyd HW 203 n4: '… Gildas will have the desolation described by the prophet understood in a spiritual sense; but the best motive of his work is also made evident thereby: he warns lest the souls of the priests themselves should become dried up in such a general spiritual drought'.

84. ***indicatores venationis / [c]yfarwyddwyr yr helfa.*** HW 203: 'they who have set the hunt'; MW 64: 'the followers of the hunt'. Am *indicator* rhydd geiriadur Lewis a Short 'one that points out'. Nis rhestrir yn DMLBS v, 1325.

85.2 **culina ipsa ... yr union ymborth.** MW *in culina ipsa* 'in the very kitchen'. Ni cheir *in* yn y llsgrau. ac fel y dywedir yn HW 204 n4, 'This phrase gives good sense if taken as in opposition to *fames*: the very food [ystyr arall i *culina* trwy drawsenwad] which they, in wicked thoughts, consume, is itself spiritual hunger.'

86.2 ***et obtrectabunt adversus omnes ipsi / a dywedant eu hunain yn ddrwg yn erbyn pawb.*** MW 65: 'and everyone will rail at them' ond yr ystyr yw 'and they themselves [sef y dewiniaid] will rail at everyone'.

86.4 ***peccatorum / [p]echaduriaid.*** Amhosibl gwybod o ran ei ffurf ai genidol lluosog *peccatum,* 'pechod', ynteu *peccator*, 'pechadur', ydyw. Gwell gennyf, fel HW 207, ddewis yr ail; MW 66 'sin'.

92.3 **sicut bene quidam nostrorum ait / Da y dywed un o'n plith ni.** Ni wyddys pwy ydoedd; cf. cc. 38.2n; 62.3n.

optabiliter ... habeantur / yn daer ... i'w hystyried ... ac arglwyddi inni. Brawddeg drofaus a digyswllt braidd. Yn ôl MW 154: 'The sentence seems to mean that we should have no pagan anti-Christian *foederati*, but that our proper allies should be Christian rulers who are defenders of the Faith', ac odid nad yw hynny'n gywir. Medd J.P. Brown ymhellach, 'Gildas and Deutero-Gildas', LlGC ex 1959 (2003), 5: 'Taking it as genuine, the passage shows that Gildas's *Britannia* was also in an empire, confirming Procopius who implies that Britain was subject c. 550 to the Emperor in Constantinople *via* the Franks, the Angles being its senior people. So Gildas wanted Frankish mercenaries, the pagan alternative being Angles or, more likely, Frisians, both *Saxones* to Latin-users.' Cf. hefyd Dumville, 'The chronology ...' 81-2.

93.3 **omni insulae / yr holl ynys.** Cyfystyr ydyw â'r hyn a ddealla'r awdur wrth *Britannia*, gw. c. 1.14n (*Britannia*).

93.4 **inserenda / sydd i'w cynnwys.** Cyfeirir at y dyfyniadau eraill sydd i ddod rhagor y rhai a ddewiswyd eisoes. Cf. c. 94.1 *congesta vel congerenda.*

97.1 **praeloquatur / ei ddweud yn agoriadol.** *prae-* oherwydd daw'r dyfyniad o *ddechrau* 11eg bennod yr epistol cyntaf at y Corinthiaid. Y mae 'says' HW 223 a MW 72 yn colli'r elfen hon.

102.2 **explevit / sydd wedi cyflawni.** *Expleuerit* a geir yn nhestun MW, ac o ran ffurf gall fod un ai'n 3 unigol perffaith dyfodol mynegol gweithredol, neu ynteu'n 3 unigol perffaith dibynnol gweithredol, y ferf *expleo*. Os y cyntaf, yna yr ystyr yw '(pa un ohonoch) a fydd wedi cyflawni ...'. Os yr ail, yna dieithr a thywyll yw'r gystrawen. Credaf fod Kerlouégan, *Le Latin* ... 154, yn gywir yn awgrymu'n betrus mai gwall sydd yma am *expleuerit*, sef 3 unigol perffaith mynegol gweithredol *expleo*. Yn sicr byddai hyn yn fwy cyson ag arferion Gildas ac yn rhoi gwell ystyr na'r perffaith dyfodol; cf. c. 103.3 *quis ... uestrum ... custodiuit id quod sequitur*.

106-7 Dyfynnir yma ddarlleniadau ysgrythurol o hen ddefod ordeinio Brydeinig, gw. HW 239-45, 242-5 am adluniad o destun Lladin y llyfr a ddefnyddiwyd gan Gildas.

108.5 **popularis aurae potius quam praecepti gratia factum / er mwyn chwa o boblogrwydd yn hytrach nag oherwydd ei orchymyn.** Gw. c. 34.1n.

109.3 **catastam / crocbren.** Gw. c. 23.4n (*catastam*).

110.3 Terfyna'r Llythyr gyda pherorasiwn.

Mynegai i'r dyfyniadau Beiblaidd

Cafwyd y cyfeiriadau isod o sylwebaeth HW a MW ar destun Llythyr Gildas a Dinistr Prydain, a dyfynnant o'r Fwlgat, y testun safonol o'r Beibl yn oes Gildas ac wedyn. Ond er diddordeb a hwylustod i'r darllenydd, penderfynais gydio'r darlleniadau wrth eu lle yn y cyfieithiad Cymraeg modern o'r Beibl er mwyn iddo fedru gweld y tebygiaethau a'r gwahaniaethau rhwng adnodau'r ddau fersiwn. Gellir cael gwybodaeth bellach am darddiad pob dyfyniad, rhai ohonynt yn dod o fersiynau cynharach na'r Fwlgat ac a adwaenir gyda'i gilydd fel Vetus Latina, 'Hen Ladin', trwy ymgynghori â dadansoddiad cynhwysfawr Thomas O'Loughlin, *Gildas and the Scriptures: Observing the World through a Biblical Lens* (Turnhout, 2012).

1.3
na fu ... gair Numeri 20: 12
meibion ... sydyn Lefiticus 10: 1-2
pobl ... Arabia Numeri 26: 51, 65
dyfnderoedd ... llyfn Exodus 14: 22
bara ... fwyd Exodus 16.15
diod ... gydymaith Exodus 17: 6
byddin ... dwylo Exodus 17: 11

1.4
fynd trwy ... Iorddonen Josua 3: 15-16
dymchwel ... Duw Josua 6: 20
mantell ... llawer Josua 7: 20-5
torri'r cyfamod ... i rai Josua 9: 3 yml.; 2 Samuel 21: 1

1.5
fod y ddinas ... drethi Galarnad 1: 1
fod yr aur ... newid Galarnad 4: 1
fod meibion... baw Galarnad 4: 2, 5

1.6
gwynnach ... saffir Galarnad 4:7

1.8
ni ddeuthum ... Israel Mathew 15: 24
ond bydd ... dannedd Mathew 8: 12
nid yw'n deg... c n Mathew 15: 26; Marc 7: 27
gwae chwi ... ragrithwyr! Mathew 23: 15

1.9
daw llawer ... nefoedd Mathew 8: 11
ac yna ... ddrwgweithredwyr Mathew 7: 23; Luc 13: 27
gwyn eu byd ... sugn Luc 23: 29
aeth y rhai ... adnabod Mathew 25: 10-12

1.10
yr hwn ... condemnir Marc 16: 16

1.11
ei wobr ... weithredoedd Rhufeiniaid 2: 6
Nicolas ... ddifaith Datguddiad 2: 6
roedd popeth ... iddynt Actau 4: 32
sut y bu ... Duw Actau 5: 9

1.13
Israel ... nghyntaf-anedig Exodus 4: 22. Cf. Deuteronomium 7: 6, 14: 2; 1 Pedr 2: 9

1.14
y droed ... llefara 1 Corinthiaid 12: 15-16

1.15
fod amser ... dewi Pregethwr 3: 7
ail ...tarddiad Hebreaid 2: 7
asen ddeallus Numeri 22: 21 yml.

9.2
ddioddefgarwch ... saint Datguddiad 13: 10; 14: 12

10.1
ewyllysio ... gadwedig 1 Timotheus 2: 4

11.1
yn rhoi ... ddefaid Ioan 10: 15
pan orffwysodd ... Iorddonen Josua 3: 17

21.2
Clywir ... cenhedloedd 1 Corinthiaid 5: 1

21.5
Yr ydych ... ynddo Eseia 1: 5-6

21.6
dirmyg ... iawn Salm 106: 40

22.1
fel ... disynnwyr Salm 31: 9

22.2
Ni ... geiriau Diarhebion 29: 19
A galwodd ... farw Eseia 22: 12-13

23.20
Tywysogion ... Pharo Eseia 19: 11, 13

24.2
Llosgasant ... enw Salm 73: 7
O Dduw ... sanctaidd Salm 78: 1

24.4
chwedl y proffwyd Cf. Eseia 24: 13; Obadeia 5

25.1
Gwnaethost ... cenhedloedd Salm 43: 12

26.4
Christ ... oesoedd Rhufeiniaid 9: 5

28.3
yr hyn ... dyn Mathew 19: 6; Marc 10: 9
Chwi ... gwragedd Colosiaid 3: 19

28.4
o ... Sodom Deuteronomium 32: 32

29.2
yn dioddef ... gorffwystra Mathew 11: 28
nad yw'n ... byw Eseciel 33: 11
tor ... Seion Eseia 52: 2
dychwel ... modrwy Luc 15: 15-23

29.3
mor bêr ... Arglwydd Salm 34: 8

30.1
cenau llew Genesis 49: 9; Eseia 31: 4

30.3
oni ... gleddyf Salm 7: 12.
Myfi ... gafael Deuteronomium 32: 39
ymysgwyd ... drewllyd Eseia 52: 2
pan ... ef Salm 2: 12

31.2
yn awr ... iachawdwriaeth 2 Corinthiaid 6:
na bo ... Saboth Mathew 24: 20
Tro ... gyfyngderau Salm 34: 14-17
nid yw ... ofn ef Salm 51: 17
pryf ... tân Marc 9: 48

32.2
na all ... nef Galatiaid 5: 21

32.3
Paid ... cynddaredd Salm 37: 8

32.4
Paid ... fywyd 1 Timotheus 6: 17, 19

32.5
mor ddrwg ... ofn Jeremeia 2: 19

33.1
win ... Sodom Deuteronomium 32: 32

33.4
Ni fydd ... dyddiau Salm 55: 23

33.5
Gwae ... cwympi Eseia 33: 1

34.5
megis ...gyfog Diarhebion 26: 11; 2 Pedr 2: 22
cyflwynir ... cyfiawnder Rhufeiniaid 6: 13

35.4
Pwy ... mhobl Jeremeia 9: 1

41.3
Felly ... mawr 2 Cronicl 21: 12-14

41.4
Ac ... dydd 2 Cronicl 21: 15

41.5
Dyma ... chwi 2 Cronicl 24: 20

42.1
Clywch ... deall Eseia 1: 2-3

42.2
Bydd ... ysbeilir Eseia 1: 8
Clywch ... Gomorra Eseia 1: 10

42.3
Peidiwch ... gennyf Eseia 1: 13

42.4
A phan ... gwrandawaf Eseia 1: 15
Y mae ... gwaed Eseia 1: 15
Ymolchwch ... amddifad Eseia 1: 16-17

42.5
Os ... ysu Eseia 1: 18-20

43.2
Y mae ... ngwrthwynebwyr Eseia 1: 23-4
a methrir ... Arglwydd Eseia 1: 28

43.3
Caiff ... ostwng Eseia 2: 11
Gwae'r ... warthaf Eseia 3: 11
Gwae ... iddi Eseia 5: 11-14

43.4
Gwae ... allan Eseia 5: 22-5

44.1
Udwch ... cryfion Eseia 13: 6-11

44.2
Wele ... ddaear Eseia 24 1-6

45.1
Bydd ... bobloedd Eseia 24: 7-13

45.2
Twyllasant ... henuriaid Eseia 24: 16-23

46.1
Wele ... ddrygioni Eseia 59: 1-4

46.2
Di-fudd ... ynoch Eseia 59: 6-9

46.3
A throwyd ... barn Eseia 59: 14-15

47.2
A daeth ... dywed Jeremeia 2: 1-2
Clywch ... Aifft Jeremeia 2: 4-6

47.3
Ers talwm ... Arglwydd Jeremeia 2: 20-2

47.4
Pam ... dirifedi Jeremeia 2: 29-32
Canys ... daioni Jeremeia 4: 22

48.1
O Arglwydd ... dychwelyd Jeremeia 5: 3

48.2
Cyhoeddwch ... Duw Jeremeia 5: 20-4

48.3
Canys ... hon Jeremeia 5: 26-9

49.1
Byddi'n ... cegau Jeremeia 7: 27-8
Oni ... Arglwydd Jeremeia 8.4-7

49.2
Oherwydd ... Arglwydd Jeremeia 8: 21-2, 9: 1

49.3
A dywedodd ... iddynt Jeremeia 9: 13-15

49.4
Paid ... cystudd Jeremeia 11: 14

50.2
Ond ... daioni Jeremeia 13: 22-3

50.3
Fel hyn ... hwy Jeremeia 14: 10-12
A dywedodd ... ymaith Jeremeia 15: 1

50.4
Pwy ... ddifetha Jeremeia 15: 5-6

62.6

Fodd bynnag ... twyll Doethineb Solomon 1: 5
Canys ... byd Doethineb Solomon 1: 7

62.7

Canys ... sanctaidd Doethineb Solomon 5: 14-16

62.8

anrhydeddaf ... ddirmygedig 1 Samuel 2: 30

63

Gwrandewch ... sancteiddrwydd Doethineb Solomon 6: 1-10

64.1

Ffowch ... dynion Ecclesiasticus 21: 2
Mor ... ato Ecclesiasticus 17: 29

64.2

Canys ... mrodyr Rhufeiniaid 9: 3
Gwae fi ... enaid ?Micha 7: 1
Bydded ... nefoedd Galarnad 3: 40-1
Dymunwn ... Crist Philipiaid 1: 8. Gw. hefyd fan gyfatebol y Fwlgat: *Testis enim mihi Deus, quomodo cupiam omnes vos in visceribus Jesu Christi.*

65.1

yn unol â'r gyfraith Deuteronomium 17: 5-7

66.7

y rhai difeius 1 Timotheus 3: 2

67.3

Aed ... ddistryw Actau 8: 20

68.1

fwystfilod bolrwth Titus 1: 12
yn ... drygioni Jeremeia 9: 5. Gw. hefyd eiriau'r Fwlgat: ... *ut inique agerent, laboraverunt.*

68.20

bleiddiaid Arabaidd Seffaneia 3: 3
deillion ... uffern Mathew 15: 14

69.1

offeiriad Eli ... feibion 1 Samuel 2: 12 yml.

69.2

Abel ... nef Genesis 4: 3 yml.
gasaodd ... annuwiolion Salm 26: 5
Rhodiodd ... cafwyd Genesis 5: 24

69.3

Melchisedec ... eraill Genesis 14: 14 yml.

69.4

Abraham ... allor Genesis 22: 1 yml.
tynnu ... cwymp Mathew 5: 29
melltigedig ... gwaed Jeremeia 48: 10
Joseff ... ef Genesis 50: 19

69.5

ddychryn ... utgyrn Exodus 19: 16
a ddygodd ... anghrediniol Exodus 34: 29
O Arglwydd ... lyfr Exodus 32: 31-2

70.1

fel ... byth Salm 106: 31
efelychodd ... ysbrydol Josua 24: 11

70.2

a ddangosodd ... Josua Josua 21: 21-2
Jephtha ... dawnsiau Barnwyr 11: 30 yml.
Gan ... gadwedig 1 Corinthiaid 10: 33

70.3

ddi-sigl ... Gideon Barnwyr 6: 9 yml.
Cod ... utgorn Eseia 58: 1
Aeth ... ddaear Salm 19: 4
A chennym ... pridd 2 Corinthiaid 4: 7

71.1

gan ... Grist Philipiaid 1: 23
A thrachwant ... eilunaddoliaeth Colosiaid 3: 5
Samson ... golofn Barnwyr 16: 24 yml.

71.2

Samuel ... swci 1 Samuel 7: 9

achosi ... cymylau 1 Samuel 12: 18
benodi ... ddiweniaith 1 Samuel 10 yml.
ddiorseddu ... Duw 1 Samuel 15: 28
eneinio ... orsedd 1 Samuel 16: 13
Dyma ... neb 1 Samuel 12: 3
Ni ... neb 1 Samuel 12: 4

71.3
ysu ... Accaron 2 Brenhinoedd 1: 9-17
ddymchwelodd ... Baal 1 Brenhinoedd 18: 40
gynhyrfu ... mis Iago 5: 17
Arglwydd ... einioes 1 Brenhinoedd 19: 10

72.1
Elias ... bythol 2 Brenhinoedd 5: 27

72.2
agorodd ... ymladd 2 Brenhinoedd 6: 15-17
Elias ... pawb 2 Brenhinoedd 4: 32 yml.

72.3
Eseia ... bechodau Eseia 6: 6-7
Chymorth ... weld Eseia 37: 36

72.4
Fudreddi ... Jeremeia Jeremeia 20: 2, 26: 8, 37: 15
grwydro ... profi Hebreaid 11: 37-8

73.2
fwriwyd ... wialen Actau 16: 22-4

73.3
torrwyd ... Ioan Actau 12: 2
diacon ... weld Actau 7: 58

73.4
carchar ... Cenhedloedd 2 Corinthiaid 11: 13, 23-9; Rhufeiniaid 15: 19; Actau 9: 15

74.5
Esgynnaf ... Goruchaf Eseia 14: 13-14
Cloddiais ... torlannau Eseia 37: 25

74.6
Ond ... bobl Salm 22: 6
Ni ... hun Ioan 5: 30
Pam ... lludw Ecclesiasticus 10: 9

75.3
Rhaid ... ddynion Actau 5: 29

76.2-3
Fel hyn ... offeiriadaeth 1 Samuel 2: 27-8

76.3
Pam ... mron 1 Samuel 2: 29
Ac ... dad 1 Samuel 2: 30-1

76.4
A boed ... dynion 1 Samuel 2: 34

77.2
Fel hyn ... dadau 1 Brenhinoedd 13: 21-2
A darfu ... ladd 1 Brenhinoedd 13: 23-4

78.1
Gwae'r ... lluoedd Eseia 3: 11-15

78.2
Gwae'r ... bell Eseia 10: 1-3
Ond ... le Eseia 28: 7-8

79.1
Am ... dwyll Eseia 28: 14-15
Ac ... dinistria Eseia 28: 17-19

79.2
A dywedodd ... o'ch eiddo Eseia 29: 13-16

79.3
Fel hyn ... ffiaidd Eseia 66: 1-3

80.1
Fel hyn ... ofer Jeremeia 2: 5
Ac wedi ... plant Jeremeia 2: 7-9

80.2
Gwnaed ... oll Jeremeia 5: 30-1
Wrth ... derbyniant Jeremeia 6: 10
Canys ... medd yr Arglwydd Jeremeia 6: 12-15

80.3
Y mae'r ... ymaith Jeremeia 6: 28-30

80.4
Yr wyf ... gŵydd Jeremeia 7: 11-15

81.1
Aeth ... Arglwydd Jeremeia 10: 20-1

81.2
Beth ... llwyni Jeremeia 11: 15-16

81.3
Dewch ... diffaith Jeremeia 12: 9-10
Fel hyn ... pechodau Jeremeia 14: 10

81.4
Dywed ... claddu Jeremeia 14: 13-16

82.1-2
Gwae ... drygioni, medd yr Arglwydd Jeremeia 23: 1-2

82.2-5
Canys halogwyd ... ei gyngor Jeremeia 23: 11-20

83.1
Deffrowch ... llawenydd Joel 1: 5, 9-12

83.3
Wylwch ... Duw Joel 2: 17

84
Clywch ... helfa Hosea 5: 1

85.1
Caseais ... organau Amos 5: 21-3

85.2
Wele ... cânt Amos 8: 11-12

86.1-3
Clywch ... coedwig Micha 3: 1-12

86.4
Gwae ... drwg Micha 7: 1-3

87.1
O! ... Duw Seffaneia 3: 1-2

87.2
Y mae ... farn Seffaneia 3: 3-5

88.1
Canys ... hollalluog Sechareia 7: 9-12

88.2
Am ... yn Sechareia 10: 2-3

88.3
Llais ... Arglwydd Sechareia 11: 3-6

89.1
Chwi ... atoch Malachi 1: 6-9

89.2
A ddaethoch ... wyneb Malachi 1: 13-2: 3

89.3
Bu ... ydyw Malachi 2: 5-7

89.4
Ciliasoch ... frawd Malachi 2: 8-10

89.5
Wele ... arian Malachi 3: 1-3

89.6
Caled ... gwaredwyd Malachi 3: 13-15

90.1
Daw ... henuriaid Eseciel 7: 26
Fel hyn ... syrth Eseciel 13: 8-10

90.2
Gwae'r ... ofer Eseciel 13: 18-19

90.3
Fab ... mysg Eseciel 22: 24-6

91.1
A chwiliais ... Arglwydd Eseciel 22: 30-1

91.2-3
A daeth ... enaid Eseciel 33: 1-9

92.3
Dymunwn ... inni Yr awdur yn anhysbys, gw. c. 92.3n

92.5
Chwi ... ddynion Mathew 5: 13

93.2
Chwi ... tŷ Mathew 5: 14-15

93.3
Llewyrched ... nefoedd Mathew 5: 16

94.2
Canys ... nefoedd Mathew 5: 19
Na ... bernir Mathew 7: 1-2

94.3
Pam ... drawst yn dy lygad dy hun Mathew 7: 3-4
Na ... rhwygo Mathew 7: 6

94.4
Gochelwch ... drwg Mathew 7: 15-17
Nid ... nefoedd Mathew 7: 2

95.1
yn ... calon Eseia 29: 13
Wele ... bleiddiaid Mathew 10: 16
Byddwch ... colomennod Mathew 10: 16

95.3
Nac ... uffern Mathew 10: 28

95.4
Gadewch ... bydew Mathew 15: 14

96.1
Y mae'r ... hunain Mathew 23: 2

96.2
Gwae ... hynny Mathew 23: 13

96.3
Y mae ... dod Mathew 24: 48

96.4
y dechreuasai ... dannedd Mathew 24: 49-51

97.1
Byddwch ... Grist 1 Corinthiaid 11: 1
Canys ... ffyliaid Rhufeiniaid 1: 21-2

97.2
a ffeiriodd ... gwaradwyddus Rhufeiniaid 1: 25-6

97.3
Ac ... marwolaeth Rhufeiniaid 1: 28-32

98.1
sydd ... gwneud Rhufeiniaid 1: 32
Yr wyt ... weithredoedd Rhufeiniaid 2: 5-6

98.2
Canys ... gyfiawnheir Rhufeiniaid 2: 11-13

99.1
Beth ... mwyach Rhufeiniaid 6: 1-2
Pwy ... gleddyf Rhufeiniaid 8: 35

99.2
Cerddodd ... chwantau Rhufeiniaid 13: 12-14

100.1
Fel ... hwnnw 1 Corinthiaid 3: 10-17

100.2
Os ... Dduw 1 Corinthiaid 3: 18-19
Nid ... newydd 1 Corinthiaid 5: 6-7

100.3
Ysgrifennais ... cyfryw 1 Corinthiaid 5: 9-11

101.1
Gan hynny ... Duw 2 Corinthiaid 4: 1-2

101.2
Canys ... gweithredoedd 2 Corinthiaid 11: 13-15

102.1
Hyn ... thrachwant Effesiaid 4: 17-19

102.2
Am ... Glân Effesiaid 5: 17-18

103.1
Canys ... heneidiau 1 Thesaloniaid 2: 5-8

103.2
Gwyddoch ... Duw 1 Thesaloniaid 4: 2-8

103.3
Marwhewch ... anufudd-dod Colosiaid 3: 5-6

104.1
Gwybyddwch ... hefyd 2 Timotheus 3: 1-5
Caseais ... annuwiol Salm 25: 5

104.2
Yn ... hwythau 2 Timotheus 3: 7-9

105.1
Dangos ... amdanom Titus 2: 7-8

105.2
Llafuria ... gyfreithlon 2 Timotheus 2: 3-5

105.3
Os ... elw 1 Timotheus 6: 3-5

106.2
Bendigedig ... Duw 1 Pedr 1: 3-5

106.3
Am ... Grist 1 Pedr 1: 13
Megis ... sanctaidd 1 Pedr 1: 14-16

106.4
Gyfeillion ... byth 1 Pedr 1: 22-3

107.1
Gan ... Arglwydd 1 Pedr 2: 1-3

107.2
Yr ydych ... eiddo 1 Pedr 2: 9

107.3
yng ... disgyblion Actau 1: 15
Ŵr ... Jwda Actau 1: 16
Prynodd ... ddrygwaith Actau 1: 18

108.3
Frodyr ... llwyr 1 Timotheus 1: 15
Os ... da 1 Timotheus 3: 1
Rhaid ... ddi-fai 1 Timotheus 3: 2

108.4
Yn ... wraig 1 Timotheus 3: 2
Sobr, call 1 Timotheus 3: 2

108.5
Yn lletygar 1 Timotheus 3: 2
Yn ... gwobr Mathew 6: 2
Yn ... farus 1 Timotheus 3: 3

109.1
Yn ... gwedduster 1 Timotheus 3: 4
Ond ... Dduw? 1 Timotheus 3: 5

109.2
Yr ... ddiargyhoedd 1 Timotheus 3: 8-10

109.3
Tydi ... byw Mathew 16: 16
Gwyn ... nefoedd Mathew 16: 17

109.4
Tydi ... eglwys Mathew 16: 18
ddyn ... tywod Mathew 7: 26
Gwnaethant ... i Hosea 8: 4
A ... gorchfygant Mathew 16: 18
Daeth ... gwymp Mathew 7: 27

109.5
Rhoddaf ... nefoedd Mathew 16: 19
Nid ... drygioni Mathew 7: 23; Luc 13: 25, 27
fel ... tragwyddol Mathew 25: 32-3, 41
A pha ... hefyd Mathew 16: 19
Delir ... hun Diarhebion 5: 22

110.1
Glân ... Duw Actau 20: 26-7

110.2
Ni ... byw Eseciel 33: 11

110.3
Dduw ... thosturi 2 Corinthiaid 1: 3

Llyfryddiaeth

I. TESTUNAU A CHYFIEITHIADAU

John Owen Jones, *O Lygad y Ffynnon. Cyfieithiadau o weithiau haneswyr boreuaf Cymru* (Y Bala, 1899). Cynnwys hefyd weithiau gan Cesar, Tacitus, Nennius ac Asser.

R. Tudur Jones, 'Gildas ar Goll Prydain', *Ffynonellau Hanes yr Eglwys 1. Y Cyfnod Cynnar* (Caerdydd, 1979), 186. Detholion o benodau 6-26 ynghyd â sylwadau byrion.

Theodor Mommsen (gol.), *Gildas ... de Excidio ... Britanniae ...*, yn *Chronica Minora Saec. IV.V.VI.VII* (3 cfr., Berlin 1891-8), iii, 1-85. (Rhifyn 13 yn y gyfres *Monumenta Germaniae Historica, Auctorum Antiquissimorum.*)

A. W. Wade-Evans, *Coll Prydain* (Lerpwl, 1950).

Hugh Williams (gol. a chyf.), *Gildae De Excidio Britanniae, Fragmenta, Liber de Paenitentia, Lorica Gildae* (2 gfr., Llundain, 1899-1901). (*Cymmrodorion Record Series*, 3.)

idem, *Gildas de Excidio Britanniae or the Ruin of Britain* (Cribyn, 2006). Atgynhyrchiad ffotograffig o Hugh Williams, uchod.

idem, Two Lives of Gildas by a Monk of Ruys and Caradoc of Llancarfan (Felinfach, 1990). Atgynhyrchiad ffotograffig o Hugh Williams, uchod.

Michael Winterbottom (gol. a chyf.), *Gildas: The Ruin of Britain and Other Works* (Llundain a Chichester, 1978).

II. YMDRINIAETHAU Â'R TESTUNAU

J. P. Brown, 'The Purpose, Date and Significance of "De Excidio Britanniae"', anghyhoeddedig, yn Llyfrgell Genedlaethol Cymru, ex 1959 (1991 / 1997).

Iestyn Daniel, 'Gildas a'i Gyfieithu', *Y Traethodydd*, Hydref 2016, 197.

François Kerlouégan, 'Le Latin du De Excidio Britanniae de Gildas', yn Barley a Hanson, isod, 151.

Michael Lapidge & David Dumville (gol.), *Gildas: New Approaches* (Woodbridge, 1984).

J. E. Lloyd, 'Gildas', yn *A History of Wales*, vol. I (Llundain &c., 1912), 134.

Thomas D. O'Sullivan, *The De Excidio of Gildas: its Authenticity and Date* (Leiden, 1978).

I.W. (Ifor Williams), 'Gildas', *Y Bywgraffiadur Cymreig hyd 1940* (Llundain, 1953), 259.

III **YMDRINIAETHAU CYFFREDINOL**

S. Baring-Gould a J. Fisher, *The Lives of the British Saints* (4 cfr., Llundain, 1907-1). Ymdrinnir â bucheddau Gildas yn yr ail gyfrol.

M. W. Barley a R. P. C. Hanson, gol., *Christianity in Britain, 300-700* (Caerlŷr, 1968).

P. C. Bartrum, *A Welsh Classical Dictionary: People in History and Legend up to about A.D. 1000* (Aberystwyth, 1993).

J. P. Brown, 'By Law Established: the Beginning of the English Nation and Church', *New Blackfriars*, vol. 53, no. 62 (October 1972), 455-65.

idem, 'Ynys Prydein', *Y Faner* 14 Hydref 1977, 6; 21 Hydref 1977, 8.

idem, 'Prydein', *Y Faner 7* Gorffennaf 1978, 15.

idem, 'Insularis Draco' 1980, anghyhoeddedig, yn Llyfrgell Genedlaethol Cymru.

idem, 'Gildas and Deutero-Gildas', anghyhoeddedig, yn Llyfrgell Genedlaethol Cymru, ex 1959.

Thomas Charles-Edwards, *Wales and the Britons, 350-1064* (Rhydychen, 2014).

H. W. J. Edwards, *Sons of the Romans [:] The Tory as Nationalist* (Abertawe, 1975).

H. D. Emmanuel, 'The Rev. A. W. Wade-Evans: An Appreciation of His Contribution to the Study of Early Welsh History', *Transactions of the Honourable Society of Cymmrodorion,* 1965, Part II, 257.

N. J. Higham, *The English Conquest [:] Gildas and Britain in the fifth century* (Manceinion ac Efrog Newydd, 1994).

Kenneth H. Jackson, *Language and History in Early Britain* (Caeredin, 1953).

A. W. Wade-Evans, *Papers for Thinking Welshmen* (Llundain, 1907).

idem, *Welsh Christian Origins* (Rhydychen, 1934).

idem (gol.), *Nennius's "History of the Britons" together with "The Annals of the Britons", "Court Pedigrees of Hywel the Good". Also "The Story of the Loss of Britain"* (Llundain, 1938).

idem (gol.), *Vitae Sanctorum Britanniae et Genealogiae* (Caerdydd, 1944).

idem, 'Rhagarweiniad i Hanes Cynnar Cymru', yn D. M. Lloyd (gol.), *Seiliau Hanesyddol Cenedlaetholdeb Cymru* (Caerdydd, 1950).

idem, The Emergence of England and Wales (Wetteren, Gwlad Belg, 1956; ail arg., Caergrawnt, 1959).

A bellach ein chwaer gyfres

YR HEN LYFRAU BACH

PECYN 1

1. Y Bardd Cocos
2. Daniel Owen : Dewis Blaenoriaid
3. Eben Fardd
4. Cerddi 'r Bardd Cwsg

PECYN 2

5. Lloyd George
6. John Morris-Jones : Omar Khayyâm
7. Twm o'r Nant yn Cofio
8. Cerddi Goronwy Owen

PECYN 3

9. Cerddi Morgan Llwyd
10. Y Bugeilgerddi
11. Samuel Roberts: Cilhaul
12. Caneuon Mynyddog

£3 yr un, £10 am becyn o bedwar
Llawer rhagor i ddilyn!

'Gwyddom oll erbyn hyn am y gyfres ysblennydd Cyfrolau Cenedl, cyfres a lansiwyd ychydig o flynyddoedd yn ôl gyda'r nod o "ddwyn i olau dydd weithiau diddorol a fu un ai allan o brint neu ar goll neu yn anghofiedig". ... Yr un yn union yw'r nod gyda'r gyfres fach bresennol, sef "Yr Hen Lyfrau Bach". ... Ardderchog o beth hefyd yw gweld y pris rhesymol a godir – dim ond £10 am bedwar llyfr hardd eu diwyg, hollol hylaw. Maent oll yn wir "yn ffitio poced y Cymro o ran maint ac o ran pris".' – *Y Cymro*.

Gan eich llyfrwerthwr neu gan dalennewydd.cymru

DN
DALEN NEWYDD